KARATE-DO

Colección HERAKLES
Biblioteca Enciclopédica de los Deportes

SERIE DP — DEFENSA PERSONAL

KARATE-DO

TECNICAS BASICAS, ASALTOS Y COMPETICION

Por **Roland Habersetzer**

Dibujos y fotografías del propio autor.

EDITORIAL HISPANO EUROPEA
BARCELONA (ESPAÑA)

Título de la edición original:
Karaté-do.

Traducida por:
Albert Solé i Benet.

Editorial Hispano Europea. Bori y Fontestá, 6-8. Barcelona-6 (España).

Depósito Legal: B. 32.337-1976

ISBN: 84-255-0434-1

IMPRESO EN ESPAÑA **PRINTED IN SPAIN**

Grobes, S. A. — París, 157-159 — Barcelona-11

A mis profesores, MM. Hiroo Mochizuki y H. D. Plee, que supieron comunicarme su apasionamiento por este arte que introdujeron en Europa.

A mi padre, que supo prepararme para otro combate.

Prefacio

Fue hace unos veinte años cuando el karate-do (literalmente quiere decir «método con la mano vacía») hizo una «estrepitosa» entrada en el mundo de los deportes de combates practicados en Europa; a base de demostraciones tales como la rotura de ladrillos, tejas, tablas de madera, etc., los practicantes de este arte marcial japonés adquirieron muy pronto la reputación de luchadores peligrosos, prácticamente invencibles; los primeros maestros japoneses de paso por Francia o bien invitados por algún círculo de iniciados, dejaron estupefactos por su eficacia a sus admiradores, dando una nueva dimensión a la ciencia del combate sin armas que hasta aquel momento practicaban los judokas o los boxeadores franceses. Entusiasmados por esta nueva disciplina que exigía un entrenamiento extremadamente duro y un perfecto dominio del cuerpo y de la mente (por lo que su eficacia en un combate real era arrolladora) a través del cual se perfilaba un atractivo enriquecimiento espiritual, los primeros karatekas (practicantes de karate) franceses aprendieron con apasionamiento los rudimentos de este nuevo deporte. Técnica de auto-defensa, método de dominio de uno mismo, escuela de ascesis..., todos estos aspectos se confundían entonces en el espíritu de los occidentales que empezaban a descubrir con interés la civilización de Extremo Oriente.

Esta «época heroica» en la que todo estaba por probar, organizar y conquistar, ya ha pasado a la Historia; de los primeros balbuceos surgió una sólida técnica que ha formado a los dirigentes y profesores actuales. No todo ha sido fácil, puesto que las incomprensiones, las rivalidades y la falta de información han frenado bastante la evolución del karate; los karatekas occidentales descubrieron con sorpresa que la denominación karate-do incluía toda una serie de técnicas más o menos diferentes, desarrolladas por escuelas japonesas rivales. Paralelamente, por un motivo de popularidad y preconizado también por los expertos japoneses, el karate-do ha evolucionado progresivamente hacia una forma deportiva. El resultado ha sido que el público, siempre atraído por las «hazañas» del karateka que la literatura y el cine utilizan abundantemente, se ha interesado en mayor grado por la práctica de este deporte de exhibición, muy útil a fin de cuentas (podemos resolver una situación comprometida en caso de agresión...), hasta el punto de llamarlo simplemente karate. El sufijo do («método», método filosófico, espiritual) está cada día más abandonado, relegado en el olvido, al menos para la mayoría de los practicantes; con ello se corre el riesgo de olvidar la verdadera finalidad del arte marcial, o sea, el desarrollo físico y espiritual del hombre. No obstante, no dudo de que la razón de ser del karate-do volverá a conocerse una vez se hayan agotado los numerosos, pero limitados atractivos de este deporte.

En esta obra, nuestro propósito es el de limitarnos a este último aspecto, ya de por sí muy extenso. Sea cual fuere la finalidad buscada, al principio es indispensable establecer unos sólidos fundamentos que se basarán en un entrenamiento racional y sistemático orientado a buscar la eficacia; después de esto, cada uno por su propia cuenta podrá profundizar con provecho en el aspecto del karate que más le llame la atención. Pero ¿cómo edificar estas bases? Es posible una doble actitud: el oriental actúa casi intuitivamente, sigue a su maestro con una confianza ciega, sin plantearle ninguna pregunta; el occidental, sin embargo, no es amigo de perder el tiempo probando una actividad que a lo mejor no será de su agrado; antes de emprender algo, necesita comprenderlo y estar convencido; sólo entonces está en disposición de recibir y asimilar las enseñanzas del profesor. Esta manera de ser —la occidental— la adoptan cada vez más los japoneses desde que su país va participando en el ritmo trepidante de la civilización moderna. Esta evidente evolución en la manera de ser de las nuevas generaciones de karatekas explica el que las técnicas ancestrales hayan sido revisadas bajo un punto de vista científico e incluso corregidas gracias a la aportación de los conocimientos actuales en este dominio, y el que los expertos japoneses que han basado sus enseñanzas en unos métodos más racionales hayan conseguido un mayor éxito. Así, se han estudiado las técnicas a la luz de las leyes físicas y fisiológicas; se conocen las leyes del movimiento, las relaciones entre la energía cinética y la energía estática, los valores de la fuerza de rotación y de la fuerza de traslación, el juego de las articulaciones y de los músculos, la aplicación del principio de la palanca a los diferentes segmentos que componen el cuerpo humano, etc.; es inútil arriesgarse a tener lesiones en el entrenamiento, llevar a cabo nefastos experimentos, o perder el tiempo haciendo vanos tanteos, hoy en día que las formas de entrenamiento se estudian científicamente; ya es posible dosificar el esfuerzo, corregir cada insuficiencia con los métodos apropiados, obtener los resultados mucho más rápidamente debido a las racionales maneras de actuar... En una palabra, el karate se ha convertido en un deporte moderno. No obstante, su aspecto no ha cambiado y se aparta muy poco de la enseñanza tradicional. Es sorprendente comprobar cómo las técnicas que enseñaban los viejos maestros están muy de acuerdo con los modernos principios científicos; esto demuestra suficientemente que su investigación había sido profunda y merecedora de nuestro respeto.

Existen muchos manuales que aconsejan métodos de karate adscritos a uno u otro de los diversos estilos, pero en realidad no hacen más que sumarse a la confusión que reina actualmente y frenar la progresión de los karatekas, al hacer siempre más difícil una visión de conjunto de este deporte de combate. Parece ser, sin embargo, que a través de nombres técnicos a veces ligeramente diferentes entre sí o de formas de ejecución de un mismo movimiento variando en algún detalle, el karate es una única técnica de lucha en la que cada estilo japonés profundiza algún que otro aspecto en función de la finalidad que se le va a dar (lucha contra un solo adversario, contra varios, competición deportiva, técnicas variando según la morfología de los practicantes, etc.). Lógicamente es posible, sin perderse en detalles insignificantes, analizar cada técnica y compararla con sus formas vecinas preconizadas por las principales escuelas *(Shokotan, Wado-Ryu, Gojo-Ryu)* para poder extraer más fácilmente las reglas esenciales de cada una de ellas. Al hacer esto, descubrimos cada movimiento bajo un enfoque distinto y comprobamos que todos son válidos al menos en algún punto o en alguna circunstancia dada. El karate saldrá beneficiado de la comparación imparcial de los estilos y del espíritu de búsqueda que de ello se desprende.

No obstante, que nuestras intenciones no induzcan a confusión: hablamos de comparación, no de síntesis; estamos convencidos de que un estudio comparativo puede ser el punto de partida de un único método, pero tenemos siempre presente que sería muy presuntuoso proponer un método personal que vendría a sumarse a los de otros expertos tan o más competentes. Así pues, nunca intentaremos sobrepasar ciertos límites.

Hemos agrupado en este libro todas las técnicas básicas según una clasificación lógica y siguiendo la nomenclatura japonesa *; hemos intentado describir el máximo número de ellas, incluso a riesgo de repetirnos algunas veces (un mismo movimiento, por ejemplo, puede utilizarse en el ataque o en la defensa), ya que la finalidad de este manual es la de proporcionar una ficha técnica de cada movimiento —las técnicas están clasificadas por categorías y no por su grado de dificultad o según un plan de progresión—; para cada técnica se especifican sus variantes (en función de las escuelas o de los expertos), sus técnicas derivadas (a partir de sus mismas bases) y los métodos de entrenamiento para llegar a su completo dominio; cada técnica se describe tanto ejecutada estáticamente como en movimiento, a fin de que el lector se familiarice con todas las formas de estudio. El principiante no debe estudiar junto con un movimiento básico todas sus variantes y formas derivadas; es importante que las estudie, pero no todas a la vez, si lo que se quiere es progresar adecuadamente. Así pues, el neófito, al principio, deberá tener la voluntad de dedicarse al dominio de las formas básicas —que constituyen los auténticos moldes para el cuerpo y el espíritu— y a las maneras de concentrar la fuerza en las posturas y circunstancias diversas; también los movimientos secundarios son descritos en este libro para documentar de manera más amplia al lector y poner a su alcance una recopilación técnica completa.

Nos parece que la evolución cada vez más acentuada del karate hacia una forma deportiva se hará en el sentido de una progresiva simplificación de las técnicas y a partir de una unificación lenta pero segura. De la confrontación de las escuelas, debida al impulso deportivo, se efectuará una selección de movimientos eficaces mientras otros serán abandonados; esta selección, por otra parte, ya es sensible en lo que respecta a las técnicas utilizadas en competición deportiva, nacidas de nuevos imperativos; la síntesis aligerada y la codificación de un único método no es posible sin una selección de la que se encargará el tiempo y las nuevas generaciones de luchadores. Entonces el karate se habrá convertido en un deporte de lucha moderno y vivaz, que interesará a un público mucho más amplio.

Este es el programa de la obra. Desearía que fuese una fuente de documentación para los profesores, un manual práctico para los alumnos y un instrumento de trabajo útil a todos; también me gustaría que pudiera orientar caminos de investigación, así como incitar a algunas fructíferas reflexiones.

* Para establecer comparaciones necesitamos un punto de referencia; para ello, hemos adoptado como estilo de base el Shokotán, que por otra parte ha sido el primer estilo practicado en Europa.

Y finalmente, antes de entrar en el tema, quisiera agradecer profundamente a mis antiguos alumnos y amigos, los señores Boely, Escoms (primeros cinturones negros de la Ligue de l'Est), Leize, Pardon, Pascual, Schadé y Selun, que han querido colaborar en este trabajo posando para las numerosas fotografías.

Introducción

DEFINICION

El karate es la forma japonesa de una técnica de lucha sin armas, con las manos y los pies libres; es un método de ataque y de defensa que se apoya exclusivamente en la utilización racional de las posibilidades que la Naturaleza otorga al cuerpo humano. Consiste en un conjunto de golpes *(atemis)* propinados ya sea por los miembros superiores (puño, mano, codo, antebrazo), ya sea por los inferiores (pie, rodilla); estos golpes se dan concretamente sobre unos puntos precisos y vulnerables (puntos vitales) del cuerpo del adversario o bien sobre el miembro, brazo o pie, con el que este último ataca; en este caso la técnica golpeadora consiste en un bloqueo, ya de por sí muy fuerte para el adversario, seguido inmediatamente por un contraataque decisivo, en general consistente en otro golpe. En su forma característica, el karate es una esgrima de brazos y piernas, sirviendo ambas extremidades indiferentemente tanto para detener un ataque como para atacar. Se completa con unas técnicas de luxaciones, proyecciones y caídas. De hecho, el karate comporta todos los medios para poner fuera de combate a un asaltante ya que nada (ni ningún golpe, ni agarrón) está prohibido. No obstante, durante los entrenamientos, para que sea posible el ejercicio con un compañero, los golpes se efectúan con toda la energía, pero deben detenerse rigurosamente antes del impacto. Esta regla, y el hecho de que las proyecciones sean raras, explican por qué el karate practicado en sala no presenta ningún peligro para el organismo a la vez que continúa siendo un deporte muy viril, pues las contusiones en los miembros son inevitables durante los combates sinceros.

HISTORIA

Podemos sorprendernos al conocer la antigüedad de una técnica de lucha que los deportistas occidentales no han descubierto hasta hace unos años, en una época en que el judo era ampliamente conocido y practicado. De hecho, el karate no fue introducido en el Japón más que a principios del actual siglo y el propio público japonés no lo descubrió más que en los años que precedieron a la última guerra.

EL ARTE MARCIAL

Tiene una historia muy antigua; su origen se remonta a las primeras formas de combate sin armas. Los primeros indicios de una técnica de puñetazos y puntapiés, relativamente cercana a la actual forma del karate, aparecen en el siglo VI de nuestra Era, en China; un monje budista procedente de la India, Bodhidharma, también conocido como Daruma, creó un método llamado Shaolin-zu-kempo que sus discípulos se encargaron de propagar por todo el país en el curso de sus peregrinaciones. Esta primera forma codificada de la ciencia de la lucha tenía sus raíces en los métodos guerreros de la India, mucho más antiguos. En China se mezcló con las técnicas locales y de todo ello resultó una gran variedad de técnicas que tenían como punto común la utilización de los puños, tales como la Pangai-noon, la Kung-fu, el Pakua, el T'ai-chi, la Kempo, etc.

La etapa siguiente la encontramos en Okinawa, isla situada al sur del Japón, tierra de reunión de las influencias chinas y japonesas; esta posición intermedia entre dos civilizaciones explica el por qué Okinawa pudo ser el crisol originario en donde se fusionaron las diversas aportaciones; allí fue donde se desarrolló notablemente una forma de combate en extremo violenta y muy eficaz que empalma directamente con el origen del karate japonés actual; esto constituyó por dos veces la respuesta del pueblo okinawés a los invasores.

Los primeros fueron los chinos en el siglo XV; al mismo tiempo que la civilización, aportaron el «arte de los puños» que fue acogido con gran interés por los habitantes de la isla, ya que las autoridades habían prohibido llevar armas. Las antiguas técnicas de combate locales que se habían practicado hasta aquel entonces con el estilo propio de todo Extremo Oriente, es decir, lentamente y con una finalidad más filosófica o para el mantenimiento de la salud que para la lucha real, se desarrollaron paralelamente bajo una nueva óptica. La finalidad era eliminar a las fuerzas ocupantes a pesar de no poder disponer de armas. Progresivamente se fue realizando una síntesis entre las técnicas locales y las técnicas chinas: surgió el Okinawa-té o To-de.

Los segundos fueron los japoneses que, doscientos años más tarde, decidieron apropiarse de la isla de la que codiciaban la riqueza que se desprendía de sus intercambios comerciales con China. Otra vez los autóctonos pudieron poner a prueba su técnica, sobre todo teniendo en cuenta que los invasores habían imitado a los chinos en la prohibición de llevar armas. El Okinawa-te, sistemáticamente desarrollado, llegó a ser terriblemente mortífero. Su práctica y enseñanza permanecieron secretas hasta el año 1900, época en la que los instructores de Okinawa estimaron que los tiempos habían cambiado suficientemente como para poder permitirse romper el silencio.

El Okinawa-te que todavía no se llamaba karate, se enseñó abiertamente y de manera esencial como un método de educación física; de esta época han llegado a nosotros los nombres de dos maestros que se convirtieron en los cabezas de las principales escuelas actuales: Ankoh Itosu enseñaba un método basado en las técnicas largas, los desplazamientos rápidos y ligeros (estilo Shorin), mientras Kanruo Higaonna daba la preferencia a un estilo basado en las técnicas de fuerza, estando concentrados, y en los desplazamientos cortos, eficaces sobre todo en los combates a corta distancia (estilo Shorei). Estos dos maestros iniciaron a los hombres que, años más tarde, revelarían su técnica marcial al Japón.

Este descubrimiento no tuvo lugar hasta los años 1915-1925. Fue Gichin Funakoshi, considerado como el verdadero padre del karate actual, quien entusiasmó a los japoneses en una demostración que efectuó en Tokio en 1922, en el curso de un festival deportivo. Los japoneses, que hasta entonces sólo conocían el jiu-jitsu (método de lucha sin armas del que ha surgido el judo), se pusieron a estudiar este método todavía desconocido y tan eficaz, bajo la dirección del maestro Funakoshi al que rogaron que permaneciera en el Japón. Fue sólo en aquel momento cuando el maestro desligó el origen chino y okinawense de su arte y lo llamó *karate;* su técnica la llamó Shokotan, nombre del gimnasio, o del centro de karate si se prefiere, que abrió en Tokio. Pero, mientras ciertos instructores continuaban enseñando en Okinawa una forma más tradicional y más cercana al Okinawa-te (tales como el Uechi-Ryu, el Shoreiji-Ryu, etc.), otros, viendo el éxito cosechado por Funakoshi, pasaron al Japón aportando su técnica; aunque ésta fuera en todos los casos algo diferente de las demás, se continuó llamando karate debido a la publicidad de que gozaba esta apelación. Así fue como Kenwa Mabuni enseñó el estilo Shito-Ryu, puesto que había estudiado bajo la dirección de los maestros Higagonna e Itosu; Chojun Miyagi fundó el estilo Goju-Ryu, etc.; este período fue particularmente fecundo para el karate: bajo el notable impulso de los jóvenes universitarios japoneses, las técnicas fueron estudiadas racionalmente y el karate se convirtió en este tipo de lucha tan eficaz que conocemos hoy en día y que utiliza al máximo las posibilidades del cuerpo humano. Funakoshi fue quien añadió el sufijo Do para mejor incorporar su arte al conjunto de las artes marciales japonesas y recordar que el karate permite también acercarse al antiguo espíritu de los Samurais (caballeros) japoneses: el Budo (búsqueda del camino filosófico mediante la práctica de un arte guerrero).

Pero la evolución del karate continuaba bajo la dirección del excepcional maestro Yoshitaka Funakoshi, hijo de Gichin Funakoshi, que lo adaptó al temperamento japonés e hizo de él una disciplina extremadamente dura, mientras el maestro japonés Otsuka, que también había estudiado bajo la dirección del Gichin Funakoshi, prefería continuar con el estilo tradicional aportado por este último; Otsuka fundó el estilo Wado-Ryu, más próximo a las técnicas originales que las que desarrollaban Yoshitaka Funakoshi y los estudiantes japoneses. El viejo maestro Gichin Funakoshi aprobaba, sin embargo, las dos tendencias, considerando que todo hombre sincero debe seguir su propio camino. Todavía se produjeron otras desviaciones con los maestros Egami, Tani, Itosu, etc. No obstante, las grandes directrices ya estaban trazadas y las diferentes escuelas en marcha; cada una de éstas se ha encargado de la formación de los maestros y expertos actuales. A pesar de ello, este auge progresivo ha ido acompañado de un cambio en el espíritu original del karate: se nota un mayor predominio del sentido deportivo en detrimento del sentido marcial el cual ha pasado ya a un segundo plano, puesto que ya no tiene razón de existir en la época actual. El karate ha seguido el mismo camino del jiu-jitsu: ha llegado a ser un deporte de lucha como el judo.

EL DEPORTE

La historia de este deporte es muy corta. La segunda guerra mundial acabó con el tradicionalismo y dio paso a una nueva generación de japoneses menos ligados al pasado. La primera

Asociación Japonesa de Karate fue creada en 1948, siendo Gichin Funakoshi su primer presidente. Algunos años más tarde ciertos aficionados a los deportes de lucha oriental dieron a conocer la palabra «karate» en Francia y, poco a poco, mediante libros, películas y el contacto directo con los primeros maestros japoneses invitados a tal efecto (los señores Murakami y Mochizuki), fueron aprendiendo la técnica. Después de numerosas confrontaciones con los demás deportes de lucha ya conocidos en Occidente, tales como el judo, el boxeo o el boxeo francés, se vio que el karate era una técnica de gran eficacia por ser un pariente más próximo del verdadero arte marcial (y por ello provisto de un espíritu de decisión que los combates deportivo-corteses habían perdido). En 1954, bajo el impulso del señor Plee, actualmente 5.º Dan, se constituyó la Federación Francesa de Karate y de Boxeo Libre, que formó a los primeros maestros franceses y europeos. Poco a poco el karate salía de la penumbra y cuando el maestro Funakoshi murió en 1957 a los 88 años de edad, el arte que había traído al Japón conocía tal desarrollo, que ya no podía caer en el olvido. Aquel mismo año se organizaron en el Japón los Campeonatos Universitarios que consagraron en cierta forma la nueva orientación del karate. En 1960, la Federación Francesa de Karate y de Boxeo Libre pasó a formar parte integrante de la Federación Francesa de Judo y Disciplinas Afines. A partir de esta fecha, tanto en Francia como en el resto de Europa e incluso en el Japón, el karate, cuyos efectivos hasta entonces estaban divididos en numerosas federaciones rivales, inició el camino de la unidad: en 1964, bajo la presión del ministro japonés de Educación Nacional, se creó la «All Japan Karate-Do Association», cuya meta era la de agrupar a todos los organismos ya existentes. El año siguiente, bajo el impulso del señor Delcourt, presidente de la sección de karate de la F.F.J.D.A., los dirigentes de las federaciones europeas decidieron crear la Unión Europea de Karate (U.E.K.), primera etapa hacia la Unión Mundial. Poco antes de poner en prensa esta obra se nos comunica la creación de la Unión Internacional de Karate (U.I.K.) para los meses próximos. Pero, sin duda, no hay nada perfecto. Así, la «All Japan Karate-Do Association» agrupa hoy en día a una gran cantidad de federaciones que conservan sus propios estilos y jerarquía interna, así como sus campeonatos que continúan llamándose «de todo el Japón»... En América la situación es de lo más confusa, puesto que los efectivos se fragmentan en numerosos organismos rivales. También en Europa subsisten las disidencias al lado de los organismos oficiales, los únicos reconocidos por los ministros o delegados de deportes. De todas maneras la unificación está en marcha y la creación de un organismo central mundial que agrupe a la gran mayoría de los karatekas de todos los países no es ya una quimera.

Todos los estilos japoneses y coreanos (el Taekwon-do es una réplica muy exacta del karate japonés) son conocidos actualmente en Europa gracias a las demostraciones y enseñanzas de numerosos expertos. Los karatekas franceses estudian sobre todo los estilos Shokotan (el primero que se conoció en Europa) con el maestro Taiji Kase, 7.º Dan, Wado-Ryu con el maestro Hiroo Mochizuki, 5.º Dan (estos maestros además son consejeros técnicos de la U.E.K.), Shukokai con el maestro Yoshinao Nanbu, 5.º Dan. Los karatekas europeos ya pueden hacerse una idea y tener una opinión concreta sobre estos estilos, puesto que han tenido la posibilidad, estos dos últimos años, de asistir a cursillos dirigidos por las máximas autoridades de estas diversas escuelas: así, los maestros Nakayama, 8.º Dan, y Hidetaka Nishiyama, 7.º Dan (para el Shotokan), los maestros Hironori Otsuka, que es Saiko Shihan (es decir, que está por encima de todos los grados; gran maestro de 76 años), y Tatsuo Susuki, 7.º Dan (para

GENESIS DEL KARATE

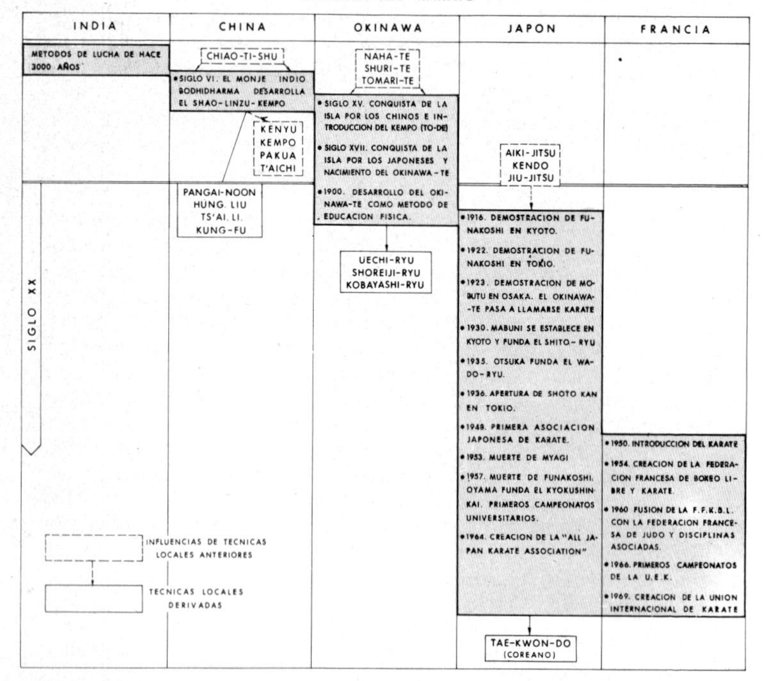

MAESTROS Y ESCUELAS

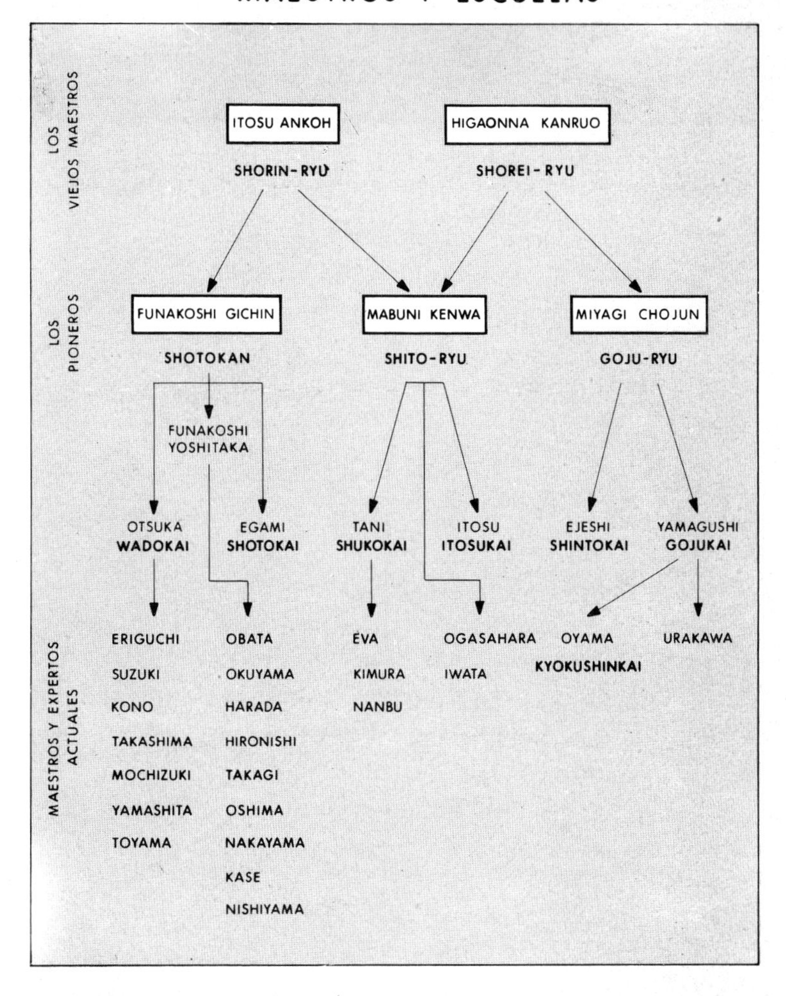

el Wado-Ryu), el maestro Masutatsu Oyama, 8.º Dan para el Kyokushinkai, etc.

Se han formado profesores occidentales bajo todos estos estilos. Cada karateka puede, pues, escoger el que mejor le convenga, en función de su morfología, su temperamento y su estado de ánimo habitual. En el último estadio de la progresión técnica y mental irá siempre a parar al karate, sean cuales fueren las formas adoptadas al principio, ya que su esencia no se limita a una sola escuela.

EQUIPO

El uniforme de entrenamiento es el *karategi*, que consta de unos pantalones y una chaqueta. El pantalón, con una amplia entrepierna para no entorpecer los movimientos del pie, se su-

PRINCIPALES ASOCIACIONES
Y FEDERACIONES JAPONESAS

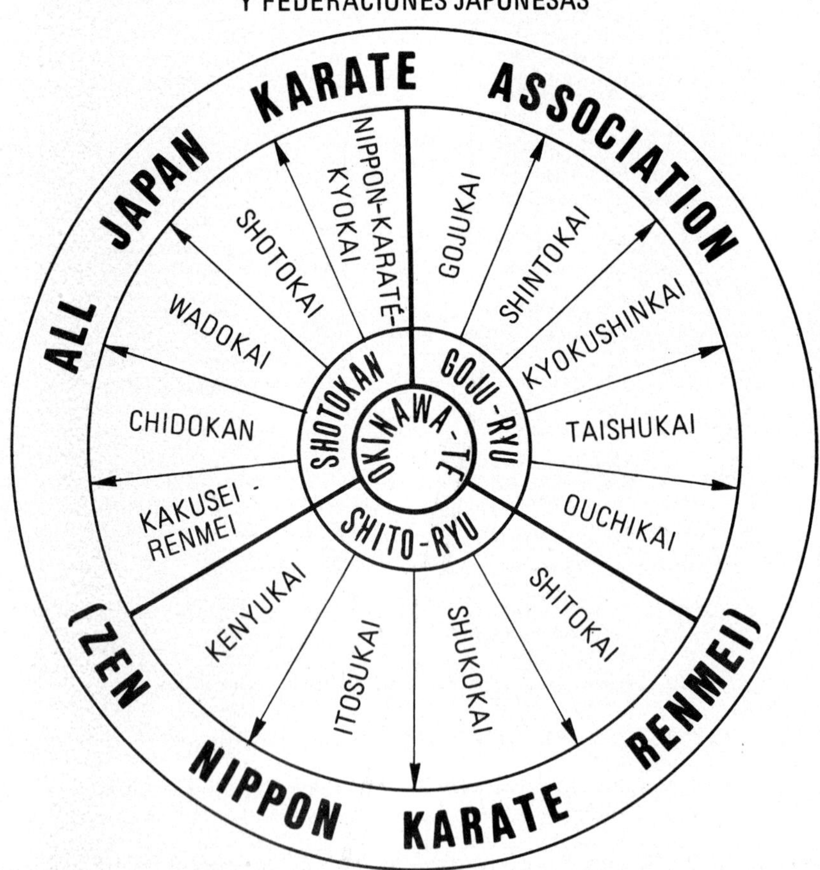

jeta en la cintura mediante un cordón. La chaqueta no lleva ningún botón, pero se cruza por delante, manteniéndose los dos faldones a veces unidos mediante pequeños clips. El cinturón debe dar dos vueltas a la cintura y se anuda por encima de la chaqueta con un nudo plano; su color varía en función del grado del karateka: el color blanco significa principiante y el negro, experto. Las dos prendas del karategi son de color blanco (algunos pocos clubs llevan todavía karategis negros), confeccionadas con un tejido duro que cruje cuando los movimientos son ejecutados correctamente y con la suficiente velocidad.

Además, hay que añadir al equipo del karateka un protector para los órganos genitales (que se utilizará sobre todo en el curso de los combates libres). En sala se utiliza un material colectivo para el entrenamiento, el endurecimiento, etc. (descrito en la cuarta parte de este libro).

DOJO Y CEREMONIAL

El *dojo* (literalmente significa «lugar para encontrar el camino») es la sala de entrenamiento. El suelo no está recubierto con una alfombra o moqueta como en las salas de judo, puesto que aquí no se efectúan proyecciones (excepto en las sesiones de estudio especialmente dedicadas a estas técnicas); el karateka tiene una mayor estabilidad desplazándose por un suelo liso; se nota en las evoluciones rápidas y en las patadas. Cuelgan del techo uno o dos sacos de arena que mediante un sistema de poleas pueden colocarse a diferentes alturas; en las paredes encontramos las *makiwaras,* postes de madera para el entrenamiento de los golpes. La decoración del dojo suele ser sobria y uno de sus elementos suele ser la fotografía del maestro Gichin Funakoshi —como recuerdo del que salvó al karate del olvido.

Al entrar en un dojo, el karateka debe tener la impresión de penetrar en un sitio en donde el entrenamiento debe permitirle progresar hacia la perfección física y moral, por lo que es un lugar digno de respeto. De ahí el ambiente de recogimiento que se nota en todo dojo verdadero, «oasis en el desierto agobiante de la vida, sin distinciones ni formalidades», como lo describió el maestro de judo Koizumi, y el profundo sentido del saludo que se efectúa al entrar.

En efecto, en el dojo, el karateka efectúa el saludo japonés en numerosas circunstancias. Distinguimos entre el saludo de pie (*ritsurei:* fotos 145 a 147) y el saludo de ceremonia, de rodillas (*zarei:* foto 1).

Saludamos de pie al entrar o al salir del dojo, mirando hacia donde está la foto del maestro Funakoshi, y al principio y al final de todo entrenamiento con un compañero que actúe de adversario (asaltos, ejercicios de base por parejas, etc.), con los talones juntos y los dedos de los pies separados, saludamos inclinando el cuerpo unos 30°, sin arquear la espalda, con los brazos a lo largo del cuerpo y las manos en los muslos.

Saludamos de rodillas al principio y al final de cada clase co-

FOTO 1

lectiva: los karatekas se disponen en varias filas paralelas de cara al profesor, todos de pie. Cuando el alumno más antiguo del grado más elevado ordena «*seiza*» (arrodillaros), alumnos y profesores se arrodillan, con las piernas replegadas bajo el cuerpo y los pies extendidos; el busto permanece erguido, las rodillas deben mantener una separación de unos veinte centímetros y las manos se colocan sobre los muslos; el cuerpo se halla completamente relajado (esta posición se llama *zazen*). A la orden «*rei*» (saludar) todo el mundo saluda colocando las manos en el suelo e inclinándose hacia delante sin despegar las nalgas de los talones; la cabeza se coloca por encima del triángulo formado por los índices y los pulgares de las manos, tal como indica la foto; después de haberse incorporado, con las manos otra vez sobre los muslos, todos se levantan hasta la posición normal.

El saludo significa el respeto al compañero que nos permitirá progresar, al profesor que nos indica el camino a seguir, al maestro que ha alcanzado el estado de la perfección tan envidiado. Un karateka no puede entender su arte sin antes haber comprendido el sentido y el valor del saludo; ante todo deberá aprender los signos externos, es decir, la lentitud y la corrección de los gestos durante un saludo. No podemos pretender educar el cuerpo y el espíritu durante un combate si no lo logramos en el saludo. Por la misma razón, por otra parte, el karateka deberá someterse a la disciplina que le imponga el profesor, pues sin advertencias ni correcciones es imposible progresar, aunque esto, evidentemente, no excluye ciertos momentos de esparcimiento para romper el ritmo severo, pero estas pausas deben ser merecidas.

GRADOS Y ENSEÑANZA

Los grados van marcando la progresión del karateka. Distinguimos:

— *Las clases (kyus) para los alumnos:* hay 9 y se sigue en orden decreciente. Según el principio introducido antaño en el judo por el maestro Kawaishi, los cinturones son de diferentes colores según el grado. El alumno lleva sucesivamente un cinturón blanco (del 9.º al 6.º kyus inclusive), amarillo (5.º kyu), naranja (4.º kyu), verde (3.er kyu), azul (2.º kyu), marrón (1.er kyu); ciertos clubs mantienen la distinción japonesa que no reconoce más que el cinturón blanco (del 9.º al 4.º kyu inclusive) y el marrón (del 3.er al 1.er kyu) antes del cinturón negro. El lector encontrará al final de este volumen los programas y los tiempos de práctica correspondientes a estas clases.

— *Los grados (Dans) para los expertos:* hay 5 y se siguen en orden creciente. El cinturón es el negro; a lo largo de su progresión hacia la maestría, el experto es sucesivamente 2.º Dan, 3.er Dan y 4.º Dan; la F.F.J.D.A. considera el 5.º Dan como excepcional y como un título honorífico después de toda una vida dedicada al karate. En el Japón, como en América, no se han fijado límites y los más altos grados son actualmente los 8.º Dan; de ahí el hecho de que los grados no siempre puedan compararse de una a otra federación. Por su parte, la federación francesa ha juzgado más inteligente mantener el valor riguroso de grado, adoptando la escala del maestro Funakoshi que nunca ha otorgado ningún Dan por encima del 5.º. Entre 6.500 licencias de karate, la F.F.J.D.A. reconoce unos 300 cinturones negros de los cuales unos 40 son 2.º Dan y sólo dos 4.º Dan. La progresión después del 1.er Dan es evidentemente más lenta que para los primeros kyus; los tiempos aproximados de práctica están igualmente indicados en el apéndice. Tanto los cinturones de color como los negros, llevan, longitudinalmente un hilo rojo que los distingue de los que llevan los judokas.

El paso de cinturón marrón a cinturón negro es una etapa importante en la progresión de un karateka, pero no el estado final. Mientras los kyus son otorgados por el profesor del club en donde se entrena el karateka, los Dans sólo pueden obtenerse en los exámenes organizados a escala nacional o regional; una comisión técnica compuesta de cinturones negros decide la atribución del grado después de una serie de pruebas muy severas (verlas en el apéndice); el grado del karateka, entonces, es homologado por la Comisión Nacional de los grados. Solamente la F.F.J.D.A., sección de karate, puede otorgar los grados reconocidos por el Ministerio de la Juventud y los Deportes, sin discriminación en lo que respecta a los estilos o escuelas seguidas.

Un karateka cinturón negro 1.er Dan posee la facultad de abrir su propio dojo para enseñar y otorgar los grados hasta el 1.er kyu incluido, pero su progreso es a partir de ahora más difícil, puesto que ya no tiene profesor; para vencer este aislamiento y para no desviarse poco a poco de la técnica original, le es posible seguir unos cursillos organizados a escala nacional en donde la participación de otros cinturones negros le asegurarán un ambiente de trabajo adecuado a su nivel.

Paralelamente a la F.F.J.D.A., todavía subsisten algunos organismos disidentes (aunque su número va disminuyendo), los cuales otorgan sus propios grados y a menudo están aconsejados por expertos japoneses que nada tienen que ver con los consejeros de la Federación oficial. Según una encuesta reciente, el número de practicantes de karate en Francia es de unos 20.000. En los próximos años la enseñanza del karate estará seriamente reglamentada por la creación de un Diploma Estatal (tal como el que existe actualmente para el judo) que se otorgará a los cinturones negros que pasen toda una serie de pruebas especiales, no solamente relacionadas con la técnica del karate sino también con su pedagogía, con la anatomía, la reanimación, etc. También es cuestión de fijar una edad mínima para comenzar la práctica del karate, que podría ser a los 15 años. Como el karate es un deporte muy viril, fácilmente puede llegar a ser peligroso si lo enseña un profesor incompetente; es indispensable subrayar aquí la necesidad de tomar todas las garantías posibles antes de frecuentar una sala. Será mucho más prudente dirigirse sólo a los profesores debidamente reconocidos por la Federación oficial y cuya primera preocupación será la de sacar la licencia de federado a todos sus alumnos (la tarjeta de federado es expedida por la propia Federación al principio de temporada y constituye un indispensable seguro deportivo).

PRIMERA PARTE

Principios fundamentales

1

Componentes generales

Los principios que se analizan en las páginas siguientes no son específicas del karate; podemos encontrarlos en otros deportes, ya sean de lucha o no, o en otras actividades de la vida diaria. No se trata, pues, de técnicas especiales sino de condiciones y leyes generales indispensables en cualquier campo. El karateka debe conocerlas todas (junto con los aspectos derivados de su disciplina) con la finalidad de poder progresar a partir de unas sólidas bases correctamente asimiladas. Quizá la breve exposición que sigue haga estar impaciente al lector por abordar ya las técnicas, ¡cuidado!: la asimilación de estos principios generales constituye ya la base para un verdadero éxito futuro.

I. — BASES FISICAS Y FISIOLOGICAS

El cuerpo humano dispone del potencial energético suficiente para poder realizar sorprendentes hazañas, a condición de utilizarlo inteligentemente. Esto es lo primero que debe saber todo karateka.

LA ENERGIA

A) MOVILIZACIÓN TOTAL DE LA ENERGÍA

INTENSIDAD DE LA MOVILIZACIÓN

Cada ser humano posee una cantidad de energía tal que incluso él mismo se sorprende si en alguna ocasión excepcional debe servirse de ella, por ejemplo, cuando se encoleriza o cuando le amenaza un grave peligro. Aparte de tales situaciones, relativamente raras, se contenta con hacer un gasto de energía mínimo, lo cual tiene la ventaja de cansarlo menos, pero no le permite más que una reducida eficacia en sus acciones. Esto es totalmente cierto cuando se trata de un esfuerzo físico o intelectual: se necesita que un motivo muy importante rompa los lazos que parecen retener el resto de la energía durante la mayor parte del tiempo, para que la acción física o mental se acelere y se intensifique hasta un punto insospechado momentos antes.

La finalidad del karate, que es al mismo tiempo una de las razones de la eficacia de este deporte de lucha, es la liberación voluntaria de esta «super-energía» más o menos inconsciente. Una verdadera explosión de energía física (fuerza muscular) debe poder intervenir instantáneamente y en cualquier momento sin que por ello se deba preparar la mente de antemano (si, por ejemplo, nos enfadamos, perdemos buena parte de lo que el proceso ha liberado como energía suplementaria, puesto que se pierde el control del cuerpo). Por todo ello el karateka debe practicar con seriedad y recordar constantemente que el adversario es muy peligroso y que debe ponerse a salvo a toda costa; así pues, no se tolera ninguna debilidad y ningún esfuerzo debe parecer superfluo. Un entrenamiento especial se encarga precisamente de aumentar la tensión mental del karateka hasta situarlo en un ambiente de lucha real, al terminar. Cada acción, ataque, defensa, esquiva, debe, pues, ser total sin que la más ínfima partícula de energía sea retenida.

En la práctica, explosión de energía significa contracción muscular intensa. Sabemos que el propio peso y la acción muscular son las dos fuerzas que actúan sobre los huesos, los cuales hacen el papel de palancas, siendo las articulaciones sus puntos de apoyo. Pero la intensidad de la contracción muscular no basta; además necesita ser breve.

BREVEDAD DE LA MOVILIZACIÓN

El esfuerzo muscular tiene que ser muy enérgico, pero muy breve y debe tener lugar al principio de la acción; en un movimiento cualquiera, la contracción del principio debe producirse enérgica y bruscamente afectando a los músculos en estado de relajación y detenerse también bruscamente antes de que el movimiento de la palanca ósea que pone en acción haya terminado. El impulso inicial, pues, viene provocado por una contracción casi explosiva del músculo, como un efecto de catapulta, a la que sigue una relajación total que permite terminar el movimiento sin la participación del músculo (esto se comprueba particularmente al dar una patada: el movimiento alcanza una velocidad máxima cuando la contracción de los músculos del muslo sólo dura el tiempo de «despegar» el pie siguiendo éste por sí solo el impulso como una masa inerte; la contracción interviene una segunda vez, también seca, cuando tiene lugar el impacto del pie contra su objetivo. Si se mantiene la contracción, en el curso de la trayectoria del pie, aunque sea ligeramente, actúa como un freno). Esta movilización intensa y extremadamente breve de la energía explica el que las técnicas ejecutadas por los maestros parezcan tan naturales, sin esfuerzo aparente, aunque particularmente eficaces. Todo reside en el impulso inicial, el cual, seguido de una total descontracción, proporciona la velocidad indispensable; pues como dice la ley de la energía cinética ($E = \frac{1}{2} mv^2$), la potencia desarrollada en el impacto por una masa en movimiento crece proporcionalmente al cuadrado de la velocidad de su aplicación, lo que reduce considerablemente el papel de la fuerza muscular por sí sola.

En resumen:

La movilización de la fuerza muscular debe ser intensa y breve y no debe intervenir más que en dos momentos concretos: al inicio del movimiento, con el fin de imprimir a la masa que va a desplazarse una velocidad máxima, y en el impacto, con el fin de transformar la energía cinética en fuerza golpeadora.

Notaremos que el mismo principio se utiliza en todas las artes marciales, tanto con armas como sin ellas, porque al no ser éstas más que la prolongación del brazo que las maneja, forman parte de la masa en movimiento (que continúa o no formando cuerpo con el brazo: el mismo efecto se provoca con una flecha o una lanza disparada a gran velocidad debido a la contracción muscular inicial).

B) Concentración de la energía

Para que la movilización de la energía pueda ser total, debe hacerse correctamente, es decir, sin factor de dispersión. Aquí interviene directamente la técnica (ver capítulo 2). No se trata de malgastar inútilmente una energía física movilizada con gran esfuerzo, sino de emplearla absolutamente toda en la acción. Mientras el factor «movilización de la energía» interviene esencialmente en la fase del principio del movimiento, este segundo factor adquiere su importancia en la fase de llegada, es decir, en el impacto. En todo movimiento hay varias componentes; la formidable potencia de los golpes de karate es consecuencia de la velocidad adquirida por la puesta en movimiento sucesiva de estas diferentes componentes, aceleradas al máximo; la velocidad resultante debe culminar en el punto de impacto.

Coordinación muscular y concentración de la energía en un punto

Para que una acción sea verdaderamente eficaz se requiere que la potencia muscular de todo el cuerpo apoye al segmento que la ejecuta. Cuanto mayor es el número de músculos puestos en juego en un movimiento determinado, mayor es la fuerza resultante. Esta consecuencia no es del todo automática, para ello el máximo número de músculos útiles para el movimiento debe moverse a la vez simultáneamente y según un orden de movilización correcto. Es inútil e incluso nocivo cuando se trata de músculos antagónicos, contraer los que no son indispensables en la ejecución del movimiento, puesto que acarrean un gasto de energía superfluo (cuando no anulan la resultante de fuerza efectiva por la acción contraria de los músculos); se llega entonces a una concentración estática, quizás intensa, pero que es incapaz de transmitir una energía en una dirección dada, o sea, es ineficaz. En consecuencia, los músculos deben colaborar racionalmente, lo que supone por la parte del deportista un mínimo de conocimientos anatómicos; poco a poco los grupos musculares no necesarios en una técnica permanecerán relajados mientras la energía así ahorrada se añadirá a la de los que ya están en acción. El maestro efectúa una selección muscular en cada uno de sus movimientos: de ahí la apariencia de conjunto relajado que se desprende de sus técnicas, mientras el alumno se agota contrayendo músculos al máximo, pero de una manera irracional.

Precisamente, en una primera etapa es cierto el que sea muy útil tener la costumbre de poner toda la energía en una acción: concentrarse al máximo en cada impacto antes de eliminar las contracciones inútiles; ya que la primera etapa permite dominar un primer principio que no podría serlo sin ella, o sea, la movilización de una fuerza al máximo. Querer pasar ya de entrada a la segunda etapa sería condenarse a no poder utilizar más que una pequeña parte de esta fuerza, a causa de no haber conocido el resto. Sin entrenamiento previo no todo el mundo puede contraer con la adecuada intensidad los músculos que quiere y en su debido momento. Esta etapa, mediante una educación y unos métodos propios a cada técnica, tiende a desarrollar, paralelamente a una formación atlética de base, los grupos musculares efectivamente puestos en acción prioritaria en un momento determinado.

La contracción de los músculos útiles —sólo ellos— *debe tener lugar según un orden concreto,* con el fin de que la acción de cada uno de ellos prepare la siguiente y así sucesivamente de este modo, el punto en donde se produce el impacto (en un golpe) es verdaderamente el punto extremo en el que se ha acumulado el conjunto de la fuerza liberada; cada contracción proporciona un impulso a la fuerza resultante en su misma dirección y acelera la siguiente aumentándola. La energía desarrollada en el punto de impacto es entonces la resultante del conjunto de contracciones musculares y no el hecho de una sola contracción última, aislada. De todas maneras, como los tiempos de contracción son extremadamente cortos en un movimiento rápido, la acción de dos músculos sucesivamente puestos en juego apenas es discernible en el tiempo y el primer músculo no ha terminado todavía su contracción que el impacto ya ha tenido lugar. En este preciso instante, todos los músculos útiles alcanzan el punto culminante de su contracción, y el cuerpo en bloque dispara en la dirección del golpe la totalidad de la energía muscular, como cuando un jugador lanza un balón con un golpe seco. Para el neófito hay muy poca diferencia entre un movimiento ejecutado con una contracción funcional eficaz que transmite una fuerza en una dirección dada, y un movimiento intenso, pero incorrectamente contraído que no hace más que retener la energía liberada; ambos son de apariencia correcta, pero sólo el primero es verdaderamente eficaz. Tomemos un ejemplo concreto: en un gyazuzuki (puñetazo contrario, pág. 158) los primeros músculos que entran en acción son los abdominales por ser muy potentes pero muy lentos; luego intervienen los músculos de la pierna trasera que proyectan al cuerpo hacia delante, mientras las caderas efectúan un movimiento de rotación. La contracción de los brazos, tanto del que golpea como del que vuelve hacia atrás, no tiene lugar más que una fracción de segundo antes del impacto; todo sucede como si la contracción abdominal que interviene en todos los movimientos del karate, hubiera propulsado una onda de choque procedente del centro del cuerpo y dirigida hacia el exterior, por un efecto ondulatorio. En el momento del impacto, los músculos de la pierna que queda detrás y de los brazos, están contraídos simultáneamente, pero la contracción de los primeros subsiste mientras que la de estos últimos no se añade más que en el momento oportuno; los músculos de la pierna que está avanzada, por el contrario, no están ni exagerada ni inútilmente contraídos.

Brevedad del tiempo de contracción final y concentración de la energía en el tiempo

He aquí una vez más una necesidad descubierta y aplicada en numerosos deportes: en unas condiciones de fuerza y de velocidad dadas, la fuerza desarrollada es tanto más eficaz cuanto menor es el tiempo de su aplicación. En el caso de un golpe, la masa en movimiento debe detenerse enérgicamente en el momento en que alcanza su velocidad máxima, o sea cuando el miembro golpeador llega prácticamente a su completa extensión; no hay que esperar que ésta frene la masa en movimiento, sino detener

Fig. 1

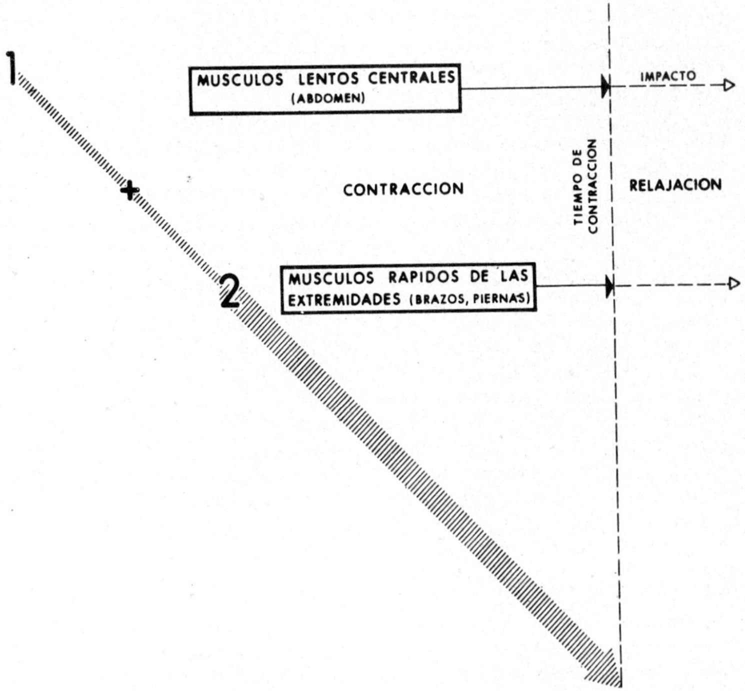

secamente esta masa en el momento preciso en que ésta es alcanzada; se utiliza así al máximo la trayectoria permitida por la morfología, puesto que cuanto más larga, mayor podrá ser la velocidad del golpe. La fuerza liberada de esta manera por la detención brutal del movimiento es mucho más grande que cuando se trata de un golpe largamente apoyado, sin retención. En el primer caso la onda de choque atraviesa el cuerpo del adversario a partir del punto de impacto y provoca una conmoción importante, mientras en el segundo la mayor parte de la fuerza desarrollada, aplicada sin velocidad, tiene como único resultado rechazar al adversario en la misma dirección. En el primer caso, éste se derrumba, en el segundo cae hacia atrás. La primera fuerza penetra mientras la segunda actúa sólo superficialmente. Para transmitir al adversario la fuerza desarrollada por el juego sucesivo de los músculos, importa no solamente concentrarla en el punto de impacto, o sea en la masa con la que se golpea, sino también concentrarla en la fracción de segundo que dura el contacto. Para ello, es necesaria una nueva contracción muscular; puede ser total o no intervenir más que a nivel de las extremidades (pies, brazos) cuando se desee inmeditamente encadenarla con otra técnica.

En resumen:

La fuerza muscular debe utilizarse correctamente: debe ser la resultante efectiva de la acción coordinada de los músculos útiles, intensamente contraídos y según un orden lógico que va desde los más lentos a los más rápidos y del centro a las extremidades, y transmitirla del todo en una dirección dada.

C) Utilización de la fuerza de reacción

Otra ley física nos dice que toda acción engendra una reacción de igual fuerza y en sentido contrario. El deportista conoce muy bien este principio que le permite catapultarse hacia delante en una salida de una carrera de velocidad mediante un potente impulso de sus piernas contra el suelo o bien pasar un obstáculo ejerciendo una breve y fuerte presión del pie sobre el suelo. El ejemplo del salto de altura muestra cómo la fuerza de impulsión obtenida por la extensión de las piernas es superior al peso del propio cuerpo del atleta. De la misma forma, la potencia de repulsión del pie se encuentra, en las técnicas del karate, en la fuerza golpeadora.

Cuando golpeamos con fuerza un blanco muy estable, se ejerce inmediatamente una fuerza en sentido contrario, de la misma intensidad la cual, a través del brazo o la pierna que ha golpeado, penetra en nuestro cuerpo; la onda de choque puede ser absorbida por éste y provocar un daño más o menos grave, como la pérdida del equilibrio, dolor de cabeza o en las articulaciones, esguinces en las extremidades, etc. Para neutralizarla procurando sacar provecho de ella, hay que volver a enviarla en la dirección del punto de impacto, a través del vector, brazo o pierna, que la ha llevado hasta el cuerpo; esta acción, evidentemente, es inconsciente. En el momento del impacto basta con poner rígido el cuerpo para poder tener sólidos puntos de apoyo en el suelo de forma que la fuerza de reacción vuelva a pasar hacia delante y se añada a la fuerza inicial del golpe; con la misma finalidad, cuando se trata de una técnica con la mano, se sincroniza el momento del impacto con un movimiento contrario de la otra mano (*hikite:* ver chokuzuki, pág. 112). Esta transferencia de la onda de choque es tan rápida como el propio golpe y se confunde con el momento del impacto; en consecuencia, es necesario que la contracción muscular esté perfectamente sincronizada con este impacto.

En resumen:

La fuerza de reacción provocada por un movimiento puede añadirse a la fuerza inicial de este movimiento, gracias a la solidez de los puntos de apoyo y a una acción muscular sincronizada.

LA FUERZA Y LA AGILIDAD

A) Contracción y relajamiento

Ambas acciones deben ejercerse total y alternativamente. Sólo la relajación permite la velocidad indispensable, pero sólo la contracción permite transformar la energía cinética adquirida de esta manera en fuerza útil. La agilidad *(ju)* facilita los desplazamientos y la preparación de la acción decisiva; además, ofrece muy poca presa a la aplicación de la fuerza adversa *(go)*, manteniendo el cuerpo en un estado de reposo relativo y en un estado de disponibilidad inmediata. La fuerza interviene cuando

Fig. 2

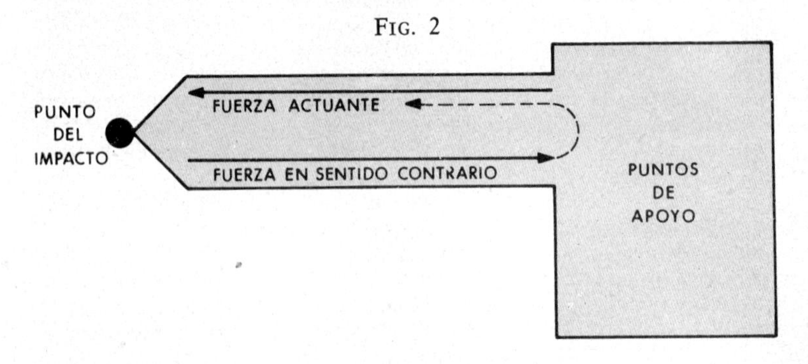

se trata de resistir enérgicamente o cuando se ataca, o sea en el momento en que se entra en contacto con el adversario; entonces todo el cuerpo se pone rígido inmediatamente, monolítico, para poder gozar de las ventajas de una contracción breve e intensa: energía máxima, concentración de fuerza, efecto de acción-reacción.

El karateka pasa por fases de contracción y de relajamiento; esto es la base del ritmo de combate y de los movimientos sincopados tan agotadores. No obstante, la relajación no siempre es total, puesto que el abdomen, en particular, siempre permanece en estado de tensión, aunque sin la menor crispación; de este modo, los músculos podrán actuar al menor impulso nervioso y el tiempo de reacción será muy breve. El arte del dominio corporal consiste en sentir muy exactamente a qué ritmo deben sucederse las dos etapas y en qué momento debe intervenir cada una de ellas. Por ejemplo, si la contracción inicial se mantiene demasiado tiempo o si la contracción final en el momento del impacto es precoz, la velocidad del movimiento quedará frenada por lo que la eficacia del mismo será menor. Si, por el contrario, esta contracción inicial no interviene o lo hace demasiado tarde, la fuerza de reacción romperá la estabilidad del que golpea o incluso le puede dañar cuando el miembro encargado del golpe no está preparado para soportar el choque; si esta contracción final apenas es iniciada, la eficacia queda reducida, pero si se mantiene demasiado rato, implica una pérdida de equilibrio e impide continuar lo suficientemente rápido con otro movimiento.

Hay pues una serie de limitaciones cuyo carácter es más o menos importante según el nivel alcanzado por el karateka y los diferentes espacios de tiempo de ejecución que de ello resultan; así, el maestro, con unas reacciones nerviosas extremadamente rápidas, es capaz de pasar de una etapa a la otra en una fracción de segundo sin ningún signo exterior aparente y su tiempo de contracción, muy intenso si tenemos en cuenta la eficacia del golpe, dura tan poco que apenas tenemos tiempo de distinguirlo; por este hecho sus movimientos son menos sincopados. Se reducen los tiempos de fatiga para el cuerpo, lo que explica que los maestros de edad avanzada se mantengan tan eficaces, incluso en comparación con los expertos más jóvenes. En la alternancia de los instantes de contracción y relajamiento, existe todo un secreto por descubrir basado, por otra parte, en el aspecto mental. El maestro es el que utiliza toda su fuerza de un modo racional, es decir, sólo en los momentos oportunos, y es capaz de lanzarla totalmente en un tiempo muy breve: es capaz, asimismo, de dosificar perfectamente su energía.

B) Las fases respiratorias

Sabemos que ninguna acción verdaderamente eficaz es posible cuando estamos sin aliento. Cuando la respiración ha perdido su ritmo regular nos hace experimentar una terrible sensación de ahogo en los pulmones y un jadeo que provoca movimientos entrecortados de la caja torácica e imposibilita cualquier nuevo esfuerzo o contracción correcta. Sabemos, por otra parte, que cuando sacamos fuerzas de flaqueza en una circunstancia cualquiera, esta sensación suele ir acompañada por una profunda inhalación seguida de una breve retención del aire o de una lenta espiración. Estas dos experiencias tan comunes permiten comprender la importancia de la coordinación de la respiración en la práctica de cualquier deporte.

La inspiración trae consigo una relajación muscular mientras la espiración facilita la contracción. Así pues, hay que hacer coincidir la primera fase con un estado de relajación, ya sea cuando se va a preparar una técnica, ya sea incluso durante su primer tiempo de ejecución; y la segunda fase con el momento del contacto con el adversario, ya sea en un ataque o en la defensa. De modo general suele emprenderse al final de una técnica (es decir, en el momento de la contracción en el impacto) con una breve espiración seguida por una breve interrupción de la respiración (se expulsa violentamente una pequeña cantidad de aire); el resto es luego expulsado en un segundo tiempo de espiración, más lento, al menos si la situación lo permite; si éste no es el caso, es decir, cuando debe emprenderse una nueva acción inmediatamente, se espira el resto del aire retenido con igual fuerza que la primera vez o se inspira rápidamente sin haber evacuado completamente el aire retenido en la inspiración inicial. La respiración, pues, es función de la acción que va a desarrollarse: es breve si ésta es violenta, es lenta y dispone del mismo tiempo para la inspiración que para la espiración cuando no tiene lugar ninguna acción.

Los esquemas adjuntos no representan más que algunos ritmos respiratorios:

(Los trazos representan la espiración, el punteado la inspiración y los puntos gruesos la retención del aire; las longitudes son proporcionales a los tiempos de ejecución.)

Como vemos, durante una misma espiración larga es posible ejecutar una serie de acciones sin romper el ritmo respiratorio, permitiendo la ausencia de pausas una velocidad de ejecución mayor. Esta técnica, si debe ir acompañada de acciones lo suficientemente potentes, es difícil para los principiantes, puesto que supone la adquisición de lo que llamamos la «sensación única» a lo largo del combate; volveremos a hablar de ello más adelante. En efecto, el experto respira según un ritmo menos

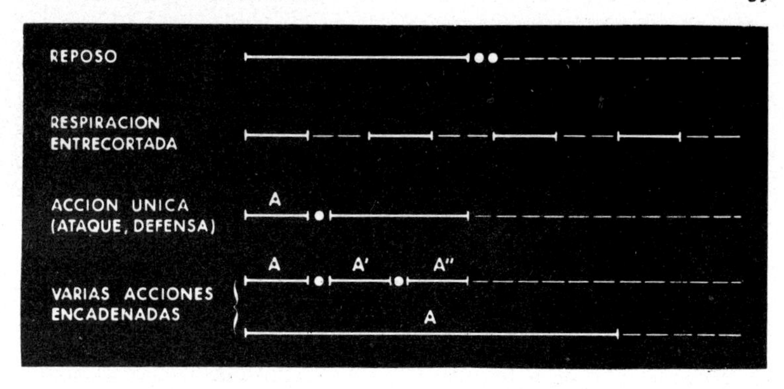

FIG. 3

entrecortado por el motivo que ya hemos planteado cuando estudiamos la contracción y la relajación: pasa mucho más fácilmente, y con mucho menos esfuerzo, de uno a otro estado, puesto que sabe controlar mejor su cuerpo. Por otra parte, en un nivel más avanzado, el karateka no detiene nunca del todo su respiración.

Debemos hacer dos observaciones:

— La respiración debe ser siempre discreta, ya que le bastaría al adversario notar una fase de inspiración o de final de espiración para que pudiera atacar con éxito en un momento en que la contracción sería muy difícil por no decir imposible. Así pues, hay que entrenarse a inspirar por la nariz y a espirar por la boca, con los labios apenas entreabiertos y lo más disimuladamente posible.

— El practicante de un arte marcial respira según el método oriental, es decir, con el vientre. Contrariamente a Occidente, en efecto, Extremo Oriente siempre ha preferido la respiración abdominal en vez de la intercostal o torácica; mientras que en esta última el diafragma sube y baja regularmente en el interior de la caja torácica al ritmo de la inspiración y la espiración, en la respiración abdominal *(ibuki)* se intenta mantener tanto durante la inspiración como durante la espiración, el diafragma lo más bajo posible; la sensación que se nota es la de una compresión hacia abajo. En la práctica respiramos como los niños, sin que el tórax experimente cambios de volumen importantes, como lo aconseja el culturismo. Respirando con el tórax y los hombros, el centro de gravedad del cuerpo tiene más bien la tendencia de subir (se utiliza, pues, este tipo de respiración cuando nos preparamos para dar un salto) mientras que impulsando la respiración hacia abajo, incrementamos la estabilidad y la fuerza (este tipo, pues, es más adecuado para las técnicas de defensa y ataque).

II. — BASES PSICOLOGICAS

La técnica no es nada sin el espíritu. Lo que globalmente llamamos «espíritu karate» es un conjunto de actitudes mentales que también existen, bajo nombres distintos, en otros deportes de combate, o incluso (lo vamos a estudiar a continuación) en actividades no deportivas. En efecto, el espíritu puede ser conscientemente el origen de una cierta fuerza basada en la voluntad y en el dominio de uno mismo; pero también, y mucho más quizá, puede ser motivo de eficacia de una manera inconsciente: se trata de las inusitadas posibilidades provocadas por una forma de vacuidad del espíritu (tema muy en boga en toda la civilización de Extremo Oriente).

LAS FUERZAS CONSCIENTES

A) La voluntad

Cada técnica debe ejecutarse con determinación, porque si no se logra, su eficacia no deja de ser muy relativa. A un adversario decidido hay que hacerle frente con una voluntad a toda prueba para poder vencerle. Un combate de karate es ante todo. un choque de dos voluntades antagónicas donde la más fuerte de ambas tiene todas las probabilidades de inclinar la victoria a su favor, y esto totalmente aparte del nivel técnico de los luchadores.

La voluntad también debe intervenir en un momento muy concreto: cuando nos damos cuenta de un fallo en la guardia del adversario hay que aprovecharlo inmediatamente a nuestro favor; ahora es cuando hay que atacar con todas las fuerzas, hay que querer «matar para no ser matado» como lo requería el espíritu original del karate por el hecho de ser un arte marcial. El grado de intensidad de la voluntad es el que introduce al cuerpo más o menos a fondo en la acción. Un combate de karate es un excelente entrenamiento para la voluntad, sobre todo si se lleva a cabo de una manera viril.

B) El dominio de uno mismo

No trataremos aquí más que del dominio del espíritu; evidentemente va emparejado con el dominio corporal, pero éste es sencillamente el resultado de la acción conjugada de todas las fuerzas mentales, así como del grado de habilidad en la ejecución de las técnicas, o sea, del entrenamiento. Ser dueño del espíritu es también ser dueño del propio cuerpo, condición indispensable para que éste «se acuerde» de los principios fundamentales inculcados durante el estudio técnico. Resultaría inútil adquirir a costa de un largo y pesado entrenamiento una técnica superficial que luego desaparece completamente durante el estado de excitación (cólera, miedo, etc.) causado por la confrontación real con un adversario. Suele ser corriente, incluso para los karatekas ya avanzados, perder hasta un 50 % de sus propios recursos en una competición. ¡Cuántos esfuerzos malgastados! Es entonces cuando un adversario técnica e incluso físicamente inferior, pero más tranquilo, logra imponerse fácilmente; la técnica depende de la mente. Esta comprobación, por supuesto, no es propia del karate, pues en cualquier circunstancia el más eficaz es siempre aquel que sabe mantener la cabeza fría.

En un deporte de combate, el dominio de uno mismo tiene una serie de ventajas:

— Se mantiene el control del propio cuerpo y de la técnica aprendida.
— Se está relajado antes de la confrontación, lo que representa una economía de las propias fuerzas físicas y mentales.
— Sin gestos desordenados, sin crispaciones inútiles, el adversario nunca podrá saber nuestras intenciones.
— Un espíritu tranquilo permite que las fuerzas mentales actúen libremente.

Este último aspecto es el más delicado de comprender por parte del occidental, puesto que salimos aquí del terreno de la fuerza mental consciente (la seguridad, el dominio de sí mismo propiamente dicho) para entrar en el terreno más esotérico de las fuerzas inconscientes, todavía más eficaces. Su liberación representa, de hecho, la finalidad última de todo arte marcial; para ello el hombre debe traspasar el estado de la conciencia que no es sino superficial.

UNA FUERZA INCONSCIENTE: LA VACUIDAD DEL ESPIRITU

Este aspecto psicológico está profundamente vinculado con todo lo que es oriental. El karate, como las demás artes marciales japonesas, ha tenido una fuerte influencia del Budismo-Zen y de ello resultan unos conceptos muy particulares; por ejemplo: el espíritu del hombre debe llegar a ser tan simple como el de un niño (lo que los adeptos del Zen expresan diciendo que sólo el «vacío» es fuente de eficacia). Hay que entender por vacuidad de espíritu el hecho de que éste no se halle acaparado por ninguna idea preconcebida que podría distraerle, que es perfectamente libre de toda influencia paralizante procedente del exterior, y que, por lo tanto, está en un estado de receptividad total, a punto de reaccionar como un rayo al primer estímulo; permanece en estado de vigilia («una espera sin ninguna finalidad en un estado de gran tensión»), pero libre de toda sujeción, como una pelota flotando en el agua está a punto de orientar sus facultades en cualquier dirección. Como no espera nada, está a punto de todo. Vacío, puede llenarse; no hay, de esta manera, ningún freno entre la percepción y la reacción; el tiempo de reacción es entonces lo más breve posible, sin que el papel del espíritu se elimine totalmente como ocurre en los actos reflejos de los que hablaremos más adelante. El hombre deviene verdaderamente eficaz cuando encuentra su espíritu original, cuando vuelve a ser niño (no enturbiado por las sucesivas experiencias de la vida); podemos decir que tiene que reencontrar el estado de candidez perdido aunque conservando la fuerza y la técnica. Tal es la filosofía Zen, muy difícil de explicar en tan pocas palabras, y que se halla en la base de la eficacia buscada, y a veces conseguida, por los maestros.

UN ESPÍRITU COMO EL AGUA (MIZU-NO-KOKORO)

Esta imagen es la que mejor refleja la búsqueda de la vacuidad mental. Los maestros, que insisten sobre el hecho de que una actitud mental particular es indispensable frente a un adversario en el combate, son muy aficionados a dar esta imagen que ilustra la facultad de despojar el espíritu de todos sus pensamientos inhibidores. Hay que conseguir el espíritu puro, original *(mu-shin)*, única manera válida de percibir correctamente las influencias exteriores, como sólo un agua tranquila y sin ondulaciones puede reflejar sin deformación una imagen cualquiera. Sólo él, libre de toda preocupación concreta de ataque o defensa, es capaz de percibir instantáneamente y correctamente las intenciones del adversario y hacer reaccionar al cuerpo en consecuencia. La dificultad estriba en alcanzar este estado de no-actividad mental teniendo en cuenta que el espíritu debe mantenerse alerta; porque, ¿cómo poder olvidar?

UN ESPÍRITU ALERTA (ZANSHIN)

Tener un espíritu claro, capaz de percibir la menor acción o intención del adversario no basta; hace falta que permanezca alerta, a punto de canalizar toda la energía mental y física en la acción que puede imponerse inmediatamente. El espíritu no debe encontrarse en estado de somnolencia, sino que debe vigilar al adversario aunque sin esperar nada en concreto; no debe dejarse dominar por ninguna sensación particular y especialmente no debe acapararle el deseo o la sensación de victoria en un momento determinado, por ejemplo cuando se ataca al adversario y se tienen todos los motivos para creer en una pronta victoria. La mente no debe detenerse en este preciso instante ni permanecer bloqueada en cierto modo por la presencia del adversario, sino que debe proyectarse lejos, más lejos del adversario... «a través suyo» es la expresión adoptada por los maestros; un impacto es forzosamente una acción localizada en el tiempo y en el espacio, pero no debe limitarse con ser una acción física. La actividad mental debe continuar envolviendo al adversario en una sensación única, sin interrumpirse jamás, ya que si se inmoviliza puede oponerse a ella la de un adversario mentalmente más fuerte.

En la práctica, no hay que golpear pensando en el punto de impacto, sino que el pensamiento debe ir mucho más lejos; no hay que abandonar la vigilancia después del golpe, pues recobrarla después de que una acción imprevista del adversario nos haya obligado a ello (por ejemplo, si detiene el golpe o bien éste no disminuye su potencial de réplica), sería llegar demasiado tarde. Zanshin es un espíritu alerta, siempre vigilante, siempre libre. El cuerpo actúa según su impulso, pero el movimiento termina de alguna manera sin que esta fase de detención signifique el fin o el cambio de dirección de un pensamiento consciente. Resulta difícil para el neófito comprender que, por ejemplo, dos acciones aparentemente tan contrastadas desde el punto de vista técnico como son la defensa y el contraataque proceden, en el maestro, de la misma sensación mental (el cual puede retroceder ante un ataque adverso cuando en realidad está ya rechazando «mentalmente» a su adversario).

Un espíritu como la luna (tsuki-no-kokoro)

Esta imagen nos recuerda que el espíritu debe abarcar al adversario en su totalidad, al igual que la luz difusa de la luna ilumina todo lo que se encuentra en su campo; entre la fuente luminosa y el objeto iluminado pueden interponerse nubes, que vienen a representar todo lo que turba al espíritu: nerviosismo, temor, miedo, etc. Así pues, hay que ver al adversario, no mirarlo. El campo visual debe ser lo más amplio posible y la mirada no debe detenerse en ningún punto concreto; cuanto más la concentramos sobre un objeto menos lo vemos, por lo que percibiremos muchas más cosas no deteniendo la mirada, o sea el espíritu. De esta manera el menor gesto del adversario puede ser detectado, toda abertura en su guardia puede implicar una réplica adecuada e instantánea. En la práctica, hay que fijar la mirada a la altura de la cabeza del contrincante, aunque sin mirarlo a los ojos; en efecto, si intentamos «leer» sus intenciones, podrá hacer otro tanto y podemos traicionarnos o distraernos por una impresión. Ni los ojos, ni los puños, ni los pies del adversario deben atraer la mirada, aunque éste haga todo lo posible para ello; la atención quedaría en seguida captada por estos órganos y cualquier reacción efectiva se vería retrasada. Tal como lo hemos dicho para el espíritu, hace falta mirar «a través del adversario», casi sin verlo; sólo con esta condición el espíritu se mantiene lúcido y dispuesto a reaccionar correctamente a la menor señal.

Vemos que el estado de «vacío mental» (llamado a veces «no mental») no tiene como finalidad el no pensar en nada, sino el no pensar en nada concreto. En realidad, es el medio para reaccionar más deprisa, sin tener que hacer una llamada al espíritu y de una manera pura. Volvemos a encontrar la noción de velocidad; efectivamente, a nivel de las células nerviosas se determina la velocidad de las contracciones musculares, o sea, del movimiento; un karate eficaz supone, en la base, una mente sana y un sólido influjo nervioso que no puede obtenerse o mantenerse más que con un modo de vida razonable que elimine cualquier exceso. Este modo de vida, por otra parte, es el del verdadero deportista y del que se ha sentido atraído por las ventajas mentales del karate; ambos han comprendido que «el cuerpo no puede gozar de una energía si la mente es débil» y que «el espíritu debe ir primero y el cuerpo después», tal como lo explicaba el maestro Oshima, gran personalidad del karate japonés.

III. — UNION DEL CUERPO CON EL ESPIRITU

Todos los principios, tanto físicos como mentales, se interfieren y el karateka progresa simultáneamente en unos y otros a lo largo de su aprendizaje, pues la finalidad misma del karate, que es también la de todas las disciplinas marciales extremo-orientales, es la de hacer trabajar constantemente al cuerpo y al espíritu unidos en una perfecta concordancia; así el hombre está en todo lo que hace, pues no hace nada automáticamente, de ahí su eficacia en cualquier cosa que emprenda. Esta unión del cuerpo con el espíritu, buscada por los filósofos de todos los tiempos y de todos los países, no tiene, de hecho, nada de misterioso excepto en la manera de alcanzarla. De esta forma, el que se acuesta cuando lo desea y se duerme instantáneamente nos da un ejemplo de coordinación cuerpo-espíritu, al igual que el que manifiesta la misma facultad adivinando el ataque de un adversario y tocándolo en el momento mismo en que se disponía a golpear (sen-mo-sen: ver la 3.ª parte). No obstante, son raras las ocasiones en que actuamos con este estado de ánimo en la vida cotidiana, y cuando por casualidad se da esta circunstancia, por azar o por una razón imperiosa (peligro de muerte, asunto urgente, etc.) nos sorprendemos de la eficacia obtenida, imposible de volverla a encontrar luego en condiciones normales; en las circunstancias habituales, el hombre se dispersa y utiliza por separado su cuerpo y su espíritu, malgastando la energía de ambos. El karate permite precisamente volver a encontrar esta unidad o al menos indica el camino (Do) para llegar a ello; pero, evidentemente, no es el único método.

EL REFLEJO: HEN-O

Por definición, el reflejo es involuntario: es una reacción a un estímulo dado sin que haya intervención mental, pero el reflejo natural (por ejemplo, el hecho de cubrirse la cabeza con el brazo cuando nos amenazan) se distingue del reflejo adquirido (por ejemplo, el hecho de que un karateka reaccione mediante un bloqueo adecuado o un judoka mediante una esquiva o un ataque) aunque los dos sean instintivos y en su aparición no intervenga la mente. La impresión excitadora, tanto si es táctil, como visual o auditiva, se transmite instantáneamente a los nervios motores y provoca la acción muscular; de ahí la velocidad de la reacción. Este reflejo se da en el karateka, pero no es esto lo que le proporciona su confianza en sí mismo. En efecto, este tipo de reflejo puede ser peligroso para él, ya que por definición es una pérdida de control de la mente sobre el cuerpo (de esta manera el adversario podría efectuar un acto fingido para que abriéramos nuestra guardia por una reacción instintiva en función de dicho acto, con lo que cuando nos diéramos cuenta del fallo, ya sería demasiado tarde para volver atrás). En el karate, lo que al espectador le parece un acto reflejo no es sino un movimiento dirigido por la mente, una ejecución voluntaria de una técnica en función de la utilizada por el adversario. Es una acción voluntaria, pero ejecutada con una velocidad y en un momento tan oportuno que da la impresión de ser un reflejo; todo consiste en una cuestión de velocidad. Así, cuando llega un ataque, el karateka no reacciona en seguida; si lo hace, tenemos un acto reflejo propiamente dicho, que puede tener éxito o no según si el ataque es fuerte o no; si no lo es, el karateka se ha descubierto imprudentemente; pero incluso no reaccionando en seguida, la mente acusa el movimiento del adversario, adivina su dirección y no ordena el «reflejo» hasta que la acción adversa no está lo suficientemente emprendida como para que pueda no ser considerada como un engaño. El movimiento de defensa se dispara entonces aparentemente instintivo. La diferencia entre el primer y el segundo reflejo reside, pues, en el tiempo de reacción y no en el tiempo de ejecución de la defensa, el cual es siempre tan rápido si no más en el segundo caso, puesto que importa hacerlo más deprisa por el hecho de que el ataque adverso ya ha comenzado. El movimiento en sí no ha sido «pensado» y por este hecho no lo podemos considerar como un reflejo; la intervención del espíritu tiene lugar *antes* de desencadenar el movimiento.

Si consideramos la velocidad de un ataque y la concentración mental intensa del que lo ejecuta, comprenderemos lo que significa «potencia mental» cuando vemos actuar de esta manera a los viejos maestros; una tal proeza sería imposible si no se hubiera alcanzado el estado de «vacío mental», ya que es el único que permite una rapidez tal. No hay otro tipo de reflejo que sea tan eficaz y capaz de proporcionar tanta confianza en sí mismo; es cierto que es mucho más largo de adquirir que el reflejo elemental, verdaderamente instintivo, que nada tiene que ver con la verdadera maestría; la diferencia es, ciertamente, ínfima pero es lo que distingue al auténtico karate de una técnica rudimentaria.

El proceso llamado reflejo es una acción dirigida por la mente en función de un estímulo dado y de una oportunidad concreta, pero que, ejecutado a una velocidad muy grande, tiene lugar sin él.

EL ESPIRITU DE DECISION: KIME

Es, en el karate, la manifestación perfecta de la unión del cuerpo y del espíritu, la resultante de todos los principios tanto físicos como mentales analizados hasta ahora. Sin kime, no hay karate. El kime es esencialmente una sensación, un todo que es imposible de describir claramente. Sólo el karateka capaz de «hacer kime» en cada uno de sus movimientos, es realmente eficaz.

Podemos traducir la palabra kime por «eficacia penetrante», lo que nos permite ya su mejor comprensión.

El kime es el conjunto de las acciones físicas y mentales que intervienen simultáneamente en la última fase de un movimiento (un poco antes del impacto, y mantenidas hasta un poco después) y que hacen penetrar la energía desarrollada por el golpe en el blanco; es la fase realmente eficaz de una técnica. Ya hemos analizado sus diferentes componentes que no hacemos más que recordar aquí. El kime es la explosión de energía concentrada en un punto durante un brevísimo instante. No interviene más que en la última parte de la trayectoria de la masa que va a golpear, en el momento en que toda la fuerza del cuerpo está totalmente concentrada en esta masa lanzada a gran velocidad.

Esta es detenida bruscamente en el impacto y la energía cinética se transforma en fuerza golpeadora. Podemos, pues, llamar kime a la breve, pero intensa concentración de energía física, aumentada por un influjo mental que circula en el mismo sentido, que se produce en el momento del contacto con el adversario, ya sea en un movimiento de ataque como en uno de defensa. Precede a una total relajación. En realidad, la noción de kime es más sutil y ciertos maestros consagrados nos muestran un kime aparentemente más relajado a consecuencia de un movimiento ejecutado más lentamente, pero con una concentración intensa. Asimismo la parte del cuerpo con la que golpean no se inmoviliza nunca completamente, sino que, después del impacto, continúa el movimiento en la misma dirección sin que se produzca una verdadera detención, y no obstante, en un punto concreto de la trayectoria de la masa en movimiento sobre la que se coloca el impacto, la fuerza desarrollada alcanza su máximo (es el momento del kime) aunque ello no resulte netamente visible para el espectador. Es lo que le hace decir que el maestro trabaja aparentemente sin gran esfuerzo. Este nivel superior en la sensación del kime, más mental que físico, no puede intervenir con validez hasta que el primer estado no se domine correctamente; ya que mal comprendido no sería en absoluto eficaz y suprimiría en el karateka todo verdadero esfuerzo, condenándose así a no alcanzar nunca la finalidad de su búsqueda.

El kime se materializa a veces en el *kensei,* que es el grito gutural —muy breve— que nunca deja de sorprender e impresionar al neófito. Se tiene la costumbre de llamarlo *kiai* cuando en realidad éste no es más que el intenso estado de tensión interna que precede y provoca precisamente el grito. El kensei es la concentración interna manifestada ruidosamente. Se dice «hacer kensei» o «lanzar un kiai». El grito es una parte del kime estudiado anteriormente, es la materialización de una tensión física y mental que ha llegado al paroxismo, es la afirmación de la voluntad inquebrantable de vencer; brota con naturalidad, sin esfuerzo, del fondo del abdomen y no de la garganta. Viene a ser un apoyo a la técnica efectuada y a menudo es lo que determina su absoluta eficacia, porque al proceder del fondo del ser es realmente una fuerza que impresiona al adversario y le quita en una fracción de segundo toda posibilidad de reacción. Su éxito depende de la intensidad sonora y de la tonalidad (el grito debe ser agudo), pero sobre todo de la convicción que se pone en él y del estado de ánimo del adversario en aquel preciso instante. Si no está lo suficientemente concentrado, el kensei puede avasallarlo. El kensei también puede emplearse con éxito en el arte de la reanimación (ver el apéndice). Hay tantas maneras como momentos adecuados para lanzar el kiai en un combate y volveremos a hablar de él durante la 3.ª parte.

De todas maneras, si el kensei no puede intervenir más que en ciertos momentos concretos, el karateka siempre debe estar poseído por el kiai; más todavía que el kime, esta imagen es difícil de precisar si no queremos ir demasiado lejos en el terreno extra-deportivo. Bastará con saber que los japoneses llaman Ki a una *fuerza* cósmica que no tiene principio ni fin, el «principio original» (los chinos lo llaman «Tao») al que se le dan diferentes nombres según las religiones. Ki tiene igualmente un sentido más superficial, y más directamente en consonancia con nuestro propósito: es la energía vital del hombre. Podemos decir que el Ki es la fuerza y la valentía. La eficacia en el combate proviene del dominio, de la dosificación en el flujo de esta energía interna (Ki-no-nagare), siendo por ello una de las finalidades básicas del entrenamiento llegar a «imbuirse de Ki», es decir, sentirlo casi físicamente; por otra parte, sin esta sensación de fuerza, el entrenamiento del karate resulta muy pesado y fatigoso, y sin interés, porque no existe una adherencia del cuerpo y el alma a su práctica. El karate ejercitado en estas condiciones, tanto durante el entrenamiento de base como en un campeonato, no tiene ninguna eficacia; hemos perdido de antemano.

2

Fundamentos técnicos originales

Con el estudio de los aspectos psicológicos de este deporte de combate, acabamos de entrar en un campo muy propio del karate por el hecho de estar impregnado de teorías características del pensamiento oriental. Dediquémonos en primer lugar a las bases técnicas originales. El karate es un método basado en la utilización total y racional del cuerpo, es decir, en la única arma que poseemos por naturaleza. El cuerpo entero puede convertirse en un arma extraordinariamente eficaz, a condición de aplicar ciertos principios que permitan concentrar en alguna de sus partes esta energía que todo hombre es capaz de liberar. Por el hecho de que el cuerpo participa totalmente en cada técnica, el karate es un método de lucha muy diferente de los demás métodos orientales u occidentales que se basan en técnicas similares; su temida eficacia proviene de una acción mental intensa combinada con una inteligente participación del cuerpo; las técnicas propiamente dichas vienen a incorporarse a estas dos piezas claves y, tomadas por separado, no son más eficaces que las de otros métodos. Convendrá acordarse de esto al iniciar su estudio y no perder nunca de vista los principios de base enunciados en esta primera parte.

I. — LOS MEDIOS PARA UNA TOTAL PARTICIPACION DEL CUERPO

En la ejecución de una técnica, el cuerpo debe moverse como un todo y no mediante una serie de movimientos separados por tiempos muertos; la velocidad de la técnica depende de ello y se va siempre más rápido efectuando el conjunto de un movimiento que buscando la manera de acelerar cada una de sus componentes tomadas por separado. Entonces tenemos lo que llamamos un movimiento puro, directo.

El abdomen juega el papel de centro de impulsión y de conexión entre las diversas acciones de una misma técnica y entre las fuerzas desarrolladas por las partes superior e inferior del cuerpo. Las posiciones adoptadas por las piernas orientan correctamente la fuerza en una dirección dada.

LA UTILIZACION DE LA FUERZA ABDOMINAL (HARA)

A) Fuerza estática: estabilidad

El centro de gravedad

El equilibrio del cuerpo humano depende de la posición de su centro de gravedad, o, mejor dicho, de la colocación de las extremidades (brazos y piernas) respecto a este centro de gravedad. Se está en equilibrio cuando la vertical que pasa por este punto cae en el interior del polígono de sustentación (superficie constituida por el o los puntos de apoyo —pies— en el suelo) y se produce una rotura del equilibrio cuando la proyección vertical de este punto cae fuera de este polígono. El mantenimiento del equilibrio es primordial, salvo contadas ocasiones (ataque-sacrificio, con pérdida voluntaria del equilibrio):

— Ningún movimiento potente, ni de ataque ni de defensa, puede llevarse a cabo sin equilibrio (los puntos de apoyo son débiles, por lo que no puede haber una correcta concentración de la fuerza).

— Ninguna técnica debe sacrificar el equilibrio. Pues el movimiento siguiente no podría encadenarse directamente. Habría un tiempo muerto obligatorio para volver a recuperar la posición estable; hay que tenerlo en cuenta sobre todo en los ataques.

— La estabilidad es esencial para preparar una técnica correcta (velocidad de impulsión), para dirigir el golpe en su trayectoria y para controlarlo (es decir, detenerlo antes del impacto cuando luchemos con un compañero).

— El adversario tiene muchas más posibilidades de réplica (especialmente mediante barridos o proyecciones) si un ataque se lleva a cabo estando desequilibrado (error muy común en todos los principiantes que quieren tocar lo más lejos posible y se lanzan hacia delante).

Sin embargo, hay que desplazar constantemente el centro de gravedad, es decir, variar la posición del cuerpo para que no sea vulnerable, pues si permitimos que el adversario disponga de mucho tiempo para estudiar una posición estática, verá rápidamente la manera de atacar. Sin embargo, el equilibrio se rompe fácilmente durante estos desplazamientos, puesto que los pies se aproximan el uno del otro y la superficie de sustentación se reduce, siendo mucho más difícil todavía mantener el equilibrio mientras se está dando una patada, ya que el polígono se reduce a la superficie de la planta de un solo pie.

El que posee una buena estabilidad siempre tiene el medio, en caso de un ataque sorpresa, de oponerse mediante una gran fuerza de inercia que lo anule. Es el principio fundamental de ciertos estilos de karate que oponen la fuerza a la fuerza hasta el punto de considerar que la de un ataque no es válida. Una buena estabilidad proporciona al karateka unas posibilidades insospechadas cuando bloquea un ataque con fuerza, pues el resultado nada tiene que ver con su peso ni incluso con su fuerza muscular.

El tanden

Desde tiempos muy remotos en Extremo Oriente se ha considerado que el centro de toda la fuerza es un punto situado a unos dos centímetros por debajo del ombligo: el *tanden,* o *seika-tanden* o *seika-no-itten;* los maestros de las artes marciales ven en él la fuente de la energía humana, el centro vital del hombre, y recomiendan concentrar la mente sobre este punto. Por otra parte, toda la meditación Zen y Yoga se centra sobre este punto. ¿Dónde se sitúa exactamente? Por supuesto, es inmaterial y se localiza en la intersección de los tres planos principales del cuerpo: el plano sagital medio, el plano horizontal que divide al cuerpo por la mitad a nivel del abdomen y el plano latero-lateral que divide al cuerpo en las mitades anterior y posterior. Coincide con la posición del centro de gravedad —según los occidentales— y ambos puntos no son más que uno solo. Los orientales insisten sobre la toma de conciencia de este punto, el cual, bien controlado durante cualquier acción, proporciona al hombre una mayor «densidad». Otra vez aquí volvemos a entrar en el terreno filosófico, en el de la acción pura; el hombre que mantiene constantemente al abdomen bajo una ligera tensión y practica la respiración ventral, tiene un mayor aplomo, su fuerza baja desde los hombros hasta el abdomen y su estabilidad se incrementa. Y no obstante, ni es más pesado ni se encuentra aplastado contra el suelo, sino todo lo contrario: el tanden, al ocupar una posición central, es el punto de partida de todo impulso; el resto del cuerpo es como una serie de segmentos que pueden ponerse rápidamente en movimiento a su alrededor y hacia cualquier dirección. El hombre se convierte en una «máquina» igualmente rápida en todas las direcciones; la técnica ya no es superficial sino que, como el kensei, surge verdaderamente del fondo del ser.

B) La fuerza dinámica: la acción de las caderas

Los japoneses llaman al vientre hara y lo consideran un poco como la prolongación del seika-tanden. Toda acción debe partir de él y su solidez es primordial para transformar al cuerpo entero en un todo en el momento del impacto, por ser el vientre lo que une a los diversos segmentos. Ningún movimiento es potente si el vientre no se contrae de manera sincronizada; asimismo el busto debe mantenerse siempre vertical para que los músculos abdominales puedan contraerse mejor. Por lo demás, se alcanzará un mayor éxito cuanto mejor colocado esté el vientre en la dirección en la cual va a efectuarse la técnica (ver oi-zuki, gyaku-zuki, age-uke). Desde el punto de vista psicológico y filosófico, el significado del hara y del sika-tanden es el mismo hasta el punto de que a veces se denomina a todo el conjunto abdominal hara-tanden. De todas maneras, desde el punto de vista físico y técnico que nos interesa, el centro de gravedad (tanden) no puede tener más que una consecuencia sobre la estabilidad o manifestarse bajo la forma de una fuerza centrífuga cuando gira rápidamente (al esquivar) mientras que la faja abdominal (hara) tiene una acción muscular bien definida (particularmente los músculos oblicuos). Conformémonos, pues, con estudiar las consecuencias en el terreno técnico de la acción de las caderas, las cuales, desde el punto de vista morfológico, delimitan la faja abdominal. *La fuerza desarrollada por el movimiento de las caderas se transmite al miembro en acción y viene a sumarse a la fuerza intrínseca de este miembro* (coordinación muscular).

Fuerza de traslación rectilínea

1) *Hacia delante:*

Muchos ataques de karate se efectúan dando un gran paso en la dirección del golpe, tales como los dos ataques fundamentales oi-zuki (golpe con el puño) y mae-geri (golpe con el pie) cuya potencia depende más de la fuerza desarrollada por el empuje de las caderas hacia delante que de la técnica de la mano o del pie consideradas aisladamente.

La traslación de las caderas debe ser rápida y depende de la

FIG. 4

fuerza de empuje del pie que se apoya en el suelo, en el momento en que todo el peso del cuerpo descansa sobre este pie. En consecuencia, hay que echar las caderas hacia delante mientras el pie golpea fuertemente contra el suelo. El tronco permanece vertical o muy ligeramente inclinado hacia delante (nunca arqueado hacia atrás: el movimiento perdería fuerza).

Ejercicio 1

— De pie, con los pies juntos, las rodillas ligeramente flexionadas y las manos en la cintura.

— Llevar el peso del cuerpo sobre una pierna y empujar vigorosamente este pie hacia atrás y contra el suelo; impulsar al mismo tiempo la cintura hacia delante.

— Desplazar el pie libre de peso lo máximo posible hacia delante manteniendo el busto vertical para no desequilibrarse en esa dirección; no despegar el talón del pie que está atrás. El pie y las caderas deben iniciar el movimiento y detenerse al mismo tiempo.

— Tenemos que quedar con las caderas y el pecho de frente, la rodilla fuertemente doblada y la pierna posterior extendida (zen-kutsu).

— Volver a la posición primitiva y repetir el ejercicio cambiando de pierna.

Ejercicio 2

Entrenarse a andar en zen-kutsu (verlo más adelante), con las manos empujando las caderas como en el ejercicio anterior.

2) *Hacia atrás:*

— De pie, con los pies juntos, las rodillas ligeramente flexionadas y las manos en las caderas.

— Apoyar el peso del cuerpo sobre una pierna y empujar fuertemente este pie hacia delante y contra el suelo; las caderas se echan hacia atrás.

— Desplazar el pie libre de peso hacia atrás a la vez que el tronco se coloca de perfil.

— Quedamos con el pecho perpendicular respecto a la dirección inicial y con la pierna posterior fuertemente flexionada (kokutsu).

— Volver a la posición inicial y repetir el ejercicio cambiando de pierna.

Todos estos movimientos deben llegar a hacerse con naturalidad. El karateka debe iniciar y mantener cada técnica mediante un impulso a nivel de las caderas, si no la técnica será floja. Esta parece relativamente secundaria y por ello los maestros enseñan que siempre «hay que dar el golpe con el vientre». *El impulso de las caderas debe producirse una fracción de segundo antes que el movimiento del brazo o de la pierna.*

Fuerza de rotación

Esta fuerza es ampliamente utilizada, tanto en las técnicas de ataque como en las de defensa, ejerciéndose en la misma dirección o en la contraria de estas técnicas (verlo al final de esta parte). Consideraremos aquí el principio general, los ejercicios y los consejos básicos. Girando rápidamente alrededor de un eje vertical las caderas desarrollan una fuerza centrífuga que se transmite al puño o al pie que va a golpear y cuanto más deprisa giren las caderas, más rápido será el movimiento del puño o del pie. La dificultad estriba en movilizar muy rápidamente unos músculos lentos por naturaleza y en interrumpir bruscamente la rotación en el momento del kime con el fin de poner en la acción final toda la fuerza obtenida por la energía cinética. Se requiere un entrenamiento constante para llegar a liberar y a canalizar correctamente la fuerza liberada por la rotación de las caderas. Los croquis adjuntos ilustran dos ejercicios básicos que además pueden servir de precalentamiento antes del entrenamiento propiamente dicho.

Ejercicio 1

— Estando en zen-kutsu derecho, con las manos en las caderas (dedos pulgares dirigidos hacia atrás) y los codos apuntando hacia los lados.

— Efectuar una rotación hacia la derecha (croquis 5-2); girar el busto al máximo hacia la derecha hasta que la cadera izquierda

FIG. 5

quede por delante de la pierna derecha y un poco a su derecha; continuando en posición zen-kutsu, la pierna delantera debe estar flexionada, pero los pies algo más separados; el pie y la rodilla deben apuntar ligeramente hacia el interior (posición gyaku-zuki-no-ashi de la técnica Wado-ryu).

— Efectuar una rotación en sentido contrario (croquis 5-1) girando el busto hacia la izquierda y mirando hacia atrás, procurar que el pie que está delante haga el mismo movimiento, en la misma dirección se desplace a una distancia idéntica a la que había recorrido y en sentido contrario cuando tuvo efecto la primera rotación.

Las caderas deben permanecer al mismo nivel y la pierna posterior siempre debe estar extendida. Es el entrenamiento básico para el ippon-tote-gyazu-zuki (golpe de puño contrario propinado in situ, en la técnica Wado-ryu).

Ejercicio 2

— Mismo inicio que el anterior ejercicio, pero con el zen-kutsu más abierto, por lo que no se requerirá desplazamiento de la pierna adelantada para que las caderas puedan girar con la suficiente holgura. El busto se coloca de perfil.

— Girar con fuerza la cadera que queda retrasada hacia delante frenando algo su movimiento mediante la presión de las manos en sentido contrario; de esta manera se evita el desequilibrio hacia delante.

— Contraer con fuerza los abdominales cuando el busto quede de frente y sincronizar la detención del movimiento de rotación con el bloqueo de la rodilla posterior; la pierna debe quedar extendida y el talón pegado al suelo.

— Volver con la misma velocidad y la misma fuerza a la posición inicial y continuar la rotación hasta el final. Efectuar el movimiento cada vez más rápido y progresivamente más fuerte.

Cuidado: La rodilla no debe relajarse ni mirar hacia fuera durante la rotación.

Los karatekas adelantados practicarán el mismo ejercicio pasando de la posición fudo-dachi (cuando el busto está de perfil) a la zen-kutsu (cuando está de frente) sin moverse del sitio, lo que les permitirá utilizar mejor la fuerza desarrollada por la tensión de la pierna trasera (ver foto 31). Al girar, las caderas y los hombros deben quedar en dos planos horizontales paralelos, pues permaneciendo al mismo nivel, las caderas desarrollarán una potencia máxima; la columna vertebral siempre deberá estar vertical. Los hombros no han de girar antes que las caderas, sino que el movimiento de aquéllos debe seguir al de éstas. La única tensión tiene que localizarse a nivel del abdomen, quedando las demás partes del cuerpo perfectamente relajadas. Para evitar los defectos más corrientes, un excelente método de entrenamiento consiste en ejecutar estos movimientos de rotación con un bastón mantenido en la zona lumbar gracias a los brazos, con los codos dirigidos hacia atrás; el bastón debe colocarse horizontalmente.

Fuerza desarrollada por balanceo lateral

Esta forma de intervención de las caderas es relativamente rara; se trata de un desplazamiento lateral de las caderas en un plano vertical, sin ninguna rotación, utilizado especialmente en

FOTO 2

FOTO 3

gyazu-zuki-no-tsukkomi de la escuela Wado-ryu.

La foto 2 nos muestra un golpe de puño con rotación de las caderas: sin bloqueo previo el puñetazo adverso llegaría a tocarnos. La foto 3 ilustra el mismo puñetazo, pero con un desplazamiento lateral de las caderas (contoneo hacia la izquierda): el puñetazo adverso es esquivado, ya que el cuerpo ha salido de la línea de ataque.

LAS POSTURAS (DACHI O SHIZEI)

Cada técnica de karate se efectúa a partir de una posición de pierna particular que le proporciona toda su eficacia, a la vez que le permite canalizar en una dirección dada toda la fuerza del cuerpo; también asegura unos puntos de apoyo estables, indispensables en el kime.

Las posturas que dan al karate un estilo particular no se parecen en nada a las que se adoptan en la vida diaria y que fácilmente nos hacen perder el equilibrio. Hay numerosas posturas de muy diferente utilización (según la dirección, el movimiento ejecutado, la presencia de uno o varios adversarios) sin que exista una sola que sirva para cualquier ocasión; sin embargo, el problema principal en todas estas posiciones procede del centro de gravedad; una buena posición debe responder a dos imperativos:

— *La solidez:* Para asegurarse una buena estabilidad la base de sustentación ha de ser cuanto más amplia mejor; para ello la posición debe ser baja, los pies deben estar bien separados y las piernas flexionadas adecuadamente. Por este hecho es relativamente fácil desbaratar un ataque adverso sin moverse; por otra parte, las piernas flexionadas se mantienen bajo tensión, lo que representa una reserva de energía a punto de ser liberada mediante un gesto brusco; finalmente, una posición baja facilita la contracción de todo el cuerpo durante el kime. De todas maneras, hay un cierto límite en el grado de flexión de las piernas que no es conveniente sobrepasar: demasiado flexionadas y sobre todo, mantenidas demasiado rato en esta posición, pierden rápidamente su elasticidad y terminan por fatigarse y paralizarse, no representando más que un peso muerto.

— *La agilidad:* Cuanto más alta es una posición y más juntos están los pies, mayor es la posibilidad de moverse rápidamente, o sea de saltar más deprisa al ataque o a la defensa; en una posición alta, el peso que se debe «arrancar» del suelo es menor. Concentrarse demasiado en la solidez, representa perder toda la movilidad.

A estos dos imperativos, las diferentes escuelas han encontrado unas respuestas a veces originales preconizando unas posiciones particulares, más o menos altas o más o menos dirigidas en una dirección dada según los casos; algunas veces se juntan en algunas posiciones básicas.

Puntos esenciales en la práctica de las posturas:

● La parte superior del cuerpo, siempre debe hallarse «soldada» a la posición mediante un abdomen fuerte. La espalda ha de mantenerse vertical.

● Si la posición no es correcta, los músculos requeridos para un movimiento no pueden colaborar armoniosamente y la técnica es ineficaz.

● En toda posición, la cara interna de los muslos debe mantenerse bajo tensión y la fuerza debe localizarse en la entrepierna y en las nalgas; el cuerpo no se halla dividido a nivel del abdomen, sino todo lo contrario, la tensión lo afecta hasta por encima del ombligo. La dificultad estriba en situar la tensión muscular en la entrepierna y el abdomen y mantenerla inconscientemente.

● No deben crisparse los dedos de los pies, ya que esto originaría el arqueamiento de la bóveda plantar y disminuiría la adherencia del pie en el suelo. Mantenerse bien estable con el peso correctamente repartido sobre la totalidad de la superficie de los pies.

● Una posición cambia insensiblemente justo antes y después de la aplicación de la técnica, aunque aparentemente sea la misma; por ejemplo, en el momento del impacto, un zen-kutsu correspondiente a un oi-zuki está flexionado más ligeramente hacia adelante con un reparto diferente de la fuerza de las piernas, que un zen-kutsu en defensa y retrocediendo; asimismo, la tibia delantera está más vertical en un zen-kutsu estable que en el zen-kutsu que se adopta antes de atacar (rodilla más flexionada, peso del cuerpo en mayor proporción sobre la pierna adelantada).

● A menudo hay que cambiar la postura durante un combate con el fin de no inmovilizarse y proporcionar al adversario una oportunidad de ataque.

● De una manera general, adoptar una posición más alta cuando se vaya a atacar, pero bajar al máximo cuando se haya de realizar un bloqueo (fuerza estática).

● En el entrenamiento básico hay que esforzarse para conseguir una colocación lo más baja posible, flexionando las articulaciones al máximo, contrayéndolas hasta que el músculo entre en tétanos. Todo esto es a menudo exigido por el profesor durante los entrenamientos duros. La finalidad que se pretende con ello es, por una parte, labrar la voluntad a través de una prueba física muy pesada y, por otra, formar los músculos y obligarlos a contraerse. Más tarde, en los combates, el karateka elevará las caderas sin que por ello pierda la estabilidad y la fuerza adquirida anteriormente. De todas maneras el principiante no deberá imitar mucho a los expertos, puesto que correría el riesgo de no poder dominar nunca del todo su cuerpo.

● Un cinturón negro, por el mismo motivo, puede permitirse el lujo de tomarse ciertas libertades respecto a la forma básica —clásica— de la posición; esto no dejará de extrañar al principiante, pero se explica fácilmente por el hecho de que ha adquirido previamente, mediante sesiones de entrenamiento muy duras, la fuerza y la estabilidad a través del dominio de la forma tradicional.

● Antes de ir más lejos, hay que dedicarse a dominar las tres posiciones de base: zen-kutsu, kiba-dachi y ko-kutsu, en las cuales la separación de los pies es idealmente la misma, porque a través de ellas es posible llegar a dominar todas las demás.

Nota para la interpretación de los dibujos de las figuras 6, 7, 8 y 9.

— Todas las posiciones de combate se ilustran de frente y de perfil.

— Las huellas de los pies están contenidas en el interior de un perímetro que representa el polígono de sustentación.

— La proyección vertical del centro de gravedad viene representada por un punto.

— La flecha punteada apunta en la dirección del movimiento efectuado a partir de la posición en cuestión, mientras que la flecha continua, en blanco, representa la dirección del busto.

A) Posturas naturales y preparatorias (tipo: hachiji-dachi)

Son unas posiciones a partir de las cuales es muy fácil moverse rápidamente y adoptar la postura de ataque o de defensa más apropiada.

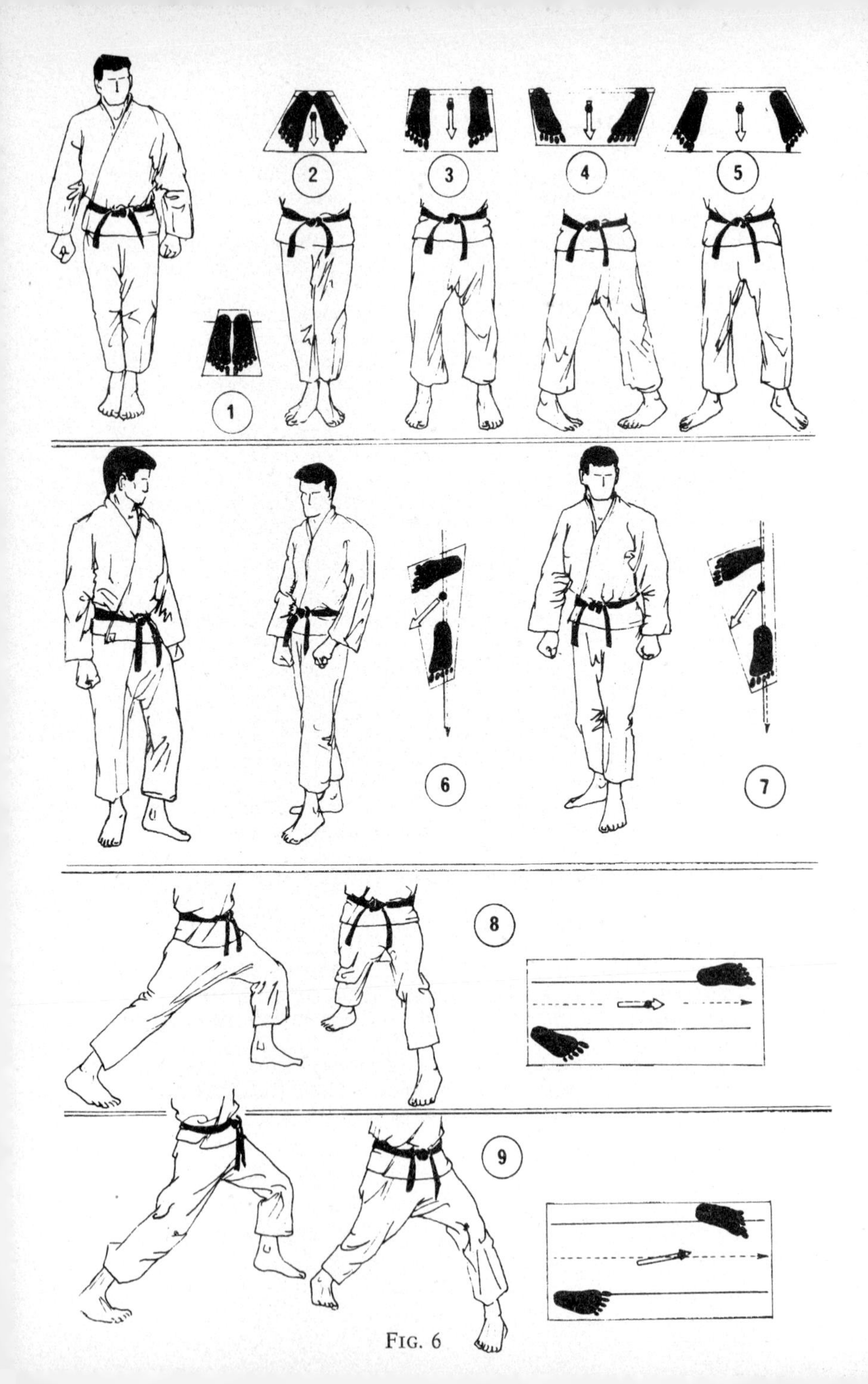

FIG. 6

Hay que adoptar la posición normal antes de efectuar cualquier técnica o, para los principiantes, ejercitar una técnica «in situ».

Algunas observaciones generales para todas estas posturas:

— El cuerpo debe mantenerse suelto, relajado. Sólo el abdomen se halla bajo una muy ligera tensión.

— Las rodillas deben estar sueltas, ni tensas ni demasiado flexionadas.

— El peso del cuerpo debe estar igualmente repartido sobre los dos pies.

— Los brazos cuelgan a lo largo del cuerpo, los puños cerrados pero sin crispación. El espíritu se mantiene zanshin. Cuerpo y espíritu están a punto de actuar instantáneamente.

Las únicas diferencias están en las disposiciones de los pies.

1) *Postura de espera con los pies juntos (heisoku-dachi)*

2) *Postura de espera con los talones juntos (musubi-dachi)*

Los talones se tocan mientras las puntas de los pies se dirigen hacia fuera.

3) *Postura de espera con los pies paralelos (heiko-dachi)*

Los talones están separados por una distancia equivalente a la anchura de las caderas y los bordes internos de los pies se mantienen paralelos.

4) *Postura de espera con las puntas de los pies hacia dentro (uchi-hachiji-dachi)*

A partir de la posición precedente, girar sobre las plantas de los pies echando los talones hacia el exterior; los pies apuntan hacia dentro y los talones están sobre la misma línea.

5) *Postura de espera con los pies separados (hachiji-dachi)*

Esta postura también se llama *yo-dachi, yoi-no-shizei* o *shizentai.* Es muy cómoda y natural: los pies tienen la misma orientación que en la mu-subi-dachi, pero los talones están separados. Un error muy común consiste en separar demasiado los pies o en doblar exageradamente las rodillas, lo que le quita a esta postura toda movilidad; en efecto, a partir de ella hay que poder saltar para el ataque o la defensa en cualquier dirección. Con el fin de conseguir una separación correcta, podemos efectuar un saltito «in situ» y quedarnos en la posición de caída natural. Esta posición es la del «yoi», actitud que se adopta antes de ejecutar una técnica (yoi significa preparado): los pies se disponen como en la figura 5 y los brazos caídos como en la figura 1; los puños cerrados y despegados del cuerpo, por delante del abdomen (foto 147), que debe mantenerse bajo una ligera tensión, así como la entrepierna y los sobacos, mientras los hombros se dejan caídos y relajados.

En todas estas posturas los talones se encuentran sobre una misma línea y el busto queda de frente.

6) *Postura en T (teiji-dachi)*

Un pie se coloca adelantado sobre una línea que pasa por el centro de la huella del pie que queda retrasado; la distancia entre los pies es más o menos de un pie; el busto queda a unos ¾ de la posición frontal; los dedos del pie retrasado apuntan algo hacia delante. Si el pie izquierdo es el que está delante, tenemos el hidari-teiji-dachi (o *hidari-shizentai*); si es el derecho el que está delante, tenemos el migi-teiji-dachi (o *migi-shinzentai*).

7) *Postura en L (renoji-dachi)*

La diferencia con respecto a la anterior estriba en que el pie delantero está colocado sobre una línea que pasa por el talón del pie trasero, aunque de hecho ambas posiciones son muy parecidas.

Ambas posiciones suelen utilizarse indistintamente: se adoptan antes de golpear con el puño delantero (mai-te) deslizando el pie adelantado hacia delante.

Postura con un pie delante del otro (moroashi-dachi), no ilustrada

Es la posición más corrientemente adoptada por todos: los pies se colocan paralelos y separados al ancho de las caderas; un pie adelantado y el otro retrasado, apuntando ambos en la misma dirección (o sea como el heiko-dachi, pero los talones no están en la misma línea); es la posición que se adopta cuando se camina a pasitos.

B) Posturas adelantadas (tipo: zen-kutsu-dachi)

En las posturas siguientes el centro de gravedad está desplazado hacia delante; son, pues, posturas orientadas en una dirección determinada y en general no pueden utilizarse más que en técnicas que vayan a ejecutarse en esta dirección (esencialmente técnicas de ataque).

8) *Postura con la pierna adelantada flexionada (zen-kutsu-dachi)*

Es una postura fundamental muy eficaz cuando sirve de soporte a una técnica frontal (un ataque o un bloqueo fuerte hacia delante). La pierna adelantada se halla fuertemente flexionada, con la tibia vertical; la pierna retrasada, bien extendida; la pelvis, de frente y los pies sobre líneas paralelas separadas al ancho de las caderas.

Para adoptar esta postura correctamente, colocarse en heikodachi y luego deslizar un pie hacia delante, encima de la línea sobre la que se encontraba al principio; no girar la cintura. La abertura entre los pies (es decir la separación en sentido longitudinal) es de 80 a 100 cm. según la morfología del karateka; equivale aproximadamente a la longitud de la pierna retrasada extendida.

Puntos esenciales

- Un 60 o 70 % del peso del cuerpo se apoya sobre la pierna adelantada.
- Separación lateral de los pies: para no comprometer la estabilidad, esta separación no debe ser inferior al ancho de las caderas; sólo los cinturones negros experimentados pueden permitirse el colocar los pies sobre una misma línea. Para los principiantes, la separación puede llegar a ser la del ancho de los hombros para aumentar la base de sustentación.
- La pierna adelantada debe estar doblada y la tibia, al menos, vertical. El borde interno del pie está ligeramente girado hacia el interior; el pie reposa sobre toda su planta y no sobre su borde externo como cuando se dirige la rodilla hacia el exterior (torsión de la pierna); ésta está siempre orientada en la dirección del pie.
- La pierna retrasada está rígida y con la rodilla tensa; su función es la de empujar al cuerpo hacia delante. La rodilla y el pie apuntan como máximo hacia delante para que las tensiones de las articulaciones de la rodilla y del tobillo se dirijan correctamente en el sentido del movimiento. El talón no debe despegarse del suelo. Los cinturones negros, como tienen las piernas muy fuertes, pueden doblar ligeramente la rodilla.

Entrenamiento

— Adoptar un zen-kutsu cada vez más bajo con la máxima abertura; la rodilla adelantada está fuertemente doblada (ángulo agudo) y el muslo, horizontal, toca la pantorrilla sin que el talón se despegue del suelo. El talón de la pierna retrasada está levantado, pero la pierna se mantiene rígida. Forzar hacia abajo manteniendo el busto vertical. Es un excelente ejercicio de flexibilidad y de endurecimiento de la pierna adelantada y de la entrepierna.

— Colocarse en zen-kutsu frente a un compañero también en zen-kutsu, con la misma pierna adelantada; acercarse hasta conseguir poner las manos sobre los hombros del compañero, estando los brazos extendidos, sin tener que inclinarse hacia delante; este último hace otro tanto. Impulsar el abdomen hacia delante y empujar los hombros del camarada. Los dos karatekas deben rechazarse mutuamente, pero más con el abdomen que con los brazos; en ningún caso hay que empujar perdiendo el equilibrio hacia delante; los bustos deben mantenerse verticales y en posición frontal. El resultado del ejercicio puede considerarse óptimo cuando los zen-kutsu no varían prácticamente bajo el igual empuje de los dos luchadores.

Variantes

Son bastante insignificantes. Según las escuelas y los expertos se refieren esencialmente a:

— Al ángulo de la rodilla adelantada: en Shokotan, una vertical que pase por la rodilla cae encima del dedo gordo del pie, mientras que en Wado-ryu, la tibia permanece vertical; en Shukokai, una mayor proporción de peso descansa sobre la pierna adelantada (ver la «Standart Stance» en la tercera parte) lo que permite un ataque más rápido de la pierna retrasada completamente aligerada; esto, sin embargo, puede ser causa de desequilibrio (no hay demasiado peso sobre la pierna de atrás, y el talón tiene tendencia a levantarse), lo cual es menos grave en una competición que en el concepto tradicional del karate cuya finalidad esencial es la preparación para el combate contra varios adversarios.

La pierna adelantada y su pie correspondiente están a veces dirigidos hacia adelante (Wado-ryu).

— La separación lateral de los pies es mucho mayor en la técnica Shokotan (donde la estabilidad aumenta) mientras que en la técnica Wado-ryu (la velocidad de desplazamiento es mayor).

— La dirección de la rodilla adelantada: ligeramente hacia dentro en la Shokotan, pero directamente hacia delante en la Wado-ryu; la diferencia estriba esencialmente en que en la Shokotan la separación es mayor y la posición de la rodilla (un poco hacia el interior del polígono de sustentación) permite una mejor contracción de los muslos y de la entrepierna; lo cual es inútil en la Wado-ryu puesto que los pies están más juntos, siendo en consecuencia la contracción más fácil.

Principales variantes en el estilo Wado-ryu (esta escuela distingue un zen-kutsu propio para cuatro técnicas diferentes):

- Postura para el golpe de puño directo *(jun-zuki-no-ashi):* Como el zen-kutsu de base, pero la separación de los pies no es superior al ancho de las caderas y la rodilla adelantada mira directamente hacia delante.

- Postura para el golpe de puño inclinado *(jun-zuki-tsukkomi-no-ashi):* Ver esta técnica en la página 153 (talones sobre una línea, rodilla fuertemente doblada, pelvis de perfil).
- Postura para el golpe de puño contrario *(gyaku-zuki-no-ashi):* Verlo a continuación.
- Postura para el golpe de puño contrario inclinado *(gyaku-zuki-tsukkomo-no-ashi):* Verlo a continuación.

9) *Postura para el golpe de puño contrario (gyaku-zuki-no-ashi)*

Con el fin de permitir a las caderas girar con fuerza, los pies están más separados; la rodilla y el pie adelantado están algo dirigidos hacia dentro; esta postura pues es muy parecida al zen-kutsu clásico en Shokotan. Ver la técnica del *ippon-tote-gyaku-zuki.*

10) *Postura para el golpe de puño contrario inclinado (gyaku-zuki-tsukkomi-no-ashi)*

Este golpe de puño se da junto con un balanceo lateral de las caderas; el pie delantero está muy poco adelantado respecto al otro pie (el talón se halla en la línea de los dedos del pie retrasado); los pies están dirigidos hacia delante y muy ligeramente hacia dentro; la rodilla adelantada está muy doblada y la pierna retrasada bien extendida. El error más corriente consiste en desfasar demasiado los pies cuando se propina el puñetazo, originando el que la cadera no pueda balancearse libremente y esté obligada a girar, con lo cual entonces tendemos un gyaku-zuki clásico. Ver la técnica del gyaku-zuki-no-tsukkomi en la página 169.

C) POSTURAS RETRASADAS (TIPO: KO-KUTSU-DACHI)

En las posturas siguientes el centro de gravedad está desplazado hacia atrás; a menudo se adoptan al retroceder, al ejecutar una defensa; la pierna de atrás fuertemente flexionada proporciona la estabilidad a estas posturas y permite, mediante una fuerte impulsión, lanzar el cuerpo hacia delante para un contraataque en zen-kutsu.

11) *Postura con la pierna retrasada flexionada (ko-kutsu-dachi)*

Constituye, después del zen-kutsu, la segunda postura fundamental: el pie adelantado apunta hacia delante sobre la línea que pasa por el talón del pie retrasado; la pierna retrasada está fuertemente flexionada (ángulo recto), la rodilla (dirigida hacia fuera) y el pie de atrás se encuentran en una misma vertical. La pierna adelantada está ligeramente doblada por la rodilla y el talón algo despegado del suelo pero no levantado. La pelvis y el busto están a unos ¾ de la posición frontal. Para tomar esta posición, colocarse en renoji-dachi y luego agacharse sin moverse del sitio sobre la rodilla de atrás deslizando el pie adelantado sobre la línea del talón retrasado (la rodilla y el pie retrasados no cambian de dirección durante el descenso de las caderas); también se puede conseguir a partir de la kiba-dachi (verla más adelante) y luego girar un pie hacia el exterior desplazando ligeramente el centro de gravedad en la dirección opuesta, pero sin mover o relajar la pierna que no debe girar; las caderas permanecen al mismo nivel.

Puntos esenciales

● Un 70 u 80 % del peso del cuerpo se apoya sobre la pierna retrasada. No hay que exagerar el desplazamiento de peso hacia atrás, ya que entonces es muy fácil desequilibrarse.

● La pierna adelantada: toda ella está contenida en un plano vertical que pasa por el talón del pie retrasado; especialmente la rodilla debe mirar hacia delante (lo que se produce naturalmente si la nalga y el muslo están bien contraídos); la rodilla debe formar un ángulo, aunque no muy pronunciado (si no la pierna es débil y muy vulnerable a un ataque).

● La pierna retrasada: durante el entrenamiento debe estar doblada al máximo; la rodilla y los dedos del pie no deben mirar hacia atrás, sino que han de estar en un plano vertical perpendicular al plano de la pierna adelantada o, mejor, ligeramente hacia adelante (esto facilita el paso hacia una posición adelantada sin moverse del sitio); en todos los casos la rodilla y el pie deben encontrarse en el mismo plano; hay que evitar la torsión de las articulaciones de la rodilla y del tobillo. El pie está en contacto con el suelo a través de toda su planta y no del borde exterior solamente, que es lo que sucede cuando el pie mira hacia delante y la rodilla es forzada hacia atrás; el talón no debe despegarse del suelo.

● El busto: su posición respecto a la postura general es muy importante y más delicada de dominar que en el zen-kutsu. Debe estar bien erguido, vertical, o sea, sin inclinarse por ningún lado; el abdomen debe estar contraído, el tanden en tensión en la dirección de la flecha blanca del dibujo 11; el eje de las caderas (línea transversal que pasa por el centro de las dos articulaciones coxo-femurales) se mantiene paralelo al suelo. La espalda lisa y sin que las nalgas sobresalgan por detrás.

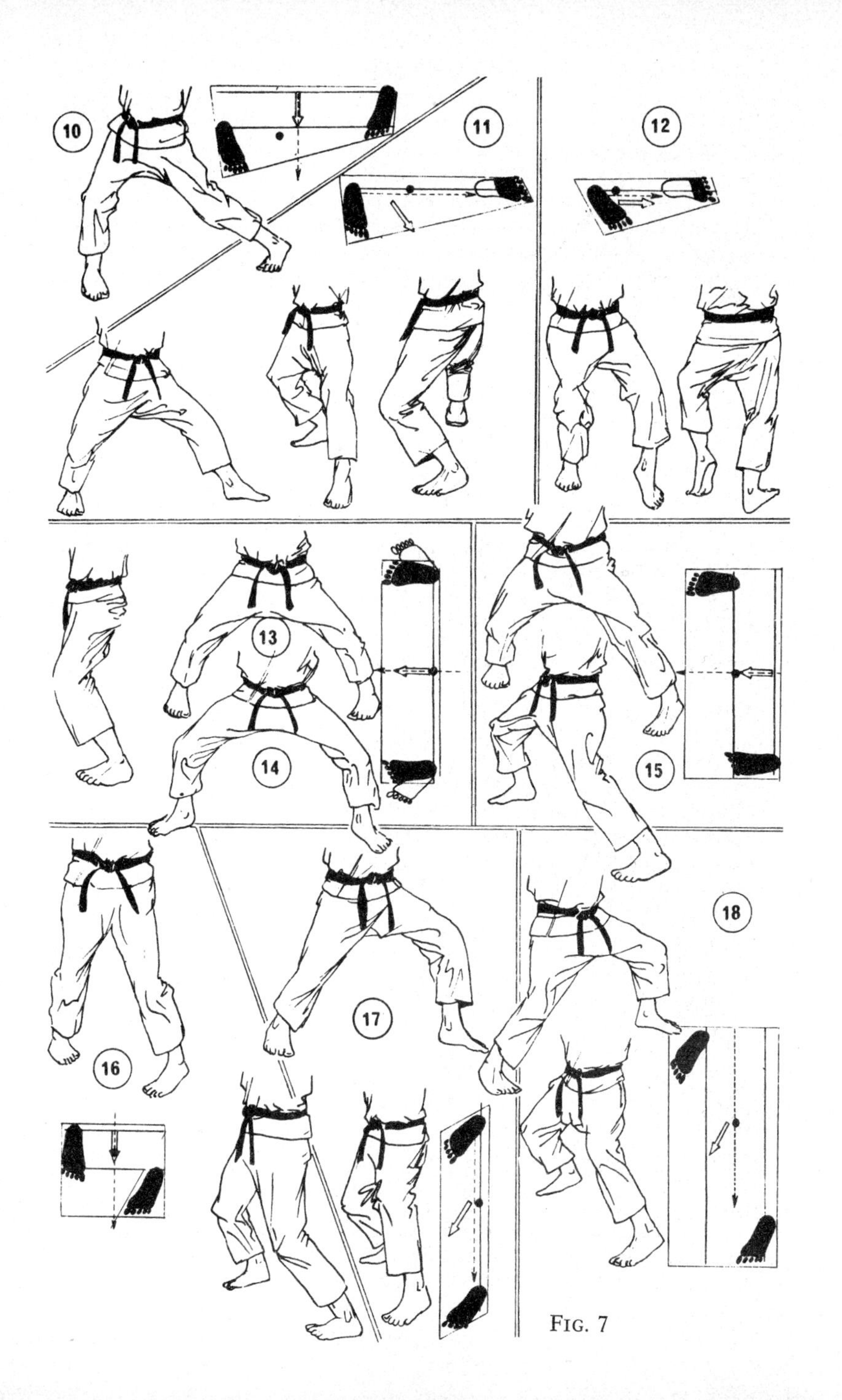

FIG. 7

Entrenamiento

— Colocarse en ko-kotsu muy bajo, con la rodilla de atrás doblada al máximo, incluso si para ello hay que girar ligeramente la pierna retrasada hacia atrás.

— Colocarse pegados a la pared en el ángulo de la sala y agacharse en correcto ko-kutsu manteniendo en contacto la espalda, las nalgas y la pierna adelantada con un lado de la pared y la pierna retrasada, desde la cadera al pie, con el otro lado.

— Un compañero nos empuja por los hombros hacia atrás y contra el suelo: a partir del hachiji-dachi, desplazar una pierna hacia atrás para agacharse en un ko-kutsu sólido; el compañero continúa intentando aplastarnos contra el suelo: resistir sin caer con el solo movimiento de muelle de la rodilla de atrás, correctamente en tensión hacia fuera; contraer el abdomen y no inclinarse hacia atrás.

— Colocarse en ko-kutsu estable; sin elevar el centro de gravedad y sin descuidar la tensión de la pierna retrasada o mover el pie atrás, hacer mae-geri-keage (ver esta técnica) con la pierna adelantada en el mismo plano vertical en donde estaba colocado el pie; hay que actuar muy deprisa para golpear después de haber llevado el pie hacia atrás, sin inclinarse en esa dirección.

Variantes

Se refieren esencialmente a:

— La posición del pie adelantado: el talón se halla más o menos levantado. En las técnicas shotokai y Wado-ryu, por ejemplo, el talón está muy levantado por lo que la pantorrilla está mayormente contraída; en la Shokotan, el talón no se despega del suelo más que el espesor «de una hoja de papel».

— La orientación de la rodilla de atrás: según el reparto de peso del cuerpo, la dirección de la rodilla retrasada cambia. Si el peso se encuentra más equitativamente repartido sobre las dos piernas, la rodilla retrasada está desplazada hacia atrás y puede mirar en esta dirección; si el peso se coloca en mayor proporción sobre la pierna de atrás, la rodilla se dirige mayormente hacia delante para que la pierna pueda soportar mejor este peso.

Principales variantes

- *Mahami-no-nekoashi-dachi* (Wado-ryu): Es un ko-kutsu con una mayor separación de piernas; difiere de la postura fundamental por el hecho de qua la rodilla y el pie retrasados miran hacia atrás; el busto está completamente de perfil y el talón delantero levantado. Es una postura baja, capaz de romper un potente ataque.

- *Hanmi-no-nekoashi-dachi* (Wado-ryu): Esta postura es la equivalente del ko-kutsu clásico en la técnica Shokotan; de todas maneras se diferencia por el hecho de que el talón de delante está muy levantado, aun cuando todas las demás características son idénticas.
- *Manmae-no-nekoashi-dachi* (Wado-ryu): Esta postura también se llama nekoashi-dachi (posición del gato) y la encontramos en todas las escuelas. Verla a continuación.

12) *Postura del gato (nekoashi-dachi)*

Colocarse en ko-kutsu y luego acercar el pie adelantado al que está detrás dejándolo en su misma línea. Levantar completamente el talón; al mismo tiempo llevar la rodilla y el pie retrasados hacia delante, a unos 45° respecto a la dirección del pie adelantado. La pierna retrasada aguanta entonces un 90 % del peso del cuerpo, por lo que el pie delantero adquiere una gran movilidad y puede golpear de manera rápida y más fácilmente que en ko-kutsu, puesto que prácticamente se está en equilibrio sobre un pie. En general esta postura permite reaccionar rápidamente en cualquier dirección o bien esquivar; para mantener dicha ventaja no hay que agacharse demasiado sobre la pierna retrasada, de lo contrario podríamos encontrarnos bloqueados. El busto se mantiene de frente. La separación entre los pies suele ser igual a una vez y media la longitud del pie.

D) Posturas equilibradas (tipo: kiba-dachi)

En las posturas siguientes, la vertical del centro de gravedad cae justo en el centro del polígono de sustentación. Son, por lo tanto, las posturas menos comprometidas que permiten reaccionar rápidamente en varias direcciones; se las llama a veces «posturas de combate». Son muy sólidas y estables y se utilizan indistintamente en las técnicas de ataque y de defensa.

Para la ejecución de técnicas laterales

Se está de perfil respecto al adversario y las técnicas se ejecutan hacia los lados y no de frente (entrañaría una menor estabilidad).

13) *Postura del jinete (kiba-dachi)*

Es la tercera postura fundamental. También se la conoce con el nombre de tekki (jinete de hierro). Su aspecto general, en efecto, recuerda el de un jinete a caballo: los pies están muy separados y paralelos, los talones sobre una misma línea y las rodillas flexionadas —en tensión— mirando hacia fuera. El busto se mantiene vertical, de perfil respecto al adversario (por lo que la cabeza está girada 90°), y el eje de las caderas paralelo al suelo.

Para conseguir esta postura, adoptar primero la heiko-dachi y luego, manteniendo los bordes internos de los pies paralelos, deslizar un pie hacia un lado a la vez que se doblan las rodillas. Con algo de experiencia también es posible conseguir la correcta abertura y el ángulo adecuado de las rodillas dando un pequeño salto y cayendo de una sola pieza en kiba-dachi.

Puntos esenciales

● El peso del cuerpo está uniformemente repartido sobre las dos piernas.

● La abertura: depende de la morfología del karateka; suele ser igual a una vez y media o dos veces el ancho de las caderas.

● Los pies: sus bordes internos se mantienen paralelos o incluso un poco convergentes (puntas hacia dentro), pero sin exageración; lo esencial es mantener el paralelismo que ya de por sí es bastante difícil al tener tendencia los pies a abrirse hacia fuera para disminuir la tensión de los tobillos.

● Las rodillas y los tobillos: si bien durante los entrenamientos hay que acostumbrarse a doblar las rodillas al menos 90°, en los combates más vale no estar clavado en el suelo, sino colocarse en una postura un poco más elevada; por tanto, el ángulo de los tobillos también será menos agudo y la posición ganará en flexibilidad. Pero cuidado: no hay que subir demasiado aunque se deje sentir la fatiga.

La tensión de las rodillas se ejerce hacia fuera a pesar de que éstas miren ligeramente hacia dentro (la vertical del centro de gravedad cae justo encima del dedo gordo del pie). El aspecto frontal de conjunto de la posición no debe ser un rectángulo (como debe serlo en el entrenamiento básico, cuando se practica el «forcing»), con los muslos horizontales, sino una pirámide cuya cúspide, la entrepierna, podrá contraerse mejor; por el contrario, en el primer caso el cuerpo se aplasta contra el suelo y como el peso se ejerce sobre los bordes externos de los pies, la bóveda plantar se arquea; los tobillos se mantienen bajo una tensión demasiado fuerte, por lo que la postura se debilita.

● El busto: debe estar bien erguido, vertical y de perfil respecto al adversario; el abdomen contraído y las nalgas firmes; idealmente la espalda, las nalgas y los talones deben estar sobre un mismo plano vertical. El eje de las caderas se mantiene paralelo al suelo.

Entrenamiento

— Formar con los demás compañeros de dojo un círculo de gran radio de curvatura, separando las piernas y manteniendo en contacto los bordes externos de los pies con los de los vecinos de ambos lados. Luego agacharse en kiba-dachi, sin mover los pies y con las rodillas en contacto con las de los compañeros, y permanecer en esta posición el máximo de tiempo posible para desarrollar los músculos de las piernas.

— Colocarse en kiba-dachi, de perfil respecto a un compañero también en kiba-dachi y del todo contra su pierna (los pechos de ambos, pues, están en un mismo plano); cogerse de las mangas de los keikogis y atraer al compañero hacia sí (resistencia) sin inclinar el busto; hay que hacer la fuerza con el vientre, transformando todo el cuerpo en un bloque sólido. Mantenerse lo más bajos posible.

— Nos colocamos en kiba-dachi con los muslos horizontales; un compañero monta sobre nuestras piernas, colocando los pies a uno y otro lado del busto manteniéndose contra nuestras caderas y agarrándose en los hombros. Permanecer en esta posición o hacer nami-ashi (ver esta técnica) sin perder el equilibrio.

Variante Naihanchi-dachi (Wado-ryu)

Esta posición es un kiba-dachi efectuado un poco más bajo, que permite que los pies estén algo más girados hacia dentro. Todas las demás características son idénticas.

14) *Postura de sumo (shiko-dachi)*

Tiene las mismas características del kiba-dachi, pero los pies están francamente girados hacia fuera, a unos 45°. Postura muy utilizada en el sumo (lucha japonesa); en karate se la utiliza como la kiba-dachi.

Para conseguir un shiko-dachi correcto, basta con adoptar la postura kiba-dachi y dejar que los pies se abran hacia al exterior siguiendo su natural tendencia

PARA LA EJECUCIÓN DE LAS TÉCNICAS FRONTALES

En estas posturas uno se encuentra de frente al adversario, con el peso equitativamente repartido sobre ambas piernas; por ello, pueden considerarse como posturas adelantadas. Menos bajas, con los pies más juntos, son más apropiadas para los desplazamientos rápidos pero de corta trayectoria, o sea, para el combate a media distancia.

15) *Postura del jinete en diagonal (seishan-dachi)*

Es propia de la técnica Wado-ryu y consiste en un kiba-dachi en el cual un pie está desplazado respecto al otro: el talón del pie adelantado se encuentra sobre las líneas de los dedos del pie retrasado; los pies están paralelos y las rodillas flexionadas como en la kiba-dachi; una cadera está ligeramente retrasada y el busto a unos ¾ de frente.

16) *Postura de reloj de arena (sanchin-dachi)*

Es la postura básica de la escuela Goju-ryu; de hecho es muy potente y muy adecuada a las técnicas de fuerza ejecutadas sin moverse del sitio con contracción abdominal; se muestra excelente en la defensa, para bloquear «in situ» (por ejemplo, si nos encontramos acorralados o si, en general, disponemos de poco sitio para movernos); de todas maneras sólo permite ataques más lentos que en zen-kutsu (verlo a continuación en los desplazamientos) y de menor alcance. La base de sustentación es relativamente estrecha y la posición es alta aunque muy sólida por el hecho de que la tensión de las rodillas es hacia dentro. El busto se mantiene de frente.

Para conseguir la sanchin-dachi, adoptar la posición uchi-hachiji-dachi flexionando las rodillas y luego avanzar un pie.

Puntos esenciales

- Las rodillas: también están flexionadas y mirando hacia dentro; su estado de tensión nunca debe disminuir.
- La separación lateral: equivale al ancho de las caderas.
- Los pies: el talón del pie adelantado se encuentra sobre la línea de los dedos del pie retrasado; el primero mira ligeramente hacia dentro mientras que el segundo lo hace directamente hacia delante. Ambos pies deben estar bien apoyados (sobre toda su planta).
- El busto: debe estar bien erguido, vertical. Contraer con fuerza los abdominales, las nalgas y los aductores.

Variante

Ciertos expertos dirigen el pie retrasado perpendicularmente al eje del pie adelantado (dibujo 16) y acentúan la dirección del pie adelantado hacia dentro.

17) *Primera postura de combate en la técnica Wado-ryu (tate-seishan)*

La postura siguiente es la que más se utiliza en competiciones deportivas. Los pies se colocan paralelos, con los talones sobre una misma línea y dirigidos 45° hacia un lado; las rodillas también se encuentran flexionadas y en tensión hacia el mismo lado; el busto está a ¾ de frente.

Esta posición intermedia entre la zen-kutsu y la ko-kutsu permite unos desplazamientos con gran agilidad, o sea rápidos; se adopta notablemente cuando uno se coloca «en guardia» antes de efectuar un movimiento: esta toma de posición preparatoria se llama «*hidari-hanmi-gamae*» (si el pie izquierdo es el que está adelantado) o «*migi-hanmi-gamae*» (si es el derecho el que está delante).

18) *Segunda postura de combate en la técnica Shokotan (fudo-dachi o sochin-dachi)*

Difiere de la anterior en el hecho de que los talones no se encuentran en la misma línea. Su empleo viene a ser el mismo: posición muy sólida, permite excelentes bloqueos seguidos de contraataques «in situ» gracias a la extensión de la pierna retrasada para pasar a zen-kutsu (ver foto 31). Es una postura de compromiso entre la kiba-dachi (el peso también está equitativamente repartido en las dos piernas y las rodillas flexionadas 90° están en tensión hacia el exterior) y la zen-kutsu (la posición de los pies, su separación y la abertura de las piernas son idénticas; el pie adelantado, sin embargo, está algo más girado hacia el interior que en la zen-kutsu). El busto está a ¾ de frente.

Para conseguir la postura fudo-dachi, colocarse en zen-kutsu y luego desplazar un poco el centro de gravedad hacia atrás mediante una pequeña rotación de las caderas y dejando el busto a ¾ de la posición frontal; esta rotación y desplazamiento del peso del cuerpo permiten, en el mismo movimiento, girar la rodilla adelantada hacia dentro y flexionar la rodilla retrasada.

También podemos colocarnos en kiba-dachi a ¾ respecto a la postura de ataque y, sin mover las piernas, girar un poco los pies en esta dirección.

Entrenamiento

Colocarse en zen-kutsu con las manos en las caderas; sin moverse del sitio pasar a la posición fudo-dachi y luego volver a la zen-kutsu y así sucesivamente. Cuidar de sincronizar la rotación de las caderas con el desplazamiento del centro de gravedad y la acción de la rodilla retrasada (cuando pasemos a la zen-kutsu); las caderas permanecen al mismo nivel durante el movimiento y el busto se mantiene vertical; concentrar la fuerza en la franja abdominal.

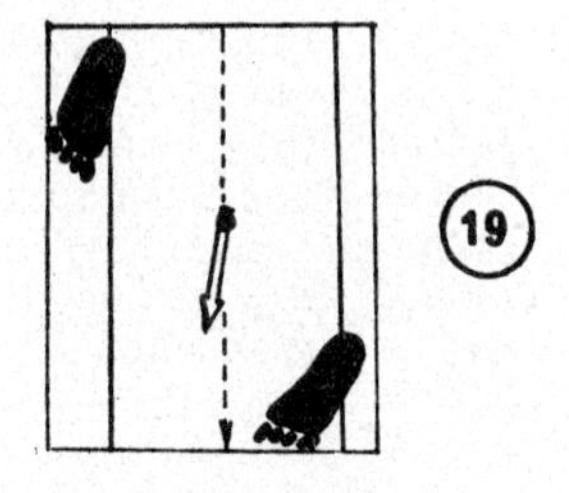

FIG. 8

Variante

La fudo-dachi, típica postura de ataque, está menos codificada que las otras posturas básicas; cada experto tiene de ella su propia concepción aprendida de su experiencia en la lucha. Incluso algunos ejecutan una sochin-dachi bastante diferente de la descrita aquí y más cercana a la seishan-dachi: en efecto, puede ser una seishan-dachi cuya abertura sea más pronunciada (las demás características no varían) o un fudo-dachi cuya separación lateral sea mayor (las otras características no cambian); lo esencial es la fuerza de reacción de las caderas hacia delante que puede desarrollarse a partir de esta postura.

19) *Postura del reloj de arena alargado (hangetsu-dachi)*

Es una postura de compromiso entre la sanchin y la zen-kutsu; en efecto, la posición es más abierta que la sanchin (el pie adelantado está desplazado más o menos una vez y media su longitud), pero la orientación de los pies es la misma así como su separación (ancho de las caderas) y las rodillas están en tensión hacia dentro. Se emplea en las mismas ocasiones que la sanchin-dachi.

FIG. 9

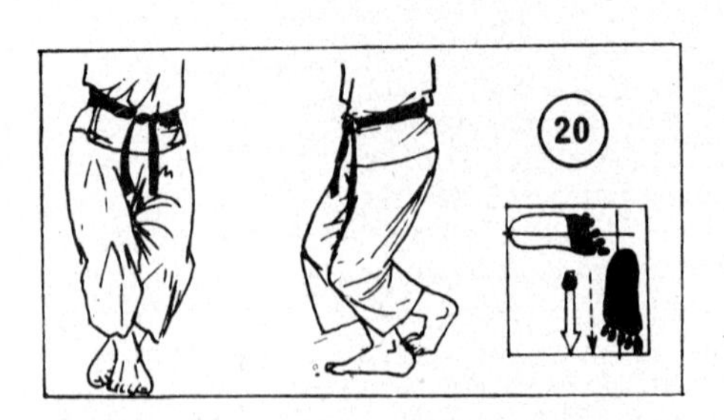

20) *Postura con los pies cruzados (kake-dachi)*

Se la considera a veces como una variante del nekoashi; el peso del cuerpo se apoya casi del todo sobre una pierna: el pie adelantado mira hacia delante mientras el pie retrasado, con el talón levantado, se coloca detrás suyo. El busto se coloca de frente a ¾. Una variante del Wado-ryu consiste en colocar el pie retrasado no detrás del pie adelantado sino adosado a él, con la punta sobre la línea del talón adelantado y con la rodilla retrasada adosada a la adelantada (figura 9, diagrama 21) estando ambas fuertemente flexionadas.

Podemos completar este cuadro de las posturas con la *tsuarashi-dachi,* en la que se está de pie sobre un solo pie y con la rodilla de la pierna levantada en contacto con la pierna apoyada; se adopta a veces antes de ejecutar un golpe de pie lateral, pero no es una postura que pueda mantenerse mucho tiempo como las precedentes; además, no es una postura básica.

LOS DESPLAZAMIENTOS

Acabamos de estudiar las posturas desde un punto de vista estático; es igualmente necesario dominarlas durante los desplazamientos. En efecto, las técnicas suelen ejecutarse durante los desplazamientos y es entonces cuando hay que mantenerse en una postura de fuerza, sin desequilibrio, a punto de bloquear o golpear apoyándose en unas sólidas bases.

Un desplazamiento correctamente ejecutado viene a sumar ampliamente su potencia a cualquier técnica de karate, ya que la fuerza de traslación o de rotación de las caderas puede aprovecharse íntegramente; todo el cuerpo adquiere entonces una energía cinética mucho mayor que la de un puño o un pie aislado; dominada y canalizada correctamente, esta energía hace que la técnica sea muy fuerte. El desplazamiento, sin embargo, es la fase en la que se es más vulnerable: cambio de reparto de peso del cuerpo, posición intermedia todavía poco sólida, cierta «descontracción» de conjunto para adquirir velocidad, cambio de guardia; otras tantas oportunidades de ataque para un adversario con sangre fría. Por todo ello hay que tomar ciertas precauciones:

— Durante un combate, los desplazamientos deben reducirse al mínimo; demasiadas fantasías o una continua agitación comprometen el equilibrio.

— No hay que ir saltando como en el boxeo; los pies tantean el suelo y luego se apoyan definitivamente.

— Hay que tener siempre presente que el suelo no siempre es tan liso como en el dojo y que se puede estar obligado a moverse sobre un piso irregular; así pues, no hay que arrastrar los pies por el suelo y, por otra parte, hay que ser capaz de esquivar un ataque sin moverse del sitio, sin mover los pies, mediante un simple, pero rápido cambio en el reparto del peso del cuerpo sobre las piernas.

— El vientre y el tanden juegan un papel importantísimo. Durante un desplazamiento, el centro de gravedad no debe estar sometido a oscilaciones verticales; las caderas deben permanecer siempre al mismo nivel y la columna vertebral, vertical. Como en todas las técnicas, el abdomen bajo fuerte tensión es el que debe dar el impulso y lanzar al cuerpo en la dirección deseada; nunca se debe avanzar o retroceder estando en desequilibrio, es decir, inclinando el busto, pues equivaldría a desplazarse en varias etapas por lo que se perdería velocidad. El cuerpo debe moverse como un todo; para conseguirlo, las nalgas deben estar contraídas, el tanden proyectado en la dirección del desplazamiento, y la entrepierna en tensión como una aguja de tender la ropa en la que sus dos partes se juntan rápidamente cuando se sueltan sus extremos; en esta tensión reside el secreto de la velocidad en un desplazamiento. También aquí el tanden es el que proporciona la impulsión, las piernas siguen solas.

— Un desplazamiento debe hacerse directamente, de golpe, sin previo impulso, es decir, sin que ninguna acción secundaria (y esto puede ir desde el desplazamiento preparatorio de un pie para asegurar el equilibrio, hasta efectuar una mueca) advierta lo inminente del movimiento antes de su inicio. Precisamente, este defecto puede evitarse si nos desplazamos no mediante una contracción muscular a nivel de las piernas, sino mediante un impulso de la cintura abdominal.

Así pues, el entrenamiento dedicado solamente a los desplazamientos debe practicarse con regularidad y esmero; en primer lugar, permite formar por igual los dos lados sin que se desarrolle uno de ellos preferentemente (para una determinada posición). Con las manos en las caderas avanzar, retroceder, girar, permaneciendo siempre lo más bajo posible, aunque ello afecte a la velocidad (más adelante, es fácil colocarse un poco más alto, después de haber aprendido a contraer correctamente la entrepierna y las nalgas). No correr, desplazarse como un solo bloque. Es preciso aprender a desplazarse tanto hacia delante como hacia atrás, ya que habrán muchas ocasiones durante un asalto en las que deberemos poder hacerlo rápidamente y sin perder el equilibrio.

A) Desplazamientos en línea recta

En las páginas siguientes encontraremos las ilustraciones de los desplazamientos hacia delante permaneciendo siempre en la misma posición; aunque, evidentemente es posible encadenar di-

SIGNOS CONVENCIONALES COMUNES A LOS DIAGRAMAS Y DIBUJOS DE LA OBRA

PRIMER EJE DEL DESPLAZAMIENTO

SEGUNDO EJE DEL DESPLAZAMIENTO

DIRECCION DEL MOVIMIENTO

DIRECCION DEL ATAQUE (PARA LAS ESQUIVAS)

PRIMERA POSICION DEL PIE

SEGUNDA POSICION DEL PIE

TERCERA POSICION DEL PIE

GOLPE CON EL PIE (LA FLECHA INDICA LA DIRECCION)

POSICION INTERMEDIA (PARA LAS ESQUIVAS)

MOVIMIENTO TERMINADO

ferentes posiciones durante un desplazamiento. Existen dos maneras de desplazarse:

— El paso (un pie delante del otro).
— La marcha sucesiva (un pie se coloca donde estaba el otro).

1) La marcha natural (ayumi-ashi)

El principio de la marcha natural, en la que el pie retrasado se coloca muy por delante del que estaba adelantado, se utiliza cuando se desea desplazar el centro de gravedad ampliamente (ataque penetrante, defensa «huidiza»). Se ilustran los desplazamientos en las cinco posiciones principales:

1. En zen-kutsu.
2. En zen-kutsu abierto.
3. En ko-kutsu.
4. En kiba-dachi.
5. En sanchin-dachi.

Cuadro 5. — LAS POSTURAS

	POSTURAS DE COMBATE *		
Posturas naturales	*Posturas adelantadas*	*Posturas retrasadas*	*Posturas equilibradas*
heisoku-dachi	zen-kutsu-dachi	ko-kutsu-dachi	kiba-dachi
musubi-dachi	- jun-suki-no-ashi	(hanmi-no-nekoashi)	(naihanchi-dachi, tekki)
hachiji-dachi	- gyaku-zuki-no-ashi	- mahami-no-nekoashi	shiko-dachi
(yoi-no-shizei,	- gyaku-zuki-tsukkomi-no-ashi		kake-dachi
yoi-dachi)			tsuruashi-dachi
heiko-dachi	- jun-zuki-tsukkomi-no-ashi	- nekoashi	seishan-dachi
uchi-hachiji-dachi			tate-seisham-dachi
teiji-dachi			sanchin-dachi
renoji-dachi			hangetsu-dachi
moroashi-dachi			fudo-dachi
			(sochin-dachi)

* clasificadas según la posición del centro de gravedad

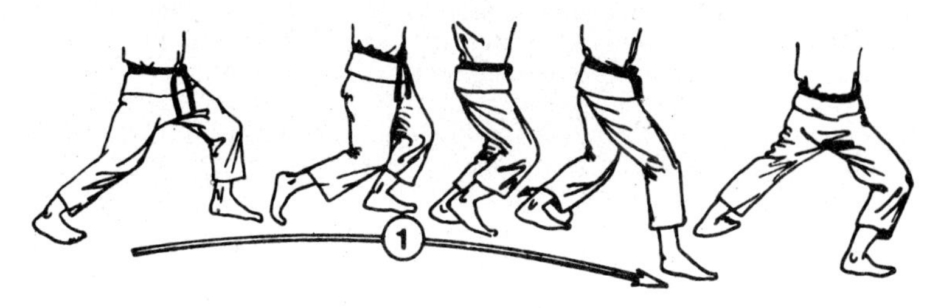

FIG. 10

En zen-kutsu (1)

Es un desplazamiento fundamental (ver oi-zuki). Se constata que el pie retrasado pasa hacia delante siguiendo una trayectoria ligeramente circular; esta forma de efectuar el desplazamiento sólo existe en Shokotan (por una parte porque la separación de los pies es importante y por otra porque el acercamiento de las piernas permite proteger el bajo vientre durante el movimiento), mientras que en Wado-ryu el desplazamiento es más directo. Andar en zen-kutsu es muy diferente del andar normal: es un andar en flexión. Mientras que en el andar normal se produce una alternancia de contracciones y descontracciones de la pierna que se apoya, en zen-kutsu la pierna realiza un trabajo muscular prolongado (en una primera fase, la pierna arrastra y en una segunda fase, después de que la pierna retrasada la ha adelantado, empuja). No debe inclinarse el cuerpo hacia delante, lo cual facilitaría el desplazamiento. La propulsión hacia delante debe hacerse a partir de una contracción de los abdominales y de los aductores; las caderas se echan con fuerza hacia delante mientras la rodilla adelantada arrastra al cuerpo en esta dirección. Los músculos del miembro oscilante están totalmente relajados, sólo trabajan los de los miembros que tiran o empujan. A partir del momento en que el pie retrasado adelanta al pie de delante, se avanza como en el ejercicio 1 de la pág. 53: la pierna apoyada empuja hacia delante mientras el pie se abre un poco hacia el exterior; el miembro oscilante, en vez de llegar al suelo en extensión y a través del talón, toma contacto con él a través de toda la planta, manteniéndose la rodilla flexionada (al igual que lo ha estado durante el desplazamiento, con la finalidad de que el pie no se arrastrara por el suelo).

A la llegada, todos los músculos están fuertemente contraídos para que el cuerpo se inmovilice de golpe y seguidamente se relajan para preparar el siguiente movimiento. Idealmente, el eje de las caderas se mantiene paralelo al suelo y perpendicular al eje del desplazamiento; hay que tender hacia este estado de perfección doblemente difícil de alcanzar puesto que:

— A partir del momento en que un pie abandona el suelo, el eje que pasa por las articulaciones coxo-femorales, se inclina un poco hacia el lado de la pierna apoyada (apoyo unilateral).

— Como en zen-kutsu, las piernas están separadas, la que está detrás retiene la cadera correspondiente; esto explica el que el eje de las caderas quede oblicuo respecto a la línea de marcha; sólo cuando los dos pies se aproximan, este eje puede ser perfectamente perpendicular.

En zen-kutsu abierto (2)

El diagrama muestra el desplazamiento en gyaku–zuki-no-ashi, o zen-kutsu abierto, que se efectúa para hacer gyaku-zuki en movimiento. Como la separación de los pies es muy grande, el pie retrasado pasa obligatoriamente hacia delante siguiendo una trayectoria en semicírculo; la rodilla retrasada viene rápidamente

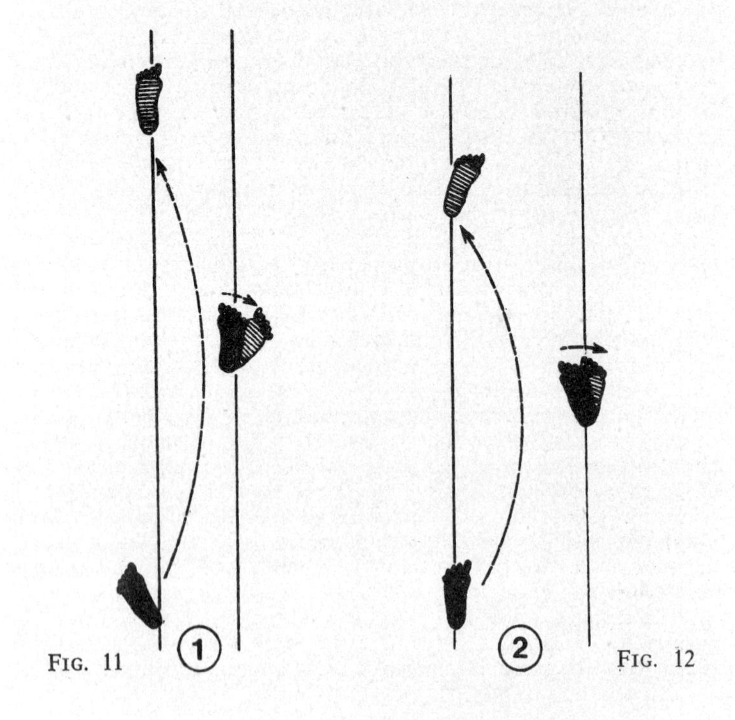

FIG. 11 FIG. 12

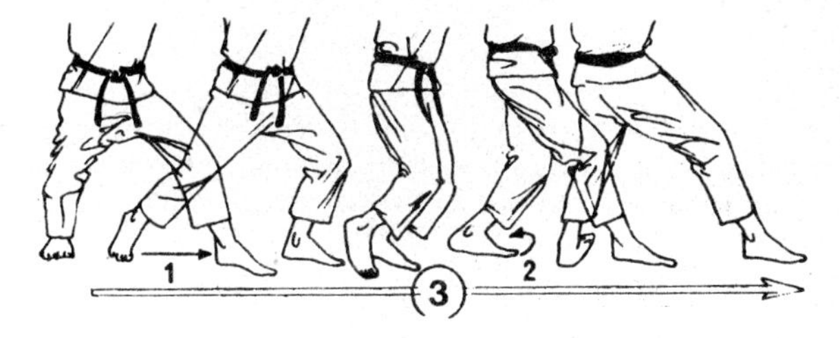

FIG. 13

contra la rodilla de la pierna apoyada (contracción de la entre-pierna) antes de pasar hacia delante.

El paso saltado (ver toibikonde-oi-zuki)

Se utiliza en los ataques largos, saltando sobre el adversario. Ambos pies se despegan un momento del suelo, pero las caderas se mantienen al mismo nivel.

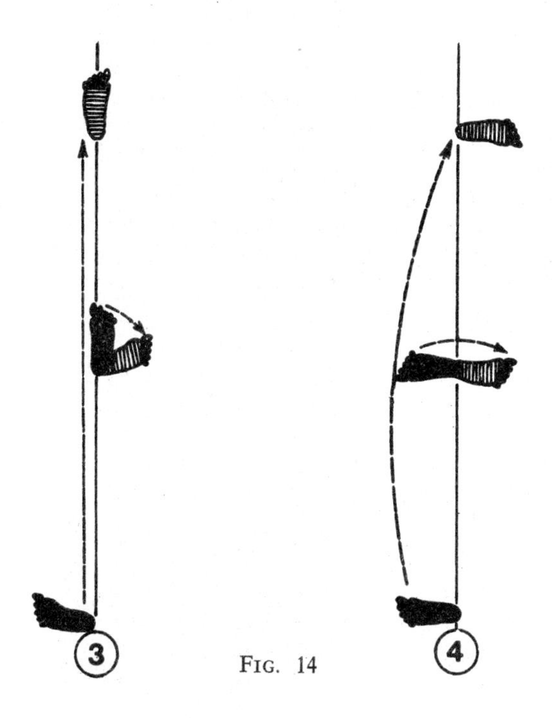

FIG. 14

En ko-kutsu (3)

Los pies se desplazan sobre la misma línea. Acercar la pierna retrasada a la pierna adelantada, con las rodillas flexionadas y los pies dirigidos hacia delante (fase 1); llevar el pie retrasado hacia delante y luego, sin desplazar el centro de gravedad, girar la rodilla y el pie de la pierna apoyada un cuarto de vuelta hacia el exterior (fase 2); a pesar de esta rotación, la pierna adelantada no debe moverse durante esta última fase.

En kiba-dachi (4)

Mientras el pie de delante gira 180°, el de atrás describe un arco de círculo que lo hace pasar cerca del primero y se coloca por delante sobre la misma línea. La dificultad estriba en efectuar este desplazamiento con rotación importante sin inclinar el busto, sin levantarse, sin sacar las nalgas y manteniendo durante todo el movimiento el peso del cuerpo equitativamente repartido sobre ambas piernas.

En sanchin-dachi (5)

Este desplazamiento se parece al del zen-kutsu, pero es netamente más corto; como la separación de los pies es importante, el pie de atrás pasa delante mediante un movimiento semicircular, al igual que en el zen-kutsu abierto; el movimiento de la rodilla debe ser rápido y hacerse en un solo tiempo, lo cual resulta bastante fácil por el hecho de que los pies están juntos y las rodillas en tensión hacia dentro, con los aductores y los abdominales bien contraídos. Algunos expertos, antes de echar la pierna retrasada hacia delante se dan impulso con el pie adelantado; otros no lo giran hacia fuera hasta que el pie retrasado no ha efectuado el «adelantamiento».

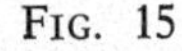
FIG. 15

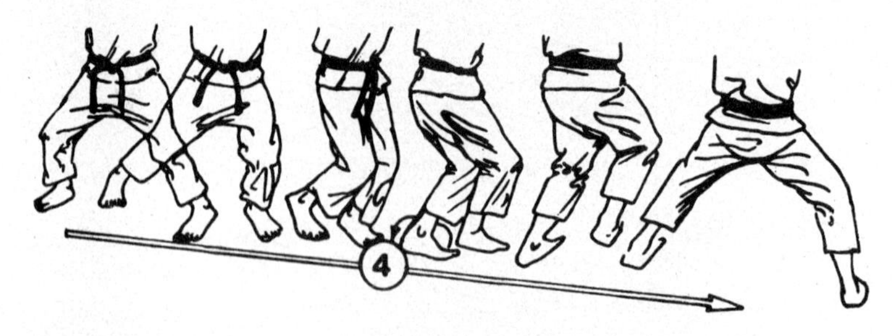

FIG. 16

Variante: paso de 45°

Cuando se está en una postura en la que el busto queda de perfil, puede ser interesante colocarse a ¾ respecto al adversario; de esta manera, cuando se bloquea un ataque en kiba-dachi o en ko-kutsu se corre el riesgo de quedar demasiado lejos para el contraataque si se está completamente de perfil: de ahí la importancia de esquivar por el interior o por el exterior del ataque adoptando una posición cuyo eje quede oblicuo con relación al del ataque. El diagrama A muestra un desplazamiento en kiba-dachi (el pie apoyado gira sobre sí mismo 90° hacia el exterior). El diagrama B nos muestra un desplazamiento en ko-kutsu (el pie apoyado no se mueve). En ambos casos la trayectoria del pie retrasado es curvilínea y pasa muy cerca de la pierna apoyada, y el eje de cada posición forma un ángulo de 45° con el eje general del desplazamiento.

2) LA MARCHA SUCESIVA (TSUGI-ASHI)

Es una forma más rápida que permite tomar rápidamente la iniciativa de la lucha; es la forma de desplazamiento más ampliamente utilizada en las competiciones y permite rectificar rápidamente la distancia, desplazarse para el ataque y atacar directamente; se presenta siempre el mismo flanco al adversario, lo cual puede ser muy interesante en ciertos encadenamientos durante una competición.

El doble paso (6, 7)

El pie de atrás cruza al pie de delante, pero muy cerca de él, y luego el pie adelantado avanza en la misma dirección; este desplazamiento, pues, se efectúa en dos tiempos; en el punto de unión de ambos puede darse un golpe con el pie de la pierna adelantada antes de pisar el suelo. No hay que relajar las rodillas durante el movimiento.

El diagrama y el dibujo 6 nos muestran un doble paso en zenkut-su (posibilidades de mae-geri con el pie adelantado: tobikonde-maegeri); podemos ver como el eje general del desplazamiento está ligeramente desfasado hacia el lado del pie adelantado.

El diagrama y el dibujo 7 nos muestran un doble paso en kibadachi (posibilidades de yoko-geri con el pie adelantado).

El paso deslizante (8, 9, 10)

Para rectificar distancias muy pequeñas:

— Para avanzar (8: en zen-kutsu; 10: en kiba-dachi) el pie adelantado se desliza un poco hacia delante y luego esta misma pierna arrastra al cuerpo en la misma dirección.

FIG. 17

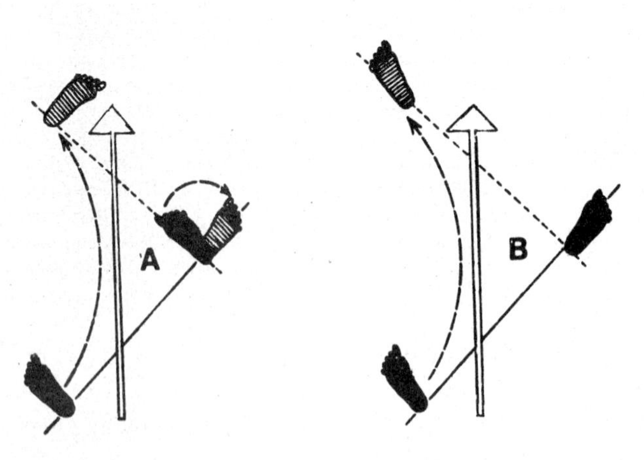

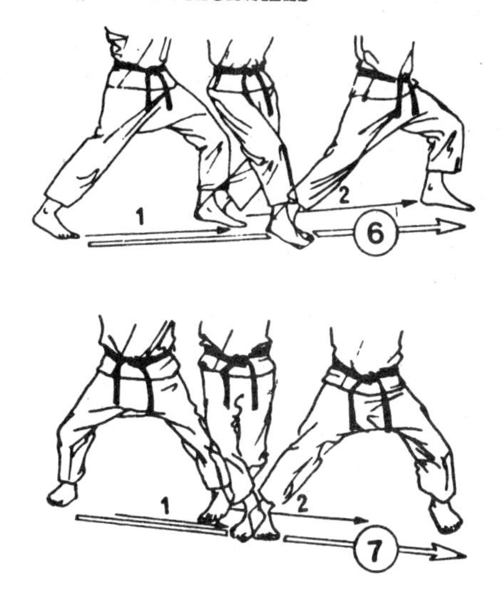

FIG. 18

— Para retroceder (9: en ko-kutsu). El pie retrasado se desliza hacia atrás y luego su misma pierna arrastra al cuerpo en la misma dirección.

NOTA. — Estos desplazamientos pueden ser muy cortos, incluso prácticamente imperceptibles (gracias al juego de contracción de los dedos de los pies: ver la parte «competición») por lo que su interés en el combate es muy grande al no producirse ataques «con previo aviso».

El paso impulsado (8')

Permite unos ataques muy rápidos (del pie adelantado, por ejemplo surikonde-mae-geri). El pie retrasado se coloca junto al de delante (fase 1) hasta llegar a tocarlo golpeándole el talón con lo cual este último se proyecta inmediatamente hacia delante (fase 2). Se observa que el eje del desplazamiento general está ligeramente inclinado hacia el lado del pie adelantado.

Este desplazamiento permite la utilización total de la energía cinética; en efecto, permite el efecto de catapulta hacia delante ya que el centro de gravedad se mantiene libre de todo apoyo durante una fracción de segundo (justo antes de que el pie retrasado se coloque sobre el suelo, el pie adelantado puede golpear).

B) Desplazamientos con cambio de eje

El paso deslizante lateral (11)

Mismo fundamento que el paso deslizado estudiado anteriormente, pero aquí un pie se desliza lateralmente y el otro sigue su misma dirección.

El paso cruzado: roppo

— Del pie retrasado (11): En una primera fase, el pie retrasado se cruza por detrás del pie adelantado, pero muy cerca de él; en una segunda fase, el pie adelantado se separa en la misma dirección a la vez que avanza.
— Del pie adelantado (sin dibujo): El pie adelantado se cruza por delante del pie retrasado, cerca de él y luego este último se separa en la misma dirección a la vez que retrocede.

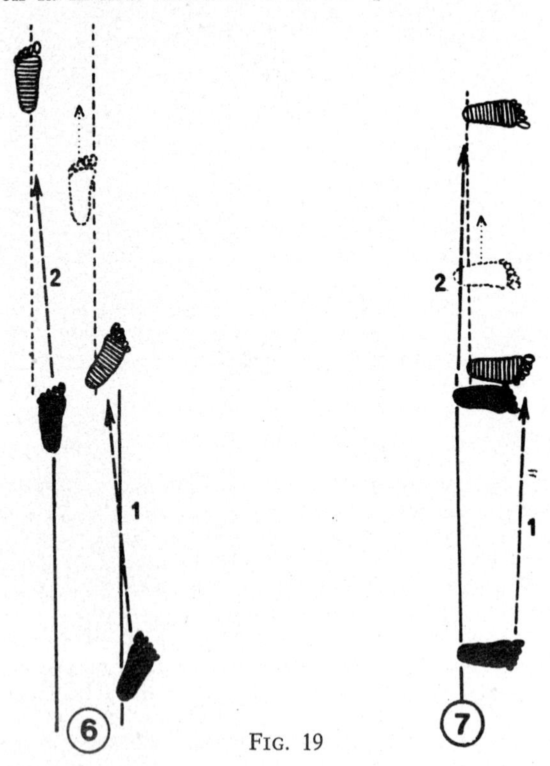

Fig. 19

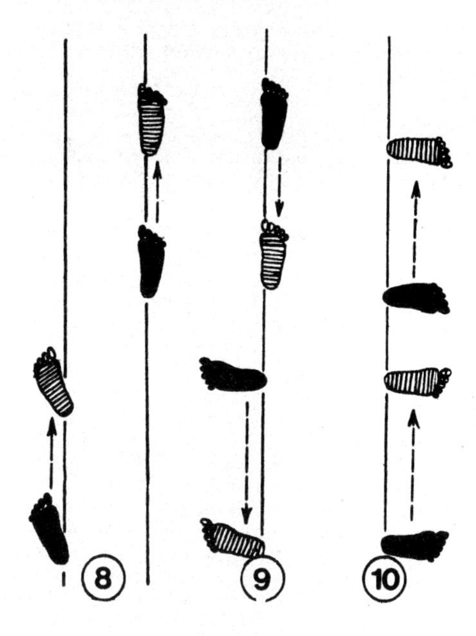

Fig. 20

(Mientras el paso deslizante lateral solamente consta de desplazamiento lateral, el paso cruzado utiliza además el desplazamiento longitudinal.)

Observar que en estos desplazamientos, siempre se presenta el mismo flanco al adversario, como en la marcha sucesiva; su interés es evidente para las esquivas.

C) Desplazamientos giratorios

En el dojo, cuando se estudia en serie un movimiento dado (ver kihon) y cuando se llega al final de la pista, hay que dar media vuelta para poder proseguir en sentido contrario (el profesor ordena entonces «*matte*» o «*kayte*»); la misma posibilidad debe existir cuando el karateka debe luchar contra varios adversarios y debe hacer frente simultáneamente a todos ellos. Como en los desplazamientos lineales, *deben tomarse ciertas precauciones en la ejecución de los movimientos giratorios:*

— Hay que girar como un solo bloque, con una fuerte rotación de las caderas con el fin de reforzar la técnica del bloqueo que nunca hay que omitir al efectuar un giro: el adversario podría aprovechar este momento para atacar y hay que poder romper este ataque en una posición frontal. Primero, pues, girar las caderas y luego los pies.

— Ni hay que elevar el nivel de las caderas ni bajar la mirada al girar. Mantener los hombros flexibles.

— Hay que encontrar instantáneamente una postura estable y estar a punto de ejecutar una técnica de ataque o de bloqueo en la nueva dirección.

Las maneras de girar son varias según se haga: 1) «in situ», 2) después del desplazamiento de uno o de ambos pies, 3) cuando se desea bloquear, 4) cuando sólo se pretende esquivar durante el giro, 5) cuando se quiere cambiar de guardia (lado adelantado hacia el adversario), o 6) cuando no se desea. He aquí las más importantes:

SOBRE DOS PIVÔTES (1)

Se gira «in situ» utilizando los pies como pivotes; esta forma de proceder, muy rápida, sólo es posible si los pies se encuentran sobre la misma línea, como por ejemplo en ko-kutsu (diagrama) o tate-seishan. En kiba-dachi, sólo gira la cabeza si queremos desplazarnos en sentido inverso. Los dos giros siguientes son, sin embargo, más seguros.

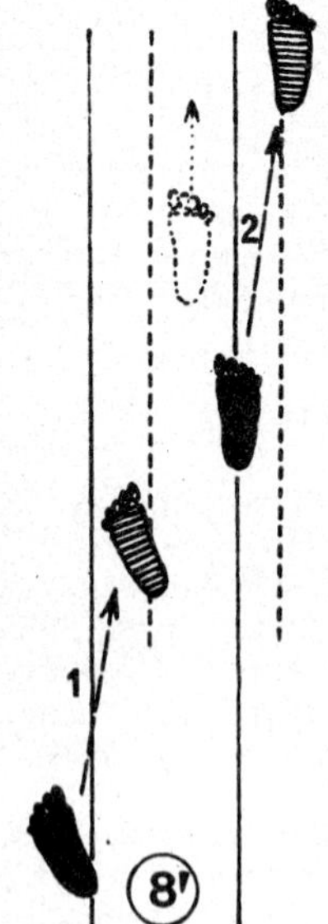

FIG. 21

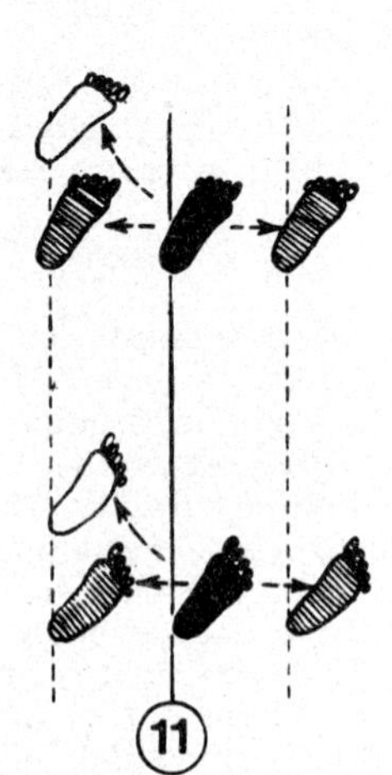

FIG. 22

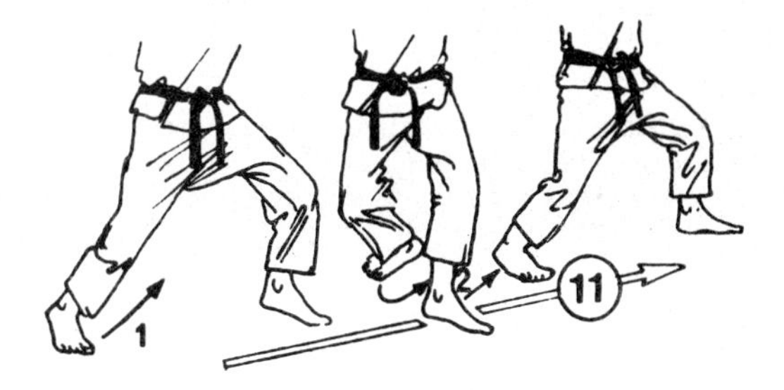

FIG. 23

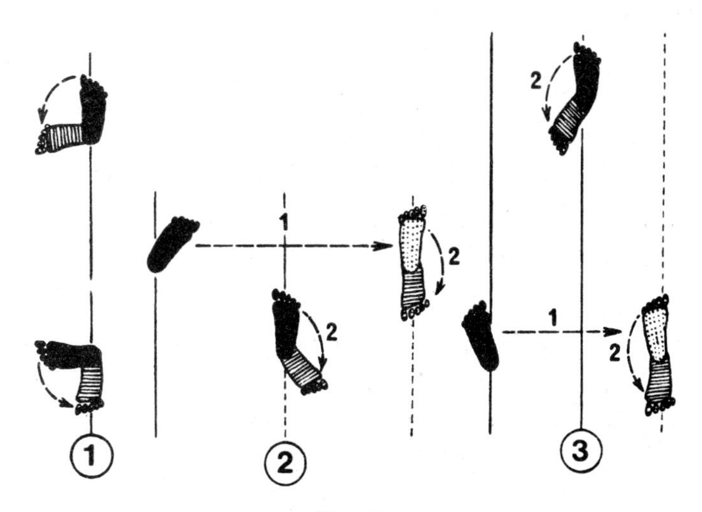

FIG. 24

SOBRE EL PIVOTE DE ATRÁS (2)

El ejemplo escogido es el sanchin-dachi (también se puede adoptar el zen-kutsu, el fudo-dachi, etc.). El pie retrasado permanece «in situ» y juega el papel de pivote central; en un primer tiempo, el pie adelantado cruza por delante del pie retrasado; en un segundo tiempo, se pivota sobre ambos pies en el sentido del desplazamiento; el pie adelantado debe cruzar a una distancia igual a la separación inicial de los pies si queremos encontrarnos en una posición estable después del segundo tiempo.

SOBRE EL PIVOTE DELANTERO (3)

El ejemplo elegido ha sido el zen-kutsu (también se puede emplear el sanchin, el fudo-dachi, el seishan, etc.). El pie adelantado permanece «in situ» y actúa de pivote central; en un primer tiempo, el pie retrasado cruza por detrás del pie adelantado; en un segundo tiempo se gira con fuerza sobre ambos pies en el sentido del primer desplazamiento. Misma observación que para el pivote precedente si no se quiere estar desequilibrado al girar. *Este tipo de giro es el que más utiliza en ki-hon.* Hemos podido ver que en estos dos últimos tipos de giro, el eje del desplazamiento se encuentra desviado.

Ejemplos de variedades de pivotes: desplazamientos girando en zen-kutsu (ver páginas siguientes).

Las figuras 25, 26, 27 y 28 representan ocho posibilidades de girar 180° en zen-kutsu, «in situ», retrocediendo o avanzando en la nueva dirección (o sea, hacia el adversario). Se supone, claro está, que un pie no se mueve del sitio.

Explicación de los símbolos utilizados:

— Las huellas negras representan la posición inicial de los pies; las huellas rayadas representan la posición de los pies después del giro.

— La flecha blanca representa el desplazamiento inicial del pie que no juega el papel de pivote central (primer tiempo); la flecha negra de trazo fino muestra la rotación propiamente dicha (2.º tiempo).

— La flecha negra punteada de trazo grueso indica el sentido de un bloqueo ejecutado al mismo tiempo (por ejemplo, gedan-barai, tettsui-uke, haishu-uke); vemos que en ciertos casos el bloqueo tiene lugar en el mismo sentido de rotación de las caderas, mientras que en otros se efectúa en sentido contrario (ver capítulo 2).

— El triángulo indica la dirección de un ataque procedente de atrás, es decir, de la parte inferior de la página; este elemento permite distinguir los giros que se efectúan con bloqueo de los que se efectúan esquivando.

MEDIAS VUELTAS EN ZEN-KUTSU DEFENDIENDO CON EL BRAZO POSTERIOR

a) *Sobre el pivote delantero «in situ»*

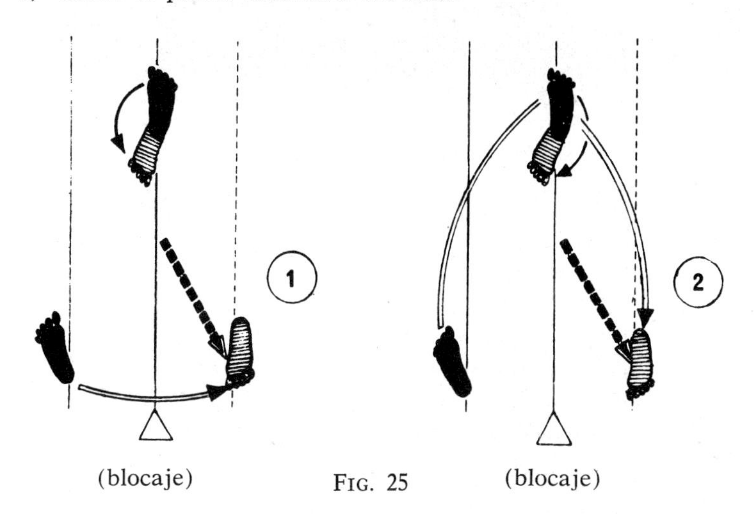

(blocaje) FIG. 25 (blocaje)

b) *Sobre el pivote de atrás «in situ»*

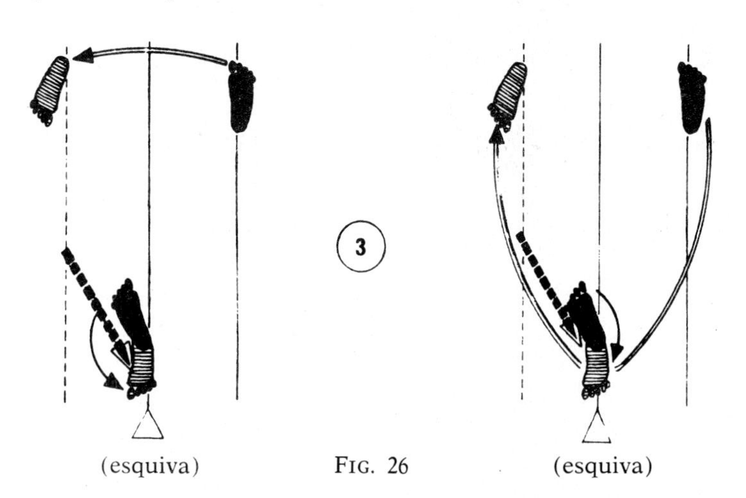

(esquiva) FIG. 26 (esquiva)

NOTA. — Los pivotes de la izquierda son mucho más rápidos que los de la derecha.

MEDIAS VUELTAS EN ZEN-KUTSU DEFENDIENDO CON EL BRAZO ANTERIOR

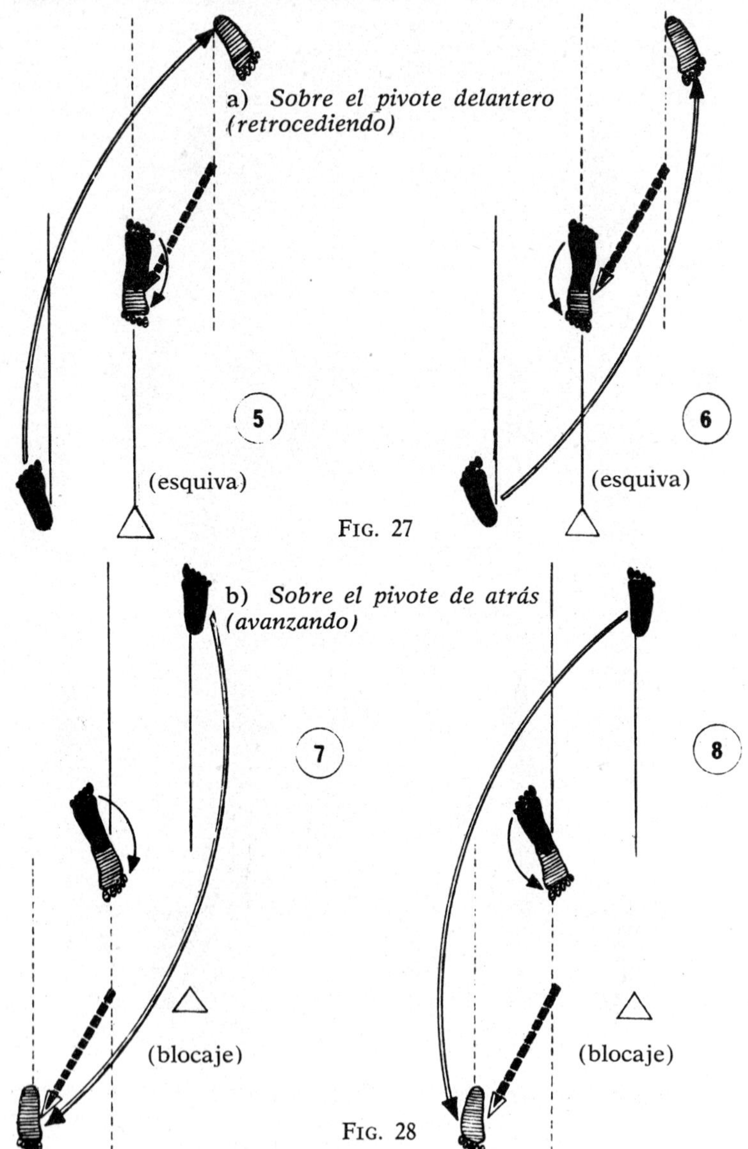

FIG. 27

FIG. 28

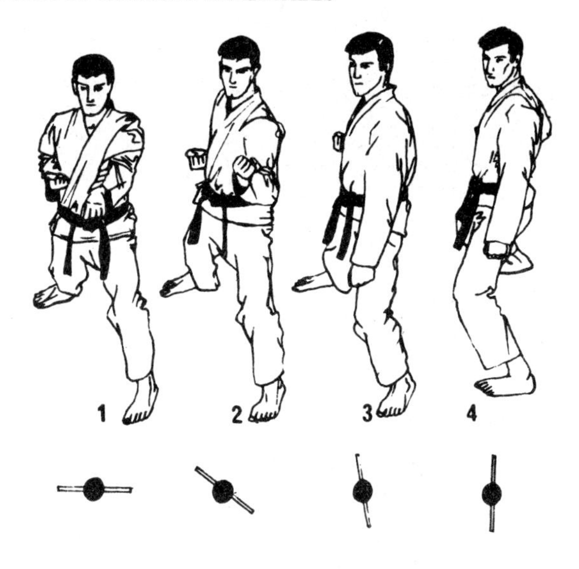

Fig. 29

D) Desplazamientos combinados

Son demasiado complicados para poder dibujarse. Es evidentemente posible poder cambiar de posición durante un desplazamiento lineal (ver renzoku-waza), cambiar el eje del desplazamiento, empalmar con un doble paso y luego con un paso saltado o un paso impulsado y un paso normal, etc. Los principiantes no deben abordar estos encadenamientos más que con suma prudencia, ya que son tantos los defectos a evitar en los desplazamientos sencillos que los errores se multiplican rápidamente y se acentúan en el curso de los desplazamientos complicados.

LA ORIENTACION

De la orientación del pecho respecto a la postura depende a menudo el éxito o el fracaso de una técnica de ataque o de defensa. El busto en general se mantiene vertical, pero puede girar alrededor de un eje vertical; de ahí las tres orientaciones básicas:

BUSTO DE FRENTE (1)

Los abdominales pueden contraerse al máximo; la concentración de la fuerza es mejor cuando se va a efectuar una técnica de golpeo (con la mano o el pie) en el plano vertical que pasa por el esternón y es perpendicular al eje de las caderas. Es sobre todo una posición de ataque.

BUSTO A ¾ DE LA POSICIÓN DE FRENTE (2): HANMI

El busto está girado de manera que no se vean los puntos vitales de su eje vertical central; la faja abdominal sin embargo continúa manteniéndose sólida. Esta posición es adecuada para los bloqueos.

BUSTO DE PERFIL (3, 4)

Según si los pies están separados 3: zen-kutsu) o los talones sobre una misma línea (4: kiba-dachi), el busto puede adoptar una orientación más o menos cercana a la de perfil total. Esta posición se utiliza mayormente en los bloqueos y en las esquivas, sobre todo teniendo en cuenta que el puño de atrás está lo suficientemente «armado» como para una pronta réplica (ver choku-zuki).

ADVERTENCIA IMPORTANTE PARA TODAS LAS POSICIONES:

Debe existir siempre un total paralelismo entre el eje de las caderas (línea transversal que pasa por las articulaciones coxofemorales); así pues, no se trata solamente de girar los hombros, sino las caderas, de las que, por otra parte, debe salir toda impulsión; sus rotaciones respectivas han de tener siempre la misma importancia, bajo pena de desequilibrio y de debilidad en la actitud general.

II. — LOS FACTORES DE EFICACIA EN LAS TECNICAS DE LOS GOLPES (ATEMI-WAZA)

Después de haber pasado revista a los principios físicos y fisiológicos sobre los que se apoyan las técnicas del karate, así como a los suplementos de fuerza que provienen de la utilización racional de la acción de las caderas en relación con las posturas, vamos a estudiar finalmente la manera con la que los factores precedentes han sido combinados en los *golpes* que son la base del karate. Antes de pasar al estudio analítico de las técnicas, sin embargo, sería conveniente delimitar los puntos comunes que se encuentran siempre en el origen de su eficacia.

EL GOLPE: ATEMI

A) La fuerza golpeadora

Los *atemi-waza* (ate = golpe; mi = cuerpo; waza = técnica) constituyen el arma fundamental del karateka, la que le proporciona una fuerza de percusión temible y una verdadera eficacia en la lucha real; una técnica de atemi forma un todo que consta no solamente del propio golpe del puño o del pie percusor, sino también del desplazamiento y de la toma de posición correcta de los pies, así como la acción del hara. Volvemos a repetirlo: todo el cuerpo golpea a través del puño o el pie, siendo la acción de las extremidades casi accesoria... Solamente el experto posee, evidentemente, esta sensación concreta (es una de las consecuencias de un entrenamiento riguroso).

Este aspecto diferencia netamente el karate del boxeo chino que utiliza igualmente los atemis, pero que intenta sobre todo colocarlos sobre puntos fisiológicamente débiles del cuerpo humano en los que puede obtenerse un resultado decisivo con una fuerza relativamente pequeña y sin que haya necesidad de impulsar todo el cuerpo en la acción; en este caso, el golpe asestado por la mano o el pie es suficiente. Sin embargo, se requiere una gran precisión que no es siempre posible durante una lucha real en la que el adversario está defendiendo su vida y sobre todo si él mismo tiene experiencia en la lucha. El karate pues, posee un aliciente suplementario: mediante un entrenamiento adecuado proporciona al karateka el medio de canalizar *toda* su fuerza en la dirección del golpe, de manera que la potencia de éste se multiplique y provoque en cualquier punto de impacto, el mismo efecto que si hubiera tocado una zona fácil de dañar con sólo un golpe superficial.

Tomemos un ejemplo concreto: no hay que ser un gran experto para llegar a hacer daño en los ojos con la punta de los dedos; la fuerza de un dedo basta para que el golpe sea «eficaz»; asimismo, nadie necesita aprender la manera de golpear con el pie o la rodilla los genitales de un adversario: este golpe es de todos conocido y por desgracia utilizado incluso por gente que no ha estudiado ningún deporte de lucha; se lo conoce instintivamente y no hay necesidad de que intervenga la técnica del karate.

Estos dos golpes provocan un dolor local muy intenso, pero efectuados sin precisión pierden toda su eficacia. Sin embargo, los mismos golpes propinados por un karateka entrenado provocan un efecto semejante en cualquier punto del cuerpo: la onda de choque alcanzará el cuerpo del adversario y podrá provocar lesiones internas. El golpe dado por el neófito no tiene más que una limitada eficacia condicionada por la casualidad; el mismo golpe dado por el karateka tendrá una eficacia total. Cada atemi del karate tiene esta misma finalidad: en lo que fue un arte guerrero antes de ser deporte, la finalidad de todo ataque o contraataque (y de buen número de alardes) es herir gravemente, digamos mortalmente, a un adversario dispuesto a lo mismo. El atemi ha sido puesto a punto por generaciones de luchadores y de técnicos con el fin de que pueda, él solo, asegurar la puesta fuera de combate definitiva del adversario. *¿De qué depende la potencia de choque desarrollada por un atemi?*

● De la velocidad del golpe: sabemos que cuando una masa en movimiento incrementa su velocidad, el resultado que se obtiene en el impacto, bajo la forma de fuerza pura, es muy superior. Esta velocidad depende de la correcta coordinación muscular, de la estabilización de la masa durante la trayectoria (sin vacilar) y de la longitud de esta trayectoria (la velocidad es superior si el golpe tiene cierta amplitud); este último punto, notablemente, distingue al maestro del principiante: mientras el primero es capaz de imprimir a su puño o a su pie una gran velocidad sobre distancias muy cortas, lo que le permite golpear a partir de cualquier posición y sin preparación previa, el segundo debe escoger entre dos imperativos contrarios (cuanto más «largo» sea el golpe, más rápido y por lo tanto más potente, y cuanto más «corto», más breve el tiempo de ejecución por lo que será mayor el efecto de sorpresa).

● De la concentración de fuerza:

Debe alcanzar su punto culminante en el kime; depende del dominio y de la correcta sincronización de varios elementos técnicos: selección muscular, brevedad de la contracción final en el impacto, intensidad de esta contracción, adherencia y presión ejercidas sobre el suelo para sacar el mayor provecho de la fuerza de reacción, coordinación de la respiración y estabilidad.

La fuerza de percusión de un puño o de un pie depende también de la intervención de todo el cuerpo y de la rigidez del bloque golpeador (solidez del puño o del tobillo); el cuerpo no debe tener ningún punto débil en el momento del kime. La concentración de la fuerza es inversamente proporcional a la superficie golpeadora: cuanto más pequeña sea esta última, más potente será el golpe (ver a continuación el apartado B).

● Del espíritu con que se da el golpe:

Sin espíritu, el karate no es más eficaz que cualquier otra técnica de lucha con las manos libres; también para conseguir la máxima eficacia cada golpe debe ir acompañado con la intención de «atravesar» al adversario; cada atemi debe ejecutarse con ánimo de romper profundamente.

Independientemente del valor de la fuerza golpeadora en el impacto, condicionada por los puntos anteriores, *el efecto de percusión de un atemi depende:*

- De la sensibilidad de la zona alcanzada y del ángulo del golpe (ver el apartado C).
- Del tipo de atemi; en efecto, existen varios tipos de atemi en función de la zona a golpear y del efecto que se quiera dar al impacto (no se golpea de la misma manera una parte blanda que una parte dura), o según si se quiere «fracturar» o bien sólo herir superficialmente. Indicamos estas variantes a pesar de que en karate hayan perdido todo su interés desde que se ha olvidado el aspecto marcial y desarrollado el deportivo.

— Atemi percusor: Es rápido, vivo y rebota con una velocidad parecida a la del impacto. El tiempo de aplicación es extremadamente breve. Este tipo de atemi es el que ocasiona el K.O.; apunta sobre todo hacia puntos vitales concretos.

— Atemi penetrante: Tan rápido como el anterior, pero efectuado con la idea de hundirlo en el cuerpo del adversario; es un «golpe apoyado» que actúa en profundidad causando lesiones internas o rotura de huesos.

— Atemi desequilibrador-penetrante: Es todavía un golpe más apoyado (prosigue su movimiento en la misma dirección después del impacto); tiene por finalidad desequilibrar al adversario después del golpe propiamente dicho.

B) Las superficies golpeadoras

El karateka dispone de una gran variedad de armas naturales que le permiten hacer frente a cualquier situación. Algunas de estas armas nos vienen a la mente en seguida (puño y pie), otras se sacan del olvido y se revalorizan en alguna forma durante los entrenamientos (canto de la mano, codo, palma); otras partes del cuerpo no se utilizan más que accesoriamente, tales como el hombro, la cadera, la cabeza y pueden ser muy eficaces en ciertas circunstancias (golpe con la cabeza durante el cuerpo a cuerpo, golpe con el hombro o la cadera para hacer caer al adversario); estas últimas, sin embargo, corren el peligro de dañarse ellas mismas por lo que preferiremos las armas naturales que sean más fáciles de endurecer y en cuyas extremidades pueda concentrarse correctamente la fuerza.

Las partes del cuerpo descritas a continuación sirven tanto de armas ofensivas, como de armas defensivas y deben entrenarse sistemáticamente mediante golpes sobre diversos materiales (ver la Cuarta Parte); su empleo se describe en la Segunda Parte de la obra (ver el índice para buscar las técnicas correspondientes).

1) Los miembros superiores

El puño

Hay dos tipos de puño; el primero consiste en «enrollar» los dedos, falange a falange y luego doblar el pulgar de manera que apriete fuertemente a los dedos índice y corazón; la segunda, un poco más difícil de conseguir es empleada sobre todo por los viejos karatekas y consiste en apoyar la punta del índice sobre la base del pulgar y luego doblar el pulgar como anteriormente,

Foto 4

pero sobre el extremo extendido del índice. Lo esencial es «enrollar» los dedos de manera que no se produzca ningún hueco y apretar bien los dedos, especialmente el dedo meñique, que corre el peligro de lastimarse cuando se golpea sobre un objeto duro. Por otra parte, el puño debe hallarse siempre en la prolongación del antebrazo con el fin de que la muñeca pueda resistir un fuerte choque (si es débil, no hay unión de la zona de impacto con el resto del cuerpo, por lo que la concentración de la fuerza es imposible): por una parte, el eje del antebrazo debe pasar por entre las cabezas del segundo y tercer metacarpiano (bases del índice y del corazón), y por otra, la parte externa del antebrazo debe formar un ligero ángulo con el dorso del puño. Con el fin de no estar en estado de crispación, durante la lucha se puede «aflojar» un poco el puño, aunque sin abrirlo nunca ya que luego no podría «cerrarse» instantáneamente en caso de necesidad.

La foto n.º 4 ilustra las principales posibilidades que se le ofrecen al puño para golpear; distinguimos entre los golpes directos (tsuki, ver pág. 137) y los golpes indirectos (uchi, ver pág.124). Se golpea ya sea con el puño normal (o fundamental, llamado *seiken, hon-ken* o *kobuchi*) o con el puño más o menos abierto:

Kentos (A): Es el arma natural más conocida; pero no se golpea con toda la superficie delantera del puño: los puntos en donde se concentra la fuerza son las cabezas del segundo y tercer metacarpiano (con las articulaciones metacarpo-falangianas del índice y del corazón formando un ángulo de 90°); las demás articulaciones son más frágiles y no pueden soportar fuertes impactos.

Hiraken (B): Sólo están dobladas las primeras falanges; los extremos de los dedos tocan la palma de la mano; el pulgar puede estar doblado sobre la palma de la mano o extendido a lo largo del índice (ver foto). Se golpea con el conjunto de las articulaciones de los cuatro dedos doblados. Una variante es el *ryutoken* («cabeza de dragón») en la que se golpea con las mismas articulaciones, pero las metacarpo-falangianas están flexionadas 45°

Tettsui (C): El «martillo de hierro» (también llamada *shutsui* o *kentsui*) está constituido por la «prominencia hipotenar» (base del puño, al lado del dedo meñique) y se utiliza tanto en el ataque como en la defensa (bloqueo potente junto a un golpe con el pie). El puño juega el papel de un verdadero martillo; más que nunca el dedo meñique debe encontrarse correctamente «enrollado».

Ura-tettsui (D): El «martillo de pulgar» está constituido por la base del pulgar y el borde lateral del índice enrollado.

Uraken (E): La técnica de la cara dorsal del puño (también llamada *riken*) consiste en un golpe propinado con la totalidad de la superficie de esta parte del puño y con la parte dorsal de los kentos; cuando se desea golpear únicamente con los kentos se puede doblar fuertemente la muñeca en el momento del impacto para conseguir un mayor efecto.

Hei-ken (F): El bloque golpeador está constituido por las falanges y la base de la palma de la mano.

Nakadaka-ken (G): El «puño del demonio» (también llamado *nakadaka-ippon-ken* o *nakayubi-ippon-ken*) es un puño en el que sobresale el dedo corazón. Los demás dedos están doblados como en el seiken. El puño de una sola falange es utilizado en los ataques a puntos vitales concretos así como en las técnicas de presión y pellizcos a los centros nerviosos.

Ippon-ken (H): Es otro puño de una sola falange, pero aquí el que sobresale es el índice flexionado (se la llama también *hitosashiyubi-ippon-ken*). El pulgar, extendido, aprieta al dedo índice. Tiene la misma finalidad que el nakadaka-ken.

Existen otras variantes tales como la *oyayubi-ippon-ken* (en la que se golpea con la única falange del pulgar) o la *nihon-ken* (puño de dos falanges).

La mano

El karate también utiliza la mano abierta *(kaisho):* amplía las posibilidades de golpear a la vez que permite agarrar al adversario (otros métodos de esgrima pugilística se limitan a la sola utilización del puño envuelto en un guante). El kaisho se utiliza tanto en el ataque como en la defensa (técnicas de bloqueo). Adoptar correctamente un kaisho no presenta ninguna dificultad, aunque son necesarias ciertas precauciones para que la mano pueda transformarse en una masa compacta en el momento del impacto: con la mano abierta normalmente y los dedos extendidos sin ninguna rigidez, se aprietan bien entre sí y se dobla y aprieta el pulgar contra la base del índice (no contra la palma de la mano sino a su lado) y se contrae la muñeca; la parte dorsal de la mano, la muñeca y el antebrazo deben encontrarse sobre un mismo plano y el dedo corazón debe quedar sobre el eje del antebrazo.

La foto n.º 5 nos muestra las posibilidades que tiene la mano abierta de golpear.

Nukite (A, B): Se utiliza la mano como una puya; la «puya de mano» está constituida por la punta de los dedos reunidos. Para que el conjunto sea más fuerte, se dobla un poco el dedo corazón para que los tres dedos más largos de la mano lleguen a la misma altura; una variante de la forma básica consiste en doblar las articulaciones metacarpo-falangianas unos 45°. Se distingue la puya de cuatro dedos (youhon-nukite: A), la puya de dos dedos (*nihon-numite:* B; la horquilla está constituida ya sea por el índice y el corazón, ya sea por el pulgar y el índice o bien el índice y el corazón por un lado y el anular y el me-

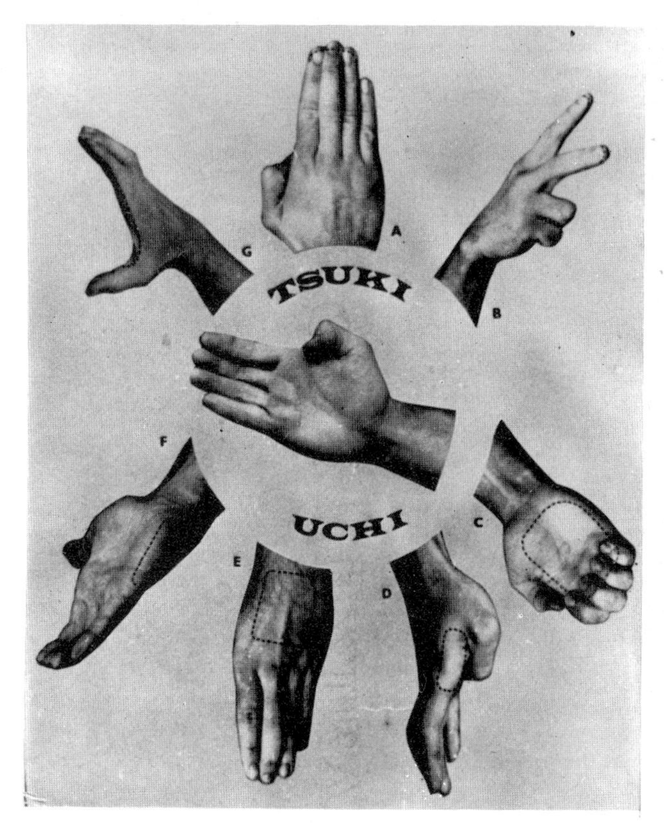

Foto 5

ñique por el otro) y la de un solo dedo *(ippon-nukite)*. Se golpea como con la punta de un cuchillo a los ojos, al cuello, al plexo o las axilas.

Kumade (C): Es la «pata de oso», constituida por los dedos flexionados en las primeras falanges y replegados sobre la palma, como en el hiraken; la superficie golpeadora es la palma de la mano; se emplea en los golpes directos (la muñeca entonces está doblada en ángulo recto) o indirectos. También se puede propinar un golpe indirecto con la palma de la mano abierta en kaisho (entonces tenemos un *hirate*).

Haito (D): Es el «reverso del sable», «sable de pulgar» o «sable de índice» (también llamado *ura-shuto*), constituido por el borde interno de la mano que va desde la base del índice al ángulo formado por la primera falange doblada del pulgar.

Haishu (E): Se utiliza tanto la parte dorsal de la mano como la parte dorsal del puño en los golpes indirectos; sirve también para bloquear ataques altos y a media altura.

Shuto (F): El «sable de mano» (shuto o *te-katana*) es sin duda alguna el arma natural del karate más conocida; al menos es una de las que se utilizan de manera más variada. El borde exterior de la mano sirve para propinar golpes tanto directos como indirectos; sirve también para efectuar potentes e interesantes bloqueos, puesto que pueden derivar rápidamente en presas. La superficie golpeadora es el músculo de la «prominencia hipotenar», que va de la base del dedo meñique a la muñeca; la mano forma una cierta concavidad y los dedos están suavemente arqueados para que el conjunto golpeador sea más sólido.

Hirabasami (G): La mano se coloca en «fauces de tigre» (también se llama *koko* o *toho*): forma una «horquilla» constituida por el pulgar y el «reverso del sable». Los dedos se aprietan los unos contra los otros y están algo arqueados, como en el shuto. Se ataca directamente al cuello o a la axila.

Existen otras formas, pero son más conocidas en el karate chino que en el japonés: así, el «pico de águila» (keito o *washide*) en la que los extremos de los cinco dedos se juntan para formar una pequeña superficie golpeadora circular, estando las articulaciones metacarpianas flexionadas; con el «pico de águila» se atacan puntos concretos (ojos, arteria carótida, etc.).

La muñeca

La articulación de la muñeca *(tekubi)* se emplea tanto en el ataque (golpes indirectos) como en la defensa (bloqueo con azotes); en efecto, si la muñeca es lo suficientemente flexible y capaz de doblarse en todas direcciones, pueden utilizarse cuatro de sus partes como superficies golpeadoras. El punto común en todas las técnicas de muñeca se basa en que la eficacia del golpe se consigue mediante una rápida flexión de la articulación (como un «latigazo») destinada a hacer salir una de sus partes hacia el punto de impacto; para que este movimiento adquiera una velocidad máxima, previamente la muñeca toma un impulso en sentido contrario; así, un mismo golpe de corta amplitud, ejecutado de manera seca, es lo suficientemente potente para que el ataque sea válido o el bloqueo eficaz. La foto n.º 6 ilustra las cuatro superficies golpeadoras indicando claramente el movimiento de impulso de la muñeca en sentido contrario:

Kakuto (A): El dorso de la muñeca (también llamado *koken*) flexionado al máximo, se utiliza sobre todo para atacar la mandíbula o las axilas del adversario.

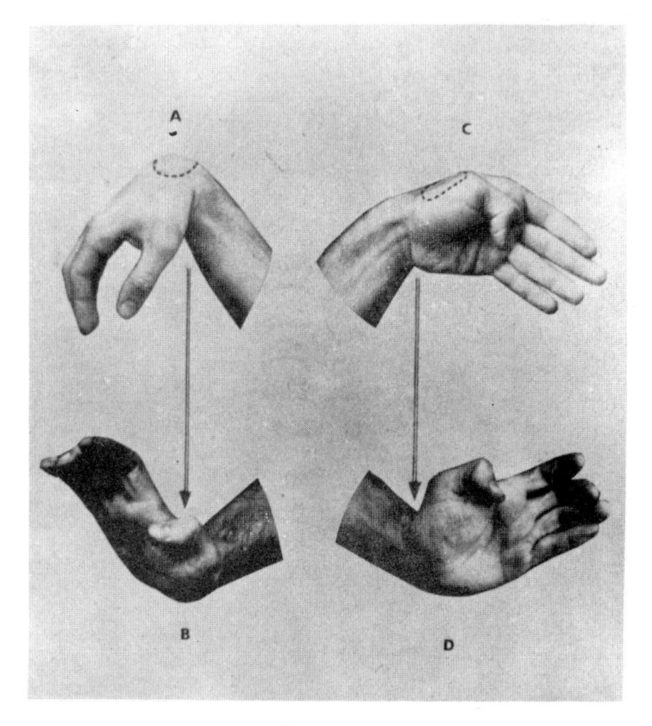

FOTO 6

Teisho (B): La mano doblada al máximo hacia arriba hace sobresalir la parte inferior y carnosa de la palma (llamada también *shotei*). Esta arma es muy eficaz en los ataques al rostro o al bajo vientre y en los golpes de detención o bloqueos.

Keito (C): La muñeca está doblada en el plano del radio para liberar la base del pulgar y su primera falange («cresta de gallo»); esta flexión es bastante difícil; los dedos y el pulgar están muy ligeramente flexionados hacia dentro. Mismas aplicaciones que el kakuto.

Seiryuto (D): Para colocar la mano en «mandíbula de buey», la muñeca está doblada en el mismo plano que para el keito, pero en dirección contraria. Flexionando al máximo la articulación, sin derivar hacia el teisho, se consigue una sólida superficie golpeadora constituida por la base del filo de la mano y el borde externo del antebrazo. Mismas aplicaciones que el teisho.

El antebrazo

El antebrazo *(wan, shubo, ude* o *kote)* es el arma natural utilizada más corrientemente para detener los golpes con el puño o el pie del adversario; bien entrenado puede fácilmente herir al adversario en el movimiento de defensa. Se golpea con su parte inferior, cerca de la muñeca, indiferentemente por sus cuatro costados:

— *Nai-wan* (u *omote-kote*): Filo interno del lado del pulgar.
— *Gai-wan:* Filo externo del lado del dedo meñique.
— *Hai-wan* (o *hira-kote*): Parte superior en la prolongación del dorso de la mano.
— *Shu-wan* (o *ura-kote*): Parte carnosa en la prolongación de la palma de la mano.

Los «filos» del brazo se utilizan sobre todo para bloquear con fuerza, con la idea de colocar un atemi sobre el miembro adverso, mientras que las partes «planas» se utilizan en mayor grado en los bloqueos «por barrido».

El codo

La articulación del codo *(empi* o *hiji)* es un arma potente que exige muy poca fuerza. Es útil sobre todo en la lucha cuerpo a cuerpo, ya sea para atacar o bloquear. Las técnicas de los golpes con el codo incluyen tanto las que se efectúan con la punta (A = apófisis prominente del cúbito) como las que utilizan las partes óseas o carnosas del brazo alrededor de la punta (B, C, D, zonas utilizadas para los golpes circulares y los bloqueos potentes).

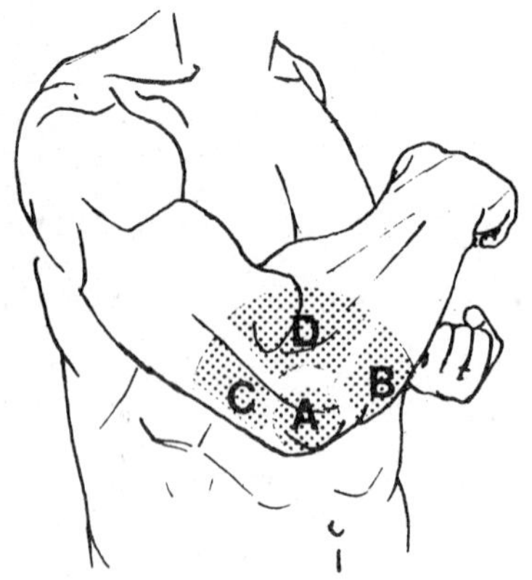

FIG. 30

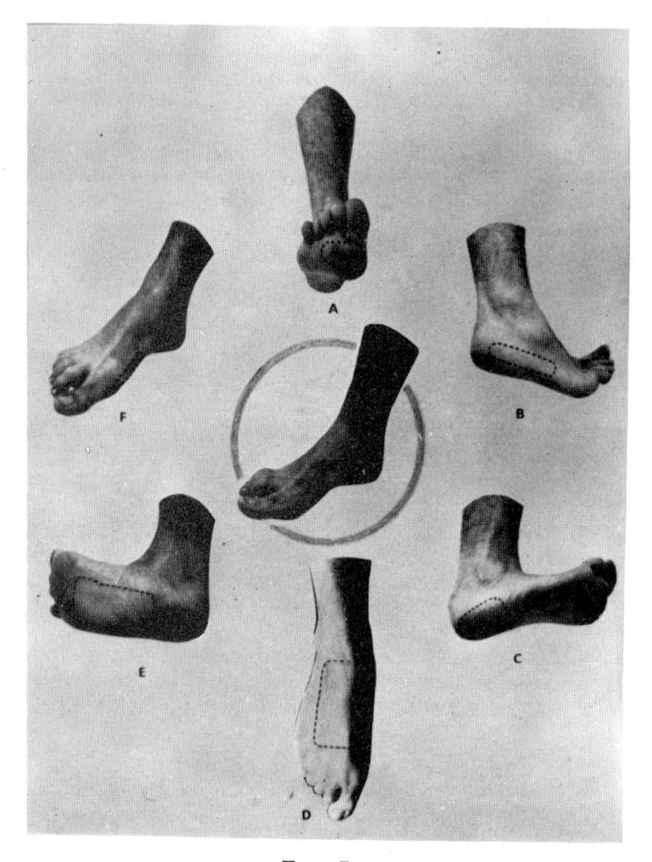

FOTO 7

2) LOS MIEMBROS INFERIORES

El pie

El pie descalzo *(keri)* ofrece numerosas superficies golpeadoras enormemente útiles en karate, sobre todo si se considera que añadiendo una técnica de pierna a una de brazos, el ataque o la defensa causan un indudable efecto de sorpresa (en especial cuando atacan varios adversarios a la vez); por otra parte, como los músculos de las piernas están mucho más desarrollados que los de los brazos, los golpes con el pie serán siempre muy potentes.

Koshi (A): El «diente de tigre» (también llamado *josokutei* o *chusoku*) es el relieve de la articulación falange-metatarsiana del dedo gordo; hay que levantar los dedos del pie al máximo para poder golpear con la parte sólida y carnosa exclusivamente.

Sokuto (B): El «sable del pie» (también llamado *ashi-katana*) está constituido por el canto exterior del pie, cerca del talón. El tobillo forma con esta parte un ángulo recto; los dedos de los pies están extendidos con naturalidad (forma antigua), o bien muy levantados (el arco plantar y el conjunto del pie pueden contraerse mejor, por lo que el conjunto adquiere solidez).

Kakato (C): O *ensho:* el talón.

Haisoki (D): Se golpea con el empeine del pie (también llamado *ashikubi* o *ashi-no-ko*) o con toda la parte superior del pie, desde los dedos hasta el tobillo. El pie está en tensión hacia abajo, a ser posible en la prolongación de la tibia.

Teisoku (E): La planta del pie se utiliza esencialmente en los golpes de detención o de bloqueo «barrido».

Ashi-no-ura (F): Canto interno del pie, desde la base del dedo gordo hasta el talón.

También se utiliza la «puya de dedos del pie» *(tsumasaki, ashi-nukite* o *ashi-no-yubi)* para golpear de punta el bajo vientre o el plexo (pero se requiere un entrenamiento y una resistencia articular especial para no causarse uno mismo una torcedura); asimismo, la parte trasera del talón se emplea para zancadillear al adversario en ciertos golpes circulares (ushiro-keage, ura-mawashi). Incluso a veces se utiliza la tibia como una prolongación del teisoku para asestar un golpe (movimiento hacia arriba) entre las piernas del adversario.

La rodilla

Como el codo, su utilidad es muy grande en el cuerpo a cuerpo y su efecto de percusión, temible; para conseguir la máxima eficacia, la rodilla *(hizagashira, hiza, hittsui* o *shiisui)* debe estar muy flexionada, el talón cerca del muslo.

Las armas naturales más comúnmente utilizadas son:

Puño	*Mano*	*Brazo*	*Pierna*
kentos	shuto	kote	hiza
tettsui	haito	empi	koshi
uraken	haisho		sokuto
	teisho		kakato
			teisoku

PUNTOS VITALES

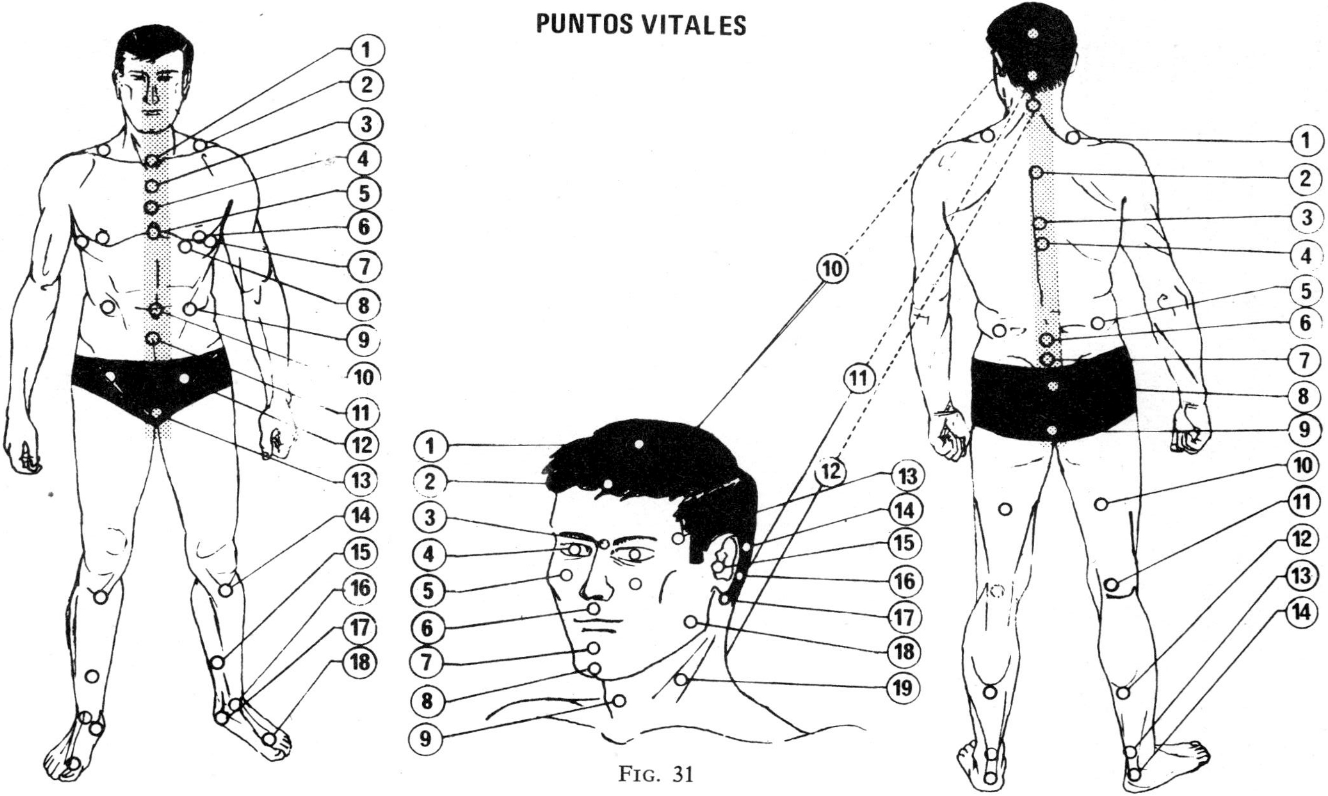

FIG. 31

Cuadro 6. — PUNTOS VITALES DE LA CABEZA

LOCALIZACION	NOMBRE	ATAQUES MEDIANTE
1. Cima del cráneo	TENDO	tettsui, empi
2. Fontanela anterior (sutura fronto-parietal)	TENTO	seiken, empi, tettsui, shuto
3. Punto naso-frontal (unión del piramidal)	CHOTO, UTO, MIKEN, YAMANE o GAMBETSU	ippon-ken, nukite, empi
4. Lóbulo ocular	GANSEI	nukite
5. Pómulo	SEIDON	haito, uraken, ippon-ken
6. Base de la nariz (philtrum)	JINCHU, KEIGO, KODO, MYOJO o GYOKUSEN	
7. Barbilla	GEKON	seiken, koshi
8. Puntos de la barbilla	SAN-MING	seiken, koshi, teisho, koken, empi
9. Nuez	HICHU	shuto, nukite, hirabasami
10. Fontanela posterior	TENDO	tettsui, empi
11. Base del cráneo (1.ª vértebra cervical)	KOCHU	shuto, tettsui
12. Nuca (3.ª y 4.ª vértebra cervical)	KEICHU	
13. Sien	RYOMO, KASUMI o KOMEKAMI	seiken, uraken, haishu, haito ura-tettsui
14. Punto sobre el hueso temporal (detrás de la oreja)		ippon-ken
15. Oreja	MIMI	kumade, hirate
16. Punto sobre el hueso temporal (detrás de la oreja)		ippon-ken
17. Hueco mastoideo detrás del lóbulo de la oreja (base del peñasco)	DOKKO	ippon-ken washide
18. Angulo de la mandíbula (mastoides)	MIKAZUKI	seiken, koshi, empi, sokuto, teisho, tettsui, teisoku
19. Arteria carótida	MURASAME, SHOFU o MATSUZAKE	shuto, tettsui, washide, hirabasami

Cuadro 7. — PUNTOS VITALES DEL TRONCO Y LAS PIERNAS (DE FRENTE)

LOCALIZACION	NOMBRE	ATAQUES MEDIANTE
1. Base del cuello	SONU	ippon-nukite, washide
2. Clavícula	SAKOTSU	shuto,tettsui
3. Parte superior del esternón	DANCHU o CHUDAN	seiken, empi, kakato, koshi
4. Parte inferior del esternón	KYOTOTSU o CHUDAN	seiken, empi, kakato, koshi
5. Plexo solar	KYOSEN	seiken, empi, uraken, koshi sokuto, hiza
6. Pectoral	GANKA	seiken, tettsui
7. Axila (entre la 5.ª y la 6.ª costilla)	KYOEI	seiken, hirabasami, shuto, koshi, sokuto
8. Plexo cardíaco	GANCHU	seiken, empi, koshi
9. Flancos (hipocondrios, hígado, costillas flotantes)	DENKO, INAZUMA o TCHUIN	seiken, uraken, shuto, sokuto koshi, teisoku
10. Boca del estómago	SUIGETSU	seiken, koshi, hiza, empi
11. Hipogastrios	MYOJO	seiken, koshi, hiza, empi
12. Ingles		seiken, koshi, sokuto
13. Testículos	KINTEKI	koshi, sokuto, haisoku, kakato, seiken
14. Rótulas	HIZA-KANSETSU	koshi, sokuto
15. Cara interna de la tibia (tercio inferior)	KOKOTSU	sokuto, teisoku, ashi-no-ura
16. Empeine	KORI	kakato, sokuto
17. Parte interna del tobillo	UCHIKUROBUSHI	teisoku, kakato, ashi-no-ura
18. Base de los dedos (metatarso)	SO-IN	kakato

Cuadro 8. — PUNTOS VITALES DEL CUERPO Y DE LAS PIERNAS (DE ESPALDAS)

LOCALIZACION	NOMBRE	ATAQUES MEDIANTE
1. Músculos del trapecio		shuto, tettsui, empi
2. Séptima vértebra cervical	SODA	seiken, empi, tettsui
3. Quinta vértebra dorsal	KATSUSATSU	seiken, empi, tettsui
4. Séptima vértebra dorsal	TCHE-LANG	seiken, empi, tettsui
5. Depresión renal	HIZO	seiken, shuto, haito, hirabasami, koshi
6. Doceava vértebra dorsal	TSIE-TSRI	seiken, empi, tettsui, koshi, sokuto
7. Primera vértebra lumbar	KODENKO	seiken, uraken, tettsui, koshi, kakato
8. Cuarta vértebra lumbar	KODENKO	seiken, uraken, tettsui, koshi, kakato
9. Coxis y bordes laterales del sacro	BITEI	koshi, kakato
10. Muslos (gran nervio ciático)	KO-INAZUMA	koshi, sokuto
11. Depresión poplítea de la rodilla	SHITSU-KANSETSU	sokuto, kakato, tettsui
12. Base de la pantorrilla (músculos gemelos)	SOBI, TSO-PINN	koshi, sokuto
13. Tendón de Aquiles	AKIRESUKEN	sokuto, teisoku, koshi
14. Detrás del talón		teisoku

C) Los puntos de atemi

Son los puntos vitales *(kyusho)* que golpeados violentamente ocasionan la puesta fuera de combate del adversario, ya sea por traumatismo interno, fractura, síncope o muerte. Existen aproximadamente unos 80, estando localizados los más importantes en la figura y tabla adjuntas; notaremos que los principales están situados sobre la línea que divide al cuerpo, tanto de frente como de espaldas. Recordemos de todas maneras que los métodos chinos están basados en mayor grado en la ejecución de golpes muy precisos que requieren, por lo tanto, una menor fuerza; el atemi japonés tiene por finalidad conseguir el mismo resultado sobre cualquier punto del cuerpo, partiendo de la base de que los puntos vitales del adversario son, por uno u otro motivo, difíciles de alcanzar de manera precisa (defensa encarnizada, protección por la propia postura, morfología, etc.). El karateka, pues, golpea ante todo una zona que, una vez afectada por una onda de choque potente, perjudique al punto vital vecino; por este motivo los golpes en una competición van dirigidos hacia las áreas que contengan puntos vitales en sus alrededores (verlo en la Tercera Parte).

En una primera etapa, el karateka se esforzará por conseguir un kime perfecto capaz de causar, mediante una sacudida, lesiones graves en cualquiera de los puntos que se toquen; en una segunda etapa, después de varios años de entrenamiento durante los cuales habrá conseguido dominar algo estos golpes, podrá dedicarse a buscar la eficacia golpeando unos puntos extremadamente concretos; los chinos llaman a la primera etapa «de estilo duro» (apropiada al joven practicante que debe desarrollar tanto como pueda su reserva de fuerza) y la segunda «de estilo flexible» (apropiada después de haber perdido el vigor juvenil). *Evidentemente, estos puntos nunca deben tocarse ni siquiera rozarse durante los entrenamientos, puesto que las consecuencias de un golpe mal controlado son incalculables.* Sobre la mayoría de estos puntos también es posible actuar para reanimar a los que han sido afectados por un síncope (ver las técnicas de kuatsu en el apéndice). De una manera general, el interés de la localización de los puntos vitales concretos es muy grande cuando se trate del karate practicado como un arte marcial, y es mucho menor cuando se trata del deporte de competición.

PRINCIPIOS DE LOS GOLPES DIRECTOS (TSUKI-WAZA)

Consisten en ataques con la mano en los que ésta se mueve como un cuchillo con intenciones de hundirse en el cuerpo del adversario (estocada). Este tipo de ataque tan diferente del golpe de puño clásico en boxeo, sigue en general la trayectoria más recta posible; existe, sin embargo, un golpe circular también considerado como tsuki.

A) El golpe rectilíneo (tipo: choku-zuki o kara-zuki)

Estudio técnico

Consiste en un golpe directo del puño hacia un punto colocado frente a nosotros; constituye la base de todas las técnicas de tsuki y contiene unos caracteres originales que no se encuentran en ningún otro método de esgrima pugilística.

El *choko-zuki* (o *kara-zuki* en Wado ryu) es un movimiento rápido, seco, devastador. Varios factores contribuyen a proporcionarle una gran eficacia:

— El puño, siguiendo una línea recta, efectúa un giro de 180° sobre el eje de su trayectoria entre el punto de partida y el punto de impacto; este movimiento de barrena (la mano empieza el movimiento en supinación, con la palma hacia arriba y lo termina en pronación, con la palma hacia abajo) es el que proporciona al puño la trayectoria lo más rectilínea posible, así

Foto 8

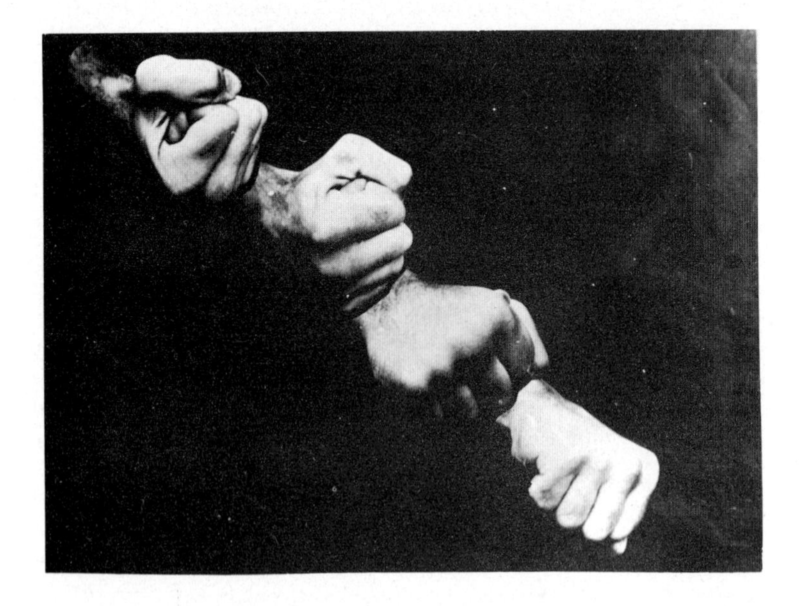

como la gran fuerza de penetración que se añade a la velocidad.

— Mientras se lanza el puño hacia delante, el otro brazo sigue una trayectoria inversa: el puño se desplaza con energía hacia atrás, con igual fuerza que la del puñetazo propiamente dicho y efectuando un movimiento de barrena en sentido contrario (decimos que el puño hace *hikite*); este movimiento permite una mejor concentración de la fuerza en el impacto (gracias a utilizar la fuerza de reacción), a la vez que se «arma» el puño del brazo retrasado, preparándolo para golpear inmediatamente después de que lo haya hecho el primero.

— En el momento del impacto el brazo está extendido y los músculos abdominales en tensión durante una fracción de segundo (kime).

Experimentos realizados especialmente en la universidad japonesa de Takushoku han demostrado que la velocidad máxima del puño de un principiante suele ser de unos 3 m/s, mientras que en un experto dominando perfectamente la contracción, la relajación y dotado de un gran flujo nervioso, alcanza los 8 m/s y puede desarrollar en el impacto una fuerza golpeadora de ¡700 kg! Estas cifras se refieren al momento de máxima aceleración, es decir, justo antes del impacto. También se ha comprobado que después de una primera fase de aceleración (contracción de partida) sigue una desaceleración (durante la trayectoria) que precede a su vez una nueva y corta aceleración cuando el brazo está casi extendido (kime). La velocidad de un choku-zuki efectuado junto con un desplazamiento de todo el cuerpo (oi-zuki) es todavía mayor, puesto que la trayectoria es más larga: en un principiante puede alcanzar los 7 m/s, mientras que en el experto puede llegar a ser de 13 m/s. Vemos pues cuánto puede investigarse en este campo de la velocidad...

Ejecución de un movimiento a la derecha a una altura media

— Estamos en yoi-dachi, relajados y con los brazos caídos.

— Levantar el brazo izquierdo y extender la mano al frente, con las uñas hacia arriba, como para sostener la chaqueta del adversario a nivel de su plexo solar.

Al mismo tiempo, echar el codo derecho al máximo hacia atrás y llevar el puño derecho, con la palma hacia arriba, a la altura de las costillas flotantes; el codo se pega al cuerpo y mira hacia atrás. No levantemos los hombros y mantengamos el busto de frente.

— Echar la mano derecha hacia atrás, armando el puño al mismo tiempo que se efectúa una rotación del interior hacia el exterior; éste se coloca en el lado izquierdo, con la palma hacia arriba, a la misma altura que el puño derecho al principio del movimiento. Impulsar al mismo tiempo el puño derecho hacia delante y hacia el punto que acaba de abandonar el puño izquierdo, frotando ligeramente el codo contra el flanco derecho; en el momento en que el puño acaba de pasar por el lado del tronco, barrenarlo desde el exterior hacia el interior, y hacerlo llegar con la palma hacia abajo cuando el brazo queda extendido. Contraer enérgica y secamente todos los músculos del cuerpo en el momento del impacto, en particular los abdominales, los múscu-

FIG. 32

los de los brazos y debajo de las axilas; mantener los hombros bajos y el busto de frente.

— Relajarse y abrir la mano derecha: estamos ahora en la posición inversa de la que teníamos al principio, a punto de golpear en choku-zuki con el puño izquierdo.

Puntos esenciales

— Golpear imaginando siempre que tenemos al adversario frente a nosotros; pensemos que debemos ponerlo fuera de combate con un solo golpe.

— Para facilitar la contracción muscular en el momento del impacto, espirar brevemente y luego relajarse totalmente a la vez que se inspira profundamente. Mantener un intervalo de algunos segundos antes de golpear con el puño opuesto.

— Colocar toda la fuerza en el puño en el momento concreto del impacto y detenerlo secamente durante su trayectoria a un centímetro del punto que habíamos fijado de antemano; no pasar nunca de este punto.

— Hay que proporcionar tanta fuerza y velocidad al puño que va hacia atrás como al que se impulsa hacia delante.

— Mantener el busto de frente durante todo el movimiento y relajar los hombros. La tendencia natural es la de girar el cuerpo de perfil para golpear lejos, o sea avanzar el hombro correspondiente al puño que golpea como en el boxeo. Evitar este defecto, ya que al adelantar o levantar el hombro no es posible contraer correctamente los músculos de la axila y de la espalda, y el golpe perderá toda su potencia; al principio tratar incluso de echar el hombro un poco hacia atrás en el momento de golpear. No levantar ni bajar los hombros; deben permanecer naturales, casi relajados.

— Al propinar el golpe, no inclinarse hacia delante ni hacia atrás, pero sí mantenerse firmes sobre las piernas, con la columna vertebral bien vertical y el tanden ligeramente proyectado hacia delante. Esconder la barbilla.

— Efectuar un potente kime pensando en dar el golpe «con el vientre» y no con los hombros. Observar en las fotos 9, 10 y 11 la diferencia que existe entre la contracción muscular total en el momento del impacto (foto 10) y la relajación también total que sigue una fracción de segundo después (foto 11); notar especialmente la diferencia a nivel del trapecio y de los músculos de los brazos y de la axila.

— Golpear sobre el plano sagital medio del propio cuerpo, a la altura del plexo. El brazo debe formar con la línea de los hombros un ángulo agudo.

— No mover los codos durante el movimiento: mantenerlos en contacto estrecho con el tronco; esto es tanto más difícil cuanto más fuerte y veloz es el golpe que se da con el puño: el codo tiene tendencia a despegarse del cuerpo, sobre todo si el tsuki se propina con una rotación de las caderas (verlo más adelante).

— Apretar bien los puños y mantenerlos en la prolongación de los antebrazos.

VARIANTES

En el kara-zuki se gira rápidamente el puño adelantado para llevarlo con la palma hacia arriba *antes* de golpear con el puño contrario; la sucesión de estos dos movimientos es, sin embargo, muy rápida y casi imperceptible. La finalidad de esta rotación preliminar es la de permitir al codo del brazo extendido poder echarse hacia atrás con una trayectoria más rectilínea que si la rotación se efectuara durante el regreso del puño (el codo tiene mayor tendencia a despegarse del tronco).

Según las escuelas y los expertos, la posición del puño que hace hikite cambia; puede colocarse a distintos niveles que varían entre la altura de la cadera hasta la posición inmediatamente debajo del hombro.

Muy a menudo estas variantes son una cuestión de morfología y de flexibilidad personales: sin embargo, hay que evitar colocar el puño demasiado bajo, puesto que deberá recorrer, a partir de la cadera, una trayectoria ascendente y curvilínea; es el principio del age-zuki (ver más adelante). La trayectoria más corta —la que hay que buscar siempre— se conseguiría colocando

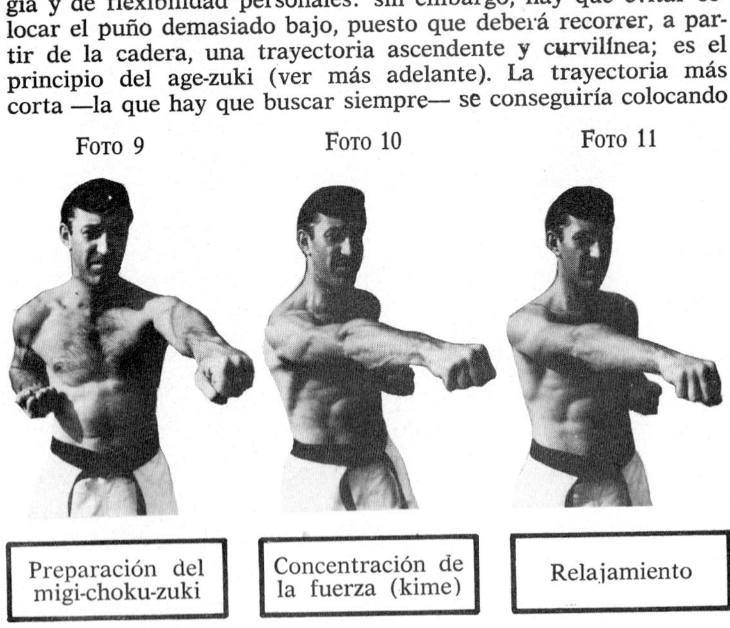

FOTO 9 — Preparación del migi-choku-zuki

FOTO 10 — Concentración de la fuerza (kime)

FOTO 11 — Relajamiento

FIG. 33

el puño debajo del hombro; pero en esta posición el brazo retrasado está demasiado contraído o encogido (sobre todo si se trata de un brazo musculoso), por lo que se frena la velocidad de partida del puño. La posición clásica, y la más natural, se sitúa al nivel de las costillas flotantes.

MÉTODOS DE ENTRENAMIENTO

— Para progresar en el futuro, es indispensable dominar correctamente esta técnica; es inútil y perjudicial querer ir demasiado deprisa. Ejercitar, pues, el choku-zuki lentamente, alternando con la derecha y la izquierda y sin acelerar el ritmo antes de haber asimilado el movimiento. Al principio, utilizar un espejo.

— Entrenarse sobre todo a golpear a una altura media (chudan: es entonces chudan-choku-zuki) o baja (gedan: es entonces gedan-choku-zuki); no golpear alto (jodan: es entonces jodan-choku-zuki) sin antes estar seguros de no girar el busto ni elevar los hombros.

— Al cabo de algunas sesiones de entrenamiento, dejar de abrir la mano cuando está frente a nosotros antes de golpear con el puño contrario, pero conservar los puños siempre cerrados; sin embargo, no hay que relajarse hasta después de cada tsuki al abrir un poco los puños.

Después de haber asimilado el golpe aislado, practicar series de choku-zuki en rápida sucesión (ren-ziki), ya sea a la misma altura o bien variándola (dan-zuki).

— El kara-zuki puede ejercitarse también con una corta rotación de las caderas (Fig. 33) en la dirección del golpe, lo que lleva al busto a unos ¾ de la posición frontal; constituye un entrenamiento preparatorio muy interesante para el gyaku-zuki, pero nada aconsejable para los principiantes que todavía no dominan la forma básica, con el abdomen y el pecho inmóviles, porque adquirirían demasiados defectos difícilmente corregibles después (ausencia de fuerza en el abdomen, por ejemplo). Se puede ejecutar esta forma de kara-zuki colocándose en shiko-dachi para golpear en la dirección del pecho (cuidado: el busto gira alrededor de un eje vertical y sin que las rodillas se relajen).

— El choku-zuki puede ejecutarse en todas las posturas; por ejemplo, en sanchin, nos permitirá contraer mayormente los abdominales, o sea, conseguir un mejor kime; también podemos colocarnos en kiba-dachi y golpear hacia delante sin mover las piernas ni el tronco, permaneciendo el busto rigurosamente de frente: esta práctica es excelente para progresar a la vez en el tsuki y en el dominio de la postura kiba-dachi, así como en el equilibrio general del cuerpo que no debe inclinarse hacia delante, aunque el golpe sea fuerte.

— Para entrenarse a concentrar correctamente la fuerza en el impacto: echar los dos puños hacia atrás y luego efectuar un doble choku-zuki (foto 12) forzando los hombros hacia abajo; los pulgares de ambas manos casi se tocan. Relajarse, luego echar

Foto 12

FOTO 13

los codos hacia atrás antes de volver a golpear. Practicar estas repeticiones muy lentamente, pero con fuerza.

— Es interesante variar las maneras de hacer choku-zuki: trabajar con flexibilidad y lentamente, de manera rápida con kime, lenta y con contracción total; la clave consiste en efectuar centenares de repeticiones para conseguir un movimiento natural. El cho-zuki es, por otra parte, un excelente medio para volver a la respiración normal después de un entrenamiento intensivo: se practica, en este caso, de manera relajada, sin kime incluso en el impacto, de acuerdo con el ritmo respiratorio; primero rápidos, pero sin fuerza, con los puños sin apretar, los tsukis deben ir disminuyendo de velocidad a medida que la respiración vuelve a la normalidad; espirar cada vez más profundamente al final de cada tsuki.

NOTA: Una vez se domina la forma fundamental, es posible variar la superficie golpeadora: al igual que en los kentos, se puede golpear con nakadaka-ippon-ken, hiraken, kumade, teisho o nukite.

GOLPES DE PUÑO DERIVADOS

Algunas técnicas se parecen al choku-zuki y se basan en sus mismos principios.

El golpe de puño a corta distancia: ura-zuki

Es un choku-zuki en el que el puño no realiza ninguna rotación (permanece en supinación en el momento del impacto); esta técnica es muy eficaz en el caso de un contraataque durante un cuerpo a cuerpo (foto 13); hay que golpear con un movimiento ascendente al cuerpo o a la barbilla. El codo flexionado permanece cerca del cuerpo.

Golpe de puño vertical: tate-zuki

Es un choku-zuki en el que el puño se detiene a medio camino de su trayectoria y no gira más que 90°; en el impacto, la prominencia hipotenar del puño gira hacia abajo. Esta técnica se utiliza en el caso de un ataque o de un contraataque a corta distancia (fig. 34); en efecto, girar demasiado el puño implicaría doblar la muñeca por lo que el golpe perdería toda su fuerza.

El ura-zuki y el tate-zuki no son técnicas nuevas, sino que representan de algún modo unos choku-zuki incompletos en los que la distancia es menor; hay que escoger entre estas tres técnicas en función de la distancia a la que se encuentra el adversario. En el entrenamiento se ejercitan exactamente de la misma forma. Progresar en el choku-zuki representa progresar automáticamente en las dos variantes. La tercera (a continuación) introduce una nueva base.

Golpe de puño ascendente: age-zuki

Combina la acción ascendente del ura-zuki con la rotación

FIG. 34

FOTO 14

del puño del choku-zuki; la posición final (foto 14) es en efecto la de un jodan-choku-zuki, pero con la trayectoria del puño diferente.

La flecha punteada nos muestra esta trayectoria: el puño parte de una posición más baja que para el choku-zuki, a nivel de la cadera y golpea hacia arriba siguiendo una trayectoria curvilínea; golpea a la barbilla por debajo.

La principal dificultad estriba en no mover los hombros al golpear y mantener la contracción bajo los brazos. Tampoco esta técnica es aconsejable a los principiantes. Por otra parte, muchos karatekas incluso con grado, propinan un golpe de puño intermedio, demasiado directo para ser un age-zuki, pero también demasiado circular para ser un choku-zuki. Hay que evitar mezclar las dos técnicas.

También se suele llamar age-zuki a un ura-zuki en la dirección de la barbilla; es el «uppercut» del boxeo inglés.

B) El golpe circular (wa-zuki)

El puño describe una trayectoria curvilínea en un plano horizontal o cerca del horizontal con la misma acción de barrena que en el choku-zuki; se golpea con las mismas armas naturales que en el golpe rectilíneo, pero sobre todo de los kentos.

Golpe circular con el puño: mawashi-zuki

Se golpea al blanco que se presenta directamente frente a nosotros, por el lado, con una breve rotación de cadera en la dirección del golpe; se ataca así al flanco, a la mandíbula o a la sien del adversario que se encuentra a media distancia.

El punto de partida del puño se sitúa en la cadera, como en el choku-zuki, pero el brazo no se halla extendido y el busto queda a ¾ de la posición frontal en el momento del impacto. Ni hay que despegar demasiado el codo ni golpear demasiado lejos, ni levantar el hombro, puntos delicados de dominar ya que la fuerza de rotación de las caderas hace que el codo sobresalga hacia el exterior con la concentración del hombro correspondiente. El impacto tiene lugar cuando el puño golpea lateralmente el plano vertical medio del cuerpo.

Una variante es el *mawashi-uchi* en el que se golpea en uraken en un movimiento batido más amplio; en el momento del impacto el cuerpo se halla casi completamente de perfil; la prominencia hipotenar del puño está girada hacia arriba (ver el uraken-uchi).

Golpe hacia atrás con el puño:

Es un golpe circular con el puño dado hacia atrás por encima del hombro opuesto; es particularmente útil para deshacerse de un agarrón y puede combinarse con un golpe de codo (foto 15). La posición de partida con el puño en supinación se sitúa en la cadera, luego describe un arco de círculo muy corto, pasando

FIG. 35

FOTO 15

cerca del pecho para volver a subir hasta el hombro opuesto; al mismo tiempo se ejerce un efecto de barrena para llegar en pronación al punto de impacto; el codo está a la altura del mentón y en su mismo eje, con el busto de frente.

El gancho: kagi-zuki

Este golpe se utiliza en el cuerpo a cuerpo; se golpea en un plano paralelo al del pecho, ya sea por encontrarnos de perfil con relación al adversario y, en este caso, la posición generalmente adoptada es la kiba-dachi (fig. 36), ya sea porque queremos atacar por el lado cuando nos encontramos frente a él. El puño inicia su movimiento a la altura de la cadera, en supinación, y golpea siguiendo una curva menos pronunciada que en el mawashi-zuki; pero es un golpe «barrenado» como en esta última técnica. Es esencial que la axila del brazo que golpea esté bien contraída y que el hombro correspondiente permanezca bajo; el puño se detiene más o menos en el plano vertical medio del pecho y no sobrepasa en ningún caso el límite del busto; la línea de los hombros permanece paralela al suelo y de perfil respecto al blanco cuando se está en kiba-dachi; el codo está doblado en ángulo recto. Y finalmente, como en general no se golpea más alto que a una media altura, lo que permite una concentración de fuerza máxima, la línea general del brazo queda ligeramente inclinada hacia abajo, estando el hombro más alto que el codo y éste más elevado que el puño. De todas maneras, en ciertas escuelas, se golpea todavía más bajo (a nivel del abdomen) y el antebrazo queda paralelo al suelo. El alcance del golpe es inferior al del mawashi-zuki.

EL PAPEL DE LAS CADERAS EN LOS GOLPES INDIRECTOS (UCHI-WAZA) Y EN LOS BLOQUEOS (UKE-WAZA)

Consisten en ataques con el brazo en los que se golpea como si se fuera a cortar al adversario (golpe de cintura); en este tipo de ataque, la superficie golpeadora, mano, puño o codo, sigue, en general una trayectoria curvilínea; el papel principal lo juega la articulación del codo que lanza a la superficie golpeadora mediante un vigoroso movimiento de látigo.

En estas técnicas estudiadas en la Segunda Parte de la obra, las caderas aparecen como una reserva de fuerza que el karateka sabe utilizar perfectamente. El impulso de un movimiento, ya lo sabemos, se inicia en el tanden. Por otra parte, las caderas mantienen la acción de los brazos mediante una potente rotación, ya sea en el sentido en el que se efectúa la técnica (1) o bien en sentido contrario (2); la acción de un brazo, por fuerte que sea, no es nada si actúa aisladamente, sin ninguna unión con el resto del cuerpo. En las técnicas de golpes indirectos y en las de bloqueo, la acción de las caderas es primordial; así una misma técnica (por ejemplo la uchi-uke) puede ejecutarse con una *rotación de las caderas en el mismo sentido* en una determinada escuela, y con una *rotación en sentido contrario* en otra (contra-rotación). Esto es poco importante desde el momento en que las caderas de una u otra manera contribuyen al movimiento de los brazos; las fotos 16 y 17 nos muestran la acción posible de las caderas según la dirección de su eje al principio del movimiento.

1.er ejemplo: tettsui-uchi (o chudan-barai)

Cuando la pelvis ya está de perfil al principio del movimien-

Fig. 36 Fig. 37

FOTO 16

FOTO 17

FOTO 18

FOTO 19

to (foto 16), por ejemplo cuando se efectúa un giro, se golpea con una acción de las caderas en el mismo sentido (foto 17).

Si se trata de un bloqueo, éste es particularmente duro, puesto que el brazo se lanza directamente contra el miembro adverso. Cuando la pelvis está de frente (foto 18), por ejemplo después de la técnica precedente y que se debe bloquear otra vez, ya no se puede golpear más que con la acción de las caderas en sentido contrario (foto 19) colocando la pelvis de perfil; entonces, más que una esquiva es un bloqueo forzado.

2.º ejemplo: jodan-shuto-uke

Las fotos 20 y 21 nos muestran un potente bloqueo con rotación de las caderas en el mismo sentido, por ejemplo, para pivotar.

Las fotos 22 y 23 nos muestran el mismo bloqueo, avanzando, con rotación de las caderas en sentido contrario (esquiva).

FOTO 20

FOTO 21

FOTO 22

FOTO 23

FIG. 38

La fig. 38 nos muestra cómo la fuerza de rotación de las caderas puede transmitirse al brazo bloqueador (aquí un uchi-uke) si tiene lugar una cierta sincronización entre las dos acciones: a partir de un gyaku-zuki con el puño derecho, se giran mediante un golpe seco las caderas hacia la derecha a la vez que se esconde el puño derecho, mientras el izquierdo se coloca junto a la cadera derecha; las caderas continúan su rotación mientras el brazo izquierdo bloquea y el puño derecho hace hikite; el cese de la rotación debe corresponder a la detención del brazo derecho. El cuerpo se encuentra entonces de perfil y la tensión en la faja abdominal es máxima; por este hecho, las caderas pueden iniciar una rotación en sentido contrario, para un nuevo gyaku-zuki, por ejemplo. El movimiento de bloqueo se inicia, pues, al moverse las caderas, una fracción de segundo antes que el brazo izquierdo entre en acción; así se respeta el principio básico según el cual los músculos fuertes, pero lentos, deben contraerse antes y mantener su contracción hasta el momento en que los músculos débiles, pero rápidos, de las extremidades se contraigan a su vez; solamente entonces la potencia de los primeros se añade a la de los segundos para una técnica eficaz.

LAS TECNICAS DE PIE (KERI-WAZA)

La potencia de un golpe con el pie depende de varios factores:

— La velocidad alcanzada por el pie en el impacto (entre otras cosas, es función de la distancia recorrida por el pie).
— La cantidad de músculos puestos en acción.
— La fuerza de las caderas.
— La estabilidad (para utilizar correctamente la fuerza de reacción en el impacto).

Los dos primeros factores ya han sido analizados anteriormente; consideremos el papel de la estabilidad y de las caderas en las técnicas de pie que el karate utiliza abundantemente tanto en el ataque como en la defensa.

A) La estabilidad

Es mucho más difícil de dominar que en una técnica de mano por el mismo hecho de que, por definición, al menos un pie está levantado, por lo que el polígono de sustentación se reduce a la superficie de una planta de pie.

En efecto, es importante que, en un golpe con el pie, la fuerza de todo el cuerpo (esencialmente los abdominales) pueda ser lanzada en la dirección del golpe, ya que la del pie solo es insuficiente para una total eficacia. Por este hecho, se desplaza rápidamente y con fuerza el centro de gravedad, pero estamos en una situación de peligro: la proyección horizontal del centro de gravedad tiene más probabilidades de caer fuera de la base de sustentación, por lo que el equilibrio se rompería; *para mantener este equilibrio deben respetarse algunos puntos:*

— La pierna apoyada debe permanecer siempre ligeramente flexionada, incluso si se golpea alto; las articulaciones de la rodilla y del tobillo actúan de amortiguadores; los dedos de los pies no deben estar contraídos, con el fin de que el arco plantar no se arquee demasiado, reduciendo de esta manera los puntos de apoyo. El talón permanece plano, ya que de lo contrario la base de sustentación todavía más reducida y la pantorrilla demasiado contraída originarían una fatiga suplementaria del todo inútil.

— Las manos deben permanecer lo más cerca posible de las caderas (no echarlas hacia arriba) o moverse en la dirección del golpe con el pie (no extender los brazos en sentido contrario); los hombros deben permanecer bajos y relajados.

— Se mira siempre en la dirección del golpe; inclinar la cabeza en dirección contraria hace perder fácilmente el equilibrio; la barbilla no debe sobresalir.

— Se lanza el golpe con el pie siempre después de una toma de postura preliminar (ambas acciones, evidentemente, van asociadas): la rodilla de la pierna que va a golpear, en primer lugar, se levanta como mínimo a la altura de la cintura y, para la mayoría de técnicas, lo más cerca posible del abdomen; la rodilla está muy doblada, el talón contra el muslo que está más cerca de la vertical que de la horizontal (para el mae-geri, yoko-geri y sokuto). La altura de la rodilla, *antes* del golpe propiamente dicho, es muy importante puesto que determina la que alcanzará el pie (al desplegarse la tibia alrededor de un pivote representado por la rodilla) así como la fuerza con que se disparará la rodilla. Un golpe con el pie consiste, pues, en primer lugar en lanzar la rodilla: si la pierna está lo suficientemente relajada durante el movimiento, se articulará sin esfuerzo alrededor de aquélla.

— Después del impacto, la pierna debe relajarse inmediatamente (sólo lo ha estado durante el breve instante del kime) con el fin de permitir a la articulación de la rodilla actuar de resorte en sentido inverso: en cuanto la articulación se ha abierto al máximo (hasta el final) y con rapidez, un reflejo lleva automáticamente la pierna en sentido contrario; así la tibia vuelve generalmente a la vertical en el caso de un golpe directo con el pie, lo que es ampliamente suficiente para recuperar la estabilidad o para impedir que la recupere el adversario. Llevar voluntariamente el pie más hacia atrás requiere una nueva contracción muscular que, producida rápidamente después de una contracción en sentido contrario (al lanzar el golpe), puede producir una lesión en los meniscos. Los karatekas adelantados que posean la suficiente flexibilidad en la rodilla, dejarán volver a la pierna por sí sola (como un latigazo) antes de volverla a la posición estable. Por otra parte, si la técnica se ejecuta rápidamente y con estabilización de las caderas (verlo a continuación), la posición preparatoria es de por sí estable y hay que ser capaces de golpear varias veces seguidas a partir de esta posición, eventualmente en direcciones diferentes, sin previo reposo del pie.

— Es inútil golpear demasiado alto: el golpe es menos fuerte (por lo que se puede bloquear o esquivar fácilmente) y coloca al que lo ejecuta en una situación de peligro (el adversario puede cogerle la pierna, lo que implica un desequilibrio total).

— Las caderas juegan el papel de base estable (verlo más adelante); los abdominales están contraídos tanto al iniciarse el golpe como en el momento del impacto. *La estabilidad es indispensable para la velocidad del golpe,* puesto que los puntos de apoyo sólidos permiten una contracción muscular rápida y correcta; y como consecuencia, *la velocidad es indispensable para la estabilidad,* ya que el equilibrio se recupera más rápidamente o se ve menos comprometido si el pie vuelve rápidamente a su punto de partida. La estabilidad es evidentemente más difícil de mantener en un golpe con el pie efectuado durante un desplazamiento (ver Segunda Parte).

B) La acción de las caderas

Como en todas las técnicas del karate, el abdomen (hara) juega el papel más importante; como en otros sitios, aquí nada es posible sin su participación.

De manera general, las caderas deben ser impulsadas en la dirección del golpe y sobre todo no retroceder jamás en el momento del impacto; sería restar la fuerza del cuerpo a la propia de la pierna; las dos fuerzas se anularían (notemos que las caderas vuelven en sentido contrario, *una fracción de segundo* después del impacto para el mantenimiento del equilibrio).

Según la finalidad deseada, la mayoría de los golpes con el pie se pueden dar de dos maneras fundamentales:

En keage:

Se golpea con un *movimiento circular ascendente, percusor.*

Se utiliza sobre todo el movimiento de resorte de la rodilla, tal como se ha descrito anteriormente.

La foto 24 nos muestra las diferentes fases de un mae-geri-keage a partir de la posición preparatoria, con la rodilla levantada; vemos como la altura de la rodilla, que actúa de eje de rotación, marca el camino a la del pie en el impacto.

Las caderas se limitan aquí a estabilizar el cuerpo gracias a una corta proyección del tanden hacia delante; se desplazan muy poco (notar en la foto la tensión del abdomen hacia adelante). Sin esta acción, el equilibrio se desmorona fácilmente por el hecho de que la fuerza del cuerpo se lanza hacia arriba por lo que el pie apoyado tiene tendencia a despegarse del suelo; la rodilla de la pierna apoyada debe encontrarse flexionada. Se golpea en keage cuando se está relativamente cerca del adversario y su cuerpo presenta algún saliente (busto inclinado, mentón, bajo vientre) que pueda golpearse por debajo.

FOTO 24

FOTO 25

En kekomi:

Mientras el keage puede compararse a las técnicas uchi, el kekomi puede serlo a las tsuki. La superficie golpeadora, en efecto, es propulsada siguiendo la línea más recta posible hacia el blanco en *un movimiento directo arrollador.*

La foto 25 nos muestra las diferentes fases de un mae-geri-kekomi a partir de la posición preparatoria. La comparación con la foto 24 nos permite anotar las siguientes diferencias esenciales:

— El pie describe una trayectoria casi recta, gracias a la acción enérgica de las caderas hacia delante; el busto queda ligeramente inclinado hacia atrás para compensar este empuje.

— La posición de la rodilla es ligeramente más alta en la posición preparatoria que en el impacto.

Para conseguir un kekomi, hay que poseer un agudo sentido del «timing» (noción exacta del tiempo del golpe) y apreciar correctamente la distancia, sin lo cual, a pesar de la energía desarrollada en este movimiento, especialmente gracias a la acción de las caderas, el golpe sólo sería un simple empujón sin fuerza en el impacto. Por otra parte, el golpe arrollador y penetrante exige un mayor tiempo de contracción en el momento del impacto con el fin de que no sea superficial; como la relajación de la pierna después de la percusión, no ocurre tan rápidamente como en el keage, el reflejo que asegura el regreso de la pierna se encuentra comprometido: ésta vuelve mucho menos atrás a menos que intervenga una contracción voluntaria del muslo.

Y finalmente, la foto 25 nos muestra como el centro de gravedad está ampliamente desplazado en la dirección del golpe: en un buen kekomi es más difícil de no comprometer el equilibrio; así pues no puede ejecutarse sin ciertos riesgos que se justifican sólo en caso de abertura de la guardia adversa, lo que permitiría echarse más a fondo. Se golpea en kekomi cuando se está lejos del adversario, como para perforarlo; el golpe se debilita si se coloca más alto que el abdomen, puesto que la pierna sobrepasa la horizontal y la acción de las caderas hacia delante es imposible; el kekomi más potente es siempre ligeramente descendente.

SEGUNDA PARTE

Las técnicas fundamentales

3

Técnicas de ataque y contraataque, técnicas de los golpes (ate waza)

INTRODUCCION

Las técnicas de atemi constituyen lo más importante del karate. La puesta fuera de combate del adversario se basa en uno o varios golpes a media distancia o en el cuerpo a cuerpo. Otras técnicas tales como las caídas, las proyecciones, las luxaciones o estrangulaciones continúan siendo complementarias y muy interesantes para terminar con un adversario particularmente peligroso; asimismo las técnicas de presión o de pellizcos a los puntos vitales o a los centros nerviosos son muy útiles cuando el adversario nos sujeta fuertemente y nos es imposible ejecutar un movimiento de cierta amplitud, o cuando hay que vencer en un combate en el suelo. Lo ideal, sin embargo, es la victoria mediante un solo atemi.

Las caídas, las proyecciones y las luxaciones se estudian con las técnicas de defensa (ver, uke-waza).

En el contexto de esta obra no vamos a estudiar ni las estrangulaciones (muy poco utilizadas debido a que su tiempo de ejecución es bastante largo, lo que permite al adversario, sacando fuerzas de desesperación, contraatacar con grandes probabilidades de éxito sobre un punto vital forzosamente muy cerca suyo y muy expuesto; el karate ofrece toda una gama de posibilidades menos peligrosas e igualmente eficaces) ni las técnicas de presión sobre los puntos dolorosos (que no requieren una formación especial y que son imposibles de poner en práctica durante un asalto; se utilizan en mayor grado en la autodefensa).

Las técnicas de los golpes se dividen en:

- Golpes dados con los miembros superiores:
  — golpes directos *(tsuki-waza);*
  — golpes indirectos *(uchi-waza).*

LAS TECNICAS DEL KARATE

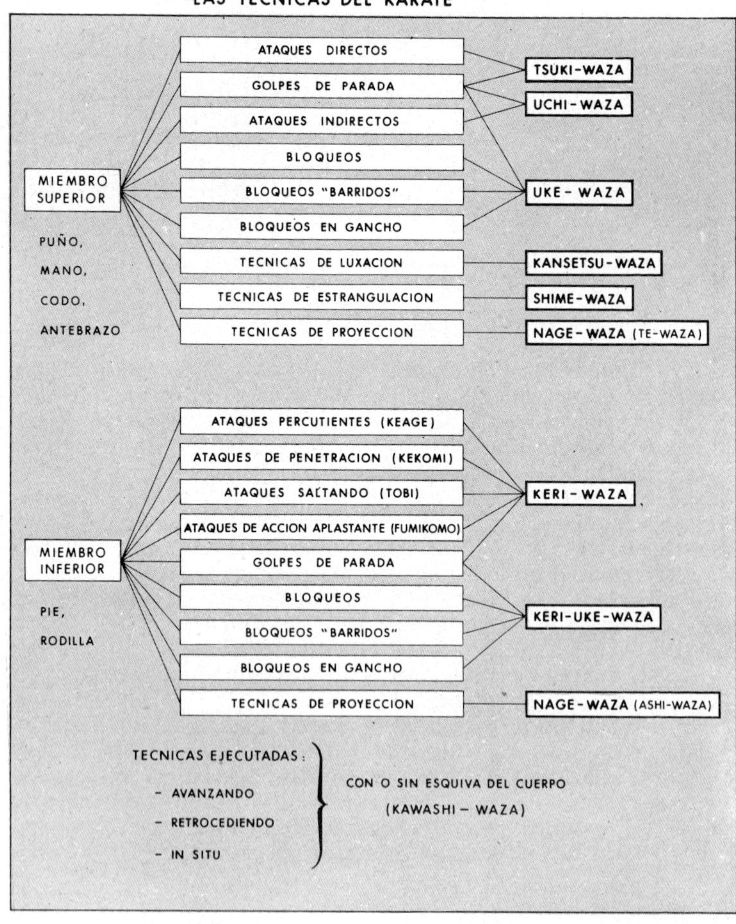

- Golpes dados con los miembros inferiores: *keri-waza.*
- Golpes dados con la cabeza.

(Se golpea de frente, hacia atrás o a los lados, a la cara, al abdomen o a los riñones; muy eficaces en el cuerpo a cuerpo y muy difíciles de evitar, los ataques con la cabeza están prohibidos en la competición, por lo que se utilizan muy poco en la técnica básica; son útiles sobre todo en la autodefensa).

Podríamos mencionar todavía una gran cantidad de golpes, difíciles de clasificar y que no forman parte del entrenamiento básico: golpe con el hombro o con las caderas (para proyectar), golpes con la tibia, la pantorrilla, etc.; todas estas técnicas no fundamentales enriquecen todavía más las posibilidades de un karateka adelantado (por ser la finalidad del karate la de vencer por cualquier medio en un combate leal a un adversario que dispone de las mismas armas naturales).

Este capítulo trata de las técnicas de atemi tanto como medio de ataque como de contraataque; en general, se habla de ataques cuando se golpea al avanzar hacia el adversario (ejemplo: oi-zuki) y de contraataques cuando se golpea «in situ» (ejemplo: gyaku-zuki). Los ate-waza también pueden utilizarse en la defensa; así, al bloquear enérgicamente un golpe de puño adverso, se coloca un atemi sobre el brazo del adversario; este aspecto se va a tratar en el estudio de los uke-waza (ver pág. 319).

La gran cantidad de técnicas existentes no debe desanimar al principiante: cada una de ellas, incluso ejecutada con algunos puntos de diferencia (a veces bastante sutiles, si bien es cierto) según las escuelas, es una manera de concentrar la fuerza en un solo punto y en un momento concreto. Por este hecho, cada una de ellas es válida y será motivo de progresión para el que la estudie a fondo.

I. — TECNICAS DE LOS BRAZOS: GOLPES DIRECTOS (TSUKI-WAZA)

Estas técnicas son las aplicaciones, ya sea «in situ» o bien en movimiento, del golpe directo con el puño (choko-zuki: pág. 112), del golpe circular con el puño (wa-zuki: pág.121) o de las técnicas derivadas de estos ataques fundamentales.

Como el boxeo occidental, el karate posee una serie de posibilidades muy variadas para golpear con el puño; así distinguimos:

— Los movimientos directos: estilo «lead», golpe largo (ejemplo: gyaku-zuki) o «jab», golpe más ligero (ejemplo: kizami-zuki).

— Los movimientos giratorios: tipo «gancho» (ejemplo: hagi-zuki) o «swing» (ejemplo: mawashi-zuki).

— Los movimientos ascendentes: tipo «uppercut» (ejemplo: ura-zuki).

Si el «drop» del boxeo inglés (golpe propinado de arriba abajo) no forma parte del arsenal clásico del karate, éste utiliza, por su lado, otras formas de puño además de la fundamental (el seiken en la que se golpea con los kentos (ver pág. 99); así cada una de las técnicas analizadas en las páginas siguientes puede estudiarse con hiraken, nakada-ippon-ken, nukite (se coloca la mano verticalmente para las distancias cortas y horizontalmente, con la palma hacia abajo, para los ataques largos; la mano efectúa, pues, una rotación como el puño en el tsuki) e incluso teisho (golpe con la palma, muy fuerte pero poco utilizado en los países occidentales); el hecho de poder utilizar cada técnica en tres niveles (jodan alto, shudan: medio y gedan: bajo) enriquece todavía más la gama de posibilidades.

Las técnicas de *golpe único* (oi-zuki, gyaku-zuki, etc.) constituyen la etapa que hay que dominar en primer lugar; comporta, dicho sea de paso, todas las bases indispensables a las técnicas de los *golpes múltiples* que no deben emprenderse hasta más tarde; en estas últimas distinguimos:

— Los golpes simultáneos: ejemplo: morote-zuki (doble golpe con los puños).

— Los golpes alternados: ejemplo: *bari-bari-zuki* o *lenzuki* (dos o tres golpes sucesivos con los puños, «in situ»), así como *dan-zuki* (varios golpes encadenados «in situ», pero a diferentes niveles).

Ambos constituyen las sucesiones de las tecnicas con los puños (renzoku-waza) que van a tratarse en la Cuarta Parte de la obra.

En esta sección nos limitaremos al estudio de los golpes simples con el puño y los golpes dobles (simultáneos).

Más que en el boxeo,* el hecho de que todo el cuerpo participe ampliamente en cada una de estas técnicas y sea un factor esencial de éxito, permite *clasificar esta gran variedad de golpes de dos maneras diferentes:*

En boxeo, las posiciones son menos bajas y menos forzadas para facilitar los movimientos y alargar el radio de acción del puño contrario a la pierna adelantada.

1) *Siguiendo un criterio de apariencia;* distinguimos:

— Las técnicas obligatoriamente efectuadas por el lado de la pierna adelantada, ya sea «in situ» (golpe con el puño adelantado, tipo maite), o bien después de haber avanzado hacia el adversario para golpearlo por el mismo lado (golpe con el puño, avanzando, tipo oi-zuki). En general, suele tratarse de ataques.

— Las técnicas obligatoriamente efectuadas por el lado correspondiente a la pierna retrasada (golpe con el puño contrario, tipo gyaku-zuki); como se suele golpear «in situ», estas técnicas se utilizan generalmente como contraataques.

— Las técnicas que pueden ejecutarse indiferentemente en una u otra posición (golpe paralelo con el puño y golpe circular con el puño).

2) *Siguiendo un criterio dinámico;* esta clasificación es más adecuada, puesto que da menos importancia al aspecto exterior de una técnica que a sus elementos de fondo, a sus bases racionales. Este nuevo tipo de clasificación según las fuerzas que intervienen en la ejecución correcta de cada técnica, ha sido introducido por primera vez en Francia por el maestro Hiroo Mochizuki, practicante del estilo Wado-ryu. Distinguimos:

— Las técnicas que utilizan fuerzas simples: ya sea una traslación rectilínea del cuerpo (tipo oi-zuki) cuando avanzamos o retrocedemos, o bien una rotación «in situ» de las caderas posible cuando se golpea con el puño retrasado (tipo gyaku-zuki) o con el puño adelantado (tipo kizami-zuki).

— Las técnicas que utilizan fuerzas compuestas: una fuerza de traslación rectilínea puede añadirse a una fuerza de rotación; es el caso del jun-zuki-no-tsukkomi. Una fuerza de traslación rectilínea también puede añadirse a una fuerza de desplazamiento lateral de las caderas; es el caso del gyaku-zuki-no-tsukkomi.

De todas maneras vemos que esta clasificación no puede ser rígida, puesto que un mismo movimiento puede proceder de una fuerza simple o de una fuerza compuesta según se ejecute «in situ» o después de un desplazamiento o una esquiva, etc. Por otra parte, las diferencias son debidas a las escuelas o a los estilos de los expertos; el ejemplo del gyaku-zuki es particularmente representativo a este respecto: para ciertos expertos la rotación de las caderas es primordial (Wado-ryu), para otros lo importante es la traslación (Gojo-ryu), para la Shokotan lo esencial es la combinación de ambas fuerzas, etc. Todo depende del estilo, de la morfología, del espíritu mismo con que se ejecuta una técnica.

El cuadro XII agrupa a todas las técnicas de golpes simples y simultáneos siguiendo un orden basado en esta doble clasificación; de todas maneras, con el fin de evitar demasiadas subdivisiones en el capítulo que sigue, hemos adoptado una sucesión ligeramente simplificada:

PLAN SEGUIDO EN EL ESTUDIO DE LOS GOLPES DIRECTOS CON EL PUÑO:

- *Golpes directos con el puño retrasado, avanzando*
  A) Ataque directo: oi-zuki.
  Variantes: jun-zuki, tobi-zuki, tobikonde-jun-zuki.
  B) Ataque directo con el busto inclinado: jun-zuki-no-tsukkomi.

- *Golpes con el puño retrasado contrario*
  A) Ataque directo: gyaku-zuki.
  B) Ataque esquivando: gyaku-zuki-no-tsukkomi.

- *Golpes con el puño a media distancia*
  A) Ataque directo: mai-te.
  Variante: tobi-komi-zuki.
  B) Ataque esquivando: kizami-zuki, nagashi-zuki.

- *Golpes dobles con los puños (morote-zuki)*
  A) Golpe paralelo al mismo nivel: heiko-zuki.
  B) Doble golpe con los puños a niveles diferentes: awase-zuki; variante: yama-zuki.
  C) Golpe en tijeras: hasami-zuki.

NOTA. — Un golpe dado con el miembro superior retrasado es muy potente, pero relativamente lento, por lo que es más fácil de bloquear o esquivar.

Por el contrario, un golpe propinado con el miembro superior adelantado es muy rápido, pero más flojo.

Notaremos que en el orden de estudio propuesto, se tratan en primer lugar los golpes únicos de fuerza simple, luego los golpes únicos de fuerzas compuestas y finalmente los golpes simultáneos. Para los profesores también constituye el orden lógico de enseñanza que es aconsejable respetar en el dojo, puesto que la dificultad de las técnicas va en aumento hasta llegar a los golpes dobles (la ejecución de un morote-zuki parece muy evidente, pero este movimiento no se enseña hasta el cinturón marrón con motivo de su dificultad para realizarlo correctamente).

Por otra parte, como los tsuki circularse ya han sido estudiados (ver pág. 121) y como las técnicas con desplazamiento que resultan de su adaptación llevan el mismo nombre (kagi-zuki, mawashi-zuki), el estudio siguiente se limitará a las adaptacio-

FIG. 39

nes en desplazamiento del choku-zuki y sus derivados (ura-zuki, tate-zuki, age-zuki). Estas técnicas se estudian mayormente con las técnicas de base con motivo de su mayor alcance (esencial en competición).

LAS DIFERENTES DIRECCIONES DE TSUKI-WAZA

La figura 39 nos muestra las numerosas posibilidades de golpear en seiken-zuki (golpe con el puño fundamental) a partir de una posición natural, o sea, sin que sea necesario modificar previamente la dirección de la línea de los hombros.

Por motivos de claridad del dibujo, éste no muestra más que las posibilidades de ataque del puño derecho a nivel medio. Vemos el gran número de técnicas que se desprenden de los dos golpes básicos con el puño, choko-zuki y wa-zuki.

1) Hacia el lado derecho, avanzando o colocándose en kiba-dachi sobre el eje contenido en el plano vertical que pasa por el pecho. Es una fórmula especial y difícil de tsuki, practicada en kiba-dachi, con el pecho en perfil.

Cuadro 10. — TSUKI-WAZA (Golpes directos)

PRINCIPIOS DE CLASIFICACION		NOMBRE DE LAS TECNICAS	
I. — LAS TECNICAS DE GOLPE UNICO CON EL PUÑO			CHOKU-ZUKI adaptaciones posibles para: URA-ZUKI, TATE-ZUKI, AGE-ZUKI
A) Golpe directo con el puño retrasado Ataques avanzando mismo puño y pie	— por traslación rectilínea (media distancia)	OI-ZUKI, JUN ZUKI Variante: TOBIKONDE OI-ZUKI	
	— por traslación + rotación (larga distancia)	JUN-ZUKI-NO-TSUKKOMI	
Ataques contrarios con el pie	— por rotación (ataque directo)	GYAKU-ZUKI	
	— por traslación + desplazamiento lateral (ataque esquivando)	GYAKU-ZUKI-NO-TSUKKOMI	
B) Golpe directo con el puño adelantado Ataques a media distancia, puño y pie	— por traslación rectilínea (ataque directo)	MAI-TE, TOBIKOMI-ZUKI	
	— por traslación + rotación (ataque esquivando)	KIZAMI-ZUKI NAGASHI-ZUKI	
C) Golpe curvilíneo con el puño Posición de los pies indiferente: ataques con el mismo puño y pie (avanzando) o contrarios al pie (in situ)	— circular: por rotación (media distancia)	MAWASHI-ZUKI	WA-ZUKI
	— gancho: por rotación (corta distancia)	KAGI-ZUKI	
II. — LAS TECNICAS DE GOLPES DOBLES CON LOS PUÑOS			PRINCIPIOS COMBINADOS
A) Ataques a la misma altura Posición de los pies indiferente	— por traslación rectilínea	HEIKO-ZUKI HASAMI-ZUKI	
B) Los ataques a alturas diferentes El ataque al nivel gedan se efectúa por el lado contrario al del pie adelantado	— por traslación rectilínea	AWASE-ZUKI	
	— por traslación + rotación	YAMA-ZUKI	

FIG. 40

2) A 45° hacia delante, avanzando o retrocediendo en zen-kutsu. Ejemplo: tobikomi-zuki, nagashi-zuki.

3) Directamente hacia delante, avanzando o colocándose en zen-kutsu. Ejemplo: oi-zuki, gyaku-zuki.

4) Hacia el lado izquierdo, avanzando o colocándose sobre el eje de los pies. Ejemplo: kagi-zuki, mawashi-zuki.

5) Hacia atrás y a la izquierda, por encima del hombro.

Es interesante colocarse en hachiji-dachı, con los puños en las caderas y ejecutar estos diferentes movimientos a la derecha y luego a la izquierda, avanzando o retrocediendo, manteniendo siempre un pie fijo. Luego, practicar los mismos movimientos a partir de yoi, con los puños caídos con naturalidad por delante del cuerpo. Es un excelente ejercicio que nos hará tomar conciencia de las múltiples posibilidades de nuestros puños. Hay que mantener el busto siempre en la misma dirección.

GOLPES DIRECTOS CON EL PUÑO RETRASADO; AVANZANDO (TIPO: OI-ZUKI)

A) ATAQUE DIRECTO: OI-ZUKI

ESTUDIO TÉCNICO

Es un golpe directo ejecutado con el puño al avanzar ampliamente el pie retrasado hacia el adversario; se golpea por el lado correspondiente a la pierna adelantada. El gran desplazamiento de las caderas en la dirección del golpe es el que le proporciona una gran fuerza de penetración.

El oi-zuki (o oie-tsuki) es el ataque de puño fundamental, utilizado especialmente en los asaltos de estudio; es una de las técnicas típicas del karate y contiene numerosos principios comunes a otros movimientos; progresar en el oi-zuki es también progresar en el conjunto de la técnica del karate mediante el descubrimiento de muchos principios esenciales.

Ejecución de un movimiento a la derecha a nivel chudan

— Hemos hecho gedan-barai (ver pág. 367) con el brazo izquierdo; el puño derecho en la cadera derecha; posición zen-kutsu.

— Sin mover el pie adelantado, contraer las nalgas e impulsar el abdomen hacia delante; el pie derecho pasa cerca del pie izquierdo.

— Cuando la pierna retrasada llega a la altura de la pierna apoyada, utilizar la fuerza de esta última relajando la rodilla izquierda y presionando el talón izquierdo contra el suelo como si quisiéramos hundir esta pierna en él; sólo entonces el pie izquierdo gira hacia el exterior (a 45° hacia la izquierda); esta tensión de la pierna retrasada impulsa a las caderas hacia delante.

— El pie derecho se coloca en zen-kutsu derecho; las caderas están de frente; golpear entonces con el puño derecho como en un chudan-choku-zuki.

Se puede golpear también en los otros dos niveles, pero primero se debe ejercitar el movimiento en el nivel medio (el antebrazo forma un ángulo agudo con la horizontal).

Aplicación

Es un ataque que permite tocar a un adversario situado a media distancia. Eventualmente, el oi-zuki puede utilizarse para contraatacar (por ejemplo: se efectúa un gedan-barai izquierdo al retroceder el pie derecho, luego, en un segundo tiempo, se contraataca en oi-zuki a la derecha si la defensa nos ha dejado un poco alejados del adversario); pero los dos tiempos obligatoriamente bien delimitados hacen que este encadenamiento sea lento, lo suficiente para que el adversario pueda esquivar. Son preferibles otras técnicas (golpe con el pie derecho, por ejemplo).

Puntos esenciales

— La velocidad de ejecución es muy importante: si avanzamos demasiado lentamente, el adversario tiene un lapso de tiempo suficiente para bloquear, dar un golpe de detención, esquivar, retroceder ligeramente (ya basta para anular el efecto del golpe)

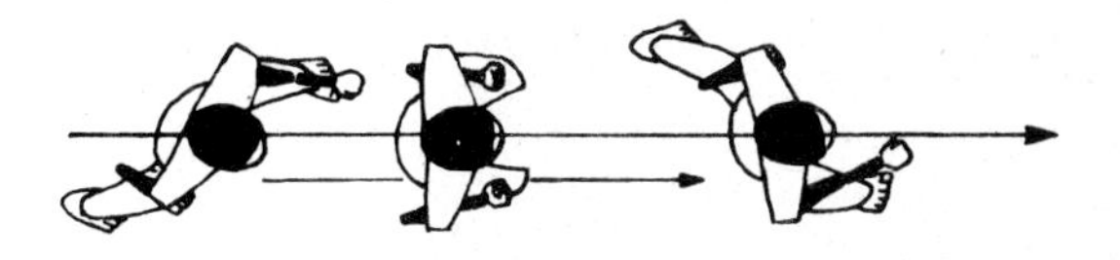

FIG. 41

o barrer con la pierna adelantada. Así pues, hay que avanzar lo más rápida y enérgicamente posible; para ello proyectar las caderas hacia delante y luego poner rígida la pierna apoyada.

— Un defecto común en los principiantes es el de querer tirar del cuerpo con la rodilla adelantada: esto tiene como efecto hacer inclinar el busto hacia delante, o sea, anular la fuerza del abdomen en el momento del golpe. El equilibrio se quiebra así más fácilmente.

— No tomar impulso con el pie adelantado en el momento de lanzarse. Hay que golpear lo más directamente posible (se dice «un ataque puro»), sin movimientos secundarios, cuya consecuencia sería la de avisar al adversario de la inminencia del ataque. Esto es válido para todos los ataques en karate.

— Girar el pie adelantado hacia fuera antes del ataque, a veces suele ser conveniente para los principiantes con el fin de facilitarles la comprensión del movimiento: pero una vez asimilada esta etapa, es totalmente desaconsejable. El pie adelantado debe girar en el momento en que el pie retrasado lo adelante y nunca antes.

— Las caderas deben desplazarse como un bloque rígido. Deben permanecer bajas y pasar hacia delante en línea recta; repasar los principios del desplazamiento en zen-kutsu. Elevar las caderas o desplazarlas en arco de círculo hacia delante, siguiendo la trayectoria del pie que avanza, sería dispersar su fuerza, suprimir la coordinación entre la fuerza obtenida por el desplazamiento y la del choku-zuki propiamente dicho, frenar el movimiento, o sea, hacerle perder toda su eficacia.

— En el momento de asestar el golpe con el puño, las caderas giran ligeramente (hacia la izquierda para un oi-zuki derecho), así como los hombros; esto permite el alcance del golpe. Cuidado: esta rotación final de las caderas es de muy débil amplitud y el busto queda de frente con el fin de permitir la contracción de los músculos abdominales y pectorales. Ciertas escuelas, sin embargo, no admiten esta rotación final de las caderas.

— Durante el desplazamiento, el tronco permanece vertical; no debe inclinarse ni hacia delante (pérdida de equilibrio) ni hacia atrás (retrasaría y debilitaría el golpe con el puño y permitiría los golpes de bloqueo del adversario).

— Al golpear con el puño derecho, un defecto común es el de mantener el hombro derecho echado al máximo hacia atrás hasta el momento del tsuki, cuando el pie derecho ya ha pasado delante. Esta manera de actuar permite al adversario detener nuestro tsuki bloqueando el lado derecho mediante un golpe de detención o mae-ude-deai-osae-uke (pág. 393).

— El momento en que el puño que golpea llega al final de su carera debe coincidir con la inmovilización del resto del cuerpo (piernas, caderas, brazo hacia atrás); esta sincronización es esencial para conseguir el kime. Hay que contraer todos los músculos, poner rígidas las piernas y presionar los talones contra el suelo. Estas acciones harán el efecto de un «frenazo» deteniendo la carrera del cuerpo hacia delante, evitando así la pérdida de equilibrio y permitiendo eventualmente enlazar con otro movimiento. Después del impacto, hay que relajarse.

— ¿En qué preciso instante hay que dar el golpe con el puño? Demasiado pronto (antes de que el pie adelantado se haya apoyado sólidamente) es golpear antes de que se haya alcanzado la velocidad máxima del cuerpo; demasiado tarde (después que el pie adelantado se haya apoyado y las caderas están inmovilizadas), es golpear después de que se ha alcanzado el momento de máxima fuerza. En ambos casos equivale a golpear con el brazo solo y privar al movimiento de su principal fuente de potencia (constituida por el abdomen —hara— y los músculos de las piernas).

— Los maestros de karate dicen que hay que atacar con el pie en primer lugar (el desplazamiento del pie es más lento) y luego con el puño, pero que ambos ataques deben llegar al mismo tiempo (kime). La práctica nos enseñará que si lanzamos el puño en la segunda mitad del recorrido del pie (después de haber adelantado la pierna apoyada) la colocación de éste coincide con el movimiento de barrena terminal del choku-zuki. Hay que intentar alcanzar esta unidad de acción (coordinación).

Se puede enseñar a los principiantes esta técnica en dos tiempos (el primero corresponde a la colocación del pie adelantado y a la inmovilización del cuerpo), con una finalidad exclusivamente pedagógica. Hay que pasar muy rápidamente al tiempo único.

— Para el golpe único con el puño, repasar los consejos dados para el choku-zuki.

— Es esencial desplazar los pies a ras de suelo (ver el desplazamiento en zen-kutsu); si levantamos el pie se corre el peligro del barrido (tipo: de-ashi-barai).

Variantes

1) *Jun-zuki* (escuela Wado-ryu).

— El pie que avanza no describe un arco de círculo para pasar hacia delante (como ocurre en oi-zuki, con la finalidad de proteger el bajo vientre de un contraataque), sino que pasa en línea recta con el fin de evitar toda dispersión de la fuerza en la proyección del cuerpo hacia delante y de que sea más rápido. Cuando los dos pies se cruzan, su separación no es sin embargo mayor que en el método shokotan, puesto que el espacio inicial entre los pies es menor en junzuki-no-ashi que en zenkutsu (al menos en la etapa de principiante, puesto que para el experto la separación en zen-kutsu es la misma que en junzuki-no-ashi, o sea, el ancho de las caderas; a este nivel el desplazamiento del pie en arco de círculo ya no es muy pronunciado). Recordemos que si el pie se desplaza hacia delante en forma semicircular, las caderas no deben quedar afectadas por este movimiento: las caderas y el brazo que golpea avanzan en la misma dirección, recto hacia delante. Si las fuerzas de las caderas y del brazo no intervienen en el golpe, éste no es lo suficientemente potente.

— Cuando el movimiento se inicia a partir de una defensa (por ejemplo, gedan-barai), el cuerpo se encuentra en una posición han-mi; hay pues un ligero movimiento de rotación de las caderas hacia adelante al mismo tiempo que el movimiento de traslación. No ocurre lo mismo si se parte de una defensa estilo Wado-ryu en la que las caderas suelen estar de frente (por ejemplo, gedan-barai). La dirección de la línea de las caderas no cambia, pues, rigurosamente. Además, es aconsejable hacer trabajar a los principiantes de esta manera: podrán concentrarse mayormente sobre la única traslación de las caderas hacia adelante. Las fotos 26, 27 y 28 nos permiten comparar un oi-zuki (a la derecha) con un jun-zuki (a la izquierda).

— No hay que inmovilizar voluntariamente el hombro correspondiente al puño golpeador, puesto que equivale a bloquear el movimiento de pistón del brazo hacia adelante algunos centímetros antes del final de su carrera y a restarle una parte importante de la potencia que ha adquirido con el desplazamiento del cuerpo hacia adelante; sería lanzar un potente ataque para retenerlo artificialmente al final de su carrera, en su fase más eficaz. La propulsión del cuerpo habrá sido inútil, puesto que se anula así la fuerza obtenida por el movimiento de contracción del brazo. Se conserva pues la potencia adquirida, se transmite al suelo a través de los pies en el momento del «frenazo» en vez de soltarla sobre el adversario. Es importante, pues, como en el kara-zuki, mantener el hombro «suelto», firme pero relajado, ligeramente adelantado (línea de los hombros ligeramente oblicua); pero la posición de las caderas, de frente, y la contracción debajo de las axilas mantendrán la unión del puño con el resto del cuerpo; así, el golpe no se verá debilitado y la fuerza del resto del cuerpo pasará realmente hacia adelante incluso cuando se inmoviliza. Es muy importante comprender este punto, igualmente para el oi-zuki. Si no llegáramos a dirigir correctamente nuestra energía, haríamos un movimiento muy potente, pero de poca eficacia real.

FOTO 26

FOTO 27

FOTO 28

FIG. 42 FOTO 29

2) *Tobikonde junzuki* (escuela Wado-ryu), foto 29.

También la llamamos *tobi-zuki* o *tobikonde-oi-zuki*.
Es un golpe con el puño dando un salto hacia el adversario a partir de una distancia mayor que en el oi-zuki. Se ataca saltando, con espíritu de sutemi (movimiento-sacrificio, sin posibilidad de volver atrás; es la victoria total o el fracaso irremediable). Esta técnica se utiliza sobre todo en competición, ya que permite entrar en la guardia del adversario (suele tener lugar al final de un encadenamiento previo de técnicas que permitan distraer la defensa adversa). En la técnica básica, la posición de partida es la misma que para el oi- zuki (por ejemplo, gedanbarai izquierdo para un movimiento a la derecha). Hay que entrenarse a saltar en longitud y no en altura a partir de zen-kutsu; de esta manera al menos se puede ganar un metro en un ataque

en oi-zuki. Durante una fracción de segundo los dos pies se despegan del suelo; dar el golpe con el puño en el preciso instante de la toma de contacto del pie adelantado con el suelo; el pie retrasado se desliza ligeramente hacia el de delante.

La separación de los pies es menos importante que en zen-kutsu, mientras que su separación es más amplia que la de los hombros (lo que hace que el polígono de sustentación sea de todas maneras importante); las rodillas están fuertemente dobladas y su tensión se ejerce hacia dentro. Para bajar mayormente las caderas, se puede despegar el talón de la pierna retrasada. El pecho queda totalmente de frente. En esta técnica, la fase de frenada brusca al final del salto hacia delante es esencial; si la sincronización entre el golpe de puño y la llegada al suelo no es perfecta, el movimiento se convierte en una simple impulsión sin kime; hay entonces una pérdida de equilibrio hacia delante imposible de recuperar por otra parte. Más todavía que para el oi-zuki, se trata, pues, de conservar el tronco vertical durante el salto, con el abdomen en tensión.

Esta técnica no debe estudiarse más que después de un entrenamiento intensivo del oi-zuki clásico.

3) En ciertas escuelas (Goju-ryu) el ataque se lleva a cabo de manera menos larga y con mayor fuerza; la posición adoptada es la sanchin-dachi cuyo desplazamiento es menor. Ver también la técnica de la escuela Shukokai (pág. 496).

NOTA. — Se puede golpear de la misma manera bajo la forma de tate-zuki, age-zuki, ura-zuki, mawashi-zuki, o utilizar en el oi-zuki otras formas de puño (falanges, etc.) o de mano (nukite).

KI-HON

Ejercicio 1: avanzando

Se avanza en zen-kutsu. Este entrenamiento es esencial, especialmente para los gohon y sambon kumite, así como para los katas. El nivel técnico de un karateka puede reconocerse mediante su ejecución del oi-zuki.

Ejercicio 2: retrocediendo

Se retrocede en zen-kutsu a la vez que se golpea. Normalmente se entrena menos en esta manera de golpear. La dificultad estriba en mantener el abdomen en tensión hacia delante, en no inclinar el cuerpo y en mantener un zen-kutsu estable.

MÉTODOS DE ENTRENAMIENTO

FIG. 43

Ejercicio 1

Un método sencillo permitirá acercarse a la forma correcta del oi-zuki:

— Colocarse en heisoki-dachi, con las rodillas flexionadas, el busto erguido y la mano izquierda extendida al nivel del plexo, como en el choku-zuki. El puño derecho se coloca junto a la cadera derecha.

— Deslizar el pie derecho hacia delante, sin elevar las caderas, y pasar a la posición zen-kutsu derecho. Al mismo tiempo, o algo después para los principiantes, golpear con el puño derecho.

— Volver a la posición de partida y extender la mano derecha.

— Invertir el movimiento.

Ejercicio 2

En busca de la sincronización entre la colocación del pie adelantado y el tsuki:

— Colocarse de pie, en posición natural, relajados, con el pie izquierdo ligeramente adelantado respecto al derecho. Los puños deben estar en la posición del primer ejercicio.

— Golpear con el puño derecho al mismo tiempo que, en línea recta, el pie derecho se desplaza hacia delante (sobrepasa un poco al pie izquierdo). Imaginarse que se da el golpe con el vientre. El impulso del movimiento debe proceder de ahí. Cuidar de efectuar un choku-zuki correcto, sin mover los hombros como se suele hacer con la idea de que el movimiento será más rápido.

Este movimiento es fácil. Para bajar poco a poco el centro

de gravedad ir abriendo las piernas; cuando el pie retrasado deba recorrer de esta manera 80 cm, el ejercicio se hará verdaderamente interesante, por su dificultad... Luego hacer el movimiento en un pequeño zen-kutsu, cada vez más abierto. Cuidado: mantener las caderas rigurosamente de frente. Golpear con el vientre y el brazo (por lo tanto con la forma de ataque más rápida posible) sin pensar en el pie retrasado; éste debe seguir de por sí.

Es evidente que a partir de un zen-kutsu normal esto se hace muy difícil, casi imposible. No obstante es una busca de velocidad apasionante. Este método, pues, puede utilizarse para progresar tanto en el oi-zuki como en el mai-te.

Ejercicio 3

Colocarse en yoi. Sin ningún movimiento secundario (no inspirar, no extender una mano hacia delante ni llevar previamente el puño golpeador hacia la cadera como en el choku-zuki), impulsar el abdomen hacia delante, hacer seguir el pie derecho y golpear con el puño derecho llevando la mano izquierda sobre la cadera de este lado. La posición final alcanzada es la de un oi-zuki derecho. Devolver a su posición primitiva el pie derecho (el izquierdo no se ha movido) y volver a colocarse en yoi. Después de un lapso de relajación, repetir el movimiento a la izquierda y así sucesivamente. Cuidar de mantener el busto erguido durante todo el ejercicio y no inclinar los hombros. Efectuar un ataque puro, lo más rápido posible, es decir, potente.

Este tsuki es un ataque sorprendente para el adversario, puesto que no requiere ningún movimiento preparatorio. Es el ataque ideal, el más sobrio de todos, el que se ejercita en el ten-no-kata (kata del cielo), precisamente con motivo de su pureza.

La dificultad es doble: no efectuar ningún movimiento que prepare el disparo final, o sea, vencer una gran fuerza de inercia, y de ser capaz a pesar de todo de proporcionar al tsuki la fuerza y la velocidad que habría adquirido si se hubiera realizado un tsuki completo. Esto nos obliga a buscar una liberación de la energía nerviosa y muscular más «seca», así como a dar el golpe con las nalgas y el vientre (contraídos). La calidad del kime saldrá beneficiada y paralelamente todas las demás técnicas del karate mejorarán. También es interesante ejecutar esta técnica antes de cada principio de pista en ki-hon (ver pág. 547); es lo que se practica en la escuela Wado-ryu; el profesor ordena entonces: «*Hidari-kamae*» (guardia a la izquierda); después de este primer movimiento, se enlaza con cualquier otra técnica estudiada.

FIG. 44

NOTA. — Es una técnica neutra a medio camino entre el oi-zuki (ataque con el puño hacia atrás) y el maite-zuki (ataque hacia delante con el puño) ya que como los pies están situados sobre una misma línea, los puños están situados en el mismo plano.

B) GOLPE DIRECTO CON EL PUÑO, BUSTO INCLINADO: JUNZUKI-NO-TSUKKOMI

ESTUDIO TÉCNICO

Esta forma de ataque no se encuentra más que en el estilo Wado-ryu. Como en el oi-zuki, se golpea dando un gran paso hacia el adversario; la técnica difiere de la anterior en los siguientes puntos:

— A la fuerza proporcionada por el desplazamiento de las caderas hacia delante, se añade una importante fuerza de rotación de las caderas al final del movimiento.

— Contrariamente al oi-zuki que se efectúa idealmente en un solo tiempo (la colocación del pie hacia delante corresponde al tiempo del tsuki), el tsukkomi se ejecuta en dos: la colocación del pie precede al tsuki.

— Al final del ataque, el pecho queda casi completamente de perfil y el busto inclinado hacia delante; esto proviene de la rotación de las caderas en la dirección del golpe lo que permite «entrar» en mayor grado (tsukkomi = empujar); la posición de las piernas queda pues muy abierta (mucho más que en el oi-zuki) pero los talones están sobre una sola línea, disposición que permite una mejor rotación de las caderas. El centro de gravedad del cuerpo está netamente desplazado hacia delante. En consecuencia, como el ataque es más largo que el oi-zuki, el junzuki-no-tsukkomi es una forma ideal de ataque con el puño cuando nos separa del adversario una gran distancia relativa.

Ejecución de un movimiento a la derecha, a nivel jodan

Frecuentemente este ataque tiene por blanco el rostro del adversario; bajo este aspecto suele estudiarse en el ki-hon. El kata seishan del estilo Wado-ryu recuerda no obstante que el mismo ataque puede hacerse a nivel chudan.

— Hemos hecho gedan-barai con el brazo izquierdo y tenemos el puño derecho en la cadera derecha. Posición: zen-kutsu.

En un primer tiempo: adelantamos la pierna retrasada como para hacer oi-zuki; la separación de los pies es más reducida que en el zen-kutsu normal (más o menos la mitad del ancho de las caderas). El pie izquierdo no ha girado todavía hacia el exterior. No hemos movido los brazos; el busto permanece vertical.

— En un segundo tiempo, damos el golpe con el puño derecho utilizando dos fuerzas:

1) Impulsamos fuertemente la cadera derecha en la dirección del golpe y dejamos pivotar la faja abdominal hasta que el busto quede de perfil; esta acción crea una rotación natural del pie retrasado hacia la izquierda: la rodilla mira hacia el exterior y el pie lo hace a 90° del pie adelantado.

2) Durante la rotación, nos inclinamos hacia delante con la ayuda de la pierna retrasada que debe ponerse rígida y nos apoyamos fuertemente en el suelo. La acción del cuerpo hacia delante flexiona todavía más que en zen-kutsu la rodilla adelantaba (ver junzuki-tsukkomi-no-ashi) y facilita la rotación de la pierna retrasada que lleva menos peso.

El puño izquierdo hace hikite.

Aplicación

Esta técnica es interesante sobre todo por cuanto parte de una sucesión que haya permitido acercarse al adversario: el junzuki-no-tsukkomi permite entonces amenazar de manera convincente al adversario (o sea atravesar su defensa). Esto le obliga a levantar su guardia, incluso a deshacerla, lo que permite conseguir la iniciativa en el ataque; se debe aprovechar para colocar un golpe con el pie de atrás a nivel gedan o chudan (la sucesión es natural, puesto que el peso del cuerpo ya está hacia delante y que no se necesita ningún tiempo de preparación para volver

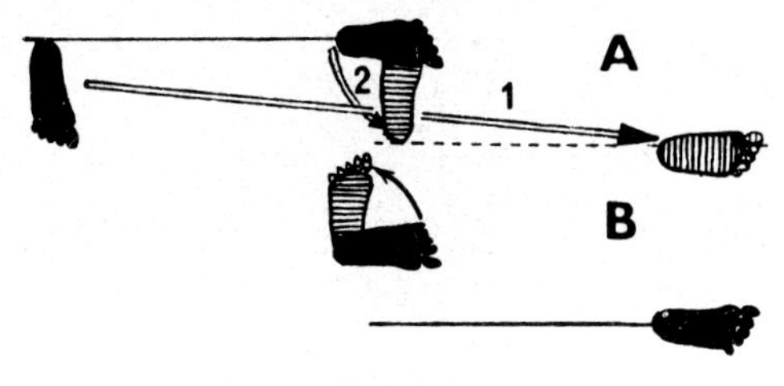

FIG. 45

la pierna hacia atrás) o un oi-zuki con el puño retrasado (en general estamos demasiado lejos para colocar un gyaku-zuki).

También es fácil transformar en pleno ataque un oi-zuki en tsukkomi para penetrar mejor, cuando nos damos cuenta de que de esta manera podemos conseguir la victoria.

Puntos esenciales

— No hay que golpear demasiado alto: se tiene tendencia a inclinarse hacia delante y a dar un tsuki en una mala dirección. La posición del busto, que debe estar inclinado, permanece natural. La cabeza, el tronco y la pierna de atrás se encuentran sobre el mismo eje. Golpear a la altura de los ojos.

— El abdomen no debe encontrarse hundido, porque haría sobresalir la cadera retrasada.

— La espalda debe quedar arqueada y las nalgas contraídas: el cuerpo, completamente de perfil, está contenido en el mismo plano vertical dirigido hacia el adversario.

— El hombro adelantado no debe elevarse.

— El hombro retrasado queda al mismo nivel que el adelantado.

— Si bien es esencial inclinarse hacia delante, no hay que ir hasta el extremo de comprometer el equilibrio.

— Un defecto común en los principiantes es el de girar la cabeza en la dirección de rotación de las caderas. Es un reflejo natural que hay que superar: el cuerpo gira al avanzar, pero la cabeza conserva la misma dirección. Otro defecto es el de mirar al suelo y de pegar la cabeza junto al hombro del brazo golpeador.

— La rotación de las caderas no debe ser muy exagerada; en los movimientos de la misma categoría, en la escuela Wado-ryu, el tsukkomi se coloca entre el tobikomi-zuki, sin rotación, y el nagashi-zuki, en el que la rotación es máxima (ver estas técnicas). El límite viene dado por la dirección del pie retrasado (a 90° de la línea de ataque); si el giro es más importante, el pie apunta hacia atrás, la rodilla adelantada gira asimismo hacia dentro.

Hay que cuidar, pues, de mantener la rodilla y el pie adelantados mirando directamente hacia delante.

— El giro del pie retrasado tiene lugar sobre su bola y no sobre su talón. El esquema 45 nos muestra como en el primer caso (A) el giro provoca una importante reacción hacia delante (que se añade a la fuerza de penetración) debida al apoyo sobre la parte delantera del pie y coloca al talón sobre la línea del pie adelantado.

En el segundo caso (B) la acción del pie retrasado tendrá poco efecto sobre el golpe con el puño y como los pies permanecen separados, el cuerpo no estará completamente de perfil.

— La rotación debe empezar después que el pie adelantado se haya apoyado en el suelo. El entrenamiento debe permitir ejecutar estos dos tiempos sucesiva y rápidamente de manera que sus efectos puedan sumarse: si se produce un tiempo muerto, el golpe sólo se da con la fuerza de rotación de las caderas y el empuje del pie retrasado; el movimiento pierde así una fuente de fuerza esencial: la de la traslación del cuerpo hacia delante. La primera fuerza no debe cesar mientras no intervenga la segunda; debe prolongarse y acentuar esta segunda fuerza. La dificultad consiste pues en encadenar ambos tiempos lo más rápidamente posible, o sea concebir el movimiento como un conjunto, aunque marcando la sucesión de la fuerza de traslación y de la fuerza de rotación.

Variantes

Según los expertos, se basan en la inclinación del cuerpo hacia delante y en la mayor o menor importancia del recogimiento de las caderas (desde ¾ de perfil hasta el perfil total). El segundo punto es particularmente importante, puesto que si las caderas no están completamente de perfil, el kime es imposible; en el caso contrario, la contracción de los abdominales no es posible y la técnica pierde potencia (ver también kizami-zuki). Ciertos expertos realizan un tsukkomi muy inclinado, pero en el que el busto queda de frente.

KI-HON

Ejercicio 1

En el estudio del tsukkomi en «series» hay que tener en cuenta:

- El desplazamiento sobre una sola línea.
- La ejecución en dos tiempos.

FIG. 46

El croquis adjunto muestra la manera correcta de desplazarse:

Después de un junzuki-no-tsukkomi, avanzar el pie retrasado y colocarlo en posición correcta sin hacer girar el otro pie (los principiantes pueden darse impulso con el pie adelantado girándolo hacia fuera antes de avanzar). El brazo que había atacado en el momento del movimiento precedente, permanece en esta misma posición. El busto sigue vertical y las caderas bajas (durante este tiempo de preparación, se puede levantar el talón del pie retrasado y doblar la rodilla con el fin de estar más bajos y de aprovecharse de una reacción más fuerte en el momento del golpe).

— Golpear al mismo tiempo que giran las caderas alrededor de la pierna retrasada que actúa de eje; al mismo tiempo, girar el pie retrasado hacia fuera.

— Adelantar la pierna retrasada, etc.

Ejercicio 2

Para estudiantes avanzados, un excelente ejercicio consiste en encadenar un oi-zuki con un tsukkomi y luego con otro oi-zuki y así sucesivamente; al ejercitarlos conjuntamente, se dominará mejor la diferencia entre ambas técnicas.

Ejercicio 3: kette-junzuki-no-tsukkomi

Se encadena un mae-geri-keage con un junzuki-no-tsukkomi.

— Después de haber efectuado un junzuki-no-tsukkomi, mantener el brazo extendido y el busto inclinado, pero girar el pecho hacia delante (de frente). Luego volver a su posición primitiva la pierna y levantar la rodilla. Después del golpe con el pie a modo de latigazo a nivel chudan, colocar el pie hacia delante.

— Golpear en junzuki-no-tsukkomi con rotación de las caderas.

Esta técnica es más difícil que el kette-junzuki por cuestiones de equilibrio del cuerpo, pero constituye un excelente encadenamiento en competición (ver su aplicación).

GOLPES CON EL PUÑO CONTRARIO RETRASADO (TIPO: GYAKU-ZUKI)

Contrariamente a los golpes con el puño, avanzado, éstos se efectúan con el puño contrario al de la pierna adelantada. Esta es la diferencia más evidente; en realidad, esta segunda categoría de golpes con el puño se distingue de la primera en:

— *Los dos tiempos de ejecución del movimiento.* Al golpe con el puño propiamente dicho le precede un tiempo de «preparación» (se toma una posición básica, generalmente el zen-kutsu), mientras que en el oi-zuki las dos fases tienen lugar prácticamente al mismo tiempo. Los pies ya están colocados antes de que el puño inicie su movimiento. De ello resulta que el puño contrario es más lento en su desplazamiento, por lo tanto, menos interesante como ataque (puede llegar a serlo combinándolo con técnicas de pies que permitan acaparar la atención del adversario y esconderle hasta el último momento el ataque con el puño; ver el capítulo sobre los asaltos); por el contrario constituye el contraataque ideal: el golpe es rápido (ya no tenemos que preocuparnos por la postura que, por definición, siempre debemos adoptar antes del golpe) y potente (como la postura es definitiva se corre menos el peligro de comprometer el equilibrio durante el movimiento).

— *Las nuevas fuerzas puestas en juego.* Como el cuerpo no se desplaza ya sobre un eje longitudinal dirigido hacia el adversario, la fuerza de las caderas no puede ejercerse ya por la traslación rectilínea. Como el cuerpo está más estático, las caderas participan en el golpe, ya sea girando alrededor de su eje vertical (principio del gyaku-zuki) o bien desplazándose a lo largo de un eje transversal (principio del gyaku-zuki-tsukkomi). En ambos casos la amplitud del movimiento de las caderas es más débil que en el primer tipo de golpe con el puño.

A) Ataque directo: gyaku-zuki

Estudio técnico

Vamos a estudiar aquí el gyaku-zuki efectuado «in situ». El mismo ejercicio puede efectuarse en movimiento (ver el ki-hon).

Ejecución de un movimiento a la derecha a nivel chudan

Primera forma: foto 30, 1 y 2.

— Colocarse en zen-kutsu izquierdo (pie izquierdo hacia delante); la mano izquierda está extendida hacia delante, con la

FOTO 30

palma hacia bajo, a la altura del pecho. Hacer hikite con el puño cerrado. Posición del busto: hanmi.

— La pierna retrasada debe permanecer rígida en los principiantes, pero puede flexionarse ligeramente cuando se empieza a «sentir» el movimiento.

— Contraer los abdominales y hacer girar las caderas hacia la izquierda, alrededor de un eje vertical y en un plano rigurosamente paralelo al suelo. Una fracción de segundo después de haber iniciado este movimiento de rotación, hacer un choku-zuki con el puño derecho vigilando el lugar donde se encontraba la mano izquierda. Durante el golpe hemos echado fuertemente a ésta hacia la cadera izquierda, formando el puño (como si hubiéramos cogido al adversario con una mano mientras lo golpeábamos con la otra). Presionar fuertemente la planta del pie retrasado contra el suelo y poner rígida la pierna. De esta manera se puede golpear en los tres niveles.

Segunda forma: foto 31.

Esta segunda forma de ejecución va dirigida especialmente a los karatekas adelantados.

A partir de un yoi-no-shizei, echar hacia atrás una pierna y colocarse en fudo-dachi mientras se efectúa un bloqueo (por ejemplo: age-uke). El busto queda completamente de perfil, y el puño retrasado bien hacia atrás. Practicar el gyaku-zuki con una fuerte rotación de las caderas (1) a la vez que se pone rígida al máximo la pierna retrasada (2); esta doble acción se traduce por una ligera proyección del centro de gravedad hacia delante (3). A la fuerza de rotación de las caderas se le añade una pequeña fuerza de traslación hacia delante que proporciona al golpe un gran efecto de penetración. El golpe es particularmente potente. Cuidar de mantener las caderas al mismo nivel. La rodilla adelantada no se mueve.

FOTO 31

FOTO 32

Este encadenamiento de defensa y contraataque se estudia en el *ten-no-kata.*

Aplicación

Es un contraataque particularmente rápido y fuerte, fácil de encadenar después de una defensa (sobre todo si ésta se ha efectuado en zen-kutsu). La foto 32 nos muestra un gyaku-zuki después de un bloqueo de un mawashi-geri.

Puntos esenciales

— La estabilidad de la posición de las piernas es esencial. El movimiento de rotación de las caderas debe ser potente y seco, sin comprometer el equilibrio.
— El movimiento comienza con la rotación de las caderas; la fuerza de esta manera liberada se transmite al puño, que no inicia su movimiento hasta entonces. Estas dos fases se enlazan, claro está, lo más rápidamente posible, pero sin confundirse.
— No hay que dejarse llevar por el impulso e inclinarse en la dirección del golpe; el alcance sería mayor pero el golpe menos fuerte, puesto que ya no se pueden contraer los abdominales correctamente (si el adversario se encuentra fuera de alcance, es mucho más eficaz atacarlo con el pie retrasado).

— Por el mismo motivo el busto debe quedar de frente en el momento del impacto. No solamente hay que golpear con el brazo retrasado, sino operar un cambio real de dirección en la línea de los hombros.

— El choku-zuki debe ser correcto y el puño debe golpear en el eje medio del cuerpo (ver foto 30, 2). Esto es más difícil teniendo en cuenta que la fuerza centrífuga puesta en acción por la rotación de las caderas tiene tendencia a despegar los codos del cuerpo durante el movimiento. Hay que apretar los codos hasta el último momento (ver choku-zuki).

— El hombro correspondiente al puño golpeador no debe levantarse, ni hundirse, ni contraerse. Ha de permanecer «suelto» y al mismo nivel que el otro. La contracción tiene lugar bajo el brazo. Así el tronco permanecerá vertical.

— En el impacto, el cuerpo debe permanecer sólido, monolítico, con el fin de absorber la importante fuerza de reacción que sigue al gyaku-zuki; la contracción de las axilas fija sólidamente el brazo al tronco, el vientre se mantiene fuerte y la posición de los pies, bien estable (la pierna de atrás, rígida, con el talón en el suelo). Debe existir una sincronización perfecta entre el tsuki, la vuelta hacia atrás del otro puño y la inmovilización de la cadera después de la rotación y también, eventualmente (en el caso de moverse durante el desplazamiento) con la rigidez de la rodilla adelantada.

— La acción de las caderas continúa siendo el punto esencial:

1) Rotación: Es imposible girar los hombros sin acompañar este movimiento con una rotación de las caderas en la misma dirección; tiene como consecuencia una torsión del tronco que no es natural y que provoca una dispersión de la fuerza del golpe.

FIG. 47

Esto viene a ser lo mismo que lanzar la fuerza en una dirección (a nivel de los hombros) y retenerla en otra (a nivel de las caderas que permanecen estáticas).

Esta manera de actuar es bastante frecuente incluso entre los expertos, puesto que tiene la ventaja de ser un poco más rápida. De todas maneras, ciertos expertos enseñan incluso un gyaku-zuki en kiba-dachi (cuerpo completamente de perfil) como un kagi-zuki.

El croquis adjunto muestra cómo si no hay rotación de las caderas, el golpe tiene un menor alcance; además, es menos potente puesto que sólo los hombros contribuyen al movimiento. La rotación se detiene cuando el pecho queda casi de frente (ver las variantes). Cuanto más rápida sea la rotación de las caderas, más fuerte será el golpe.

2) Nivel: Durante los dos tiempos del movimiento, las caderas deben permanecer al mismo nivel. Como en todos los movimientos del karate, hay que cuidar de que se mantengan bajas, aunque no demasiado. En efecto:

— Cuanto más bajas están, más abierta es la posición, por lo que el alcance del golpe es mayor. Por otra parte, la estabilidad es mayor, y finalmente, cuanto más pequeño es el ángulo formado por el pie retrasado con el suelo, mayor es la fuerza que puede ejercerse hacia delante. Por lo tanto hay que colocarse más bien bajos.

— Por el contrario, descender demasiado la posición, por exceso de buena voluntad, provoca un cierto aplastamiento y la supresión de toda elasticidad en las rodillas. Toda rápida extensión se hace entonces imposible.

Se trata, por consiguiente, de encontrar una solución de compromiso entre ambas exigencias, variable según la fuerza, la flexibilidad y la morfología del karateka.

Variante: ippon-tote-gyaku-zuki

Es el gyaku-zuki efectuado «in situ» según el método Wado-ryu (posición: gyaku-zuki-no-ashi).

La foto 30 nos muestra su correcta ejecución (1' y 2):

— Hemos hecho un gedan-barai a la izquierda (o cualquier otro movimiento de defensa en zen-kutsu). Respecto al adversario, el busto queda de frente (ver el gedan-barai en Wado-ryu).

— Hacer gyaku-zuki con el puño derecho con una corta rotación de las caderas hacia la izquierda acompañada de un pequeño desplazamiento del pie izquierdo hacia atrás.

Estudiando la foto 30 y el croquis adjunto (fig. 48) veremos las diferencias esenciales de esta técnica:

— Como el busto ya queda de frente en el primer tiempo, la

rotación de las caderas para el gyaku-zuki no puede ser muy importante; también hace falta desplazar la pierna adelantada hacia fuera y ligeramente hacia atrás para permitir una mejor rotación. Este desplazamiento debe acompañar el impacto del puño y no precederlo (si no sería un impulso); el pie debe deslizarse hacia fuera de manera natural; este reflejo se adquiere rápidamente cuando al principio nos colocamos en junzuki-no-ashi (repasar esta posición), menos amplia que en zen-kutsu. Por este hecho, el lanzar con fuerza la cadera basta para desplazar ligeramente el pie adelantado en la misma dirección.

La diferencia entre los dos gyaku-zuki se explica, pues, por las posiciones de partida:

— En Shokotan, la postura es abierta y el busto queda de perfil. La rotación de las caderas es suficiente.

— En Wado-ryu la postura es más cerrada y el busto queda de frente; la rotación no es posible sin ampliar el polígono de sustentación, o sea, separando los pies hacia fuera.

Cuidado: el desplazamiento del pie es corto. La rodilla adelantada, ligeramente vuelta hacia dentro (ver el gyaku-zuki-no-ashi), debe bloquear el movimiento de las caderas y evitar que no giren demasiado; en este caso el pecho no quedaría de frente y el golpe perdería su fuerza: además, si el pie está demasiado hacia atrás, el alcance disminuye. Existe, pues, un límite imperativo que sólo la experiencia puede determinar.

Ver también la técnica de la escuela Shukokai (en el capítulo sobre la competición).

Técnicas derivadas

FIG. 48

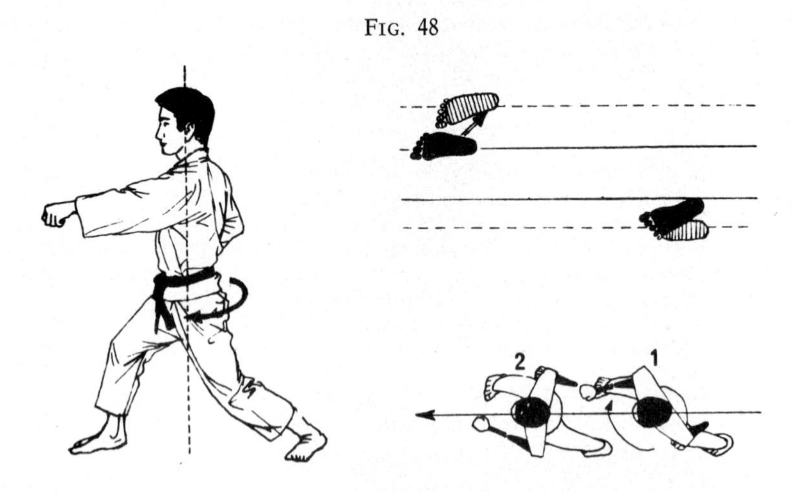

FOTO 33

FOTO 34

Como con todas las técnicas de tsuki, se puede sustituir el puño fundamental por otras formas de puño (de una o dos falanges) o de mano (nukite, etcétera).

También se puede golpear con el puño retrasado en tate-zuki, age-zuki (foto 14), ura-zuki o mawashi-zuki utilizando la fuerza de rotación de las caderas.

KI-HON

— *Gyaku-zuki in situ:* ver el estudio técnico.
— *Gyaku-zuki con desplazamiento.*

El movimiento se efectúa en dos tiempos (escuela Wado-ryu).

Hemos hecho gyaku-zuki con el puño derecho (foto 33):

Primer tiempo: Girar el pie adelantado hacia el exterior (foto 34); para los principiantes esto requiere un tiempo suplementario.

Este giro de la pierna adelantada permite el que la pelvis prosiga naturalmente hacia delante: el pie derecho pasa hacia delante ya sea en línea recta, ya sea después de haber descrito un arco de círculo que lo ha llevado cerca del pie izquierdo. Se coloca en gyaku-zuki-no-ashi. La pierna retrasada permanece muy flexionada. Como en el oi-zuki, las caderas deben mantenerse en el mismo nivel.

La parte superior del cuerpo no se ha movido.

Segundo tiempo: Golpear con el puño izquierdo (la rotación de las caderas se efectúa en primer lugar) al mismo tiempo que la pierna retrasada se pone rígida. El movimiento es el mismo en Shokotan a parte del giro inicial del pie adelantado. En ambos casos hay que golpear con las caderas.

— *Kette-gyaku-zuki* (se efectúa un mae-geri entre dos gyaku-zuki).

Después del giro del pie adelantado, hacer un mae-geri con el pie retrasado sin mover la parte superior del cuerpo. El brazo permanece extendido. Colocar el pie en gyaku-zuki-no-ashi y golpear en tsuki.

MÉTODOS DE ENTRENAMIENTO

Como el movimiento de las caderas es la base de esta técnica, los ejercicios deben orientarse a fortalecer esta región del cuerpo. Por otra parte, esto consiste la mayoría de las veces en tomar conciencia del papel de la faja abdominal. Los ejercicios descritos en el capítulo I («rotación de las caderas») podrán repetirse aquí adecuadamente.

Ejercicio 1

Las caderas se ejercitarán mayormente si enlazamos un gyaku-zuki después de un bloqueo efectuado en ko-kutsu. Las caderas quedan, entonces, completamente de perfil. Hay que desplazar ampliamente el pie adelantado para poder pasar a la postura zen-kutsu y poder efectuar el gyaku-zuki.

El golpe es muy potente, puesto que las caderas trabajan al máximo, pero el encadenamiento es bastante lento. Es pues de dudosa aplicación contra un adversario real y experimentado (es por ello que la fudo-dachi, foto 31, es ideal, efectuando la combinación entre la posición de perfil del ko-kutsu y la tensión de

FOTO 35

FOTO 36

FIG. 49

la rodilla más directa retrasada hacia delante. El paso a zen-kutsu es entonces más rápido).

Ejercicio 2

Es una exageración del ejercicio 1 en el sentido de que al principio casi se presenta la espalda al adversario (se ha hecho gedan-barai con esquiva en zen-kutsu hacia atrás). Observar que durante la rotación de los pies y de las caderas, éstas permanecen al mismo nivel.

Ejercicio 3 (fig. 50, croquis 1)

Se enlazan dos gyaku-zuki in situ, en dos direcciones.
— Hemos hecho el movimiento a la derecha.
— Sin mover los pies, girar hacia la derecha y golpear hacia atrás con el puño izquierdo.
— Girar hacia la izquierda y golpear con la derecha, etc.
Los pies giran sobre su eje y las caderas se mantienen a la misma altura.

Ejercicio 4 (fig. 50, croquis 2)

— Estamos en yoi.
— Desplacemos el pie izquierdo hacia la izquierda, giremos in situ alrededor del pie derecho y golpeemos con el puño de este lado.
— Volvamos a la posición yoi.
— Desplacemos el pie derecho hacia la derecha, giremos in

situ alrededor del pie izquierdo y golpeemos con el puño de este lado.

— Volvamos a la posición yoi.

Ejercicio 5 (fig. 50, croquis 3)

Repitamos el movimiento explicado en la foto 30 (1 y 2) agarrando con ambas manos los puños de un extensor cuyos extremos se han fijado a la altura de nuestro plexo y en un plano medianero de nuestro pecho.

— Tirar con la mano izquierda hasta la cadera.

— Estamos de frente con los puños en las caderas.

— Dejar libre el puño derecho: hemos efectuado un gyaku-zuki derecho.

— Volver a estirar el extensor llevando el puño derecho junto a la cadera de su mismo lado y volver a repetir el ejercicio.

Este ejercicio no solamente fortalece los brazos y la faja abdominal (según la resistencia del extensor), sino que además enseña a golpear sobre un plano medio. También se puede trabajar de pie, en choku-zuki.

Ejercicio 6 (para el kime)

No se adquiere verdaderamente la sensación de los movimien-

FIG. 50

tos como en la makiwara (ver la Cuarta Parte). Se requiere que el golpe penetre en el adversario, lo cual es mucho más difícil de realizar de lo que se cree, incluso si el movimiento es aparentemente bueno (ejecutado en el vacío). El entrenamiento con la makiwara y los tests de rotura son a veces reveladores. Así pues, hay que entrenarse durante la ejecución de los ejercicios precedentes a añadir a la fase de rotación de las caderas, una corta fase de penetración hacia delante desplazando el centro de gravedad en esta dirección; respecto a ella, el entrenamiento en los movimientos del ten-no-kata (foto 31) es excelente.

Ciertas escuelas dan más importancia al desplazamiento de las caderas hacia delante que a la rotación. Ver también la noción de kime en el gyaku-zuki del estilo Shukokai (pág. 496).

B) El ataque esquivando: gyaku-zuki-no-tsukkomi

Esta técnica no se encuentra más que en la escuela Wado-ryu y se practica a nivel chudan.

Estudio técnico

Ejecución de un movimiento a la izquierda

— Acabamos de hacer un gyaku-zuki con el puño derecho.
— Toma de posición: describiendo un arco de círculo, el pie retrasado pasa cerca del pie adelantado y luego se separa ampliamente hacia la derecha. La pierna permanece rígida mientras la rodilla izquierda queda flexionada. El talón del pie derecho se encuentra sobre la línea de los dedos del pie izquierdo. La parte superior del cuerpo no se ha movido.
— Hacer un choku-zuki con el puño izquierdo lanzando lateralmente las caderas hacia la derecha en un plano vertical. La pierna izquierda debe estar rígida.

Aplicación

Esta posición, más abierta que en el gyaku-zuki, permite «entrar» más profundamente en la guardia enemiga. Después de un bloqueo, se puede utilizar este movimiento en dos casos:
— Cuando nos encontramos demasiado cerca del adversario para realizar un gyaku-zuki normal; dejando el pie retrasado en su sitio, el pie adelantado retrocede a la vez que se separa del otro; la acción de dicho pie es comparable a la que se produce en el ippon-tote-gyaku-zuki, aunque con una amplitud del movimiento mayor.

— Cuando se golpea esquivando un ataque adverso (volver a mirar las fotos 2 y 3).

Puntos esenciales

— Cuidar de que la postura gyaku-zuki-tsukkomi-no-ashi sea correcta, poco abierta pero muy separada.

— La penetración se consigue con la triple acción de las caderas que convierte en muy delicada la correcta ejecución del movimiento:

1. La más importante es un movimiento de balanceo lateral, en un plano vertical.

FIG. 51

2. Un ligero movimiento de rotación en la dirección del golpe.
3. Una pequeña traslación hacia delante.

Ciertos expertos no consideran más que la acción de péndulo de un lado sobre el otro (de lejos, lo más visible del movimiento), mientras que otros insisten sobre el papel de la rotación complementaria. El golpe es todavía más eficaz inclinando suavemente el busto hacia delante.

— El busto ya no queda rigurosamente de perfil, pero el hombro correspondiente al puño golpeador está ligeramente adelantado. La línea de los hombros permanece horizontal.

— No hay que inclinarse hacia delante hasta el punto de partir el cuerpo en dos a nivel del estómago. La espalda permanece recta y el abdomen contraído hacia delante.

— A pesar del gran balanceo del tronco, hay que realizar un choku-zuki correcto, en el plano mediano del cuerpo y no hacia el exterior.

— El puño golpea una fracción de segundo antes de que la cadera se ponga en movimiento, mientras que en el gyaku-zuki clásico, la rotación de la cadera es la que precede al golpe con el puño.

Ki-hon

Gyaku-zuki-no-tsukkomi con desplazamiento

— Acabamos de golpear con el puño izquierdo; estamos, pues en gyaku-zuki-tsukkomi-no-ashi derecho.

— Primer tiempo: girar sobre los dos pies hacia la derecha. Los pies quedan paralelos.

— Segundo tiempo: el pie izquierdo pasa hacia delante describiendo una V y luego se queda en la línea de los dedos del pie retrasado. No efectuar pasos demasiado grandes. La parte superior del cuerpo no se ha movido todavía. La rodilla derecha permanece muy flexionada.

— Tercer tiempo: en cuanto el pie adelantado se ha apoyado, golpear con el puño derecho, poniendo rígida la pierna derecha y llevando el peso del cuerpo sobre la rodilla izquierda. El pie derecho gira sobre sí mismo un poco hacia la izquierda para poder mirar hacia delante.

Kette-gyaku-zuki-no-tsukkomi

(Se intercala un mae-geri entre dos gyaku-zuki-no-tsukkomi.)

El movimiento es bastante difícil, puesto que no se debe incorporar el busto durante el movimiento y hay que golpear correctamente hacia delante. Golpeando con el pie, la parte superior del cuerpo mantiene la posición de los tiempos 1 y 2 precedentes. Después de haber apoyado ampliamente el pie hacia el exterior, se enlaza con un tsuki (cuidado: a cada movimiento sólo se avanza la longitud de un pie). Este entrenamiento es excelente para progresar en el dominio del cuerpo en ki-hon.

El hecho de intercalar un golpe con el pie (entre dos gyaku-zuki normales o tsukkomi) nos recuerda también que el desplazamiento en estos dos movimientos ocurre obligatoriamente en dos tiempos: la toma de posición y luego el golpe con el puño; añadiendo un mae-geri antes de colocar el pie delante obliga a vigilar el equilibrio por lo que se tiene menor tendencia a preocuparse por la velocidad de ejecución. Por el contrario, es indispensable golpear inmediatamente después (o incluso «durante» para los karatekas adelantados) de la colocación del pie con el fin de añadir al máximo la fuerza conseguida mediante el desplazamiento del cuerpo (esta rápida sucesión, en realidad no tiene interés más que para el dominio del ki-hon, ya que tratándose sobre todo de un contraataque, el movimiento se efectúa casi siempre in situ; es pues menos importante que para los golpes con el puño, avanzando).

GOLPES CON EL PUÑO ADELANTADO A MEDIA DISTANCIA (TIPO: MAI-TE)

Como el oi-zuki o el junzuki-no-tsukkomi, es un ataque con el puño situado en el mismo lado de la pierna que avanza.

Pero esta técnica difiere en los siguientes puntos:

— Se desliza el pie adelantado hacia el adversario.

— Se golpea con el puño correspondiente al lado adelantado.

— Se ataca a media distancia.

En este ataque, el desplazamiento es menor, pero la ejecución es más rápida. El golpe con el puño adelantado (mai-te o mae-te) corresponde al «jab» del boxeo inglés y tiene su misma finalidad: sorprender al adversario mediante un golpe seco y rápido para proseguir inmediatamente con una técnica más potente a otro nivel, por ejemplo, un gyaku-zuki.

El mai-te es en realidad un término muy amplio que abarca toda una serie de técnicas con el puño adelantado (mae = delante, te = puño). Las formas de ejecución son muy diversas según las escuelas, los expertos o las situaciones consideradas. Como los golpes con el puño retrasado, se pueden clasificar en dos categorías:

— Los golpes que se dan avanzando hacia el adversario de

manera franca: es el mai-te-zuki propiamente dicho (en shokotan) o el tobi-komi-zuki (en Wado-ryu). Son unos ataques cortos y rápidos.

— Los golpes que se dan al avanzar esquivando un ataque adverso: entran en esta categoría el kizami-zuki (en Shokotan) o en nagashi-zuki (tanto en la Shokotan como en la Wado-ryu). Como se golpea esquivando, hay que considerar sobre todo estas dos últimas técnicas como contraataques.

A) El ataque directo: mai-te-zuki (tobikomi-zuki)

Estudio técnico

Como la oi-zuki, estas dos técnicas se apoyan en una fuerza simple: el desplazamiento del peso del cuerpo hacia delante.

Ejecución de un movimiento a la derecha a nivel chudan

Estamos de pie, en posición natural, relajados, con el pie derecho un poco por delante del izquierdo; el puño izquierdo está colocado a la altura del plexo, con la palma hacia arriba; el brazo derecho flexionado, el codo junto al cuerpo y el puño a la altura del hombro.

— Impulsar el abdomen y deslizar el pie derecho hacia delante en zen-kutsu, apoyándonos sobre la pierna izquierda que ejerce una fuerte presión contra el suelo. Al mismo tiempo, golpear con el puño derecho y situar el puño izquierdo bajo el hombro izquierdo.

— Quedamos en posición de oi-zuki derecho.

Aplicación

Ejecutamos esta técnica cuando, estando en guardia queremos sorprender al adversario con un rápido ataque. Se suelta entonces el brazo adelantado acompañándolo de un corto deslizamiento del pie adelantado (el centro de gravedad pasa hacia delante).

También se puede lanzar el golpe con el puño sin la participación del resto del cuerpo (los pies permanecen en el mismo sitio) con la sola finalidad de engañar (o regatear) antes de lanzar un ataque más decisivo con el pie o el puño retrasado; el golpe es entonces menos potente.

Las fotos 37 y 38 nos muestran otra posibilidad: el adversario acaba de retroceder o de bloquear un ataque del pie o del puño retrasado (a la derecha). Entonces, se puede aprovechar el impulso del cuerpo y proseguir el ataque llevando el pie retrasado hacia el de delante (37) sin elevar las caderas mientras se arma otra vez el puño derecho (al mismo tiempo se puede tener al adversario al alcance de la mano izquierda o incluso bloquear un contra). Apoyándose entonces sobre la pierna retrasada, nos echamos hacia delante golpeando una segunda vez por el mismo lado (38). Los dos tiempos deben ser breves y sucederse muy rápidamente. Es posible enlazar dos o tres veces en mai-te, atacando por el mismo lado, pero a niveles distintos, recorriendo rápidamente la distancia que nos separa del adversario y penetrando en su defensa.

Es esencial mantener el busto erguido y el vientre en tensión hacia delante. Pensar en «penetrar al adversario» golpeando «con el vientre».

Variante: tobikomi-zuki (Wado-ryu)

FOTO 37

FOTO 38

FIG. 52 FIG. 53

Se forma a partir de la posición shizentai, con el pie adelantado sobre la línea del talón retrasado. Los brazos caen de por sí, con los puños cerrados, como en yoi. El busto se sitúa a ¾ de la posición frontal (hanmi). El movimiento se ejecuta en dos tiempos bien distintos para los principiantes:

— Deslizar el pie adelantado ampliamente hacia delante. La parte superior del cuerpo no se mueve. No inclinarse hacia delante.

— Lanzar el puño correspondiente a la pierna adelantada hacia arriba sin doblar el brazo previamente. El brazo se extiende hacia delante, permaneciendo rígido. No hay que doblar el codo para «armar» el puño. De esta manera el ataque es más directo. Como en el age-zuki el puño describe un arco de círculo hacia arriba. No se produce más que una débil rotación del puño sobre esta trayectoria (90° como máximo). Los principiantes, sin embargo, pueden girar su puño hacia delante ya desde la salida. El impulso del brazo extendido que golpea viene dado por la proyección del abdomen en la dirección del golpe. Es por ello que después del movimiento hacia delante, el centro de gravedad del cuerpo se desplaza todavía algunos centímetros para acompañar el golpe con el puño (el pie adelantado permanece en su sitio, pero la rodilla se dobla en mayor grado para compensar en esta nueva traslación). Durante el golpe con el puño, el pie retrasado puede deslizarse ligeramente hacia delante.

— Al golpear, llevar con fuerza el puño contrario sobre el plexo con la palma hacia arriba; el cuerpo permanece en hanmi, un poco inclinado hacia delante. El pie adelantado se mantiene siempre sobre la línea del talón retrasado.

— El golpe rebota; llevar el puño a la altura del hombro adelantado, «martillo de hierro» hacia abajo, codo ligeramente despegado del cuerpo.

— Incorporarse volviendo a situar el pie adelantado cerca del retrasado. Misma posición que al principio.

Durante todo el movimiento las caderas permanecen a ¾ de la posición frontal; así pues, al deslizarse hacia delante, no hay que girar el pie retrasado hacia el exterior (debe conservar su dirección inicial, ya sea a 45° hacia delante, incluso derrapando en la dirección del golpe). Si este pie gira, la pierna retrasada le sigue y por consiguiente las caderas giran en el mismo sentido; el cuerpo no se encuentra entonces ya en hanmi sino de perfil (entonces tenemos un junzukki-tsukkomi).

Puntos comunes esenciales

— Para que esta técnica pueda llamarse maite («puño hacia delante»), al iniciarla, un pie debe quedar adelantado.

— La dificultad es la de impulsarse rápidamente hacia delante mediante una enérgica acción de las caderas; la amplitud de esta traslación es equivalente a la mitad de la obtenida en oi-zuki. El problema, pues, es el de conseguir una velocidad y una fuerza suficientes para una menor distancia (misma dificultad que en el oi-zuki, métodos, 3 ejercicio).

— Hay que evitar golpear únicamente con el brazo adelantado; el golpe debe ir acompañado del movimiento de las caderas en la misma dirección.

KI-HON

Maite

— *Golpeando repetidamente por el mismo lado.*

Efectuar un oi-zuki derecho. Luego atacar en línea recta y repetidamente, deslizando el pie retrasado hacia delante, a continuación golpeando una nueva vez con el tsuki derecho y echándose hacia delante (ver fotos 37 y 38).

— *A partir de una técnica defensiva.*

Efectuar un kakiwake-uke (ver pág. 386) en ko-kutsu, con el pie derecho adelantado; cambiar pasando a zen-kutsu (el pie izquierdo permanece en su sitio) y golpeando a nivel chudan con un tsuki derecho; no llevar este puño hacia delante antes del golpe; golpear directamente a partir de la posición de la figura.

Dar el golpe con las caderas. Al final del movimiento estamos en posición de oi-zuki derecha; el puño izquierdo hace hikite. (Este movimiento se encuentra en el 4.° kara de Eian).

Adelantar el pie izquierdo y hacer kakiwake-uke a la izquierda; proseguir en maite izquierdo, etc.

De la misma manera se puede bloquear en chudan-uchi-uke (o morote) o chudan-shuto-uke, en ko-kutsu; luego atacar en maite pasando a zen-kutsu. Si se bloquea uchi-uke en zen-kutsu, todavía se puede hacer maite con el brazo que ha bloqueado, pero como no existe desplazamiento del centro de gravedad hacia delante puesto que no se debe cambiar la posición, el golpe será menos fuerte. Pero sin embargo, es más rápido.

Tobikomi-zuki

Se avanza siempre por el mismo lado, deslizando. A cada movimiento el karateka se desplaza una distancia equivalente a la del deslizamiento hacia delante del pie retrasado. La orientación del busto no cambia durante el ejercicio. Al llegar al final de la pista, el karateka adopta la postura shizentai inversa. Se ejercita entonces el lado opuesto. Esta misma manera de proceder la encontramos en el nagashi-zuki.

MÉTODOS DE ESTUDIO

La principal dificultad del tobikomi-zuki proviene de la necesidad de no lanzar el puño hasta el momento en que el cuerpo se ha puesto en movimiento hacia delante (o sea como en el oi-zuki) sin lo cual el golpe llegaría sin la efectiva participación de la fuerza del abdomen. Pero hacer tsuki con un brazo que se mantiene extendido desde el principio es tan difícil que se tiene tendencia a concentrarse sobre este aspecto de la técnica y a precipitar su movimiento. El entrenamiento regular del ejercicio siguiente permite progresar en la velocidad y la fuerza de ejecución:

— Colocarse en miji-shizentai (posición natural, con el pie de recho adelantado), con los brazos a lo largo del cuerpo, las pal mas giradas hacia delante, el busto de frente. Relajarse.

— Efectuar con fuerza una amplia rotación de la cadera hacia la izquierda (el cuerpo se mantiene a ¾ de la posición frontal). Este impulso seco nos permitirá golpear con la derecha proyectando el brazo extendido. Añadir fuerza al brazo uniendo fuertemente el puño izquierdo contra el pecho.

— Una vez adquirida esta sincronización, dar el impulso inicial añadiendo al golpe con la cadera un pequeño deslizamiento del pie adelantado.

— Ir alargando progresivamente este paso hasta la completa ejecución del tobikomi-zuki.

Cuidado: la rotación de la cadera no tiene por finalidad más que la de vencer la inercia cuando el movimiento se efectúa sin desplazamiento del pie adelantado (permite así entrenarse a golpear correctamente con el brazo). En cuanto el pie se desliza, la rotación se convierte en una proyección seca del abdomen hacia adelante.

B) El ataque esquivando: kizami-zuki, nagashi-zuki

Estudio técnico

Consisten en golpes con el puño adelantado en los que se golpea al mismo tiempo que se esquiva el ataque adverso. Estas dos nuevas formas de maite se distinguen de las dos anteriores en:

— La esquiva del cuerpo que acompaña al golpe. Las caderas giran en la dirección del ataque.

— La fuerza de rotación que se añade a la fuerza de traslación del cuerpo (como en el ataque directo del puño adelantado, es posible ejecutar estas dos técnicas in situ, en zen-kutsu, pero son evidentemente más fuertes si se efectúan al mismo tiempo que se desplaza el centro de gravedad. Así, se puede avanzar o retroceder a la vez que se golpea; las dos técnicas se estudian aquí con estos desplazamientos).

— Su mayor alcance.

Los principios de estos ataques esquivando son idénticos en las escuelas Shotokan y Wado-ryu. Pero las modalidades de ejecución difieren:

1) *Kizami-zuki* (foto 39)

Ejecución de un movimiento a la izquierda a nivel jodan

— Estamos en fudo-dachi izquierdo, busto de frente. El puño izquierdo se lleva bajo el hombro izquierdo, la mano derecha está extendida hacia delante, con la palma hacia abajo a la altura del plexo.

— Poner rígida la pierna retrasada bloqueando la rodilla y pasar de fudo-dachi a zen-kutsu sin moverse del sitio; lanzar al mismo tiempo la cadera izquierda hacia delante.

— Acompañar esta rotación de las caderas con un jodan-zuki con el puño izquierdo al tiempo que se efectúa un hikite con el puño derecho.

Aplicación

FOTO 39

Es la misma que el maete, pero el alcance es aquí todavía mayor. Esta técnica es interesante si se desea sorprender al adversario con el fin de levantar su guardia antes de empalmar con otra técnica (oi-zuki o gyaku-zuki con el puño retrasado, técnica de pie...). Además permite evitar la guardia adversa en los casos en que un golpe directo con el puño adelantado no podría tener efecto (foto 182); ejecutado en el lado exterior de esta guardia, preserva de toda reacción adversa permitiendo proseguir el ataque (por ejemplo con un gyaku-zuki, foto 183). El kizami-zuki puede ser un golpe decisivo si la rotación de las caderas y la reacción del pie retrasado hacia delante son lo suficientemente fuertes.

Puntos esenciales

— La rotación de la faja abdominal debe ser potente.

— El límite de la rotación lo impone el propio zen-kutsu: el talón adelantado debe apuntar ligeramente hacia fuera, y el pie retrasado debe formar un ángulo máximo de 90° con el eje longitudinal de la posición.

— El hikite del puño derecho debe ser tan potente como el tsuki izquierdo.

— El busto se mantiene de perfil como en el junzuki-no-tsukkomi, pero la columna vertebral permanece vertical (comparar la foto 39 con el junzuki-no-tsukkomi de la pág. 153). Observar la analogía entre estas dos técnicas que constituyen una combinación del deslizamiento hacia delante (estilo tobikomi-zuki) y de la rotación del cuerpo (estilo tsukkomi).

2) *Nagashi-zuki*

Ejecución de un movimiento a la derecha a nivel jodan

— Estamos en hachiji-dachi, con la mano izquierda extendida hacia delante, con la palma hacia el suelo a la altura del plexo; el puño derecho en hikite.

— El pie izquierdo describe un arco de círculo hacia atrás a la derecha; este principio de rotación coloca al busto en hanmi. Comenzar a efectuar un jodan-choku-zuki derecho.

— En una segunda etapa, con los pies en zen-kutsu sobre una línea, se termina la rotación del tronco a la vez que se golpea siguiendo un ángulo respecto a la línea de ataque (unos 45°). Hacer hikite con el puño izquierdo. El busto queda ahora completamente de perfil; el tronco se mantiene vertical como en el kizami-zuki.

También se puede golpear al avanzar primero el pie derecho.

Variante: Nagashi-zuki (2.ª forma Wado-ryu)

El movimiento se efectúa a una altura jodan. Para los principiantes se trabaja en dos tiempos bien distintos. El inicio y el primer tiempo son idénticos al tobikomi-zuki.

Se parte de la postura hidari-shizentai, con el pie izquierdo adelantado (para un movimiento a la izquierda), los brazos caídos, los puños cerrados. El busto queda, pues, en hanmi.

— Deslizar largamente el pie izquierdo hacia delante. La parte superior del cuerpo no se mueve. De momento no girar el busto; mantener el tronco vertical.

— En el segundo tiempo golpeamos con el puño izquierdo a la vez que se proyecta el abdomen hacia delante. El centro de gravedad pasa entonces hacia delante, la rodilla adelantada se dobla fuertemente. El puño derecho se lleva con fuerza al plexo para añadirlo al kime. La técnica de un golpe con el puño es la del tobikomi-zuki (repasar esta técnica). La ventaja de este golpe que se efectúa con el brazo extendido ya desde el principio, consiste en que el puño no toma ningún impulso antes de golpear (no

FIG. 54

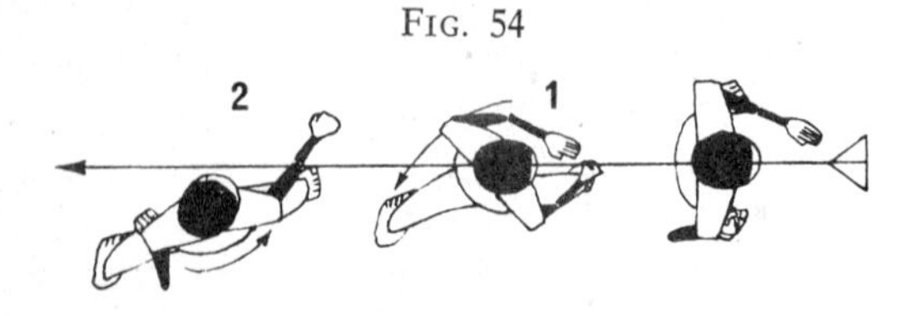

FIG. 55

se sitúa de lado); a partir de una posición poco ortodoxa, podrá sorprender al adversario por su velocidad de ejecución.

— La diferencia con el tobikomi-zuki reside en la posición. En el nagashi-zuki las caderas giran fuertemente en la dirección del golpe, lo cual deja al cuerpo de perfil. Este giro acompaña al golpe; así, a la fuerza de traslación hacia delante (1) se suma una fuerza de rotación (2). Esta segunda fuerza está mejor aprovechada en la forma Wado-ryu del nagashi-zuki, mientras en la forma Shotokan, la rotación del tronco no afecta a la posición (tanto en el kizami-zuki como en el nagashi-zuki, el pie retrasado forma un ángulo de 90° a lo sumo con el eje de la posición, y la rodilla adelantada queda mirando hacia delante); en Wado-ryu esta rotación es mayor. El pie retrasado gira hacia atrás, lo que provoca la liberación de la cadera retrasada (como en el jun-zuki-no-tsukkomi); la rodilla y el pie adelantados giran en la misma dirección. El cuerpo queda un poco inclinado en la dirección del golpe.

— En un tercer tiempo, volver a situar el puño adelantado a la altura del hombro, como después del tobikomi-zuki.

Cuando el movimiento de rotación de las caderas se efectúa con la máxima fuerza, el pie adelantado gira todavía más sobre sí mismo (pie blanco en el diagrama, fig. 56); y como el cuerpo está inclinado hacia delante, la pierna adelantada lleva casi todo su peso, por lo que ésta juega el papel de un eje alrededor del cual se desplaza el pie retrasado (hacia atrás y a la izquierda). Después de efectuada la técnica podemos encontrarnos sobre un eje diferente del inicial (diagrama). El deslizamiento del pie retrasado no es, sin embargo, un elemento básico de esta técnica.

— Eventualmente, volver a colocar el pie retrasado sobre el eje inicial y luego hacer lo propio con el pie adelantado. Quedaremos en la misma posición que al principio.

NOTA. — Observaremos los puntos comunes de la ejecución entre el nagashi-zuki, el tobikkomi-zuki, o sea el junzuki-no-tsukkomi para la escuela Wado-ryu.

Notaremos también que el kizami-zuki y las dos formas de nagashi-zuki se basan sobre los mismos principios, llevados más o menos lejos.

Aplicación

De dejar pasar el ataque adverso mientras se contraataca. Esta técnica también es muy eficaz si acompaña a un bloqueo (por ejemplo, en los croquis adjuntos mostrando el nagashi-zuki, estilo Shotokan, el tiempo 1 es un control del tsuki adverso con la mano izquierda; el tiempo 2 es el contraataque; la eficacia de la técnica proviene de que ha terminado la rotación en el segundo tiempo).

Las fotos 40 y 41 nos muestran un nagashi-zuki estilo Wado-

FIG. 56

Foto 40

Foto 41

ryu enlazando con el bloqueo de un golpe con el pie (mawashi-geri). Observar el busto de frente y los pies dirigidos hacia delante en el momento del bloqueo y la fuerte rotación de las caderas en el momento del contraataque (también se podría enlazar con un mai-te permaneciendo de frente como en la foto 38, pero como aquí nos mantenemos en el mismo sitio, esta técnica es menos interesante puesto que no admitiría más que la fuerza del brazo que realizara el tsuki, sin la participación del hara).

Los grandes expertos colocan el nagashi-zuki (2.ª forma) sin bloquear previamente; esquivando simplemente con el pecho y la pelvis evitan la trayectoria peligrosa mientras golpean. Toda la energía se canaliza así en el tsuki. Pensamos sin embargo que todo consiste en la gran velocidad alcanzada por estos expertos, sobre todo teniendo en cuenta que buscan el golpe adverso y que por ello no esquivan hasta el último momento.

Puntos esenciales comunes

— La rotación de las caderas debe ser vigorosa y no intervenir hasta el último momento (se desplaza primero un pie). No puede ser lo suficientemente exagerada, a menos que en el primer tiempo las caderas hayan quedado casi de perfil (por lo que la ejecución en dos tiempos es indispensable para los principiantes). Debe estar perfectamente sincronizada con el golpe de puño.

— El puño retrasado participa en el golpe, ya sea haciendo hikite (primera forma) o bien colocándose con fuerza sobre el plexo (segunda forma).

— La mirada se dirige siempre hacia delante y la cabeza se mantiene erguida.

— Tanto en los giros como en los deslizamientos, los pies siempre permanecen planos sobre el suelo.

KI-HON

1) *Kizami-zuki*

En todos los ejercicios siguientes vamos a golpear por el mismo lado. Cada vez se vuelve a la posición inicial.

Ejercicio 1

Los principiantes efectuarán esta técnica in situ en postura zen-kutso bien estable.

Ejercicio 2

Los karatekas adelantados podrán adoptar la fudo-dachi para conseguir una mejor reacción del pie retrasado.

(Para estos dos ejercicios, la ejecución está ya descrita anteriormente.)

Ejercicio 3

A partir de un hidari o un miji-shizentai (brazos caídos) deslizar el pie adelantado hacia delante hasta colocarse en zen-kutsu, y luego golpear dejando quietos los pies (este ejercicio se parece a la segunda forma del nagashi-zuki, aunque la rotación sea menor).

Ejercicio 4

Iniciar in situ un jodan-kizami-zuki, empalmando con un chudan-gyaku-zuki, luego un jodan-kizami-zuki, etc. (cuidar de colocar el busto de frente en el gyaku-zuki).

Ejercicio 5

Efectuar sucesivamente y con desplazamiento un jodan-kizami-zuki, un chudan-oi-zuki, un jodan-kizami-zuki, etc. (Cuidar de no inclinarse hacia delante al adoptar el oi-zuki; para evitar este desequilibrio, impulsar con fuerza el abdomen hacia delante al iniciar el oi-zuki.)

NOTA. — El puño que ha hecho oi-zuki es el que enlaza con el kizami-zuki siguiente. En este último ejercicio, se van alternando, pues, los lados.

2) *Nagashi-zuki*

Primera forma (Shotokan): Se trabaja in situ, a partir de yoi, retrocediendo (forma descrita más arriba) o adelantando una pierna. Volver cada vez a la posición de partida. Cambiar de lado.

Segunda forma (Wado-ryu): Se avanza deslizando, siempre por el mismo lado (como el tobikomi-zuki). Una vez llegados al cabo de la pista se regresa adoptando la postura shizentai inversa; se trabaja entonces el lado opuesto. Cuidar de colocarse siempre sobre el mismo eje.

MÉTODOS DE ESTUDIO

Deberá considerarse una doble investigación:

— La de la velocidad del golpe con el puño. Para la segunda forma del nagashi-zuki, repasar el método descrito para el tobikomi-zuki.

— La de la brusquedad de la rotación de las caderas. Practicar los ejercicios de rotación de las caderas (pág. 54) y las esquivas a partir de la hachiji-dachi (pág. 422).

Kizami-zuki

Colocarse en zen-kutsu o fudo-dachi delante del saco de arena (ver la pág. 543) y hacer jodan-kizami-zuki. Si el golpe es lo suficientemente fuerte, imprime un ligero movimiento de va-y-ven al saco. Cuando el saco esté cerca, golpearlo en chudan-gyaku-zuki. Volverlo a golpear con un kizami-zuki, etc.

Nagashi-zuki

Ejercitarse con el pequeño saco de arena para el tai-sabaki (ver pág. 543). Avanzar (segunda forma) o retroceder (primera forma) esquivando el saco en el último momento, mientras se golpea en tsuki con el puño adelantado.

Volver cada vez a la posición de partida e imprimir al saco un nuevo movimiento de balanceo.

NOTA. — En la segunda forma se está demasiado cerca del saco para poder golpearlo correctamente en tsuki. Con las mismas ventajas se puede esquivarlo golpeándolo en teisho-uchi con la mano adelantada.

GOLPES DOBLES CON LOS PUÑOS (MOROTE-ZUKI)

Cada una de las siguientes técnicas está formada por dos golpes dados simultáneamente con ambos puños; de ahí su dificultad esencial: los dos golpes deben ser de igual intensidad. Esto es bastante fácil cuando se trata de golpear con ambos puños a la misma altura (heiko-zuki, hazami-zuki), pero lo es mucho menos cuando cada uno de los puños golpea a un nivel diferente (awase-zuki, yama-zuki). Son técnicas adecuadas para los karatekas adelantados; su principal interés reside en la dificultad de bloquearlos.

A) GOLPES PARALELOS A LA MISMA ALTURA: HEIKO-ZUKI

ESTUDIO TÉCNICO

FIG. 57

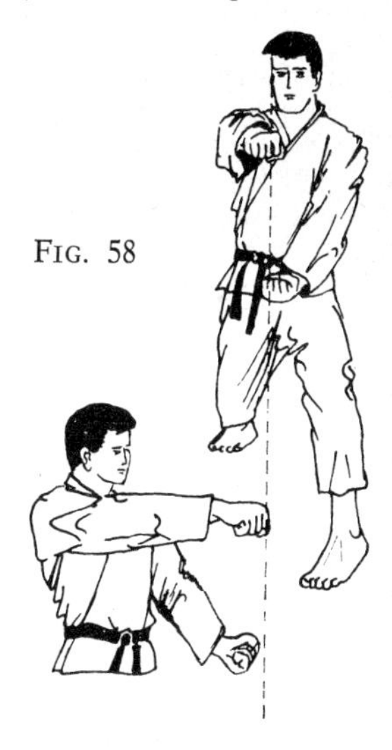

FIG. 58

Ejecución

Es un doble choku-zuki a nivel chudan o jodan cuya ejecución ya ha sido descrita (foto 12).

Hay que vigilar, pues, todos los puntos enumerados para el choku-zuki. Los puños, con las palmas hacia abajo, se tocan lateralmente en el plano medianero del cuerpo o están separados algunos centímetros (pero siempre en un plano horizontal); la concentración de la fuerza se realiza mejor en el primer caso.

Variante: De la misma manera se puede ejecutar un doble tate-zuki o ura-zuki (técnica de cuerpo a cuerpo). También se puede golpear con nakadaka-ken.

KI-HON

Se avanza o retrocede en zen-kutsu como en el oi-zuki. También se puede propinar este doble golpe sin moverse del sitio (después de un bloqueo, por ejemplo); la técnica, aunque con la desven taja de la fuerza del cuerpo en movimiento, continúa siendo muy fuerte.

B) LOS GOLPES SUPERPUESTOS EN DOS NIVELES: AWASE-ZUKI, YAMA-ZUKI

ESTUDIO TÉCNICO (awase-zuki)

Ejecución

— Es todavía un choku-zuki doble (al principio los dos puños están echados hacia atrás o hacia un lado, como para un yama-zuki), pero un puño golpea a nivel gedan (o chudan), con las uñas dirigidas hacia arriba, mientras el otro golpea a nivel jodan, con las uñas hacia abajo.

— Los dos brazos están extendidos. El hombro del brazo golpeador a nivel chudan no debe levantarse.

— El puño que golpea a nivel gedan (o chudan) se encuentra en el mismo lado que el pie adelantado. El golpe a nivel jodan (o chudan) es pues siempre un gyaku-zuki.

— Los puños se encuentran en el mismo plano vertical medio del cuerpo.

— Como en el heiko-zuki, la mejor posición es un zen-kutsu, pero también es posible adoptar una posición hacia atrás.

Aplicación (foto 42)

Después de un gedan-barai izquierdo, el puño izquierdo vuelve a la cadera de su lado; se golpea inmediatamente awase-zuki. La velocidad de este encadenamiento es esencial con el fin de no dejar al adversario la posibilidad de atacar una nueva vez.

Variante

Es posible ejecutar esta técnica de la misma manera pero tocándose las falanges de ambos puños; por consiguiente, se ataca al mismo nivel (chudan).

FOTO 42

FIG. 59

Técnica derivada: yama-zuki

Como el awase-zuki, es un golpe doble con los puños situados en dos niveles: jodan y chudan. Los puños se encuentran en el mismo plano vertical mediano del cuerpo; el que golpea a nivel gedan (uñas hacia arriba) es el del mismo lado del pie adelantado. La diferencia de base con el awase-zuki es que el yamazuki combina una fuerza de traslación rectilínea de las caderas con una fuerza de rotación; el tronco ya no se mantiene vertical sino un poco inclinado hacia delante. Los brazos están ligeramente flexionados: el que golpea jodan está cerca de la frente; el codo del que golpea gedan se mantiene lo más cerca posible de la cadera adelantada y en el plano de la rodilla de la pierna adelantada.

Para efectuar un yama-zuki a la izquierda, colocarse en heisoku-dachi, con los puños al lado derecho (el puño izquierdo encima). Adelantar el pie izquierdo en zen-kutsu, quedando el cuerpo erguido y el busto en hanmi. En la segunda fase, bajar un poco el hombro adelantado y golpear al mismo tiempo con rotación del cuerpo; inclinar el busto hacia delante, pero mantenerse estable y con la espalda arqueada. El puño izquierdo golpea directamente hacia delante mientras el derecho describe a partir de la cadera derecha un amplio arco de círculo hacia delante y arriba.

La foto 43 nos muestra el interés de esta técnica. El brazo que golpea jodan permite al mismo tiempo bloquear un tsuki al rostro al pasar bajo el brazo adverso, lo que es perfectamente posible gracias al hiji-suri-uke (pág. 335). El yama-zuki combina pues una defensa alta al mismo tiempo que un contraataque doble.

Ki-hon

— In situ: en heisoku-dachi, con los puños al lado, deslizar el pie opuesto hacia delante y hacer awase-zuki o yama-zuki. Volver a colocar este pie junto al de atrás y con los puños en el flanco opuesto ejecutar la misma técnica avanzando el pie que todavía no se había movido. Se alternan así ambos lados.
— Avanzando en zen-kutsu: después de haber ejecutado la

Foto 43

FIG. 60

técnica, avanzar el pie retrasado y adoptar la posición zen-kutsu inversa a la precedente colocando los puños en el otro lado; en la segunda fase ejecutar in situ la técnica. Después de la asimilación practicar en una sola fase (los puños pasan al lado durante el paso del pie).

C) GOLPE EN TIJERAS: HASAMI-ZUKI

ESTUDIO TÉCNICO

Se golpea con los kentos o con nakadaka-ippon-ken.

Ejecución

— Colocarse en zen-kutsu; los puños hacen hikite.
— Cada puño describe simultáneamente un arco de círculo sobre un plano horizontal (a nivel chudan) y golpea como en el mawashi-zuki (con rotación durante la trayectoria).
— Los puños, con las uñas hacia abajo, están separados unos veinte centímetros. Los codos permanecen flexionados y el busto de frente.
— Bajar los hombros, contraer las axilas y los abdominales.

Aplicación (foto 44)

Después de bloquear un junzuki-tsukkomi, se contraataca in situ hacia los flancos del adversario. La técnica no es válida si no se está cerca de él; además, muy a menudo, después del bloqueo hay que penetrar en mayor grado hacia el adversario, saltando un poco en su dirección mientras se lanza el golpe.

KI-HON

Se practica como el heiko-zuki.

II. — TECNICAS DE BRAZOS: GOLPES INDIRECTOS (UCHI-WAZA)

En esta sección de los ate-waza, los principios utilizados difieren ampliamente de los que servían de base a los tsuki-waza.

— Un tsuki es un golpe directo que sigue una trayectoria más o menos recta. Se golpea al adversario como si se tratara de pincharlo con una puya; para conseguir una mayor fuerza de penetración, se imprime al arma natural (casi siempre el puño) un efecto de barrena.

— Un uchi es un golpe que sigue una trayectoria curvilínea. No obstante, hay ciertas excepciones (ver cuadro 2). Se golpea al adversario no con la intención de «pinchar» sino de «cortar». En estos movimientos circulares, la articulación del codo correspondiente al brazo golpeador efectúa una acción de «latigazo» en la dirección del golpe (excepto en los golpes con los codos en

FOTO 44

los que la articulación está fuertemente flexionada); en los uchi-waza, el atemi a menudo «rebota».

Los movimientos en uchi enriquecen al karate con una nueva gama de posibilidades (ignoradas por los métodos occidentales de esgrima pugilística). El codo es esencialmente un arma para el cuerpo a cuerpo.

Si las técnicas de tsuki pueden llegar a serlo de uke (defensa), especialmente en los golpes de parada (ver uke-waza), la doble utilización de un atemi dado no es tan evidente como en las técnicas de uchi. Numerosas técnicas descritas en las páginas siguientes se encuentran en el capítulo de los bloqueos con el sufijo uke en lugar de uchi (por ejemplo, un tettsui-uchi pasa a ser un tettsui-uke sin ninguna diferencia en su ejecución; de la misma manera, un teisho-uchi se transforma durante un bloqueo en un teisho-uke).

Las posiciones y las técnicas de mano no están tan obligatoriamente ligadas como en los tsuki-waza. De esta manera, es perfectamente posible estudiar un golpe en una posición natural (shi-zentai), lo cual sólo era verdaderamente posible en el choku-zuki. Nos queda por decir que toda participación del cuerpo conferirá al golpe una mayor potencia. Esta contribución tiene lugar lo más frecuentemente bajo la forma de rotación de las caderas a partir de una posición inmóvil (por ejemplo, un contraataque después de un bloqueo).

Salvo excepciones que ya se mencionan durante el siguiente estudio, estas técnicas se estudian, pues, en cualquier postura. Serán siempre más potentes si las caderas participan en el movimiento.

NOTA. — Para un mayor aprovechamiento del presente capítulo, deberán releerse los principios básicos analizados en «Factores de eficacia en los golpes indirectos» (pág. 124).

LAS DIFERENTES DIRECCIONES DE LOS UCHI-WAZA

La figura 61 nos muestra las numerosas posibilidades que se nos ofrecen cuando queremos golpear con el shuto-uchi (sable de mano) a partir de una posición natural.

Sólo se han considerado:

— Las posibles acciones de la mano derecha.

— Los golpes hacia delante y hacia atrás (existen las mismas posibilidades hacia los lados).

— Los golpes propinados idealmente siguiendo los planos básicos:

plano vertical A (golpes de arriba abajo o de abajo arriba);

plano horizontal B (golpes desde fuera adentro o de dentro afuera).

Es evidente que el ángulo formado por estos dos planos no puede ser un ángulo recto. Los golpes oblicuos son numerosos, lo que multiplica todavía las direcciones de ataque. A pesar de estas restricciones motivadas por la sencillez del grabado, las posibilidades son numerosas.

Hacia delante:

1) Plano horizontal, de fuera adentro (palma hacia arriba).
2) Plano horizontal, de dentro afuera (palma hacia abajo).
3) Plano vertical, de arriba abajo (pulgar hacia arriba).
4) Plano vertical, de abajo arriba (pulgar hacia abajo).

Hacia atrás:

5) Plano vertical: de abajo arriba (pulgar hacia abajo); es la prolongación del movimiento n.º 3.

FIG. 61

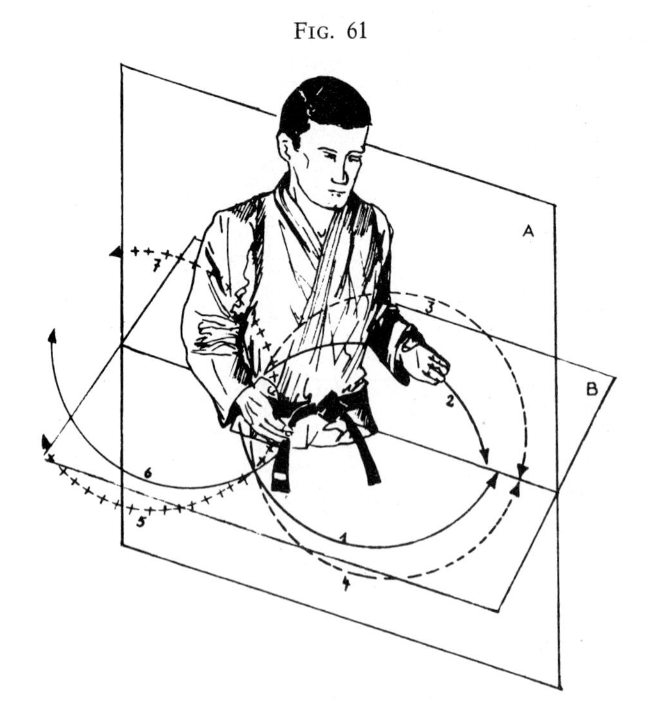

Cuadro 11. — UCHI-WAZA (golpes indirectos)

DIRECCION DEL GOLPE		TECNICAS DE PUÑO				TECNICAS DE MANO				TECNICAS DE MUÑECA				TECNICAS CODO						
														GOLPES CIRCULARES				GOLPES DIRECTOS		
		1 URAKEN	2 TETTSUI	3 URA TETTSUI	4 HEI-KEN	1 HAISHU	2 SHUTO	3 HAITO	4 KUMADE	1 KAKUTO	2 SEIRYUTO	3 KEITO	4 TEISHO	MAE EMPI	YOKO MAWASHI	TATE EMPI	USHIRO EMPI	USHIRO EMPI	YOKO EMPI	OTOSHI EMPI
DE DENTRO A FUERA	PLANO HORIZONTAL	◉	◉	●	●	◉	◉	◉	●	●	●	●					●			
DE FUERA A DENTRO	PLANO HORIZONTAL	●	●	●	●	●	◉	◉	●		●	●	◉	◉	●					
DE ARRIBA ABAJO	PLANO VERTICAL	◉	◉		●	●	●		●		◉		◉							
DE ABAJO ARRIBA	PLANO VERTICAL	●	●	●	●	●	●	●	●	◉	●	◉	◉			◉				
EN LINEA RECTA							●		●		●		◉					◉	◉	◉

Se observa que:

- Se utilizan las armas naturales por las cuatro caras de la mano, del puño o de la muñeca (los números de estas caras se corresponden).
- Se golpea de la misma manera con una misma cara ya sea con el puño cerrado, la mano abierta o la muñeca.
- Existen formas intermedias entre el plano horizontal y el vertical.
- Ciertos movimientos clasificados como uchi-waza se parecen más a tsuki-waza (golpes en línea recta): así tenemos una forma de shuto-uchi, una forma de teisho-uchi y tres formas de empi-uchi.

◉ Técnicas fundamentales.

6) Plano horizontal: de fuera adentro (palma hacia abajo); es la prolongación del movimiento n.º 2.

En general sólo se suele enseñar una técnica en uchi en una o dos direcciones, a veces tres (para el shuto, por ejemplo); el cuadro 2 agrupa todas las posibilidades (siempre 3 y a veces 4). Las variantes de estas técnicas son numerosas, puesto que pueden agregarse todavía los diferentes movimientos de base.

Pero sólo hay que profundizar las técnicas fundamentales (círculos punteados); van a tratarse con detalle en el capítulo siguiente.

TECNICAS CON EL PUÑO (TIPO: URAKEN)

Además del tsuki, el puño fundamental (seiken) puede utilizarse de cuatro maneras diferentes según su orientación:

— Para la ura-ken-uchi (con el dorso del puño).
— Para la tettsui-uchi (con la base del puño).
— Para la heiken-uchi (con la masa de las falanges).
— Para la ura-tettsui-uchi (con el «filo» del pulgar).

En todas estas técnicas, el puño derecho está contraído al máximo.

La primera de ellas es la más utilizada y puede servir de entrenamiento fundamental; la vamos a estudiar detalladamente.

A) El dorso del puño: riken-uchi o uraken

Estudio técnico

La denominación uraken comprende varios tipos de técnicas que utilizan la misma superficie golpeadora (ver pág. 99).

Fig. 62

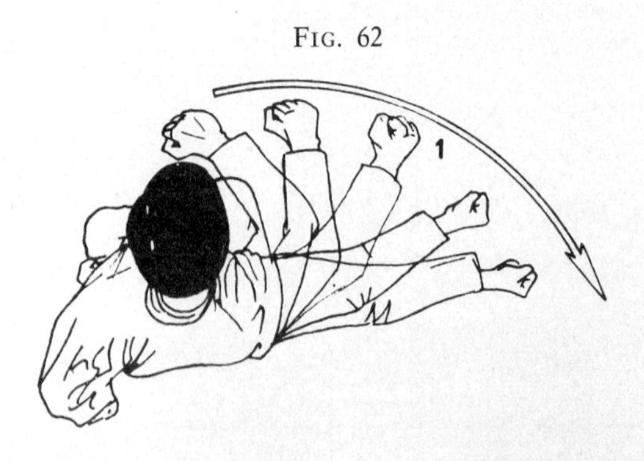

FOTO 45

1) *Movimiento de dentro afuera*

La superficie golpeadora describe un arco de círculo alrededor del codo en un plano horizontal o casi horizontal. En general, se golpea lateralmente.

Ejecución de un movimiento a la derecha a nivel chudan

— Se está en hachi-dachi; el puño izquierdo haciendo hikite y el derecho colocado encima, con la palma mirando hacia abajo.
— Mirar hacia la derecha.
— Echar el codo hacia la derecha.
— En cuanto el codo se ha acercado al plano vertical que pasa por los hombros, desplegar el antebrazo y golpear imprimiendo una rotación al puño (pulgar hacia arriba en el impacto).
— Llevar inmediatamente el puño derecho a su posición inicial.
Después del estudio correcto del movimiento, repetirlo a partir de una posición con los brazos cruzados delante del pecho (brazo izquierdo por encima del derecho): la mano izquierda extendida, con la palma hacia abajo, en la dirección del golpe y con las uñas del puño derecho mirando hacia abajo. Golpear con una acción contraria de los brazos: mientras se relaja el codo derecho, ejecutar un fuerte hikite con el puño izquierdo para añadir fuerza a la técnica.

NOTA. — Se golpea de la misma manera en jodan y gedan.

Aplicación

Se golpea al rostro o al flanco del adversario cuando nos encontramos de perfil respecto a él, por ejemplo en kiba-dachi después de haber bloqueado su ataque; también se puede atacar avanzando hacia el adversario en kiba dachi, con un paso doble (ver página 84). Hay que golpear en el instante en que el pie adelantado toca el suelo.

Adaptación

Se puede ejecutar la misma técnica hacia delante en zen-kutsu, pero como el arco de círculo descrito por el puño se reduce a la mitad (el brazo forma un ángulo recto con el busto), la velocidad alcanzada por éste al final de su carrera es menor. Se puede compensar esta pérdida de velocidad apoyando el golpe con una rotación de las caderas en sentido contrario; el cuerpo, entonces, queda en hanmi (sobre la figura 63 el trazo punteado). En el límite, se junta con la forma del golpe lateral estudiado anteriormente.

También puede ser interesante enlazar, in situ y con el mismo puño, un oi-zuki y luego un uraken (fotos 184 a 186).

Puntos esenciales

● El impacto tiene lugar cuando la articulación del codo alcanza su máxima abertura; el antebrazo también debe desplazarse en sentido contrario mediante un movimiento de resorte, aunque sólo se trate de algunos centímetros. De esta manera, no existe para el adversario la posibilidad de agarrar el brazo peli-

FIG. 63

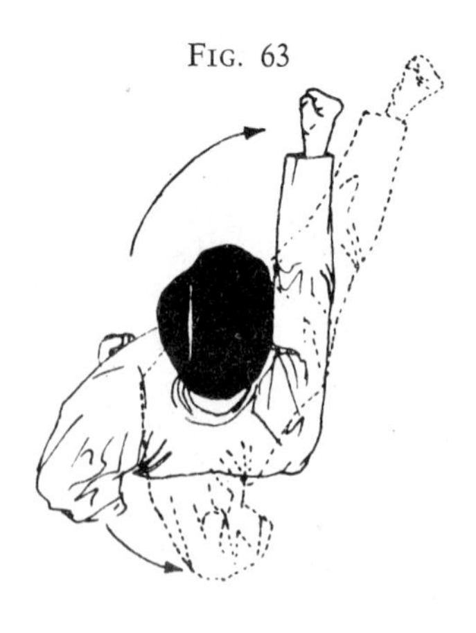

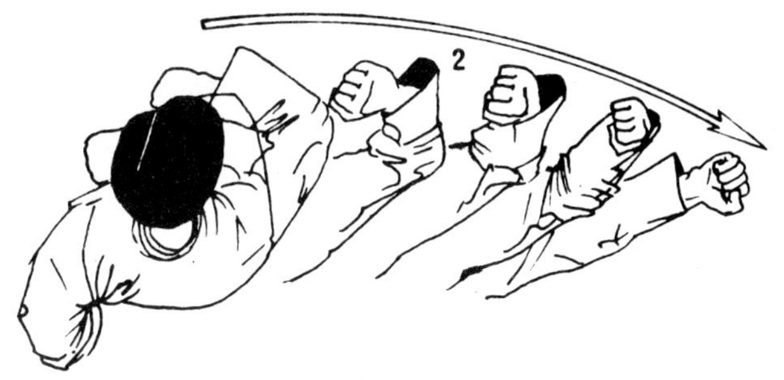

FIG. 64

grosamente extendido en posición de luxación (ver pág. 427). Por otra parte, el movimiento de «látigo» desarrolla una potencia máxima. El retroceso del brazo no debe hacerse voluntariamente con fuerza, sino siguiendo el mismo principio de regreso de la pierna después de un golpe con el pie (ver. pág. 129).

● No hay que extender el antebrazo demasiado pronto; si la articulación del codo se «abre» antes de haber sido lanzada hacia el lado, el arco de círculo descrito por el puño es demasiado grande y no se apoya más que en la fuerza del hombro; ya que no existe extensión brusca.

● El movimiento se descompone, pues, en dos tiempos que se suceden muy rápidamente: la puesta en situación del pivote (codo) en el costado y luego la rotación del antebrazo alrededor de este pivote.

2) *Movimiento de arriba abajo*

La superficie golpeadora describe un arco de círculo alrededor del codo en un plano vertical o casi vertical. En general, se golpea lateralmente.

Ejecución de un movimiento a la derecha a nivel chudan

— Se está en hachiji-dachi; el puño izquierdo hace hikite, el derecho está situado encima, con la palma hacia el suelo.
— Echar el codo hacia la derecha.
— En cuanto el codo se acerca al plano vertical que pasa por los hombros, extender el antebrazo sobre este mismo plano (el puño pasa por delante del rostro) y golpear sin imprimir ninguna rotación al puño (las falanges hacia arriba en el momento del impacto).
— Llevar inmediatamente el puño derecho a su posición de partida.

Como en el movimiento precedente, se puede añadir cierta potencia al golpe, cruzando ya desde el inicio del movimiento los brazos por delante del pecho (brazo izquierdo por encima del derecho): la mano izquierda está extendida, con la palma hacia abajo, en la dirección del golpe y el puño derecho queda al nivel de la cadera izquierda, con las falanges hacia abajo. Golpear con una acción contraria de los brazos: mientras el codo se relaja, efectuar un potente hikite con el puño izquierdo.

NOTA. — Asimismo se puede golpear a nivel jodan.

Aplicación

Se golpea al rostro o al plexo cuando el karateka se encuentra de perfil respecto a las anteriores partes del adversario, casi siempre en kiba-dachi (ver foto 121) después de haber bloqueado con el codo; el karateka de la derecha puede contraatacar con el puño derecho, desplegando el antebrazo alrededor del pivote ya colocado.

Como en el movimiento horizontal, también se puede atacar saltando hacia el adversario con un doble paso en kibba-dachi.

Adaptación

En la foto 46 se observa la manera de golpear hacia delante con el busto de frente.

FOTO 46

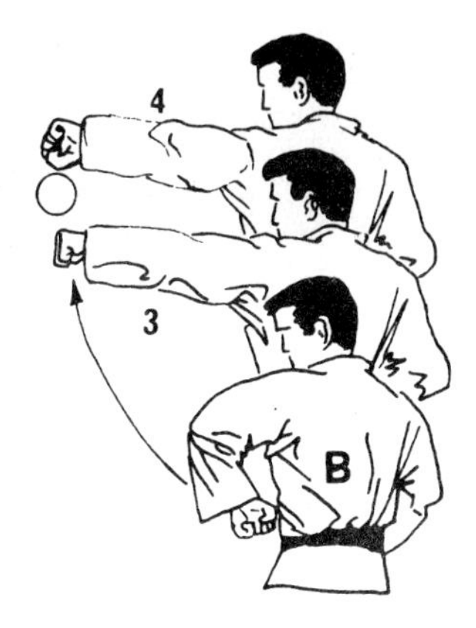

FIG. 65

A partir de hachiji-dachi, cruzar los brazos y avanzar enérgicamente en zen-kutsu; el puño parte de una posición más baja que el codo con el fin de poder describir un arco de círculo bastante grande (para adquirir velocidad). El impacto tiene lugar como en el oi-zuki: en el momento preciso en que el cuerpo se inmoviliza, con el abdomen contraído y un puño haciendo hikite.

Técnica derivada: uraken-shomen-uchi

El golpe es más directo y tiene como blanco la raíz de la nariz.

Posición preparatoria: el antebrazo delante del pecho, con los codos junto al cuerpo y los puños a la altura del mentón (falanges hacia la cara). Dar un golpe seco y rebotante con los kentos, directamente hacia delante, relajando la articulación del codo. En el impacto, las falanges quedan giradas hacia arriba. El otro puño no se mueve.

Esta técnica no es más que la última fase del golpe fundamental con una pequeña traslación accesoria del pivote (codo) en la dirección del golpe con el fin de que éste tenga un mayor alcance. Es un contraataque rápido, potente y casi imparable, después de un soto-uke o uchi-komi (ver. pág. 342) con el mismo puño; hay que cuidar de que el movimiento sea «seco».

Puntos esenciales

- La articulación del codo no alcanza nunca su máxima extensión.

● El golpe debe «rebotar».

● Para la ejecución lateral: aquí, la puesta en posición del codo y la rotación del antebrazo alrededor de este pivote tienen lugar al mismo tiempo.

● Como en la primera forma de uraken (de dentro afuera) hay que cuidar que el codo recorra el más corto camino posible y luego se inmovilice; el pivote debe permanecer fijo (y no «flotante») durante el golpe.

Posición preparatoria del codo

Se utiliza la misma posición para:

— Las técnicas 1 (dentro-fuera) y 2 (arriba-abajo).
— Las técnicas 3 (abajo-ariba) y 4 (fuera-dentro).

3) *Movimiento de abajo arriba*

Ejecución de un movimiento a la izquierda a nivel jodan (primera forma)

— Se está en hachiji-dachi; con la mano derecha extendida hacia delante, la palma mirando al suelo, mientras el puño izquierdo hace hikite.

— Con una breve rotación de las caderas hacia la derecha, extender la mano derecha, utilizando la fuerza centrífuga que hacía falta vencer en gyaku-zuki (ver esta técnica): con el efecto de esta fuerza, el codo se dispara hacia fuera y hacia delan-

Foto 47

FOTO 48

te (dibujo B de la fig. 65). Pero el puño izquierdo se mantiene todavía en la cadera, con las falanges hacia fuera.

— En un segundo tiempo, terminar el hikite del puño derecho y golpear hacia delante «desplegando» el antebrazo.

Ejecución de un movimiento a la izquierda a nivel jodan (segunda forma)

— Se está en zen-kutsu izquierdo, con el busto de frente, los brazos caídos y los puños cerrados.

— Efectuar una fuerte rotación de las caderas hacia la derecha y lanzar al mismo tiempo el puño izquierdo hacia arriba; el brazo izquierdo permanece extendido durante el movimiento; colocar el puño derecho en el plexo (forma de hikite del tobikomi-zuki).

— La rotación provoca el giro de los pies en el mismo sentido; la postura final es la del nagashi-zuki (ver esta técnica).

— Hacer volver inmediatamente el puño a la altura del hombro, flexionando el brazo; volver a la postura zen-kutsu.

NOTA. — De la misma manera se puede golpear chudan y gedan.

Aplicación

Se golpea bajo la barbilla del adversario en una posición de pies contraria con el fin de utilizar la fuerza de rotación de las caderas (en la foto 47 el movimiento todavía no ha concluido).

Adaptación

Se puede golpear hacia atrás:

— A nivel gedan: in situ, en hachiji-dachi, esquivando lateralmente con las caderas (como en un gyaku-zuki-tsukkomi); el brazo extendido efectúa un ligero balanceo de delante atrás.

— A nivel jodan: golpeando de abajo arriba por encima del hombro. Estos atemis son muy empleados en la defensa para deshacerse de un agarrón por detrás.

4) *Movimiento de fuera adentro*

Ejecución de un movimiento a la izquierda a nivel jodan

— La preparación y el primer tiempo son idénticos a los del movimiento de abajo arriba (dibujo B de la fig. 65).

— En un segundo tiempo, «desplegar» el antebrazo, pero golpear hacia dentro imprimiendo una rotación al puño en el impacto (falanges hacia fuera).

Nota. — Asimismo se puede golpear a nivel chudan.

Aplicación

Se esquiva el tsuki adverso dirigido al rostro o al abdomen con la intervención del brazo actuando a la contra. Esta técnica permite inclinarse lo suficiente sobre el costado y hacia el exterior del ataque (por lo que se puede esquivar mejor) a condición de acompañar esta acción con una fuerte rotación de las caderas en la misma dirección del golpe.

Este contraataque, efectuado a nivel jodan, constituye un perfecto cerrojo para el brazo adverso; éste queda bloqueado mediante la acción de la mano que lo ha desviado (ver nagashi-zuki), el brazo que contraataca y el hombro correspondiente.

Variante

Consiste en golpear manteniendo el brazo extendido, actuando el hombro de pivote y no el codo.

A partir de yoi, golpear con un amplio movimiento mediante una rotación de las caderas en el mismo sentido (es el *seiken-mawashi-uchi* de la escuela Kyokus-hintai).

Puntos comunes esenciales para el uraken-uchi

- El brazo y el codo deben permanecer perfectamente relajados durante su recorrido con el fin de no frenar el movimiento.
- El golpe debe rebotar algunos centímetros.

● En el impacto, el puño debe mantenerse apretado y la muñeca firme.
● La eficacia del movimiento reside en el efecto de «látigo» del codo y en la rotación del puño justo antes del impacto.
● Para conseguir una mejor penetración, se pueden hacer sobresalir los kentos doblando la muñeca en el impacto (el dorso del puño y el antebrazo forman un ángulo).

KI-HON

Ejercicio 1

— Se está en yoi.
— Deslizar el pie derecho hacia la derecha y colocarse en kibadachi; al mismo tiempo cruzar los brazos; en el preciso instante en que se inmovilice el pie, golpear lateralmente de dentro afuera (forma 1).
— Volver a la postura yoi.
— Deslizar el pie izquierdo hacia la izquierda y colocarse en kiba-dachi, cruzando los brazos; golpear lateralmente con el puño izquierdo (forma 1).
— Volver a la postura yoi.
— Adelantar el pie derecho y colocarse en zen-kutsu golpeando con el puño derecho de arriba abajo (forma 2, foto 146).
— Volver a la postura yoi.
— Adelantar el pie izquierdo y colocarse en zen-kutsu, golpeando con el puño izquierdo (forma 2).
— Volver a la postura yoi y repetir la serie.

NOTA. — Al golpear hacia delante y a los lados, el busto mantiene la misma orientación que en yoi. Proporcionar toda la fuerza del cuerpo en cada una de las técnicas.

Ejercicio 2

— Se está en hachiji-dachi; la mano izquierda está extendida hacia delante, con la palma hacia el suelo, mientras el puño derecho hace hikite.
— Hacer chudan-choku-zuki con el puño derecho, manteniendo el busto de frente.
— Colocar el puño derecho en el plexo sin desplazar el codo correspondiente.
— Proseguir con un jodan-uraken (forma 1) con el mismo puño, mediante una contrarrotación de las caderas (ver pág. 198 y fotos 184 a 186).
— Hacer chudan-choku-zuki con el puño izquierdo, volviendo a situar el pecho de frente.

— Enlazar con un jodan-uraken (forma 1) con el mismo puño mediante una nueva contrarrotación de las caderas, etc.

Nota. — Hay que empalmar rápidamente las dos técnicas ejecutadas por el mismo lado, luego marcar un tiempo de detención (para respirar) antes de ejecutar la misma sucesión de movimientos por el otro lado. El tronco se mantiene vertical. Se puede variar el ejercicio enlazando un jodan-choku-zuki y un chudan-uraken con el mismo puño.

Ejercicio 3

— Se está en kiba-dachi.
— Mirar hacia el lado, cruzar los brazos y ejecutar un primer uraken (forma 1).
— Avanzar en la misma dirección mediante un paso cruzado (ver pág. 84) volviendo a cruzar los brazos.
— En el preciso instante en que haya concluido el paso, golpear un nuevo uraken (forma 1) con el mismo puño, etc.

Notas. — Siempre golpea el mismo puño. Hay que avanzar lo más rápidamente posible.
El mismo ejercicio puede efectuarse con la segunda forma de uraken. Finalmente, avanzando siempre en la misma dirección, alternar una forma 1 con una 2.

Ejercicio 4

Avanzar o retroceder en zen-kutsu o ko-kutsu ejecutando cada forma de uraken (por el mismo lado del pie adelantado).

B) La base del puño: tettsui-uchi o kentsui-uchi

Se golpea con la prominencia hipotenar («martillo de hierro» ver pág. 99) de una manera idéntica al uraken. El golpe efectuado con la parte carnosa, menos sensible que la superficie ósea del uraken, es muy potente (permite atacar las partes óseas).

Estudio técnico

1) *Movimiento de dentro afuera*

Ejecución

Corresponde a la forma 1 de uraken, pero al iniciarlo las falanges están giradas hacia arriba y en el impacto, hacia abajo (rotación del puño).

Aplicación

Como la forma 1 de uraken: después del bloqueo de un ataque, colocarse en kiba-dachi, de perfil respecto al adversario y golpear su plexo. La misma técnica sirve para bloquear (ver tettsui-uke) a nivel chudan (chudan-barai) o gedan (gedan-barai, página 367).

Adaptación

Las fotos 16 y 19 muestran la misma técnica ejecutada hacia delante en zen-kutsu con los dos tipos de rotación de las caderas. Este chudan-barai es a la vez un ataque y un bloqueo (ver tettsui-uke).

2) *Movimiento de arriba abajo*

Ejecución de un movimiento lateral a la derecha

— Se está de pie en hachiji-dachi. El puño izquierdo hace hikite.
— Mirar hacia la derecha.
— Levantar el codo lateralmente, en el plano vertical que pasa por los hombros. El puño queda más bajo que el codo y el pulgar hacia abajo.
— Golpear haciendo pasar el revés del puño por delante de la frente.
Los principiantes podrán entrenarse colocando el puño delante de la frente (pulgar hacia abajo) antes de proyectarlo con fuerza.
Después del estudio correcto del movimiento, ejecutarlo acompañándolo de un deslizamiento por el lado del pie correspondiente para colocarse en ko-kutsu o kiba-dachi. El busto se mantiene de perfil.

Ejecución de un movimiento hacia delante y a la derecha

— Se está en yoi.
— Avanzar el pie derecho y levantar el puño del mismo lado por encima de la cabeza, con las falanges hacia delante. El brazo izquierdo se mantiene extendido hacia delante.
— Al mismo tiempo que se adopta la postura zen-kutsu, abatir el puño en el plano vertical medianero del propio cuerpo, mientras se hace hikite con el puño izquierdo. La posición final es la de la foto 46, pero con el pulgar hacia arriba.

NOTA. — Con la misma preparación se puede hacer uraken (forma 2) imprimiendo cierta rotación al puño en el impacto.

Aplicación

Aplicado contra la frente, el cráneo o la clavícula, este golpe es muy potente. Si el adversario está desequilibrado y muy inclinado hacia delante, se puede golpear su espalda.

Este golpe constituye también un potente bloqueo (ver tettsui-uke).

3) *Movimiento de abajo arriba*

Ejecución

Este movimiento corresponde a la forma 3 de uraken, pero se ejecuta imprimiendo una mayor rotación al puño en el impacto (pulgar hacia abajo).

Aplicación

Este golpe se ejecuta a nivel gedan.

Las fotos 49 y 50 muestran un contraataque en tettsui realizado de abajo arriba contra el bajo vientre, con el puño que acaba de bloquear en soto-uke.

Observar la contrarrotación de las caderas que permite hacer participar a todo el cuerpo en este atemi.

NOTA. — De la misma manera se podría golpear en uraken de abajo arriba (forma 3) o hiken haciendo girar en mayor grado el puño.

FOTO 49

FOTO 50

Adaptación

Se puede dar un golpe hacia arriba y atrás de la misma forma que el uraken (forma 3) y con la misma finalidad.

4) *Movimiento de fuera adentro*

Ejecución

Como el soto-uke (ver pág. 338), pero con el brazo más extendido. La cara dorsal del puño está vuelta hacia abajo.

Aplicación

Se golpea al rostro o al flanco del adversario. Si se esquiva suficientemente el ataque por el exterior, para colocarse en kiba-dachi, es posible golpear al plexo o al abdomen.

PUNTOS COMUNES ESENCIALES PARA EL TETTSUI

— El brazo y el codo deben quedar perfectamente relajados durante sus recorridos.
— En el impacto el golpe es apoyado (y no rebotante como el uraken).
— En el impacto, el puño debe estar perfectamente apretado para que no se dañe (hay que golpear como con un martillo).

KI-HON

Ejercicio 1

Golpear hacia delante y lateralmente a partir de yoi (ver ejercicio 1 de uraken). El busto conserva su misma orientación.
Ejecutar el movimiento lateral (de dentro afuera) y luego de arriba abajo.

Ejercicio 2

Enlazar un choku-zuki con un tettsui-uchi con el mismo puño mediante una contra-rotación de las caderas (ver ejercicio 1 de uraken).

Ejercicio 3

— Se está en kiba-dachi.
— Levantar el puño derecho por encima de la cabeza y extender la mano izquierda hacia delante.
— Efectuar un chudan-tettsui de arriba abajo, y un hikite con el puño izquierdo.
— Levantar el puño izquierdo y extender la mano derecha.
— Efectuar un chudan tettsui y un hikite con el puño derecho.
Este ejercicio se ejecuta sin moverse del sitio.

Ejercicio 4

Avanzar o retroceder en zen-kutsu, efectuando un tettsui-uchi de arriba abajo por el mismo lado que el pie adelantado. La ejecución es parecida al avance en soto-uke (ver pág. 353).
El mismo ejercicio puede hacerse en ko-kutsu.

C) LA MASA DE LAS FALANGES: HEIKEN-UCHI

Se golpea con la parte interna del puño bien apretado (ver pág. 100). Esta técnica, aplicada contra el rostro o el bajo vientre, es muy efectiva. Se lleva a cabo como el uraken (ver esta técnica).

1) *De dentro afuera* (pulgar hacia abajo). El puño ha girado 180° respecto al uraken.

2) *De arriba abajo:* Como un tettsui descendente. Se golpea al rostro.

3) *De abajo arriba:*

- Ya sea con una contra-rotación de las caderas (fotos 49 y 50).
- Ya sea directamente hacia delante (el brazo se balancea de atrás hacia delante, con las falanges mirando al frente y arriba).

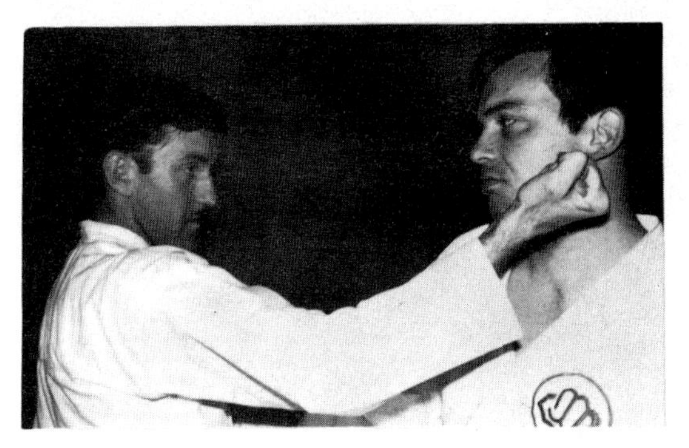

FOTO 51

- Ya sea hacia atrás (como uraken y tettsui) para soltarse de una presa.

4) *De fuera adentro:* Como el tettsui (cuarta forma).
El ki-hon puede estudiarse como el de los movimientos similares que hemos indicado.

D) EL VÉRTICE DEL PUÑO: URA-TETTSUI-UCHI

La superficie golpeadora es el «martillo del pulgar» (ver página 99).
1) *De dentro afuera* (falanges hacia arriba):
El movimiento se ejecuta como el uchi-uke (ver esta técnica), con rotación del puño.
2) *De abajo arriba* (pulgar hacia arriba): Se ejecuta directamente hacia delante (el brazo se balancea de atrás hacia delante). Se golpea contra el bajo vientre o el rostro si el adversario está inclinado. En caso de agarrón por detrás, puede efectuarse un movimiento en el mismo sentido por encima del hombro correspondiente (como la forma 3 de uraken).
3) *De fuera adentro* (falanges hacia abajo): Se ejecuta como la cuarta forma de uraken (ver esta técnica). Se golpea especialmente a las sienes.
El ki-hon puede estudiarse como el de los movimientos similares que acabamos de indicar.

LAS TECNICAS DE MANO (TIPO: SHUTO-UCHI)

La mano (kaisho) puede utilizarse en tsuki (con nukite o koko). Cada una de sus caras y cantos nos ofrecen además numerosas posibilidades para los uchi-waza:

— Para shuto-uchi: con el filo de la mano.
— Para haito-uchi: con el filo interno de la mano.
— Para haishu-uchi: con el reverso de la mano.

Se puede añadir el kumade-uchi (palma de la mano) en donde la mano no queda del todo abierta: los dedos están doblados por las primeras falanges. En defensa, estas técnicas son más utilizadas que las técnicas de puño. De un modo general se ejecutan como las precedentes (que deberán consultarse para los detalles) excepto en que la mano aquí se mantiene abierta (el pulgar siempre muy flexionado).

A) El filo externo de la mano: shuto-uchi

Para las cuatro primeras formas, se golpea con el «sable de mano», como en tettsui; se añade una quinta forma, directa, de sable en tsuki.

Estudio técnico

1) *Movimiento de fuera adentro*

La superficie golpeadora describe un arco de círculo en un

Fig. 66

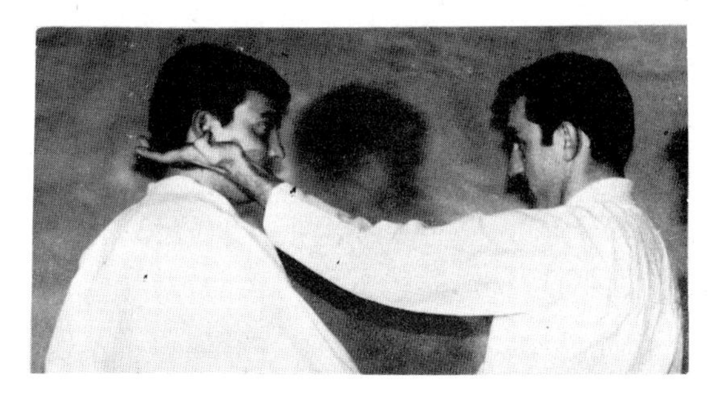

FOTO 52

plano horizontal o casi horizontal, como en el shoto-uke (ver pág. 338).

Ejecución de un movimiento a la derecha a nivel jodan

— Se está en zen-kutsu a la izquierda, con el pecho en hanmi.
— La mano izquierda está extendida hacia delante, con la palma hacia el suelo; la mano derecha está levantada hacia atrás, cerca de la oreja derecha, con la palma hacia fuera.
— Contraer fuertemente el brazo izquierdo mientras se impulsa la mano derecha hacia delante con una fuerte rotación de las caderas.
— La mano describe un arco de círculo y golpea al girar; con la palma hacia arriba en el momento del impacto; el puño izquierdo hace hikite.

Aplicación

Se golpea a nivel jodan (sienes, carótida, nuca) o chudan (flancos, riñones).

Puntos esenciales

— No levantar el hombro retrasado al iniciar el movimiento.
— Al iniciar el movimiento, permanecer en hanmi; si el cuerpo está demasiado de perfil, es imposible contraer correctamente los músculos del pecho y la axila.
— No imprimir una rotación a la mano hasta el momento del impacto, con el fin de añadir toda su fuerza al golpe.
— El codo se mantiene ligeramente flexionado y se sitúa delante del busto.
— También se puede golpear por el mismo lado de la pierna adelantada, pero la forma contraria (después de un bloqueo por

el mismo lado) proporciona una mayor potencia debido a la participación de las caderas (rotación).

2) *Movimiento de dentro afuera*

La superficie golpeadora describe un arco de círculo sobre el mismo plano que la forma anterior.

Ejecución de un movimiento a la derecha a nivel jodan:

— Se está en zen-kutsu a la derecha, con el pecho de frente.
— Extender la mano izquierda hacia delante, con la palma hacia el suelo; llevar la mano derecha contra la oreja izquierda (palma hacia dentro). El codo derecho, doblado, se sitúa sobre el codo izquierdo, en tensión.
— Hacer hikite con la mano izquierda, impulsando la cadera izquierda hacia atrás (rotación hacia la izquierda) a la vez que se golpea con la mano derecha, con el brazo casi extendido.
— En el impacto, la palma está mirando al suelo.
— La rotación de las caderas ha colocado al pecho en hanmi.

Aplicación

En general, se golpea a nivel jodan, como en el movimiento anterior.

FIG. 67

FOTO 53

El mismo movimiento se utiliza en shuto-uke (ver pág. 355); en el bloqueo, sin embargo, el codo se mantiene flexionado.

Puntos esenciales

— Establecer el contacto entre los codos a partir de la posición inicial.
— Imprimir la rotación a la muñeca sólo en el momento del impacto.
— El codo, ligeramente flexionado, apunta hacia abajo y no hacia fuera.
— El hombro del brazo que va a golpear se mantiene bajo.
— También se puede golpear en una posición de pies contraria, pero el movimiento exige más agilidad. Más frecuentemente se golpea por el lado del pie adelantado en zen-kutsu o en kiba-dachi (esto permite utilizar al máximo la rotación de las caderas, colocando al pecho de perfil).
— Rotación de las caderas: según la posición del pecho al iniciar el movimiento (de frente o de perfil), se efectúa la rotación en el mismo sentido o en sentido contrario al del golpe (como chudan-barai: fotos 16 a 19)..

3) *Movimiento de arriba abajo: shuto-sakotsu-uchi*

La superficie golpeadora describe un arco de círculo en un plano vertical o casi vertical.

Ejecución

Como la forma 2 del tettsui-uchi, después de haber levantado la mano por encima de la cabeza, la mano se abate con la palma perpendicular al suelo.

Aplicación

Se golpea en shuto-sakotsu-uchi contra la clavícula de un adversario erguido o contra su espalda si está inclinado hacia delante. También se puede golpear contra el brazo o el pie de un asaltante; se trata entonces de un bloqueo (se ejecuta como el seiryuto-uke, ver esta técnica).

Variantes

Se puede golpear de tres maneras un poco diferentes, según la dirección de la mano en el impacto:
— Directamente de arriba abajo (B).
— De arriba abajo y hacia delante en el momento del impacto (C).
— De arriba abajo y hacia atrás en el momento del impacto (A).
También existen numerosas formas de golpes propinados oblicuamente.

4) *Movimiento directo: shuto-sakotsu-uchikomi*

Como un tsuki, se golpea hacia delante directamente.

Ejecución

Después de haber llevado la mano junto al pecho (sable hacia delante y con los dedos hacia arriba), y el antebrazo pegado al cuerpo, impulsar el codo hacia delante. Detener el movimiento de la mano en el impacto. El brazo, entonces, queda extendido

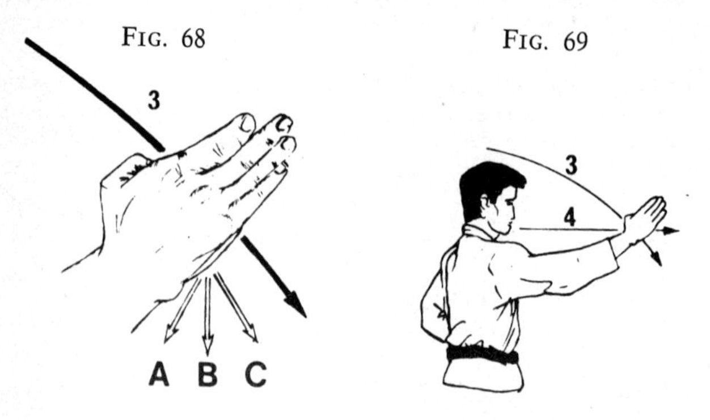

FIG. 68 FIG. 69

y el sable de mano forma un ángulo con el antebrazo (pero la mano permanece en el plano del antebrazo).

La mano ha mantenido la misma orientación durante toda su trayectoria.

Aplicación

Se golpea contra la clavícula.

Puntos importantes

Como en choku-zuki:

— Golpear en el plano vertical medianero del propio cuerpo, con los hombros caídos.

— Contraer los abdominales y los pectorales.

— No inclinarse en la dirección del golpe.

5) *Movimiento de abajo arriba*

Corresponde a la forma 3 de tettsui-uchi (ver esta técnica). Se golpea a nivel gedan:

— Hacia delante con una contra-rotación de las caderas (fotos 49 y 50).

— Hacia atrás para liberarse de un agarrón.

PUNTOS COMUNES ESENCIALES PARA EL SHUTO

— El antebrazo, la muñeca y la mano deben formar un bloque sólido (ver la manera de hacer shuto, pág. 102).

— El brazo y el codo deben permanecer relajados durante su trayecto.

— La mano efectúa una rotación de tipo «latigazo» justo en el impacto.

— Se trata de un golpe apoyado como el tettsui-uchi. Puede efectuarse con la idea de cortar, de atravesar el cuerpo del adversario.

— El factor velocidad es esencial; hay que armar la mano muy rápidamente y lanzarla de inmediato con la máxima energía.

KI-HON

Ejercicio 1

— Se está en yoi.

— Deslizar el pie derecho hacia la derecha, llevando la mano de este lado junto a la oreja izquierda, el codo colocado sobre el brazo izquierdo extendido en la dirección del movimiento.

— Colocarse en kiba-dachi y hacer shuto-uchi hacia la derecha (forma 2).

— Volver a la postura yoi.

— Pasar a la kiba-dachi deslizando el pie izquierdo y golpeando en shuto-uchi izquierdo, hacia la izquierda (forma 2).

— Volver a la postura yoi.

— Adelantar el pie derecho y levantar la mano derecha por encima de la cabeza.

— Pasar a zen-kutsu y golpear de arriba abajo (forma 3).

— Volver a la postura yoi.

— Adelantar el pie izquierdo en zen-kutsu y golpear de arriba abajo con la mano izquierda (forma 3).

— Volver a colocarse en yoi.

Ejercicio 2

— Avanzar en kiba-dachi (girando) y hacer shuto-uchi de dentro afuera (durante cada rotación hay que cruzar los brazos).

— Avanzar en kiba-dachi (paso doble) con el mismo movimiento; las rodillas y los brazos se cruzan al mismo tiempo. Se golpea siempre con la misma mano.

B) El filo interno de la mano: haito-uchi

Fig. 70

Se golpea con el «sable interno» o «reverso del sable», por el lado del pulgar (ver pág. 101).

ESTUDIO TÉCNICO

1) *Movimiento de dentro afuera*

Es la forma más utilizada. El movimiento se ejecuta como el uchi-uke (ver esta técnica). En la posición inicial, la palma mira al suelo; en el impacto, lo hace hacia arriba. Se golpea sobre todo al rostro y a las sienes.

2) *Movimiento de fuera adentro*

● Como la cuarta forma de uraken (ver esta técnica), lanzando el codo y efectuando una fuerte rotación de caderas.

● También se puede golpear manteniendo el brazo extendido. A partir de yoi, con los brazos caídos, se golpea con una rotación de caderas que permita lanzar el brazo.

En estas dos formas, la palma mira hacia el suelo en el momento del impacto. Se golpea sobre todo al rostro y a la sien.

3) *Movimiento de abajo arriba*

Se efectúa como la forma 2 de uratettsui. Se golpea directamente hacia delante (el brazo se balancea de atrás hacia delante), contra el bajo vientre. El movimiento también es posible hacia atrás, con el codo doblado por encima del hombro correspondiente (agarrón por detrás).

NOTA. — Frecuentemente se golpea de abajo arriba oblicuamente contra los flancos del adversario. Estos movimientos corresponden a los golpes oblicuos dados de arriba abajo en shuto.

KI-HON

Ejercicio 1

— Se está en kiba-dachi.

— Cruzar los brazos por delante del pecho, con las manos abiertas, las palmas y los dedos vueltos hacia abajo.

—Hacer haito-uchi (forma 1) con cada mano hacia el lado correspondiente. Mantener los codos flexionados y en el plano del pecho. Cuidar de girar lo más bruscamente posible las palmas hacia arriba en el impacto. Mantener un kiba-dachi bien estable.

— Cruzar otra vez los brazos para un nuevo movimiento doble.

También se pueden ejecutar estos movimientos desplazándose en kiba-dachi.

Ejercicio 2

Avanzar y retroceder como en el uchi-uke, haciendo haito-uchi (forma 1).

C) El reverso de la mano: haishu-uchi

Como en el shuto, se golpea con el reverso de la mano abierta en unas formas idénticas a las del uraken-uchi (ver esta técnica). La única diferencia estriba en que estos movimientos se ejecutan con la mano abierta en el momento del impacto (aunque se pueda iniciar el movimiento con el puño cerrado y no abrirlo hasta el instante del impacto).

1) *Movimiento de dentro afuera*

Es la forma más utilizada. Como en el uraken-uchi, se golpea frecuentemente contra el flanco a partir de kiba-dachi (a los niveles jodan y chudan). Constitituye también un potente bloqueo (ver haishu-uke).

2) *Movimiento de arriba abajo* (fig. 71)

Contra el rostro.

3) *Movimiento de abajo arriba*

Contra el bajo vientre.

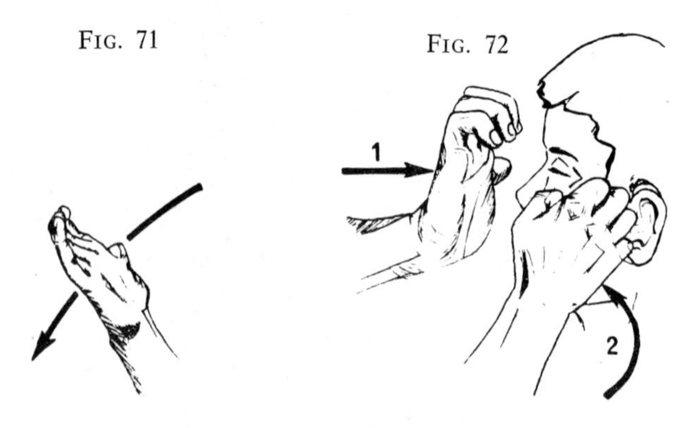

Fig. 71 Fig. 72

4) *Movimiento de fuera adentro*

Contra el rostro.
El ki-hon puede estudiarse como el de los movimientos similares indicados para el uraken-uchi.

D) LA PALMA: KUMADE-UCHI

La superficie golpeadora es la base de la palma («pata de oso», ver pág.101). Se coloca la mano en forma de garra, doblando los dedos como en el croquis adjunto. El kumade puede darse como tsuki, directamente hacia delante, con los dedos hacia arriba, contra el rostro del adversario (1).
Los golpes en uchi (2): movimientos de fuera adentro. Se propina como el heiken-uchi (ver esta técnica).

1) *De fuera adentro* (es la forma más empleada): contra el rostro.

2) *De dentro afuera.*

3) *De abajo arriba:* contra el bajo vientre.

4) *De arriba abajo:* contra un adversario en el suelo o inclinado hacia delante.

El ki-hon puede estudiarse como el del teisho-uchi (ver esta técnica).

LAS TECNICAS DE MUÑECA (TIPO: TEISHO-UCHI)

Según el lado, la muñeca golpea de cuatro maneras diferentes:

— Teisho-uchi (con el talón de la palma): es la forma más utilizada.
— Kakuto-uchi (con el reverso de la muñeca).
— Seihyuto-uchi (con la base de la muñeca fuertemente doblada).
— Keito-uchi (con el reverso de la muñeca fuertemente doblada).

Estas técnicas se basan en la movilidad de la muñeca que debe poder doblarse en la dirección del atemi y sobre el movimiento de «látigo» así conseguido. El movimiento de inversión de la muñeca, y no la fuerza del brazo, es el que proporciona la eficacia de estos atemis (ver foto 6); también es mucho menos importante hacer describir a la superficie golpeadora un amplio arco de círculo hasta el final. La velocidad conseguida por el movimiento de la muñeca basta en general para conseguir una fuerza suficiente. Se puede evitar, pues, el que la mano tome un impulso previo demasiado importante.

Esta misma propiedad del movimiento de la muñeca se encuentra en los uke-waza (ver «Bloqueos de muñeca como latigazos»).

Excepto en los golpes dados con la palma, conviene ser muy prudentes en el empleo de las otras partes de la muñeca, puesto que la articulación es relativamente frágil.

A) El talón de la palma: teisho-uchi o shotei-uchi

Fig. 73

Con la mano fuertemente doblada hacia atrás, se golpea con la parte inferior carnosa de la palma. Los ataques con la palma son muy potentes.

Estudio técnico

Se puede golpear en tsuki, directamente hacia delante (ver las variantes de chozu-zuki) igual como se hacía en kumade-tsuki, pero con la muñeca más flexionada. Los dedos apuntan hacia arriba.

Los movimientos en uchi se clasifican en tres formas:

1) *Movimiento de abajo arriba*

Ejecución de un movimiento a la derecha

— Se está en yoi.

— Adelantar el pie derecho y extender la mano izquierda, con la palma mirando al suelo. Abrir la mano derecha.

— Pasar a zen-kutsu y golpear con la mano derecha mediante un movimiento ascendente de extensión de la mano derecha. Hacer sobresalir la palma hacia delante y arriba. Hacer hikite con la mano izquierda.

Aplicación

Se ataca la barbilla o el bajo vientre. Se golpea hacia delante en zen-kutsu (por el mismo lado o por el lado contrario) o en kiba-dachi (después de esquivar un ataque por el exterior, se golpea al flanco del adversario).

También se puede bloquear (ver teisho-uke).

Adaptación

También se puede golpear hacia atrás y arriba (a nivel gedan) como en uraken, tettsui, heiken, shuto o hashu-uchi.

Puntos esenciales

— El hombro no debe contraerse ni levantarse.

— El codo permanece ligeramente flexionado y apunta hacia abajo.

— La palma está muy doblada y los dedos apuntan hacia el suelo.

2) *Movimiento de fuera adentro*

Ejecución de un movimiento a la derecha

— Se está en yoi.
— Adelantar el pie derecho y extender la mano izquierda hacia delante, con la palma hacia abajo. Separar al mismo tiempo la mano derecha hacia la derecha, con el pulgar hacia arriba, los dedos hacia delante y la muñeca muy doblada; el brazo está casi extendido.
— Pasar a zen-kutsu y golpear con la mano derecha hacia delante haciendo sobresalir la palma en la dirección del golpe. Hacer hikite con la mano izquierda.

Aplicación

Se ataca especialmente el ángulo del maxilar y la sien, así como los flancos del adversario (después de una esquiva, por ejemplo).

Se golpea hacia delante en zen-kutsu (por el mismo lado o por el lado contrario) o lateralmente pasando en kiba-dachi.

También se puede bloquear (ver teisho-uke).

Puntos esenciales

— El hombro permanece relajado.
— El codo se mantiene flexionado y apunta ligeramente hacia el exterior.
— La palma está muy flexionada y los dedos apuntan hacia delante.

3) *Movimiento de arriba abajo*

Se levanta la mano cerca de la cabeza; la muñeca está doblada (los dedos apuntan hacia el suelo). Se abate la mano directamente hacia delante e invirtiendo la muñeca en el impacto (dedos hacia arriba).

Se ataca de esta manera el rostro (nariz o barbilla, por arriba).

KI-HON

El entrenamiento para el teisho-uchi es muy importante (especialmente en la makiwara), puesto que cuanto más fuerte está la palma, más sólido es el puño.

Ejercicio 1

— Estamos en yoi.
— Desplazar el pie derecho hacia la derecha y hacer teisho-

uchi (forma 2) hacia la derecha pasando a zen-kutsu. Hacer hikite con el puño izquierdo.

— Pivotar in situ 180° (ver pág. 91) desplazando la pierna retrasada; hacer teisho-uchi (forma 2) hacia la izquierda en zen-kutsu. Hacer hikite con el puño derecho.

— Pivotar hacia la derecha, etc.

Ejercicio 2

Se está en kiba-dachi, con los codos pegados al cuerpo, los antebrazos paralelos y horizontales, los puños cerrados y en posición de tate-zuki (pulgares hacia arriba).

— In situ, bajar la mano izquierda en línea recta y hacer teisho-uchi (forma 3), con los dedos apuntando hacia arriba; al mismo tiempo, levantar la mano derecha y hacer teisho-uchi (forma 2), con los dedos apuntando hacia delante y abajo.

El brazo izquierdo está extendido hacia abajo; el codo derecho está muy flexionado. Los dos codos permanecen muy cerca del cuerpo y no superan el nivel del pecho.

— Sin moverse del sitio, bajar la mano derecha y levantar la mano izquierda para ejecutar el doble movimiento inverso.

— Etcétera.

Contraer los pectorales y los abdominales. Permanecer en kiba-dachi correcto.

Método de entrenamiento

Hay que buscar la flexibilidad de la articulación de la muñeca.

Un método excelente consiste en hacer flexiones de brazos con las manos orientadas en diferentes direcciones (ver pág. 533).

B) El reverso de la muñeca: kakuto-uchi o koken-uchi

Se golpea con el reverso de la muñeca, en la prolongación del reverso de la mano. La palma forma con la parte interna del antebrazo un ángulo agudo.

Este atemi puede ser tan peligroso para el que lo ejecuta como para el que lo recibe, puesto que la articulación es la que acusa el choque. Se utiliza sobre todo para atacar los puntos vitales del rostro.

Estudio técnico

1) *Movimiento de dentro afuera*

Se golpea horizontalmente, con el pulgar hacia arriba, contra la mandíbula o el flanco.

2) *Movimiento de fuera a dentro*

Se golpea horizontalmente, con el pulgar hacia abajo, contra la mandíbula. Esta forma de ejecución es bastante difícil.

3) *Movimiento de abajo arriba*

Se golpea directamente hacia delante y arriba, contra el bajo vientre o bajo la [illegible]. Esta técnica también se utiliza para bloquear (ver kakuto-uke).

Punto esencial para estas tres formas:

La mano debe permanecer relajada con el fin de no poner rígida la articulación antes del impacto.

KI-HON

Se repite el ejercicio 2 estudiado en el teisho-uchi, pero aquí la mano que sube ejecuta un kakuto-uchi (forma 3) mientras la otra ejecuta un teisho-uchi. No hay pues movimiento de inversión de la mano, sino simplemente un movimiento de flexión de la muñeca. Este entrenamiento es excelente para conseguir la agilización de la muñeca.

MÉTODO DE ENTRENAMIENTO

Como en el teisho-uchi, se ejecutan las flexiones colocando el reverso de la mano en el suelo (dedos hacia dentro); (ver página 533).

C) LA BASE DE LA MUÑECA: SEIRYUTO-UCHI

La superficie golpeadora es la base del shuto, en donde empieza la muñeca, la cual está doblada al máximo; la mano y el antebrazo se mantienen en el mismo plano (dedos hacia arriba), ver foto 6.

Los golpes se propinan como en shuto-uchi (ver esta técnica).

1) *De fuera adentro.*

2) *De dentro afuera.*

3) *De arriba abajo.* Esta forma también se utiliza para bloquear (ver seiryuto-uke; foto 130).

4) *Directamente hacia delante* (como en el tsuki).

5) *De abajo arriba.*

Este golpe puede ocasionar daños al que lo ejecuta sobre una superficie dura ya que, contrariamente al shuto, la superficie golpeadora es un hueso que no está protegido por ningún músculo. El ki-hon puede estudiarse como el de los movimientos similares indicados para el shuto-uchi.

D) La parte alta de la muñeca: keito-uchi

Se golpea doblando la muñeca en sentido contrario al seiryuto (ver foto 6), con la parte superior de la articulación. Esta técnica es muy poco utilizada. Los golpes se propinan como el haitouchi (ver esta técnica).

1) *De dentro afuera* (palma hacia arriba).

2) *De fuera adentro* (palma hacia abajo).

3) *De abajo arriba:* Esta forma también es muy utilizada para bloquear (ver keito-uke).

El ki-hon puede estudiarse como el de los movimientos similares indicados para el haito-uchi.

Puntos comunes esenciales para las técnicas de muñeca

Lo esencial reside en la flexibilidad de la muñeca, que sólo debe contraerse en el impacto. Todos estos ataques basados en el «latigazo» debido a la flexibilidad de la mano, se agrupan en la técnica llamada barate-uchi, que abarca desde el simple bofetón dado en la mejilla con el reverso de los dedos perfectamente relajados (muy doloroso y eficaz dado sobre la oreja), hasta las formas estudiadas anteriormente.

LAS TECNICAS DE CODO: EMPI-UCHI O HIJI-ATA

El codo es un arma muy potente en el combate cuerpo a cuerpo o a media distancia; incluso si el golpe no es muy fuerte, ocasiona en el adversario un tal quebranto que puede ser decisivo. Es el arma ideal para el karateka que no disponga de una gran fuerza física. Se puede golpear en varias direcciones:

— Hacia delante.

— De lado.
— Hacia arriba.
— Hacia abajo.
— Hacia atrás.

y de diferente manera según sea:

— La superficie golpeadora utilizada (ver pág. 104).
— La trayectoria del golpe (ciertos golpes son circulares, otros se propinan en línea recta como en un tsuki. Ver cuadro XI).

A) El golpe circular hacia delante: mae-empi-uchi o mae-hiji-ate

Estudio técnico

El codo describe un arco de círculo hacia delante. La superficie golpeadora es la extremidad del cúbito, cerca de la articulación (borde anguloso del hueso).

Ejecución de un movimiento a la derecha a nivel chudan:

— Se está en zen-kutsu a la izquierda.
— Extender la mano izquierda hacia delante, con la palma hacia abajo y hacer hikite con el puño derecho.
— Mover enérgicamente la mano izquierda al imprimir una rotación a las caderas hacia la izquierda y lanzar el codo derecho hacia delante.
— Durante el recorrido del codo, el puño derecho efectúa una

Fig. 74

FOTO 54

rotación de 180° y se coloca, con las uñas mirando al suelo, frente al pecho. El puño izquierdo hace hikite.

Aplicación

Se ataca el plexo (en un plano horizontal) o el mentón (en un plano inclinado). Este atemi sirve para defenderse en caso de que un adversario que llegue de frente venga con la intención de efectuar un agarrón con las dos manos. (Si se agarra a la cintura por delante, golpearle al rostro; incluso sin velocidad, el golpe afecta considerablemente al adversario.)

Se golpea en general a partir de zen-kutsu; la posición del pie contrario es excelente, puesto que permite una mejor rotación de las caderas (como el gyaku-zuki).

El mae-empi-uchi es el contraataque ideal cuando se está demasiado cerca del adversario para propinarle un gyaku-zuki.

Puntos esenciales

— No levantar el hombro al golpear con el fin de contraer mejor la axila y de no hacer «flotar» el codo durante el movimiento.

— Apretar los puños. Contraer los abdominales.

— El puño correspondiente al brazo que golpea se mantiene lo más cerca posible del tronco.

— El impacto tiene lugar a la altura del pecho.

— El cúbito, el húmero y el puño están sobre el mismo plano horizontal (para el ataque chudan). El codo está doblado al máximo.

— Durante la rotación del tronco el codo permanece lo más pegado posible a él.

— No inclinarse en la dirección del golpe.

Técnica derivada: Yoko-mawashi-empi-uchi
(o *yoko-mawashi-hiji-ate*)

Se golpea como en el mae-empi-uchi. Diferencias: la superficie golpeadora es la parte carnosa del antebrazo (músculo) cerca del codo.

— El arco de círculo hacia delante descrito por el codo es más amplio (figura 2) mientras que para el mae-empi-uchi se ataca lo más directamente posible.

— En el impacto, el húmero, el cúbito y el puño forman un plano casi vertical (el flanco queda muy descubierto).

— El codo se despega ampliamente del tronco durante la rotación de las caderas.

Este atemi es menos percusor que la forma directa, pero el choque ocasionado (quebranto general) es muy importante. Como la forma precedente, se ejecuta contra el rostro o, después de una esquiva, contra el flanco (foto 55).

La misma técnica se utiliza también para bloquear (ver empi-uke).

KI-HON

Ejercicio 1

Avanzar en zen-kutsu con mae-empi-uchi del mismo lado que la pierna adelantada (como el oi-zuki) o del lado contrario (como el gyaku-zuki). Mantener el tronco vertical.

Ejercicio 2

— Se está en yoi.

FIG. 75

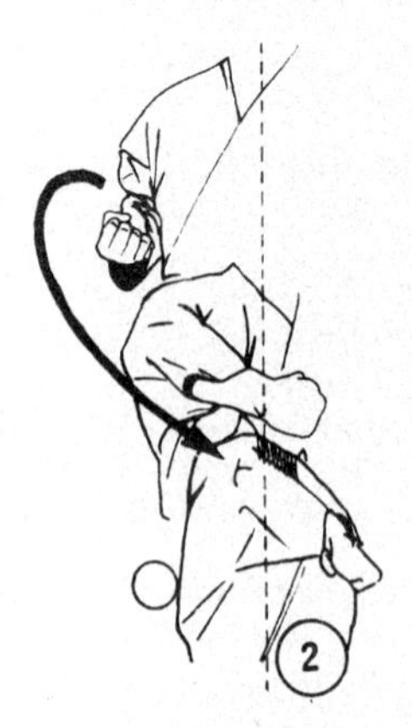

FOTO 55

— Adelantar el pie derecho en zen-kutsu y ejecutar yoko-mawashi-empi-uchi con el codo derecho golpeando en la mano izquierda (extendida verticalmente hacia delante).

— En un segúndo tiempo ejecutar un uraken-uchi derecho de arriba abajo y hacia delante haciendo girar ampliamente el antebrazo derecho alrededor del codo (en un plano vertical) fijado por la mano izquierda. Cuando el puño haya pasado por delante del rostro, la mano izquierda libera el codo y hace hikite al mismo tiempo que golpea en uraken. El busto permanece de perfil, la posición no ha cambiado.

— Volver a la postura yoi y enlazar con el movimiento a la izquierda.

B) EL GOLPE DIRECTO LATERAL: YOKO-EMPI O YOKO-HIJI-ATE

ESTUDIO TÉCNICO

Se golpea directamente con la punta del cúbito. Generalmente se golpea de lado, pero también es posible hacerlo de frente, en zen-kutsu, aunque la amplitud del movimiento sea menor.

El croquis 3 muestra (fig. 76) un golpe hacia delante después de un mae-empi-uchi (se lleva el codo hacia atrás antes de golpear en línea recta hacia delante). Se combina, pues, un golpe circular con el codo (cortante), con un golpe con la punta (penetrante).

En el estudio siguiente nos limitamos al movimiento lateral, de donde procede el nombre de la técnica (yoko = lado).

Ejecución de un movimiento a la derecha a nivel chudan

— Se está en yoi.
— Mirar hacia la derecha y cruzar los brazos: el puño izquierdo, con las uñas mirando al suelo, se coloca junto a la cadera derecha, mientras el puño derecho, con las uñas hacia arriba, viene junto al hombro izquierdo (el brazo derecho se encuentra por encima del izquierdo).
— Hacer un vigoroso hikite con el puño izquierdo mientras se golpea con el codo en línea recta mediante una rotación del puño durante el movimiento; en el impacto las uñas del puño derecho quedan mirando al suelo.

Aplicación

Se golpea contra el plexo solar o la barbilla (foto 56). Constituye un potente contraataque después del bloqueo por el interior del tsuki adverso (por ejemplo, un soto-uke y después un yoko-empi-uchi con el mismo brazo).
A veces se apoya el golpe impulsando fuertemente el puño con la palma de la otra mano, con los dedos hacia arriba, en la dirección del movimiento.

Puntos esenciales

— Sincronizar el impacto con la inmovilización de las piernas en kiba-dachi.
— El puño derecho roza ligeramente el pecho.
— El movimiento debe detenerse cuando el puño derecho se

FIG. 76

FOTO 56

coloca delante del pectoral derecho. El húmero está entonces en el plano de los hombros; si el movimiento se prosigue más lejos, la trayectoria del codo se hace curvilínea y ya no se puede golpear por el lado. Entonces se inicia la forma circular del ushiro-empi-uchi (ver esta técnica, foto 58). Actuando así, ya no se puede contraer la axila y el golpe no es tan penetrativo; esta pérdida de eficacia no viene compensada por un mayor alcance del golpe.

— Apretar los puños, doblar el codo al máximo.
— No inclinarse en la dirección del golpe.

KI-HON

Avanzar en kiba-dachi (paso doble o andando) con yoko-empi-uchi. Cruzar los brazos en la fase intermedia (cuando los pies están juntos) y sincronizar el impacto del codo con la inmovilización del cuerpo en kiba-dachi. Si se avanza con paso cruzado, es siempre el mismo codo el que golpea en la dirección del movimiento; si se avanza girando, se golpea alternativamente con cada codo.

C) EL GOLPE HACIA ATRÁS: USHIRO-EMPI-UCHI O USHIRO-HIJI-ATE

ESTUDIO TÉCNICO

1) *Golpe directo (en un plano vertical)*

Se golpea con la punta del cúbito.

Ejecución

Foto 57

Foto 58

Esta forma no es más que el hikite del puño cuando el otro hace choku-zuki. Una ejecución correcta de chuku-zuki implica pues una ejecución correcta de ushiro-empi-uchi.

En la foto 57 el codo derecho ejecuta un golpe hacia atrás mientras el codo izquierdo bloquea un ataque a nivel jodan (ver empi-uke).

Aplicación

Es un atemi para deshacerse de un agarrón por detrás (foto 15); si se es agarrado por los hombros, se baja en kiba-dachi a la vez que se golpea con el codo. En ciertas situaciones, también se puede golpear hacia atrás y arriba (bajo la barbilla): el puño entonces queda más echado hacia atrás.

Puntos que hay que vigilar

Son los mismos que en el choku-zuki, pero aquí se mira por encima del hombro. Cuidar sobre todo de mantener el hombro bajo (difícil si se golpea jodan) y de rozar ligeramente el codo contra el flanco durante el movimiento.

2) *Golpe circular (en un plano horizontal)*

La superficie golpeadora es el borde del húmero cerca del codo.

Ejecución de un movimiento a la derecha a nivel chudan

— Se está en hachiji-dachi.
— El puño izquierdo hace hikite. El puño derecho se lleva delante del plexo con las uñas hacia arriba (el codo apunta hacia la derecha). Mirar por encima del hombro derecho.
— Impulsar el codo hacia atrás efectuando una rotación del puño derecho durante el movimiento (uñas hacia el suelo).
Este movimiento se parece a un yoko-empi-uchi que se propasara de la forma correcta.

Aplicación

Como la forma directa, este golpe permite deshacerse eficazmente de un agarrón por detrás.
También se puede enlazar con un soto-uke golpeando con el mismo brazo mediante una contra-rotación de las caderas (en la foto, el codo golpea hacia atrás a la derecha, mientras las caderas giran hacia la izquierda); se llega a dar la espalda al adversario.
También se habría podido efectuar esta técnica con el codo opuesto, girando hacia la izquierda (después de haber esquivado el ataque por el interior).

Puntos esenciales

— El puño derecho se desliza ligeramente alrededor del tronco durante el movimiento.
— Los puños se mantienen apretados y el codo flexionado al máximo.
— El movimiento se detiene cuando la articulación del hombro ya no permite ir más lejos (el húmero forma un ángulo con la línea de los hombros).
— El tronco permanece vertical durante su rotación.

KI-HON

Ejercicio 1

Choku-zuki en hachiji-dachi (efectuando un enérgico hikite con el otro brazo).
Haciendo lem-zenki, se ejecutan sucesivamente y en un solo tiempo un golpe con el puño hacia delante y otro hacia atrás con el mismo brazo.

Ejercicio 2

— Se está en yoi.

— Avanzar en zen-kutsu izquierdo efectuando chudan-mae-empi-uchi izquierdo.

— In situ, hacer chudan-gyaku-zuki derecho.

— In situ: mirar por encima del hombro derecho y golpear en usiro-empi-uchi (movimento directo) con el codo derecho pivotando un poco en la misma dirección; pero permanecer en zen-kutsu. En el impacto, el pecho está en hanmi y el puño derecho tiene las uñas hacia arriba (después de su rotación de 180° sobre la trayectoria). Los dos puños están en las caderas.

— In situ: mirar hacia delante y hacer un nuevo chudan-mae-empi-uchi con el codo izquierdo, etc.

Se puede variar el ejercicio pasando, sin moverse del sitio, de zen-kutsu a ko-kutsu cuando se da el golpe hacia atrás, para volver a zen-kutsu en el momento del golpe hacia delante.

D) El golpe circular ascendente: tate-empi-uchi o tate-hiji-ate

Estudio técnico

El codo describe un arco de círculo hacia arriba en un plano vertical. La superficie golpeadora es la punta del cúbito. (Este movimiento a veces también se llama *hiji-age-uchi* o simplemente *age-empi*).

Ejecución de un movimiento a la derecha a nivel jodan

— Se está en zen-kutsu a la izquierda. El puño derecho hace hikite y la mano izquierda está extendida hacia delante, con la palma hacia el suelo. El busto queda a ¾.

— Extender el brazo izquierdo y efectuar una fuerte rotación de las caderas hacia la izquierda mientras se lleva lo más rápidamente posible el puño derecho contra la oreja derecha (uñas

Fig. 77

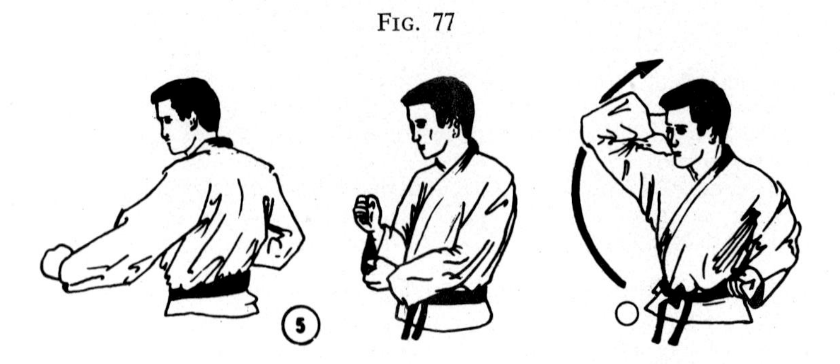

hacia el interior). El busto queda a ¾ en sentido contrario al de partida.

Aplicación

Se golpea contra la mandíbula o el plexo. El movimiento se efectúa en zen-kutsu. Es eficaz sobre todo:

— en posición de pie contrario (puesto que hay una rotación de las caderas);

— en contraataques a partir de un bloqueo efectuado en posición baja (se añade entonces a la rotación de las caderas una acción de levantamiento, impulsando las rodillas hacia arriba).

Puntos importantes

— Los puños deben estar bien apretados y el codo doblado al máximo.

— Durante la rotación, el busto permanece vertical.

— El hombro correspondiente al puño golpeador no se levanta.

— El codo se desplaza en un plano estrictamente vertical (roza ligeramente el flanco). En el impacto el puño, el cúbito y el húmero están sobre el mismo plano vertical.

— Contraer la axila.

Ki-hon

Ejercicio 1

Avanzar en zen-kutsu dando un golpe por el mismo lado de la pierna adelantada o por el lado contrario. Mantener el tronco vertical.

Ejercicio 2

Ver otoshi-empi-uchi.

E) El golpe directo hacia abajo: otoshi-empi-uchi u otoshi-empi-ate

Estudio técnico

Se golpea en línea recta, en un plano vertical, con la punta del cúbito. (Este movimiento a veces también se llama *shita-empi.*)

Ejecución de un movimiento a la derecha

— Se están en zen-kutsu a la izquierda. El puño derecho está levantado por encima de la cabeza, con las uñas hacia delante. El brazo izquierdo está extendido hacia delante.
— Hacer hikite con el puño izquierdo y bajar el codo con fuerza, imprimiendo una rotación al puño (uñas hacia el rostro). Durante el movimiento, flexionar las rodillas y, sin mover los pies, pasar a fudo-dachi: se añade cierta fuerza al golpe.

Aplicación

Por definición, el blanco del golpe debe encontrarse en un lugar bajo. Esta técnica es interesante:

- si el adversario está desequilibrado hacia delante (foto 59);
- si se nos echa a los pies;
- si ha sido proyectado (se le golpea en el suelo).

Puntos esenciales

— El busto permanece vertical o muy ligeramente inclinado hacia delante.
— Hay que ejecutar esta técnica golpeando con todo el cuerpo (se acompaña al movimiento bajando a una posición baja: fudo-dachi o kiba-dachi).
— El antebrazo permanece vertical; los puños bien apretados.
— Se golpea hacia delante, en el eje medianero del cuerpo.

KI-HON

— Se está en hachiji-dachi.

FIG. 78

FOTO 59

— Hacer un tate-empi-uchi derecho «in situ» y un hikite con el puño izquierdo.

— Separando los pies (siempre «in situ») bajar a kiba-dachi y golpear otoshi-empi-uchi con el mismo codo.

— Elevar el nivel al acercar los pies (volver a adoptar la postura hachiji-dachi) para efectuar un tate-empi-uchi izquierdo y un hikite con el puño derecho.

— Bajar en kiba-dachi ejecutando un otoshi-empi-uchi con el mismo codo, etc.

Hay que golpear con todo el cuerpo y contraer los abdominales. Esta sucesión se ha sacado de un ejercicio llamado roppo-empi-ate-no-kata en el que se propinan, «in situ», todas las formas de golpes con el codo por los dos lados.

PUNTOS COMUNES ESENCIALES PARA LOS GOLPES CON EL CODO

— Estas técnicas sólo son verdaderamente potentes si el adversario está muy lejos. Hay que evitar buscar un mayor alcance inclinando el busto.

— Las caderas participan siempre en el movimiento.

— Los hombros permanecen «sueltos».

— El puño se cierra en el impacto (los músculos de los brazos se contraen mejor) y lo más cerca posible del bíceps. Efectúa una rotación en el curso de su trayectoria.

— Todas estas técnicas pueden constituir unos potentes y dolorosos bloqueos para el adversario (ver empi-uke).

Cuadro 12. — KERI-WAZA (golpes con el pie)

A- CON UNA PIERNA APOYADA

	DIRECTO HACIA DELANTE	LATERAL	DIRECTO CIRCULAR HACIA ATRAS	CIRCULAR			CIRCULAR HACIA DELANTE
				DE FUERA A DENTRO	DE DENTRO A FUERA	HACIA ATRAS	
FORMAS BASICAS	MAE-GERI	YOKO-GERI	USHIRO-GERI	MAWASHI-GERI	GYAKU MAWASHI-GERI	USHIRO MAWASHI-GERI	MIKAZUKI-GERI
FORMAS DERIVADAS	MAE-GERI-KEAGE	YOKO-GERI-KEAGE (KEBANASHI)	USHIRO-GERI-KEAGE	O-MAWASHI-GERI			
	MAE-GERI-KEKOMI	YOKO-GERI-KEKOMI	USHIRO-GERI-KEKOMI	KO-MAWASHI-GERI		USHIRO-KASUMI-GERI	
	KIN-GERI		USHIRO-KAKE-GERI				
	MAE-SOKUTO-GERI	SOKUTO					
	GEDAN-GERI						
	KAKATO-GERI	FUMIKIRI					
	MAE-FUMIKOMI	YOKO-FUMIKOMI	FUMIKOMI				

B- SIN PIERNA APOYADA

	DIRECTO SALTANDO	LATERAL SALTANDO	CIRCULAR SALTANDO
FORMAS BASICAS	MAE-TOBI-GERI NIDAN-GERI	YOKO-TOBI-GERI	MAWASHI-TOBI-GERI

C- RODILLAS

DIRECTO	CIRCULAR
HITTSUI-GERI	HITTSUI-GERI

Cadà técnica puede ejecutarse:

— in situ: ya sea con el pie adelantado (mae-ashi-geri)
ya sea con el pie retrasado (ushiro-ashi-geri)

— avanzando: ya sea en sucesión
ya sea mediante un paso añadido (surikonde)
ya sea mediante un paso doble (tobikonde).

III. — TECNICAS DE PIERNAS (KERI-WAZA)

Las técnicas de piernas forman un capítulo esencial en el entrenamiento del karate. Los pies constituyen un arma fuerte, rápida y de gran alcance. Un solo golpe con el pie propinado con maestría puede derribar al adversario más fuerte. Combinadas con las técnicas de los miembros superiores, las de los miembros inferiores ofrecen numerosas posibilidades de ataque y contraataque.

Un mismo golpe con el pie puede ejecutarse con el que se halla adelantado o con el retrasado, sin moverse o bien avanzando o retrocediendo, girando o saltando. Las formas básicas que deben estudiarse en primer lugar y profundizarse seriamente, son relativamente poco numerosas:

— Mae-geri (golpe hacia delante).
— Yoko-geri (golpe hacia el lado).
— Ushiro-geri (golpe hacia atrás).
— Mawashi-geri (en forma de latigazo circular).

Estas constituyen las únicas técnicas que deberá estudiar el principiante durante numerosos meses. Su dominio exige un trabajo constante, todavía más difícil que el exigido por las técnicas de mano. Luego podrán emprenderse las otras formas, así como los golpes derivados. El cuadro 3 agrupa las diferentes técnicas.

Nota. — Deberán leerse de nuevo los principios básicos analizados en «Factores de eficacia de los golpes con los pies», pág. 127 y las diferencias entre las formas keage y kekomi.

El croquis indica las direcciones de los ataques «in situ» a partir de una posición de combate (fudo-dachi) sin tener que cambiar la orientación de la línea de los hombros.

— Hacia delante (mae):

● Con el pie adelantado: mawashi-geri (1), mae-geri (2), gyaku-mawashi (3).

● Con el pie retrasado: mae-geri (4), gyaku-mawashi-geri (5), mawashi-geri o mikazuki-geri (6).

— Hacia el lado (yoko):

● Con el pie adelantado: yoko-geri o sokuto (12).

● Con el pie retrasado: yoko-geri o sokuto (7).

— Hacia atrás (ushiro):

● Con el pie adelantado: ushiro-geri (10), ushiro-mawashi (11).

● Con el pie retrasado: ushiro-geri (9), ushiro-mawashi (8).

Se nos presentan otras posibilidades cuando pivotamos sobre la pierna apoyada (por ejemplo sokuto hacia delante o ushiro hacia el lado, etc.); en la pág. 280 se tratan todas las posibilidades para hacer ushiro-geri a partir de la misma posición.

Y finalmente, podemos golpear, con el pie adelantado o retrasado, saltando (tobi-geri), efectuando un paso cruzado deslizado, etc. Un golpe dado con el pie retrasado es más potente, pero al ser relativamente más lento, también es más fácil de esquivar; se puede aumentar la potencia del golpe, aunque conservando el efecto de sorpresa del mismo, haciendo surikonde o tobikonde-geri.

Un excelente entrenamiento (o precalentamiento) consiste en

FIG. 79

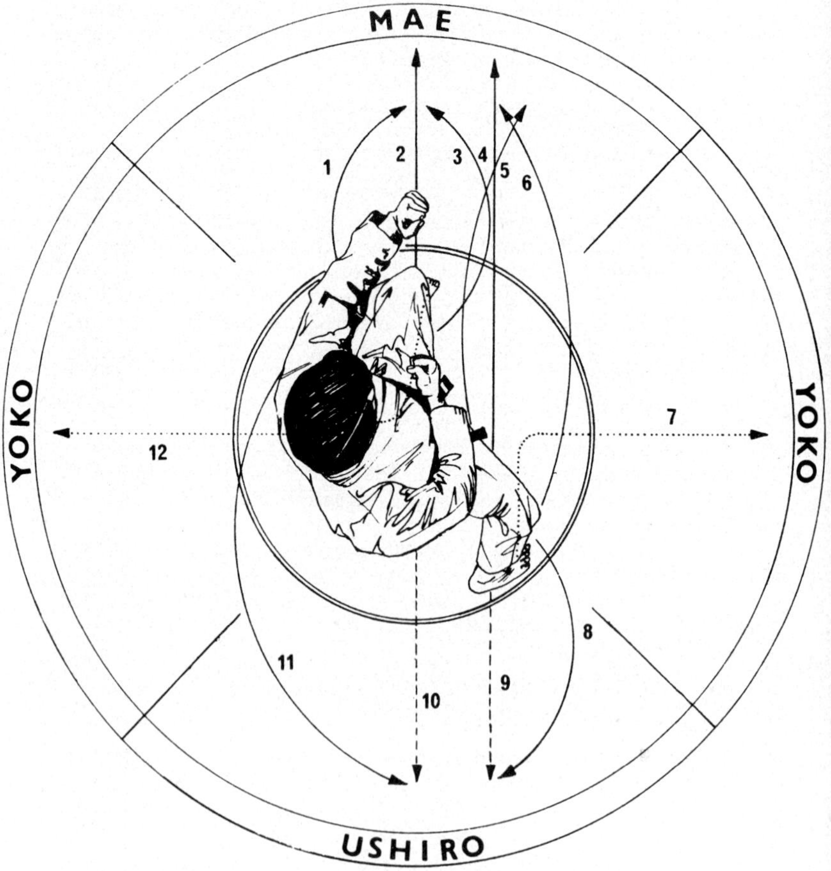

Fig. 80

colocarse en la posición del croquis y ejecutar todos los golpes indicados, por orden, antes de cambiar de postura y efectuarlos por el otro lado.

A) Golpe directo de frente con el pie: mae-geri

Estudio técnico

Es el golpe más natural y más fácil de ejecutar. Se golpea directamente hacia delante con la bola del pie o, en ciertos casos, con el dorso del pie, el talón o incluso los dedos (ver pág. 105); esta última forma, sin embargo, debe desaconsejarse completamente a los principiantes porque sería para ellos motivo de dolor y de ineficacia.

El mae-geri puede practicarse en keage o en kekomi.

1) *Golpe directo con la punta del pie (ascendiendo): mae-geri-keage*

La superficie golpeadora describe un arco de círculo de abajo arriba alrededor de la rodilla y en un plano vertical que pasa por el centro del cuerpo. Se golpea con la idea de dar un golpe hacia arriba (ver foto 24).

Ejecución de un movimiento a la derecha a nivel chudan

— Se ha adoptado la postura preparatoria para el golpe con

el pie (fig. 80): la rodilla derecha está levantada a la altura del abdomen, la tibia vertical, el tobillo flexionado y los dedos levantados (si se desea golpear con el reverso del pie, éste debe mantenerse en la prolongación de la tibia). El conjunto de la pierna derecha se encuentra en un plano vertical medianero del cuerpo (protección del bajo vientre). Con el fin de no contraer la pierna no echar el talón hacia atrás; en esta fase, aquélla debe estar completamente relajada. La pierna apoyada queda ligeramente flexionada, el busto vertical y los hombros relajados.

— Impulsar con fuerza y rapidez el pie alrededor de la rodilla; mantenerse estable; los dedos del pie apoyados apuntan hacia delante.

— Volver inmediatamente el pie a su posición inicial. Hay que estar preparados para volver a golpear con el mismo pie sin previo apoyo del mismo.

NOTA. — Se golpea de la misma manera gedan o jodan después de haber elevado la rodilla más arriba (foto 60).

La figura 81 muestra la postura preparatoria que deben adoptar los karatekas avanzados: la novedad reside en la disposición de los brazos; el puño retrasado protege al plexo mientras el brazo adelantado, flexionado, apunta hacia el adversario. Esta protección se adopta después del cambio de guardia (ver kihon, 1); de esta manera se queda cubierto, no ofreciendo al adversario más que unas pocas posibilidades de ataque contra un flanco bien protegido (flecha rayada). Durante la fracción de segundo que debe durar el golpe con el pie propiamente dicho, se puede ya sea mantener la guardia o bien echar rápidamente el

FIG. 81

FOTO 60

brazo hacia atrás y hacia abajo para añadir cierta fuerza al golpe; el pecho en hanmi, sólo queda descubierto en el instante de propinar el golpe, puesto que el brazo vuelve a su posición al mismo tiempo que el pie vuelve hacia atrás. La misma posición puede ser conveniente para ejecutar mawashi-geri con el pie adelantado (ver esta técnica). Notar la solidez de la posición (vertical que pasa por la punta del pie).

Aplicación

El golpe se da según el mismo principio del uppercut: será ineficaz si se propina contra una superficie vertical (no hace más que rozar al adversario, lo cual no tiene consecuencias para él si mantiene su busto vertical, por ejemplo, después de un oi-zuki); pero constituye un ataque eficaz si toca el mentón (foto 60) o, si se es menos ágil, el bajo vientre. Aparecen más posibilidades de impacto en cuanto el adversario se inclina hacia delante, aunque sea ligeramente (por ejemplo, si se deja llevar por su impulso).

También puede propinarse un mae-geri por debajo del antebrazo de un adversario con el fin de hacerle saltar su guardia hacia arriba, y permitir colocar otro golpe sobre alguno de sus puntos vitales; vale más golpear con el dorso del pie para evitar dañarse los dedos.

Adaptación

La misma técnica puede ejecutarse lateralmente, sobre el plano vertical que contiene la línea de los hombros (foto 61). El pie apoyado forma un ángulo de 90° con la dirección del golpe. El pecho queda de perfil con respecto al adversario.

Esta forma de golpe lateral, propia de la escuela Wado-ryu, se llama yoko-geri (golpe lateral con el pie). Se notará que la forma es diferente del yoko-geri de la escuela Shotokan, descrito más adelante.

Variantes

Ciertos expertos hacen mae-geri sin mantenerse de frente; durante el golpe, el pie apoyado se abre un poco hacia el exterior; la rodilla de la pierna apoyada gira en la misma dirección; esto facilita la rotación de las caderas en el momento en que el pie retrasado pasa hacia delante para golpear; el pecho se encuentra entonces en hanmi (ver ki-hon, 1). En este caso, la fuerza de rotación se suma a la fuerza de traslación de las caderas hacia delante.

Técnicas derivadas

— *Kin-geri* (croquis adjunto): se golpea en keage con la parte superior del tobillo (haisoku). El golpe apunta hacia el bajo vientre y es particularmente eficaz; hay que golpear con toda la superficie del dorso del pie y no únicamente con la parte superior de los dedos (se ha de vigilar la distancia).

— *Mae-sokuto-geri:* Se golpea hacia delante con el filo externo

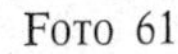

FOTO 61

FIG. 82

del pie. Hay que girar el tobillo hasta que el filo del pie quede paralelo al suelo (ver fig. 93-B). La técnica es interesante, puesto que permite golpear contra el flanco del adversario (el movimiento de abajo arriba puede romper alguna costilla o cortar la respiración) o desviar un ataque de puño hacia arriba (se golpea bajo el brazo como con yoko-geri-keage, ver esta técnica).

Cuidado: hay que permanecer de frente al golpear (pecho de frente, dedos de los pies y rodilla de la pierna apoyada dirigidos hacia delante), lo que resulta bastante difícil a causa de la tensión de las articulaciones de la cadera y de la rodilla. La ventaja es la de poder enlazar en seguida con otra técnica en la misma dirección (a partir de yoko-geri-keage, que se consigue al girarse de perfil, esta sucesión es siempre más larga debido a la rotación del busto hacia delante después del golpe con el pie).

2) *El golpe directo con la planta (penetrante): mae-geri-kekomi*

La superficie golpeadora describe un arco de círculo de abajo arriba (cuando la rodilla se eleva) y luego una línea lo más recta posible hacia el blanco (al extenderse la pierna); frecuentemente se golpea con la bola del pie (o con la parte delantera de los dedos —cuando son muy fuertes—, y si el blanco es una parte muy sensible: plexo o testículos por ejemplo).

Se golpea con la idea de hundir (ver foto 25).

Ejecución de un movimiento a la derecha a nivel chudan

— El tiempo requerido para colocarse en posición preparatoria es el mismo que el del keage, pero ahora la rodilla derecha está pegada al máximo contra el pecho (talón a la altura del bajo-vientre).

— Extender rápidamente y con fuerza el pie en línea recta, impulsando las caderas hacia delante y «bloqueando» los abdominales (kime). Los dedos del pie apoyado apuntan hacia delante.

— Llevar el pie a su posición inicial. Estar preparados a golpear otra vez con el mismo pie sin haberlo apoyado en el suelo previamente.

NOTA. — Se golpea de la misma manera a nivel gedan; movimiento por otra parte más fácil por el que deben empezar los principiantes (levantar muy alto la rodilla y golpear oblicuamente hacia abajo) puesto que permite comprender mucho mejor la diferencia de ejecución entre el keage y el kekomi a la vez que permite hacerse una mejor idea del kime.

No hay que golpear más alto de chudan; a partir de la horizontal, el golpe evolucionaría siempre a keage; el límite hacia el golpe en línea recta viene impuesto por la altura inicial de la rodilla, puesto que el golpe siempre va a parar un poco más abajo que ésta (ver foto 25: se ve la rodilla más alta que el punto de impacto con motivo del impulso de las caderas hacia delante, diferencia esencial con el keage). Para subir más arriba conservando la trayectoria directa, habría que inclinar exageradamente el busto hacia atrás, lo que equivaldría a comprometer el equi-

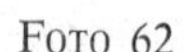
FOTO 62

FIG. 83

librio y reducir la velocidad de un empalme eventual con una técnica de puño.

Hay que evitar golpear, pues, más arriba del plexo. El golpe más potente es el que tiene una trayectoria ligeramente descendente (se trata pues de entrenarse a levantar la rodilla lo más alto posible).

Aplicación

Se atacan esencialmente los puntos vitales del nivel chudan (hígado, abdomen, plexo). Apuntando al flanco correspondiente a la pierna adelantada, se está seguro de tocar incluso si el adversario esconde su pecho.

A nivel gedan, el ataque en keage conviene mejor con motivo de su mayor velocidad de ejecución (ver «puntos esenciales»).

Adaptación y variantes

Son las mismas que para la forma en keage.

Técnicas derivadas

— *Mae-kakato-geri* (croquis adjunto): se golpea con el talón el tobillo flexionado al máximo. El entrenamiento a nivel gedan es excelente para los principiantes, puesto que les obliga a trabajar el golpe con las caderas. Observar las posiciones de la rodilla y la trayectoria directa del talón. A nivel chudan, el golpe apunta al estómago (a este nivel también constituye un magnífico golpe de parada; ver uke-waza).

— *Mae-sokotu-geri:* Ejecutado bajo la forma kekomi es también un buen golpe de parada, que permite enlazar con otras técnicas sin pérdida de tiempo. El movimiento, no obstante, es todavía más difícil de realizar que su forma keage puesto que hay que impulsar las caderas hacia delante. Hay que preferir el golpe de parada en kakato-geri o incluso de perfil, en yoko-geri-kekomi (ver esta técnica).

— *Fumikomi:* Es un golpe con el pie, aplastando, propinado contra los dedos o el tobillo y utilizado en los combates de cerca. Se golpea siempre de arriba abajo, a pocos centímetros del suelo, después de haber levantado muy alto la rodilla (ver el croquis que ilustra el kakato-geri). Hay que golpear con toda la fuerza de las caderas, conservando el busto erguido y el cuerpo bien estable para poder amortiguar el golpe de rebote (que debe absorberse hacia arriba). Se golpea hacia delante, por el lado o atrás: el fumikomi parecerá pues respectivamente un mae-geri-kekomi, un yoko-geri-kekomi o un ushiro-geri-kekomi ejecutados muy bajos (se golpea siempre por debajo del nivel de la rodilla).

En el fumikomi hacia delante se golpea con el talón (se trata, pues de un mae-kakato-geri) contra los dedos de los pies, el tobillo, o la base de la tibia del adversario; se golpea de la misma manera con el filo exterior del pie girando el tobillo (por consiguiente se trata de un mae-sokuto-geri muy bajo).

— *Gedan-geri:* Es un golpe bajo muy eficaz a media distancia. Con los dedos girados hacia el interior, se golpea con el filo interno del pie; la pierna pasa de atrás hacia delante, manteniéndose rígida (no se levanta la rodilla). Por consiguiente, el golpe

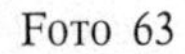
FOTO 63

FOTO 64

es directo (la trayectoria es una línea recta), rápido, imprevisible debido a su distancia.

Al golpear, no hay que inclinarse hacia atrás ni descubrir la guardia (foto 63). La pierna está contraída, formando un bloque.

Este golpe, muy difícil de detener, ocasiona un vivo dolor en la tibia y aunque no sea decisivo, el adversario distraerá su atención por lo que será posible enlazar con otra técnica a distinto nivel (por ejemplo mawashi-geri, fotos 189, 190).

Si en el impacto el golpe está bien apoyado, es una variante del fumikomi hacia delante, capaz de romper la tibia o al menos de provocar la caída del adversario (ver uke-waza, técnica de proyección).

La misma técnica se utiliza como golpe de detención; se trata entonces de una forma de sokutei-mawashi-uke (ver esta técnica).

PUNTOS ESENCIALES PARA EL KEAGE Y EL KEKOMI

— Cuanto más hacia delante apunten el pie y la rodilla de la pierna apoyada, mejor tendrá lugar la contracción de los músculos del muslo y del abdomen. La amortiguación del choque de rebote será mucho mejor. Vale más empezar a dominar la forma más directa posible (busto de perfil) antes de girar sobre la pierna apoyada (ver ki-hon).

— La pierna apoyada es la que proporciona toda la fuerza al golpe; para los principiantes, pues, es esencial no levantar el talón (tendencia natural en el keage) ni «derrapar» durante el golpe; el punto de apoyo no existiría y el rebote de la onda de choque hacia delante no podría tener lugar con la suficiente fuerza.

El experto, por el contrario, golpea a veces en kekomi (golpe largo) levantando el talón en el momento del impacto con el fin de conseguir un mejor kime mediante esta reacción suplementaria hacia delante; el punto de apoyo se limita entonces a la bola del pie, la cual debe mantenerse firme en el suelo.

Importante: La manera de actuar es sin embargo diferente de la del principiante, que siempre tiene algún defecto; puesto que el centro de gravedad no se eleva tanto como cuando uno se alza sobre las puntas de los pies; por el contrario, queda desfasado en la dirección del golpe, no siendo la elevación del talón más que su consecuencia natural, de ahí una mejor penetración. Este aspecto es muy difícil de captar para el principiante. Este desequilibrio voluntario da una particular eficacia al golpe (croquis 5 de la fig. 84) aunque también cierta peligrosidad para el que lo ejecuta si el adversario bloquea (el golpe, por ejemplo, es válido después de un encadenamiento que haya hecho descubrir al adversario); después del impacto, se apoya el pie y se acerca algo el pie retrasado en la misma dirección (se consigue así una posición con una abertura clásica que permita volver a colocar el talón de la pierna retrasada en el suelo).

— Si uno intenta enderezarse extendiendo la pierna apoyada durante el golpe, toda la fuerza ya no está correctamente canalizada hacia delante y el centro de gravedad sube; las caderas ya no pueden participar en el movimiento.

— Si, por el contrario, se dobla la rodilla de la pierna apoyada, el golpe es demasiado bajo y se hace muy difícil para la articulación soportar su peso (por lo que el equilibrio es muy difícil); el alcance es más reducido y las caderas ya no pueden impulsar hacia delante para el kekomi.

En la posición ideal, pasa una vertical por la rodilla y la punta de los dedos del pie.

— Hay que impulsar las caderas en la dirección del golpe, sobre todo para el kekomi.

— La espalda debe mantenerse arqueada y la cabeza erguida; en el caso contrario, el kime es peor, el alcance menor y la cabeza, demasiado adelantada, corre el peligro de un contraataque por parte del adversario.

— Antes de golpear hay que levantar la rodilla y no hacerlo

como si se tratara de darle a un balón (excepto para el gedangeri); las dos rodillas se rozan (especialmente para no dejar descubierto el bajo vientre). Ciertas escuelas golpean lo más directamente posible, reduciendo al mínimo el tiempo de preparación (ver pág. 493, técnica shukokai), pero el pie pasa siempre como mínimo a la altura de la rodilla de la pierna apoyada.

De todas maneras, el entrenamiento tiene como finalidad obtener un movimiento continuo, no entrecortado, en el que las dos fuerzas (lanzamiento de la rodilla y extensión) se añaden al golpe rígido.

— Hay que golpear en un plano vertical medianero del propio cuerpo (foto 64: keage).

— Al golpear, la faja abdominal debe estar contraída al máximo; si no está bien firme, es imposible transmitir al pie la fuerza del resto del cuerpo. Es, además, un punto vulnerable en caso de bloqueo o de contraataque instantáneo del adversario.

— En el impacto, la pierna se pone rígida (rodilla bloqueada) en un mae-geri largo, pero la articulación permanece ligeramente flexionada en un mae-geri corto. La rodilla bloqueada permite una mejor contracción de la pierna y un kime real (hay que cuidar, pues, de efectuar un precalentamiento previo de la rodilla para evitar perjudicar la articulación).

— Después del impacto, no hay que apoyar el pie sin antes haber llevado la pierna hacia atrás, con la rodilla doblada (se aconseja a los principiantes adoptar la posición preparatoria); todo ello para permitir golpear otra vez con el mismo pie y recuperar la estabilidad evitando que el pie pueda ser agarrado por un adversario más rápido. Si el retorno del pie a su posición inicial es imperativo para los principiantes, puede, sin embargo, ser omitido en parte por los karatekas adelantados. Este retorno siempre tiene lugar, pero su importancia es función de la distancia con relación al adversario y de la posición adoptada (si se avanza rápidamente en zen-kutsu, es imposible volver el pie a su primitiva situación con motivo del desequilibrio hacia delante); también depende de la fuerza del golpe (en un kekomi, el kime un poco más apoyado echa al cuerpo hacia delante sobre todo teniendo en cuenta que las caderas empujan en la misma dirección) y de la naturaleza de la técnica siguiente (si se quiere avanzar hacia el adversario, se coloca un pie delante), etc.

De todas maneras, no conviene mover el pie con fuerza voluntariamente (ver pág. 127, «factores de eficacia de los golpes con el pie»).

— La posición del cuerpo antes de la extensión de la pierna:

1. Es una posición preparatoria muy estable, pero demasiado vertical. En esta posición podrá efectuarse el entrenamiento básico para los principiantes. Es interesante también para el kea-

ge (4), pero no para el kekomi en el que las caderas deben estar en una mayor tensión en la dirección del golpe.

2. Esta posición debe proscribirse. El centro de gravedad queda muy desplazado hacia delante, originando una pérdida de equilibrio demasiado importante. El pie adelantado no podrá propinar un golpe correcto, puesto que deberá apoyarse prematuramente; una vez apoyado, le será difícil evitar el «barrido» ya que soporta un peso demasiado grande; finalmente, la cabeza hacia delante puede muy bien ser objeto de un contraataque.

3. Es la posición correcta para las dos formas de golpe con el pie hacia delante; es particularmente interesante para el kekomi (5). El centro de gravedad queda desfasado hacia delante, pero es posible un buen equilibrio ya que el busto se mantiene vertical y la cabeza erguida; las caderas impulsan hacia delante. Ya es una postura «comprometida» hacia delante (mientras que en la 1, el golpe podía darse en cualquier dirección), pero el hecho de que el busto se mantenga firme permite dominar la situación y reaccionar en caso de bloqueo (siguiendo con el puño, por ejemplo). Esto es imposible en la posición 2.

Notar que en el croquis 5 de la figura 84 el hecho de levantar el talón (ver más arriba) desplazaría todavía más el centro de gravedad hacia delante (las caderas permanecen al mismo nivel), lo que provocaría una pérdida de equilibrio, pero permitiendo una mejor penetración.

KI-HON

Golpe de pie hacia atrás con desplazamiento (ushiro-ashi-geri)

Los principiantes se entrenarán a hacer mae-geri avanzando en zen-kutsu, con las manos en las caderas. El movimiento será primero en kekomi, impulsando con las manos las caderas hacia delante (nivel gedan y luego chudan). Las caderas deben permanecer bajas, siempre al mismo nivel; el pie debe volver siempre a su posición primitiva, como en el estudio básico, antes de colocarlo hacia delante en zen-kutsu inverso.

El estudio del keage, más delicado debido a una natural ten-

FIG. 84

dencia del cuerpo a elevarse (de ahí el problema de la estabilidad), se hará en una segunda fase.
El busto permanece vertical y el abdomen contraído en el impacto.

Nota. — También es interesante dejar caer los brazos con naturalidad (los puños cerrados); juegan un papel de «péndulo» muy útil para la estabilidad de los principiantes (especialmente para el keage) puesto que fuerzan a los hombros hacia abajo.
Se alternan los movimientos a la derecha y a la izquierda.
La ejecución tiene lugar en cuatro tiempos: elevar la rodilla (1), golpear con fuerza (2), volver a la posición preparatoria (3), colocar el pie en zen-kutsu inverso (4).

— Los karatekas adelantados ejecutan el keage o el kekomi con un cambio de guardia (fig. 84, croquis 1).
El alumno se coloca en fudo-dachi o en hidari-hanmi-kamae. El puño se sitúa a la altura del plexo (pero no se pega contra el pecho), con el codo junto al cuerpo, mientras el puño adelantado se dirige hacia el adversario, con el pulgar hacia arriba (el brazo está flexionado y el codo ligeramente despegado del flanco).
La escuela Wado-ryu efectúa el desplazamiento de la manera siguiente: abrir el pie adelantado hacia fuera y girar las caderas de manera que la retrasada vaya hacia delante; *intervenir al mismo tiempo la disposición de los brazos* (el cuerpo queda así protegido durante el golpe que sigue); esta rotación «in situ» puede no ser más que una finta que obligue al adversario a reaccionar y a descubrirse; a condición de enlazar inmediatamente con el golpe de pie, se puede así abrir un hueco en su defensa (en esta fase, según la situación, se puede ejecutar indiferentemente mae-geri-sokuto o mawashi-geri). En un segundo tiempo golpear mae-geri dejando los codos pegados al cuerpo y la guardia bien protegida (el pie y la rodilla de la pierna apoyada están ligeramente dirigidos hacia el exterior). Colocar el pie hacia delante después de haberlo traído un poco hacia su posición inicial. El alumno se encuentra ahora en la posición inversa de la inicial. Hay que entrenarse a enlazar en un solo tiempo la rotación y el golpe con el pie. De la misma manera se puede avanzar en ko-kutsu (menor alcance y reacción del cuerpo hacia delante menor).
También se puede hacer mae-geri directamente a partir de la postura hidari-hanmi-kamae; sin efectuar ninguna rotación, se lanza la pierna hacia delante; el cambio de guardia interviene solamente en el momento de apoyar el pie en el suelo (la ventaja, entonces, es que puede transformarse en un golpe de puño; se conseguiría, pues, el encadenamiento directo mae-geri-oi-zuki que constituye un excelente entrenamiento, puesto que los prin-

cipios de ambas técnicas se parecen). Son posibles otras variantes de estas formas básicas: la más interesante consiste en extender con fuerza los puños hacia abajo y atrás en el momento del impacto, lo que despeja totalmente el pecho y permite un mejor quime (fuerte reacción hacia delante). Hay que volver a colocarse en guardia en cuanto la rodilla inicia su movimiento de resorte; el pecho no queda descubierto más que durante la fracción de segundo que dura el golpe propiamente dicho.

Nota. — Se golpea de la misma forma volviendo a la posición inicial (colocar el pie hacia atrás). La tensión de la rodilla adelantada (que viene a ser la de la pierna apoyada) debe mantenerse a lo largo de todo el ejercicio.

Fig. 85

Golpe hacia delante con el pie (mae-ashi-geri)

1. *In situ* (fig. 85, croquis 2): Se golpea llevando el pie hacia delante; el pie reposa en el mismo sitio después de describir la trayectoria inversa. Se requiere una gran velocidad de ejecución con el fin de no llevar al centro de gravedad demasiado hacia atrás (el pie retrasado soporta todo el peso del cuerpo) y de quedar inclinado hacia el adversario; esta técnica se dirige sobre todo a los karatekas adelantados. El movimiento a partir de zenkutsu es difícil (puesto que se debe mantener la pierna retrasada extendida hacia delante durante el golpe, por lo que se requiere una gran velocidad para mantener el equilibrio). A partir de neko-ashi, por el contrario, el movimiento es fácil (la totalidad del peso del cuerpo reposa ya sobre la pierna retrasada). Esta técnica puede ejecutarse también en ko-kutsu (croquis), pero hay que cuidar de mantener la rodilla retrasada en tensión hacia fuera y conservar el pecho en hanmi (esta forma se acerca al yoko-geri de la escuela Wado-ryu).

En todos los casos, la pierna retrasada, idealmente, no debe moverse, ni permanecer bajo tensión (no elevar las caderas); el busto se mantiene vertical. Se golpea con la bola del pie, o con la parte superior del tobillo (para el kin-geri). El golpe en keage es más fácil porque es más rápido.

NOTA. — Un excelente encadenamiento consiste en hacer seguir un oi-zuki de un rápido golpe con el pie adelantado (o sea, por el mismo lado) sin mover la parte superior del cuerpo.

2. *Desplazándose* (croquis 3 de la fig. 85): Se avanza más o menos hacia el adversario, golpeando con la pierna adelantada: mediante un paso añadido *(surikonde-mae-geri)* o un paso doble saltado (*tobikonde-mae-geri:* croquis 3 de la fig. 85).

Se avanza golpeando siempre por el mismo lado. La guardia no se invierte.

MÉTODOS DE ENTRENAMIENTO

1) *Para la agilidad de la rodilla:*

— De pie sobre una pierna, apretar con el brazo la rodilla contra el pecho; debe llegar hasta la altura del hombro y el talón hasta el bajo vientre. Mantenerse erguidos sin inclinarse hacia delante.

— A partir de heisoku-dachi, propinar ágilmente y en una sola fase una decena de keages a la derecha y luego una decena a la izquierda, lo más alto posible sin despegar el talón de la pierna apoyada. Cuidar sobre todo de lanzar la rodilla hacia arriba. Mantenerse flexibles (sin kime).

— A partir de zen-kutsu, golpear con el pie retrasado pasando por encima de un obstáculo (una cuerda, por ejemplo) colocado contra la pierna adelantada a una altura de la mitad de la tibia (entrenamiento para aprender a golpear levantando la rodilla).

2) *Para el kime:*

— Golpear en kekomi lo más bajo posible (trayectoria oblicua) y luego progresivamente hacia arriba hasta una trayectoria horizontal.

— Bloquear con fuerza la rodilla en el impacto, sin preocuparse por el regreso de la pierna (incluso si éste se hace totalmente imposible a causa de una contracción demasiado prolongada). Golpear a fondo como para hundir una plancha colocada en frente. Es perjudicial golpear alto.

— A partir de una postura de combate, llevar la rodilla retrasada ágilmente y sin prisas hacia delante; solamente en un segundo tiempo golpear con toda la fuerza; de esta manera será posible concentrarse mayormente en la extensión de la pierna.

3) *Para la estabilidad:*

— Golpear varias veces seguidas con el mismo pie sin apoyarlo en el suelo durante los intervalos (la rodilla debe mantenerse muy elevada).

— Después de cada golpe, girar un cuarto de vuelta sobre la pierna apoyada y golpear en la nueva dirección sin haber bajado el nivel de la rodilla.

— Sobre un solo pie, empalmar un mae-geri con otros golpes, pasando cada vez por la posición inicial y sin bajar la rodilla.

4) *Para la precisión:*

— Golpear en keage bajo la mano extendida, con la palma hacia el suelo, a nivel chudan de un adversario. Seguir al adversario en su desplazamiento y golpearlo en su mano móvil.

5) *Para la musculación de la pierna:*

Efectuar un mae-geri-kekomi a nivel chudan, con la pierna rígida, los dedos de los pies hacia arriba y pierna apoyada flexionada; permanecer en esta posición el mayor tiempo posible.

B) Golpe lateral con el pie: yoko-geri

FIG. 86

ESTUDIO TÉCNICO

Se golpea de lado con el talón o con el canto externo del pie: el pecho queda de perfil respecto al adversario. El golpe se da «in situ» (a partir de kiba-dachi lo más a menudo) o después de una rotación sobre la pierna apoyada, llevando al cuerpo de perfil sobre la línea de ataque.

Ya no vamos a tratar del yoko-geri de la escuela Wado-ryu (pág. 246), que es la forma antigua de este golpe lateral con el pie.

1) *Golpe lateral con la punta del pie: yoko-geri-keage (o kebanashi)*

La superficie golpeadora (canto del pie) describe un arco de círculo de abajo arriba alrededor de la rodilla, en el plano vertical que contiene la línea de los hombros (croquis 1 de la fig. 86).

Idealmente, como en el mae-geri-keage, el pivote (rodilla) se mantiene fijo, mientras el pie golpea con un efecto de «látigo».

Se golpea con la idea de causar una percusión hacia arriba.

Ejecución de un movimiento a la derecha a nivel chudan

— La posición preparatoria se parece a la del mae-geri: elevar la rodilla derecha a la altura de la cintura; la tibia queda inclinada (planta del pie contra la rodilla de la pierna apoyada y rodilla apuntando en la dirección del adversario. El canto del pie queda paralelo al suelo). Mirar hacia la derecha sin girar el busto.

— Extender el pie mediante un movimiento en arco de círculo alrededor de la rodilla; al subir, el canto del pie queda paralelo al suelo y el tobillo flexionado (ver «puntos esenciales»). La pierna apoyada queda ligeramente flexionaaa.

— Volver el pie a su posición inicial antes de apoyarlo.

NOTA. — Se golpea del mismo modo en los niveles gedan y jodan. Observar en los croquis como la altura inicial de la rodilla limita la del golpe con el pie.

Al golpear se puede girar el pie hacia el adversario (en hanmi) para conseguir una mejor contracción de la faja abdominal; si se gira demasiado, se obtiene un mae-sokuto-geri (ver esta técnica).

El cuerpo nunca debe inclinarse, pues entonces no se podrá transmitir la fuerza de las caderas al golpe. Como en el mae-geri-keage, la eficacia de la técnica se basa en la acción de resorte de la rodilla.

Aplicación

Se golpea al mentón, al bajo vientre o al flanco de un adversario situado a media distancia; si se inclina se golpea contra su cuerpo.

La foto 65 muestra un keage propinado bajo el brazo de un adversario en el momento en que ataca en tsuki; el golpe, doloroso, hace desviar el brazo hacia arriba; entonces se puede empalmar con otra técnica (foto 66: observar la rotación del busto hacia delante en el momento en que el pie vuelve hacia abajo;

FOTO 65 FOTO 66

FIG. 87

colocando el pie hacia delante se hace gyaku-zuki con el derecho en el flanco del adversario). Si el busto hubiera estado inclinado hacia atrás, un tal encadenamiento no habría sido posible.

2) *Golpe directo con la planta del pie: yoko-geri-kekomi*

La superficie golpeadora (canto o talón) describe la trayectoria más recta posible en el plano vertical que contiene la línea de los hombros (croquis 1). Se golpea con la idea de hundir.

Ejecución de un movimiento a la derecha a nivel chudan

— La posición preparatoria es la del mae-geri y no la del yoko-geri-keage: la rodilla está levantada directamente delante del abdomen (no se separa del cuerpo) y la tibia queda vertical. El canto del pie queda paralelo al suelo. Mirar hacia la derecha sin girar el busto.

— Golpear directamente hacia el lado impulsándose enérgicamente con las caderas en la dirección del golpe; en el impacto, bloquear la articulación de la rodilla. Para compensar el movimiento de las caderas, inclinar ligeramente el busto en la dirección opuesta (si la inclinación es excesiva, la fuerza de las caderas no podrá transmitirse al golpe). En el impacto el pie queda paralelo al suelo.

— Volver el pie a su posición inicial y erguir el busto.

Nota. — Se golpea de la misma manera a nivel gedan, pero no jodan, por los mismos motivos que en el mae-geri-kekomi (ver esta técnica). La eficacia del kekomi se basa en el empuje lateral de las caderas y debe ir acompañado obligatoriamente de una inclinación del busto en el mismo plano; así, para golpear más allá de la horizontal, se requeriría una inclinación excesiva que rompería todo el equilibrio (filmando esta técnica se observa como si la inclinación no existiera, el movimiento se transformaría siempre, en su última fase, en un jodan-yoko-geri-keage). Ciertos grandes expertos elevan mucho la rodilla para efectuar un kekomi muy bajo, terriblemente eficaz (trayectoria oblicua) poniendo asi el acento sobre el verdadero «secreto» de esta técnica. Para el yoko-geri-kekomi, más que en ningún otro golpe con el pie, vale más golpear bajo y fuerte que alto y sin fuerza. El kekomi no debe limitarse a empujar, sino que realmente tiene que «hun-

Foto 67

Foto 68

Foto 69

dir» (con un tal efecto, un kekomi contra la rodilla del adversario es muy eficaz).

Aplicación

Los blancos pueden ser la rodilla, el bajo vientre, el abdomen, el plexo o los flancos del adversario (a una distancia normal). Ejecutado con el talón constituye un excelente golpe de parada; en este caso, hay que mantener el busto lo más vertical posible para facilitar la sucesión con la técnica siguiente.

(Foto 67: Golpe de parada controlando el tsuki adverso. Observar el hikite del puño derecho a punto de un contraataque.)

Técnicas derivadas:

Estas tres técnicas son prácticamente las mismas, pero con unas finalidades distintas; se ejecutan como un yoko-kekomi muy bajo.

— *Fumikomi:* Es un golpe con el talón de efecto aplastante (ver mae-geri-kekomi) llevado a cabo contra el tobillo o contra los dedos de los pies (foto 68: fumikomi con control del tsuki adverso). Este golpe tan doloroso se ejecuta como el gedan-yoko-geri-kekomi, o sea llevando todo el peso del cuerpo sobre el pie atacante.

Esta técnica también se utiliza para deshacerse del adversario en caso de agarrón o de finta durante un combate.

(NOTA. — Es una forma lateral de kakato-geri.)

— *Kantsetsu-geri.*

Se trata de un yoko-fumikomi propinado contra la articulación de la rodilla (foto 69: después de esquivar un ataque por el exterior); si afecta a la parte lateral de la rodilla puede romper la articulación o en todo caso provocar la caída del adversario. Esta técnica puede utilizarse como bloqueo (ver sokutei-osae-uke).

NOTA. — Es una forma lateral de kakato-geri.

— *Fumikiri* (croquis).

Se golpea contra el tobillo o contra la tibia del adversario con el canto externo del pie como si se tratara de cortarlos (el movimiento se parece a un hachazo de arriba abajo). Contrariamente al fumikomi, se mantiene el peso del cuerpo sobre la pierna apoyada. Esta técnica puede utilizarse como bloqueo (ver sokuto-osae-uke).

FIG. 88

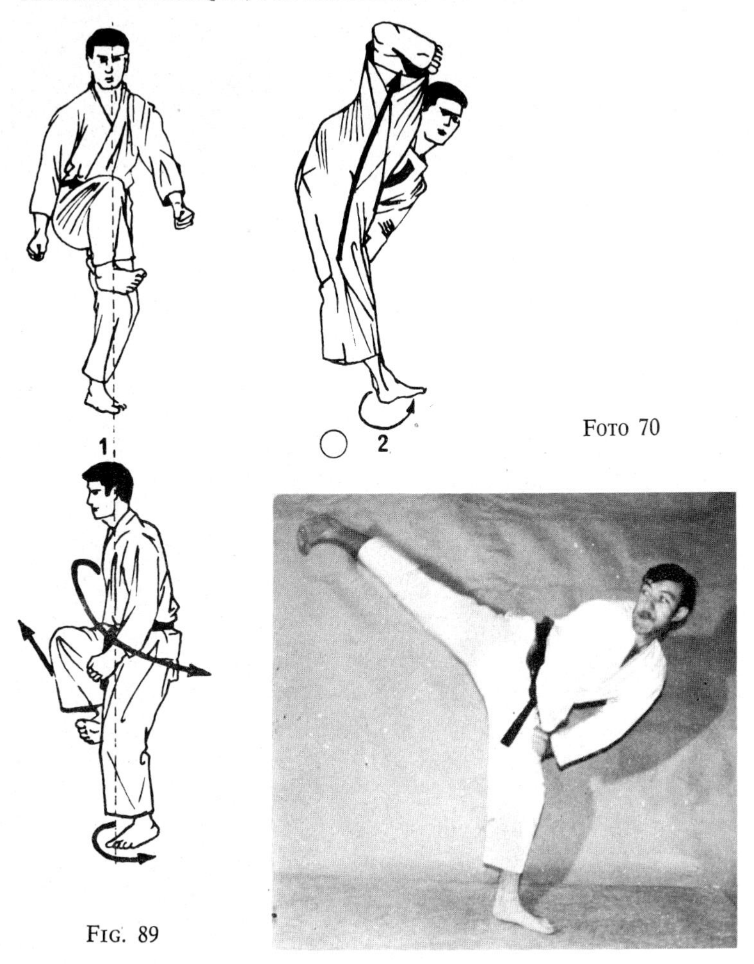

Foto 70

Fig. 89

Variante: sokuto

En la escuela Wado-ryu este golpe con el pie es la forma que más se acerca al yoko-geri clásico (shotokan). Se da en las mismas direcciones (ver ki-hon) y en keage o kekomi.

Diferencias esenciales con el yoko-geri:

— Levantando la rodilla (1) se queda de frente respecto al

FIG. 90

adversario; la planta del pie se coloca contra la rodilla de la pierna apoyada. El cuerpo está vertical.

— En un segundo tiempo, se gira sobre esta pierna (2) y se golpea simultáneamente inclinando el cuerpo en la dirección opuesta (foto 70). En el impacto, volver a colocar con fuerza las manos contra la pierna apoyada y presionar hacia delante con las caderas. Los dedos de los pies de la pierna apoyada están mucho más girados hacia atrás que en el yoko-kekomi.

— La gran fuerza de penetración del golpe proviene de la sincronización entre la rotación y el empuje de las caderas; sin esta sincronización, el golpe no tendría ninguna fuerza.

— En el impacto, los dedos de los pies están girados hacia abajo; se golpea con el filo externo del pie, cerca del talón (con el tobillo muy flexionado; de ahí el poco riesgo de dañarse los dedos).

— En un tercer tiempo, la pierna vuelve a su primitiva posición y giramos hacia delante.

Este movimiento es excelente en competición, puesto que su alcance es excepcional y su potencia notable (los croquis del 1 al 3 muestran el alcance de un mae-geri, de un yoko-geri y de un sokuto respectivamente. Comparar la posición del cuerpo y de la pierna apoyada). Permite entrar en la guardia del adversario (pero como es un movimiento más comprometido, su control es más difícil).

NOTAS:

- Se llama a veces sokuto a la forma clásica de yoko-geri.
- Ciertos expertos ejecutan el yoko-geri como el sokuto, pero manteniendo el filo del pie paralelo al suelo y el cuerpo no inclinado hacia atrás (a este nivel hay pues una muy débil diferencia).
- En competición, se ejecuta una forma más directa sin levantar mucho la rodilla previamente. También es posible, según las circunstancias, transformar al final de su recorrido un yoko-kekomi en un sokuto (pivotando sobre la pierna apoyada).

PUNTOS ESENCIALES PARA EL KEAGE Y EL KEKOMI

— Idealmente, la pierna apoyada no se mueve; permanece ligeramente flexionada. Los dedos apuntan a 90° de la dirección del golpe; el talón se mantiene en el suelo. La pierna debe formar un solo bloque para encajar el choque de rebote en el momento del impacto y retransmitir la onda de choque hacia delante. En el kekomi, se giran los dedos algunos grados hacia atrás para que el golpe sea más penetrante; la rotación sin embargo no debe ser muy importante so pena de ver cómo el movimiento evoluciona a ushiro-geri (ver esta técnica).

— Como en todos los golpes con el pie, hay que mantener los brazos cerca del cuerpo (sin que hagan un movimiento de péndulo como en el boxeo francés), sin elevar los hombros.

— Hay que levantar al máximo la rodilla antes de golpear; como en todos los golpes con el pie, los dos tiempos deben confundirse en uno solo.

— Hay que golpear en el plano vertical que contiene el pecho (croquis adjunto) y no en diagonal. Incluso si uno se inclina, se debe permanecer en este plano y no inclinarse hacia delante dejando sobresalir el trasero; el abdomen debe permanecer en tensión hacia delante y contraído para transmitir la fuerza del golpe.

— En el impacto, el sable del pie se mantiene paralelo al suelo; los dedos no deben apuntar hacia arriba.

— La diferencia real entre el keage y el kekomi reside en los últimos centímetros de la trayectoria seguida por el pie (volver a ver los croquis 1 correspondientes); para el kekomi ésta tiende a ser directa (el impulso de las caderas es por ello indispensable) mientras que para el keage, continúa siendo circular.

— Después del keage hay que relajar la pierna para dejar que actúe el movimiento de resorte de la rodilla. Después del kekomi, hay que volver el pie a su primitiva posición a la vez que se endereza todo el cuerpo, impulsando las caderas en sentido inverso.

— Posición del pie en el impacto:

● Para el kekomi (fumikomi, kansetsu-geri), se golpea con el

FIG. 91

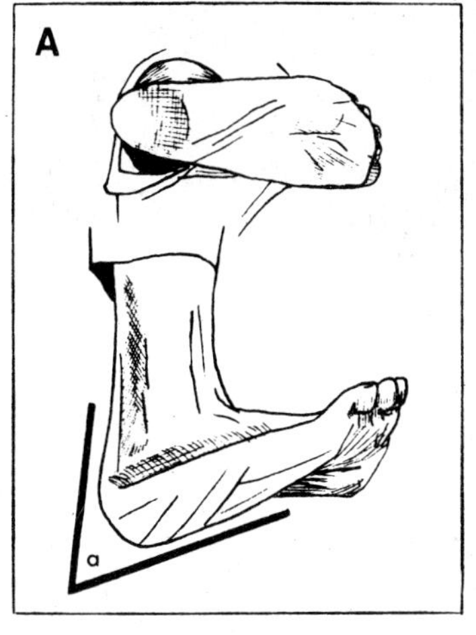

Fig. 92

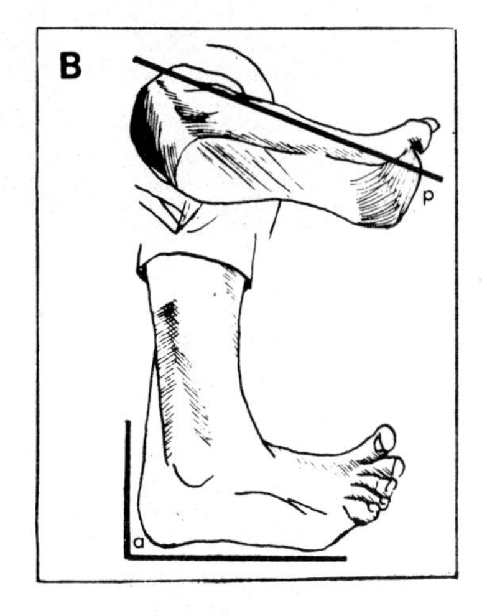

Fig. 93

talón (croquis A); el tobillo queda fuertemente doblado, pero el revés del pie queda en el mismo plano que el lateral de la pierna (plano p); al golpear con el canto hay que vigilar de hacerlo con la parte cercana al talón (la más sólida) con el fin de evitar la fractura.

En los dos casos, los dedos levantados permiten una mejor contracción del pie.

- Para el keage: se golpea con el filo o (para hacer saltar un ataque hacia arriba, por ejemplo) con todo el plano p (la mayor superficie golpeadora). Esta disposición del pie también se utiliza en el sokuto.

Ki-hon

Las formas a partir de las tres posiciones de base han sido ilustradas ya (pág. 272).

Golpe hacia delante con el pie

1. *In situ* (fig. 96, croquis del 1 al 3): Se golpea después de haber vuelto el pie adelantado a su posición inicial y haber colocado el busto de perfil; de arriba abajo: en zen-kutsu (1), en kokutsu (2), o en kiba-dachi. La posición intermedia es la misma (en el centro). Después de haber golpeado, se vuelve a su sitio la rodilla y se apoya el pie en la misma posición. Cuidar los mismos puntos que los analizados en el mae-geri.

NOTA. — Un yoko-kekomi ejecutado con el pie adelantado es un excelente e imprevisible golpe de parada.

2. *Desplazándose:* Se avanza hacia el adversario mediante un paso deslizado *(surikonde-yoko-geri)* o un paso doble *(tobikonde-yoko-geri):* el croquis 3 ilustra la posición intermedia. Se avanza golpeando siempre por el mismo lado (el yoko-geri con un paso doble en kiba-dachi es el más frecuente).

Golpe con el pie hacia atrás con desplazamiento (fig. 96, croquis 4 a 6).

1. *Hacia delante:* A partir de zen-kutsu (4), ko-kutsu (5), kiba-dachi (6), girar sobre el pie adelantado para colocarse de perfil con respecto al adversario, llevando la pierna retrasada hacia delante. La posición intermedia es la misma (en el centro). Después de haber golpeado, volver la rodilla a su posición y colocar el pie hacia delante en posición inversa a la inicial.
2. *Hacia los lados* (fig. 94).

Avanzar en zen-kutsu, ejecutando el yoko-geri de lado en el momento en que se crucen los pies. (Llevar el pie retrasado contra la pierna adelantada y levantar la rodilla en posición preparatoria; mirar hacia el lado; golpear; colocar la pierna en posición preparatoria y el pie hacia delante en zen-kutsu inverso.)

FIG. 94

FIG. 95

NOTA. — Este tipo de ejecución es interesante en el caso de un combate contra varios adversarios.

A partir de estos tipos fundamentales, son posibles otras formas de ejecución; a partir de otra posición, con cambio de guardia (ver mae-ger), etc.

MÉTODOS DE ENTRENAMIENTO

1) Para la agilidad de la rodilla y la cadera:

● Elevar la rodilla y apretarla contra el pecho, ayudándola mediante una mano en el tobillo o debajo del talón. No inclinarse hacia delante.

● Colocar el tobillo sobre el hombro de un compañero que se ha levantado lentamente a partir de una posición agachada. Cuidado: que los dedos de los pies no apunten hacia arriba. Acercar al adversario la pierna apoyada y doblar el tronco hacia la pierna levantada.

NOTA. — El mismo ejercicio puede efectuarse sin la necesidad de un compañero (sustituyéndolo por una silla o una mesa). El filo interno del pie debe permanecer paralelo al suelo.

● Golpear por encima de un obstáculo colocado a la altura de la rodilla (por ejemplo una cuerda extendida a 60 cm. del suelo: si no se pasa por la posición preparatoria antes de golpear, o si no se puede volver a ella antes de colocar el pie en su posición inicial, el pie queda detenido en el obstáculo).

● A partir de heisoku-dachi, efectuar ágilmente, sin kime y en un solo tiempo, una decena de keages a la derecha y luego otra serie a la izquierda lo más alto posibles.

● A partir de la misma posición, elevar una pierna extendida hasta la horizontal (filo del pie paralelo al suelo); mantener el cuerpo erguido; bajar la pierna y hacer lo mismo con la otra.

2) Para la musculación de la pierna:

Fig. 96

FIG. 97

Ejecutar un yoko-kekomi a nivel chudan, con la pierna rígida, y mantenerse el mayor tiempo posible en esta posición.

3) Para el kime (croquis adjunto):

Colocarse en hachiji-dachi al lado de un compañero; agarrar la manga de su keikogi y empalmar dos golpes con el pie por este lado: un keage bajo la axila (el golpe es doloroso; o sea que no hay que golpear sino darle al tejido) seguido de un kekomi contra la rodilla (sin tocarla) después de haber pasado por la posición preparatoria. Después de unas veinte repeticiones, invertir los papeles.

Cuidado: al golpear, colocar la mano en la cintura con el fin de que el movimiento no arrastre al brazo.

4) Para la estabilidad y la precisión:

Son los mismos entrenamientos en yoko-geri que en mae-geri (ver esta técnica).

C) GOLPE CON EL PIE, HACIA ATRÁS: USHIRO-GERI

ESTUDIO TÉCNICO

Se golpea directamente hacia atrás con el talón, dando una especie de «coz» e inclinando el cuerpo en la dirección opuesta. El movimiento es muy diferente según se ejecute en kekomi o en keage.

1) *El golpe directo: ushiro-geri-kekomi*

La superficie golpeadora describe la trayectoria más rectilínea posible en un plano medianero del cuerpo.

Se golpea con la idea de hundir.

FIG. 98

FIG. 99

FOTO 71

Ejecución de un movimiento a la derecha a nivel chudan (croquis adjunto)

— Se está en zen-kutsu a la izquierda, con el cuerpo de frente.
— Mirar hacia atrás, por encima del hombro derecho y llevar la rodilla derecha hacia delante (posición preparatoria como en el mae-geri).
— Al rozar la rodilla derecha contra la parte interna del muslo izquierdo, golpear hacia atrás con una enérgica impulsión de las caderas, inclinándose en sentido contrario. Los dedos del pie derecho apuntan directamente hacia el suelo; los de la pierna apoyada apuntan en la misma dirección inicial.
— Volver la pierna derecha a su posición impulsando las caderas en sentido inverso y enderezar el busto.
— Apoyar el pie derecho.

NOTA. — Se golpea del mismo modo en los niveles gedan y jodan.

Aplicación

El ushiro-geri es un ataque eficaz para liberarse en caso de ser rodeados por varios adversarios. Este golpe con el pie, también es muy útil cuando se está de espaldas al adversario:
— Ya sea accidentalmente después de una técnica giratoria (por ejemplo, si nos vemos arrastrados por el impulso después de un mawashi-geri, se golpea con el otro pie).
— Ya sea después de haber girado voluntariamente (por un ataque o contraataque).
Finalmente, en caso de ataque brusco por parte de un adversario, se esquiva el golpe dando la vuelta a la vez que se propina un ushiro-geri (foto 71).
El ushiro-geri es un buen golpe de parada, pero difícilmente puede empalmarse con una técnica de puño, puesto que el cuerpo está en general demasiado girado. He aquí la razón por la cual este golpe, muy potente y de gran alcance, es muy arriesgado propinarlo en una competición (un adversario valiente puede esquivarlo y contraatacar por la espalda).

Variante

Todos los golpes hacia atrás con el pie se llaman ushiro-geri. Existen, no obstante diferentes maneras de ejecutarlos aunque la línea general sea la misma. Así, el ushiro-geri de la escuela Wado-ryu se ejecuta cuando se da completamente la espalda al adversario (croquis 1 y croquis adjunto) mientras el ushiro-geri de la escuela Shotokan se parece, en su fase final, al sokuto de la escuela Wado-ryu (ver esta técnica, croquis 2 adjunto).

La diferencia esencial reside en la orientación del eje de las caderas (es horizontal y perpendicular a la trayectoria del golpe en Wado-ryu; es horizontal y forma un ángulo agudo con esta trayectoria en Shotokan), y en consecuencia, en la dirección del pie retrasado (forma un ángulo de 45° con la vertical en Shotokan; es prácticamente vertical en Wado-ryu). Y finalmente, en la posición preparatoria del golpe con el pie (la rodilla está muy levantada en Shotokan y mucho menos en Wado-ryu; pero en las dos escuelas, la rodilla guarda un estrecho contacto con la pierna apoyada).

La orientación del eje de las caderas está ligado, por otra parte a la de la cabeza. Si no se mira hacia atrás, por encima del hombro, se puede quedar perfectamente de espaldas, pero sin visibilidad, lo cual es siempre peligroso en una competición (los principiantes, no obstante, deberán ejercitar esta forma con el fin de conseguir un golpe directo). Si se mira hacia atrás, se tiene tendencia a girar el pecho en el mismo sentido, arrastrando también a las caderas. Asimismo es posible, golpeando jodan, bajar la cabeza para mirar hacia atrás por debajo, pero en este caso la inclinación del cuerpo es muy peligrosa.

Técnica derivada: fumikomi

Golpe hacia atrás, aplastando (ver mae-geri y yoko-geri).

Puntos esenciales

FIG. 100

Fig. 101

— En un combate sólo se debe utilizar esta técnica en el momento oportuno y golpeando con la máxima potencia, puesto que el peligro de propinar un pequeño golpe sin eficacia es muy grande. En efecto, si el adversario contraataca en este momento, nuestra posición inclinada y además de espaldas no nos permite volver a dominar la situación.

— Para poder golpear fuerte, es indispensable un buen equilibrio. La pierna apoyada debe permanecer firme y flexionada para absorber el choque en el impacto (uno se da cuenta de la dificultad haciendo ushiro-geri contra el saco de arena); en el caso contrario, se está desequilibrado en dirección inversa a la de ataque.

— Hay que encontrar un término medio entre:

- Una posición demasiado curvada que no permite contraer eficazmente los abdominales.
- Y una posición demasiado inclinada que comprometa el equilibrio y no permita encadenar con un tsuki en la misma dirección sin un tiempo muerto.

— La columna vertebral siempre debe dibujar un arco de círculo, incluso de débil curvatura, cuya parte cóncava esté girada hacia arriba (si lo está hacia abajo, las caderas no podrían participar en el golpe).

— En el momento del impacto, el talón debe golpear en el plano vertical medianero del cuerpo (croquis de la derecha); para golpear directamente hacia atrás hay que mantener el contacto de la rodilla y de la pierna apoyada hasta el último instante (la rodilla roza a lo largo del muslo por la misma causa que el codo lo hacía a lo largo del tronco en el kara-zuki) y apuntar los dedos de los pies hacia el suelo, con el tobillo doblado. La fig. 101 reúne los defectos más corrientes: espalda arqueada, nalgas sin fuerza, pierna no extendida, dedos de los pies dirigidos en una mala dirección, impacto en diagonal respecto al eje del tronco.

— En el impacto la pierna queda rígida y el abdomen contraído. Hay que sincronizar la extensión de la pierna con la inclinación del busto en sentido inverso.

— Después del impacto hay que enderezarse inmediatamente volviendo la pierna al mismo plano vertical. Este regreso se opera con la fuerza de la cadera y no mediante el movimiento de resorte de la rodilla (como en el mae-geri) que actúa muy poco en esta técnica. Procediendo de esta manera, se corre menor peligro de que el adversario nos agarre la pierna, puesto que si ello ocurriera la arrancaríamos con mucha fuerza de sus manos.

— Todavía más que en el sokuto, el control del golpe es di-

FOTO 72
De arriba abajo: postura del cuerpo en:
— Yoki-geri (Shotokan).
— Sokuto (Wado-ryu) o ushiro-geri (Shotokan).
— Ushiro-geri (Wado-ryu).

FIG. 102

FOTO 73

fícil. Ejercitándolo con un compañero, hay que vigilar su precisión y su detención a algunos centímetros del blanco.

2) *El golpe hacia arriba: ushiro-geri-keage*

Se golpea con el talón hacia atrás y arriba en un movimiento ascendente circular.

El alcance de esta técnica es bastante corto por lo que este golpe sólo debe emplearse en pequeñas distancias respecto al adversario y únicamente a nivel gedan.

Ejecución de un movimiento a la derecha (fig. 102)

— La posición preparatoria, con la rodilla derecha levantada, es la misma que en el kekomi. Mirar hacia atrás.

— Proyectar enérgicamente la pierna derecha en arco de círculo hacia atrás sin abrir la articulación de la rodilla; golpear con el talón hacia arriba sin inclinarse hacia delante.

— Volver la rodilla hacia delante.

NOTA. — El ángulo del tobillo y el de la rodilla deben permanecer sensiblemente constantes durante el movimiento. Como en el kekomi, la rodilla derecha roza a lo largo de la pierna izquierda, pero el busto queda vertical.

Aplicación

Esta técnica es muy eficaz en el cuerpo a cuerpo, cuando por la causa que sea se debe volver la espalda al adversario:

— En caso de ser agarrados por la cintura por atrás (foto 73), se ataca el bajo vientre de abajo arriba, colocando el talón entre las piernas del adversario, cuidado de subir demasiado: la superficie golpeadora sería la pantorrilla y no el talón).

— Después de una defensa que haya permitido penetrar en la guardia enemiga (por ejemplo uchi-komi), se gira sobre la pierna adelantada para colocarse de espaldas contra él y golpear.

Técnica derivada: ushiro-kake-geri (fig. 103)

No se golpea solamente al bajo vientre de abajo arriba, sino que se acaba el movimiento efectuando una especie de gancho hacia delante.

A partir de zen-kutsu (la pierna extendida se coloca entre las piernas del adversario) golpear hacia arriba volviendo con fuerza la rodilla a la posición preparatoria.

NOTA. — Vigilar los mismos puntos que en el keage.

KI-HON

(Estudio del kekomi, que es la forma más corriente del ushiro-geri.)

In situ

1) *Principiantes:* Antes de haber adquirido una perfecta estabilidad en este golpe con el pie, hay que ejecutarlo pacientemente a partir de la posición preparatoria (rodilla levantada).

2) *Adelantados:* A partir de una posición de combate (kidari-hanmi-kamae, guardia a la izquierda: ver fig. 79, croquis 1), fig. 104.

Se ejecutan diferentes ushiro-geri con el pie adelantado o retrasado, hacia delante y atrás; después de cada técnica se adopta la posición inicial; luego se invierte la posición (pie derecho adelantado).

FIG. 103

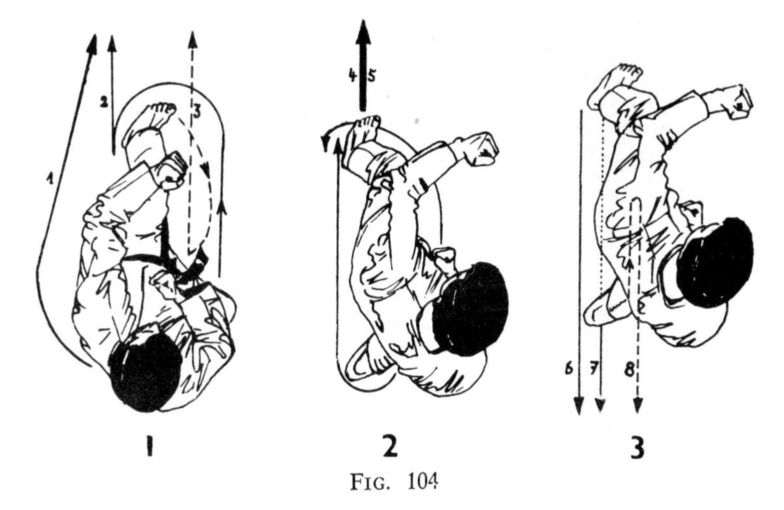

FIG. 104

● *Hacia delante* (fig. 104, croquis 1 y 2).

— 1: Girar hacia la derecha sobre el pie adelantado y golpear con el retrasado (forma directa).

— 2: Girar hacia la izquierda sobre el pie adelantado y golpear con el pie retrasado.

— 3: Girar hacia la derecha sobre el pie retrasado, mover el adelantado y luego golpear con este pie (excelente golpe de parada).

— 4: Girar hacia la izquierda sobre el pie adelantado, llevar el pie retrasado contra el adelantado y golpear con el izquierdo (mientras que en el ejercicio 2 se golpeaba con el pie derecho).

— 5: Girar hacia la derecha sobre el pie adelantado, llevar el pie retrasado junto al adelantado y golpear con el izquierdo (mientras que en el ejercicio 1 se golpeaba con el pie derecho).

● *Hacia atrás* (fig. 104, croquis 3).

— 6: Golpear directamente hacia atrás con el pie adelantado.

— 7: Llevar el pie adelantado contra el pie retrasado y luego golpear con este pie hacia atrás (como el surikonde).

— 8: Golpear directamente hacia atrás con el pie retrasado después de haberlo llevado un poco hacia delante.

NOTA. — Los croquis 1 y 3 ilustran las formas directas.

Las formas de la 6 a la 8 son útiles en la defensa, en caso de combatir contra varios adversarios.

Las formas de la 1 a la 3 son las más interesantes en competición.

• *Puntos importantes.*

— Se golpea hacia atrás de una manera directa, sin pivote, mientras que para golpear hacia delante se efectúa un giro previo, con el fin de dar la espalda al adversario.

— En el caso de golpe después de giro, hay que considerar dos puntos: en las formas 1 y 4 la cabeza realiza obligatoriamente un giro completo antes de volver a mirar hacia delante; se trata pues de golpear sin tiempo muerto, puesto que el adversario sale un instante de nuestro campo visual, lo que hace particularmente peligroso este momento.

Por otra parte, girando demasiado deprisa se corre el riesgo de perder el equilibrio y de no poder golpear directamente hacia atrás (el golpe sería más o menos circular); se puede evitar esto marcando un imperceptible tiempo de detención después del giro (bloquear el cuerpo durante su rotación) antes de propinar el golpe en línea recta.

— En las formas de golpes dados con el pie adelantado, es particularmente importante levantar la rodilla antes de extender la pierna; si se mantiene la pierna extendida, el golpe ya no es directo sino ascendente y su eficacia ya no es la de un kekomi.

En desplazamiento

• *Con el pie retrasado* (fig. 105, croquis 1).

Es la forma más corriente (corresponde a la forma 1 de los golpes propinados in situ):

— Se está en hidari-hanmi-kamae.

— Girar sobre los dos pies hacia la derecha; la cabeza mira hacia delante después de haber dado una vuelta completa; la pierna izquierda no debe estar rígida con el fin de no frenar al cuerpo en su movimiento hacia atrás (el impulso hacia delante sería imposible).

— Golpear con el pie derecho haciendo rozar la rodilla contra la parte interna del muslo izquierdo.

— Devolver la pierna derecha a su posición al mismo tiempo que se gira sobre la pierna apoyada, hacia la derecha, para quedar de frente. Se adquiere una posición inversa a la inicial.

— Ejecutar los movimientos inversos para golpear con el pie izquierdo en la misma dirección.

• *Con el pie adelantado* (fig. 105, croquis 2: corresponde a la forma 5 de los golpes propinados «in situ»).

— Se está en hidari-hanmi-kamae.

— Girar hacia la derecha sobre el pie adelantado al mismo tiempo que se sitúa junto a él el pie retrasado.

FIG. 105

— En un segundo tiempo, golpear con el pie izquierdo.

— Devolver la pierna a su posición al mismo tiempo que se gira sobre la pierna apoyada hacia la izquierda para quedar de frente y en la misma postura que al principio (se avanza golpeando siempre con el mismo pie).

NOTA. — Contrariamente al ejercicio precedente aquí nunca se pierde al adversario de vista.

- *Con el pie adelantado* (fig. 105, croquis 3: corresponde a la forma 4 de los golpes propinados «in situ»).

— Se está en hidari-hanmi-kamae.

— Girar hacia la izquierda sobre el pie adelantado mientras se coloca el pie retrasado junto al anterior.

— En un segundo tiempo golpear con el pie izquierdo.

— Devolver la pierna a su posición al mismo tiempo que se gira sobre la pierna apoyada hacia la izquierda para quedar de frente y en la misma postura que al principio (se avanza golpeando siempre con el mismo pie).

NOTA. — Como en el ejercicio 1, la cabeza efectúa un giro completo.

Hay que efectuar estos ejercicios sin prisas, avanzando en línea recta. Mantener el cuerpo vertical al girar y golpear directamente hacia atrás. Después del impacto los principiantes volverán a colocar la rodilla en posición preparatoria antes de volver a girar para quedar de frente. Los karatekas adelantados podrán devolver a su posición la pierna mientras giran hacia delante (la distancia recorrida por la pierna será menor y la adopción de la guardia será más rápida).

Hay que trabajar de la misma manera ushiro-geri-keage.

MÉTODOS DE ENTRENAMIENTO

Ejercicio 1

A partir de heisoku-dachi, efectuar un ágil movimiento de péndulo con la pierna de delante hacia atrás; el límite hacia delante corresponde a un jodan-mae-geri mientras la posición límite hacia atrás es la de un ushiro-geri; mantenerse estables sobre la pierna apoyada y acompañar el movimiento de vaivén de la pierna con una inclinación adecuada del tronco. Esta roza contra la pierna apoyada; cuidar de mantenerla constantemente sobre el mismo plano vertical, incluyendo los dedos de los pies (que apuntan hacia arriba en el mae-geri y hacia abajo en la posición del ushiro-geri). El eje de las caderas no se mueve y se mantiene paralelo al suelo.

NOTA. — Este ejercicio puede servir de precalentamiento general al principio de una sesión.

Ejercicio 2

Parecido al anterior, pero al principio, la rodilla queda levantada en la posición preparatoria para los golpes con el pie; hacer jodan-mae-geri; volver a la posición preparatoria y empalmar inmediatamente con un ushiro-geri con el mismo pie; volver a la posición preparatoria y empalmar con un jodan-mae-geri, etc.

Foto 74

Se ejecutan, pues, golpes reales con el pie. Vigilar los mismos puntos que en el ejercicio anterior.

D) Golpe circular con el pie: mawashi-geri

Estudio técnico

El golpe circular con el pie se descompone en dos fuerzas: combina la fuerza de rotación de las caderas con el movimiento de resorte de la rodilla (ver mae-geri). La superficie golpeadora describe un arco de círculo sobre un plano horizontal y alcanza al adversario, no de frente (como en mae-geri, yoko-geri o ushiro-geri), sino de perfil; por consiguiente, si éste se sitúa bien de frente (después de un oi-zuki, por ejemplo) sólo es posible alcanzarle en los flancos, en los riñones, en las rodillas o en los laterales de la cabeza; pero si, por el contrario, se gira de perfil (después de un junzuki-no-tsukkomi, por ejemplo) el golpe circular puede alcanzarle en cualquier punto vital (rostro, cuello, pecho, bajo vientre). El golpe circular permite el ataque o contraataque contra blancos móviles y en mayor número que un golpe de pie derecho (el adversario podría girar rápidamente el busto); el tiempo de ejecución de un golpe circular es, por el contrario, un poco mayor que el exigido por un golpe rectilíneo.

Estas observaciones valen para cada una de las tres formas básicas del golpe circular:

1) *Movimiento de fuera adentro: mawashi-geri*

Es la forma más conocida. Se golpea hacia delante mediante un amplio golpe circular ejecutado con el «bol» del pie: los dedos del pie están levantados como en mae-geri; tambien se puede golpear con la parte superior del tobillo, con el pie extendido, como para un kingeri.

Ejecución de un movimiento a la izquierda a nivel chudan (fig. 106)

— Se está en zen-kutsu derecho, con el pecho en hanmi.

— Primer tiempo: levantar la pierna retrasada; la rodilla y el tobillo fuertemente flexionados (el talón debe tocar la nalga correspondiente); la pierna izquierda se encuentra completamente sobre un plano horizontal; mantenerse curvados.

— Segundo tiempo: Girar sobre la pierna apoyada unos 90° como máximo hacia la derecha (los dedos apuntan hacia el exterior). La rodilla izquierda se encuentra así dirigida hacia el adversario y el pecho queda a ¾ respecto a él (croquis de la derecha). El ángulo (a) que forma la rodilla izquierda con la pierna apoyada se ha mantenido constante.

— Tercer tiempo: Extender el pie respecto a la rodilla (pivote) y golpear en un plano horizontal (croquis de la izquierda). Man-

FIG. 106

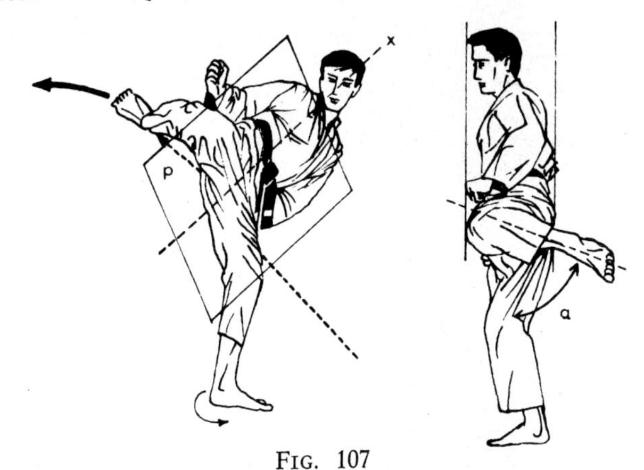

Fig. 107

tener el busto lo más erguido posible (ver «puntos esenciales»).

— Devolver el pie a su posición y colocarse en la postura del tiempo 2, girar sobre la pierna apoyada en sentido inverso y apoyar el pie hacia atrás.

Nota. — Se golpea de la misma manera en los niveles jodan y gedan. Los tres tiempos deben ejecutarse como si se tratara de uno solo.

Aplicación

Según la posición del adversario (que se presente de frente o de perfil) y según la flexibilidad de la articulación de la cadera, se propina un golpe circular contra la rodilla, el bajo vientre, los flancos, los riñones, el abdomen o el rostro.

Puntos esenciales

● La pierna apoyada debe mantenerse ligeramente flexionada (foto 75) como en todos los golpes con el pie, incluso si se golpea a nivel jodan. El pie no debe girar demasiado hacia el exterior; en efecto, cuanto más adelantada esté la rodilla, más rápido será el giro en sentido inverso después del impacto y por consiguiente la recuperación de la guardia. Por el contrario, si el giro inicial es demasiado débil (dedos de los pies dirigidos hacia delante) la correcta e indispensable rotación de la cadera estará comprometida y el alcance del golpe disminuirá. El pie debe pues girar de 45 a 90°.

● La rodilla de la pierna que golpea queda muy levantada, desde la posición preparatoria del golpe (croquis adjunto) hasta la vuelta a esta posición después del impacto. El ángulo (a) entre la rodilla y la pierna apoyada debe ser para los principiantes entre 45 y 90° (ver las diferentes posibilidades en «variantes»). El tobillo queda muy flexionado y los dedos levantados. El talón se encuentra lo más cerca posible de la nalga (se dispone así, para el golpe, de una fuerza de extensión máxima en la rodilla; por otra parte, como aumenta el arco de círculo hacia el blanco, el pie alcanza una mayor velocidad en el impacto; este punto es sobre todo muy importante para los principiantes).

● Antes del primer giro (fig. 107), el tronco se mantiene lo más vertical posible; sólo en el momento de la rotación de las caderas en la dirección del golpe (croquis adjunto) el busto se coloca de perfil o a ¾; y no obstante, todo él queda en el mismo plano (p) que el muslo de la pierna que da el golpe (la espalda permanece arqueada, el abdomen fuerte y en tensión hacia fuera, las nalgas contraídas: el cuerpo no debe estar «dividido al nivel de la cintura»).

● En el impacto, la pierna queda rígida una fracción de segundo (no hay que hacerla volver demasiado aprisa). El pie queda paralelo al suelo; si los dedos apuntan hacia arriba, el impacto tiene lugar según un ángulo agudo (el ideal es el ángulo recto): el golpe pierde eficacia y se corre el peligro de que apenas roce al adversario. El riesgo de dañarse uno mismo los dedos del pie al golpear son también mayores. Ciertos expertos ejecutan un movimiento circular ligeramente descendente en el que el talón queda más elevado que los dedos (practicado a un nivel jodan, esto demuestra una gran agilidad en las caderas).

● La rotación de las caderas es esencial: siguiendo el principio del gyaku-zuki, éstas giran en primer lugar (junto con la pierna apoyada) y la extensión final del pie no ocurre hasta más tarde; las dos fases se suceden pero no son simultáneas; así las dos fuerzas se suman y la de la faja abdominal, la más importante, participa plenamente en el golpe. Al regresar el pie después del impacto, hay que efectuar una potente rotación inversa.

FIG. 108

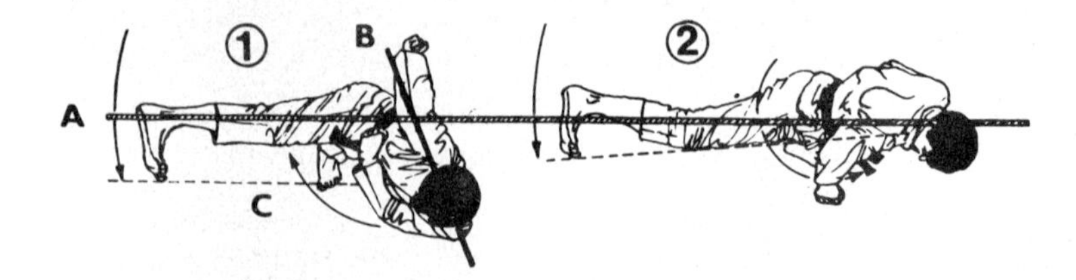

FOTO 75

FOTO 76

● Rotación de las caderas y acción de los brazos.

La rotación de las caderas no debe llevar muy lejos a la pierna; hay que golpear con la intención de «atravesar al adversario», pero no hay que ir demasiado lejos en el sentido de la rotación so pena de no poder volver hacia atrás y encontrarse en una posición estable frente al adversario (lo cual, si el adversario bloquea, es esencial para evitar el contraataque o el agarrón de la propia pierna); en este caso más vale apoyar el pie lo más rápidamente posible y enlazar con un ushiro-geri con la otra pierna.

Si, por el contrario, la rotación de las caderas no es lo suficientemente importante, si se encuentra demasiado frenada por una actitud estática del tronco (si no gira en el mismo sentido, bloquea la articulación de las caderas y anula la fuerza de éstas), el golpe no será penetrante y no pasará de superficial.

Entre estos dos extremos, los croquis adjuntos ilustran las dos posibilidades cuando el impacto ocurre en un plano vertical (punteado) que contiene al eje vertical medianero del cuerpo del adversario; el golpe es potente, aunque sin mucho alcance.

Primer caso (fig. 108, croquis 1)

En el preciso instante del impacto, se detiene en seco la rotación de las caderas mediante otra rotación del busto, pero en sentido contrario (ver la posición de los brazos). La línea de los hombros (B) forma un ángulo de unos 45° con el eje de la pierna golpeadora (A); este eje es sensiblemente paralelo al plano vertical C.

Para que pueda producirse el kime, la rotación de las caderas debe hacerse libremente; sólo en el impacto esta rotación es detenida por una acción contraria de los brazos; esta contrarotación no debe ser ni lenta ni demasiado fuerte. No debe ni frenar el pie en su trayectoria (sino inmovilizarlo de golpe) ni ser lo suficientemente fuerte como para hacer salir al pie de esta trayectoria. Este matiz es importante, puesto que condiciona la transmisión real de la fuerza golpeadora hacia el adversario.

Esta acción contraria de los brazos permite una vuelta más fácil a la posición inicial y un encadenamiento eventual del puño situado en el mismo lado (por ejemplo en oi-zuki). Pero como el cuerpo está erguido al máximo y queda a ¾, se corre el peligro de un contraataque después del bloqueo del golpe (en el croquis 1, el lado derecho, liberado del brazo que está hacia atrás para conseguir la contrarrotación, es muy vulnerable) si el adversario es rápido. En un contraataque, esta posición es útil si se golpea después de haber bloqueado con el brazo opuesto (foto 75).

Segundo caso (fig. 108, croquis 2).

La rotación de las caderas y la del tronco se efectúan en el mismo sentido. La línea de los hombros forma un ángulo agudo con el eje de la pierna que golpea (cuerpo de perfil); este eje forma un ángulo muy débil con el plano vertical C.

El alcance del golpe es mayor, pero la vuelta a la posición inicial es más lenta y el mejor encadenamiento es un gyaku-zuki con el brazo opuesto. Esta forma de golpe acompañado de una esquiva del busto es particularmente útil cuando se avecina un contraataque adverso (se presenta un menor blanco) o cuando se desvía un ataque con el brazo situado en el mismo lado de la pierna; se ve, por ejemplo, que la posición 2 conviene más en el caso de una defensa contra una «puñalada» directa que la posición 1. La foto 76 muestra un kubi-mawashi-geri (ver «variantes») efectuado según este principio.

Nota. — Si se gira sobre la pierna apoyada hasta el punto de dar la espalda al adversario, la fuerza del cuerpo no puede transmitirse a la pierna y el golpe se basa únicamente en la acción de los músculos de ésta.

Los principiantes se entrenarán más bien en la forma 1, con contrarrotación de los brazos hasta conseguir la estabilidad, la correcta noción del impacto y del kime, así como la velocidad de ejecución necesaria para erguirse inmediatamente después del golpe.

FIG. 109

Para los karatekas adelantados son posibles otras formas: mawhashi-geri, proyectando el busto hacia el suelo para pasar por debajo de un ataque, colocando la rodilla de la pierna apoyada en el suelo, a partir de una posición sentada (ver pág. 456), etc.

Técnica derivada: mawashi-kubi-geri

Se golpea con la parte superior del tobillo con el pie extendido y se dirige contra la cabeza, la nuca, el flanco o la espalda; esta forma es más utilizada en competición (ver pág. 510).

Variantes:

La descripción de la técnica se ha basado hasta ahora en el movimiento mayor, o sea el circular. Según el valor del ángulo (a) formado por la rodilla y la pierna apoyada, *la escuela Wado-ryu distingue tres tipos de movimiento circular:*

1) *Mawashi-geri de círculo grande (o mawashi-geri)*

El ángulo (a) es de casi 90° y el pie describe un arco de círculo en un plano horizontal (croquis 2, fig. 111, dibujo n.º 1: los planos A y B son perpendiculares). Vista desde arriba, la trayectoria del pie es curvilínea desde el principio al fin (croquis 1). Este golpe es muy potente, puesto que la rotación de las caderas interviene plenamente (hasta el punto de precisar una contrarotación de los brazos), pero exige una gran agilidad. En competición tiene el defecto de exponer demasiado tiempo el bajo vientre.

2) *Mawashi-geri de círculo mediano (mawashi-geri)*

Constituye la forma normal del golpe. El ángulo (a) sólo es de 45° (croquis 2, dibujo n.º 2: el plano C forma un ángulo de 45° con el A). Vista desde arriba, la trayectoria del pie es menos amplia y no es circular hasta el último segmento del trayecto (croquis 1, n.º 2). Como el movimiento giratorio del pie es menos amplio, el cuerpo gira menos y la contrarrotación de los brazos no es tan indispensable (croquis adjunto, a la izquierda).

3) *Mawashi-geri de pequeño círculo (ko-mawashi-geri)*

Ya no existe ángulo (a) y el golpe se inicia como el mae-geri (croquis 2, dibujo n.º 3: el pie describe una primera trayectoria en el plano vertical A mientras el cuerpo queda de frente); en un segundo tiempo, el pie adelanta a la pierna apoyada y las caderas giran, pasando el pie al plano (C). El croquis adjunto, a la izquierda, muestra la posición del pie en el momento en que se produce la diferenciación de la trayectoria para el mae-geri (B) y para el mawashi-geri (A); el pie queda muy cerca del adversario cuando pivota la pierna apoyada, transformando la trayectoria directa (B) en trayectoria circular (A).

Vista desde arriba (fig. 111, croquis 2, dibujo n.º 3) la trayectoria no se hace circular hasta muy cerca del punto de impacto. Como la rotación de las caderas es menos amplia no se precisa ninguna contrarrotación de los brazos.

Esta forma de ataque, muy directa, que combina un mae-geri y un mawashi-geri es muy interesante para la competición, puesto que no deja al descubierto el bajo vientre y no permite adivinar

FIG. 110

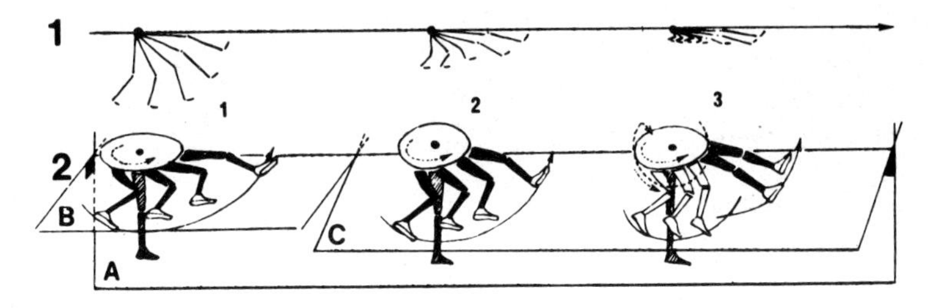

FIG. 111

al adversario nuestras intenciones. De todas maneras sólo es eficaz a un nivel gedan.

NOTA. — El mawashi-geri de pequeño círculo no es aconsejable para los principiantes puesto que no facilita la comprensión del movimiento circular; por otra parte es muy difícil hacer de él un movimiento eficaz. Como técnica básica hay que ejercitar la forma «gran círculo» (desarrolla la fuerza de las caderas y la flexibilidad de la articulación) aunque en el combate se utilice una forma más directa (círculo mediano).

2) *Movimiento de dentro afuera: gyaku-mawashi-geri*

Esta forma de movimiento circular exige una gran flexibilidad de caderas y sólo deben practicarlo los karatekas adelantados.

Ejecución

Las fotos 77 y 78 muestran la ejecución del movimiento: la rodilla está levantada hacia delante, a la altura de la cintura, como en la posición preparatoria del mae-geri, pero apuntando ligeramente hacia fuera para permitir a la tibia ocupar una posición lo más horizontal posible. El pie, con los dedos hacia arriba, apunta hacia delante (cara interna del tobillo hacia arriba) y el talón queda cerca del bajo vientre (rodilla muy flexionada con el fin de que la extensión pueda ser máxima). En un segundo tiempo se utiliza la rodilla como pivote para lanzar la pierna en un movimiento circular (hacer describir al pie un arco de círculo horizontal de dentro afuera). Se giran ligeramente las caderas en la dirección del golpe. Se golpea directamente hacia delante o un poco hacia fuera.

Aplicación

Esta técnica, poco conocida, sólo se utiliza estando muy cerca del adversario y casi siempre tiene lugar con el pie adelantado (por ejemplo: después de esquivar un tsuki con un uchikomi por el exterior del ataque, se contraataca con el pie adelantado contra el abdomen, pasando por debajo del brazo del adversario); muy eficaz a nivel gedan, nunca debe sobrepasar el nivel chudan.

3) *Golpe hacia atrás con el pie, girando: ushiro-mawashi-geri*

Esta técnica también recibe el nombre de:

— Ura-mawashi.
— Mawashi-uchi.

La superficie golpeadora (talón) describe un arco de círculo de fuera adentro en un plano horizontal. En el impacto el pecho se presenta de perfil. El movimiento se parece, pues, más a un mawashi-geri (circular) que a un ushiro-geri (directo); es muy potente y difícil de bloquear.

Ejecución de un movimiento a la izquierda a nivel chudan (fig. 112)

— Se está en zen-kutsu a la izquierda y se mira hacia atrás por encima del hombro izquierdo (como para hacer ushiro-geri con el pie izquierdo).

FOTO 77

FOTO 78

Fig. 112

— Apoyar el cuerpo sobre la pierna derecha y describir con el talón (pierna extendida) un arco de círculo oblicuo de abajo arriba, efectuando una rotación de las caderas en el mismo sentido.

— El impacto tiene lugar cuando, con el pie horizontal y la pierna extendida, el talón alcanza el plano vertical medianero del cuerpo (a consecuencia de su postura en zen-kutsu).

— Continuar la rotación de la cadera y hacer volver con fuerza la pierna (croquis de la derecha); la posición final es idéntica a la posición de partida para el mawashi-geri (espalda arqueada, rodilla doblada, talón contra la nalga).

— Terminar la rotación colocando el pie izquierdo hacia delante (dirección de la mirada) y volviendo a adoptar la posición zen-kutsu izquierdo en dirección opuesta a la inicial.

Nota. — Se golpea de la misma manera en los niveles gedan y jodan.

Aplicación

El ushiro-mawashi-geri es interesante en una sucesión de técnicas (como movimiento aislado es bastante lento y fácil de esquivar). Un tal encadenamiento se describe en la pág. 482.

Cuando durante un ataque giratorio (después de un mawashi-geri por ejemplo), o después de una esquiva, uno se encuentra fuera de la línea de ataque del adversario, se le golpea al plexo o al rostro (dibujo de la derecha). Es un golpe difícil de parar. Ejecutando el mismo movimiento a nivel del tobillo adelantado del adversario, se provoca su caída o al menos una pérdida de equilibrio momentáneo que permite la introducción de una técnica de puño (por ejemplo, uraken o gyaku-zuki) antes que haya podido recuperarse.

Puntos esenciales

- La espalda se mantiene arqueada.
- La pierna permanece extendida hasta el impacto; sólo se flexiona más tarde (como para «enganchar al adversario»), al mismo tiempo, que el cuerpo termina de girar en la dirección del golpe. Si la rodilla está doblada antes del impacto, el alcance del golpe es muy reducido y su fuerza menor.
- Con el fin de golpear al blanco en ángulo recto, la parte final de la trayectoria del talón debe tener lugar sobre un plano horizontal. Pero cuanto más larga sea la trayectoria descrita sobre este plano, mayor será la fuerza en el impacto; hay que llevar pues lo más deprisa posible el pie sobre este plano (ver «variantes»).
- *Cuidado:* El control del golpe es difícil, pero debe ser completo; en caso de contacto real con el adversario (especialmente por la espalda) las consecuencias pueden ser muy graves.

Técnica derivada: golpe de talón hacia delante, en forma de gancho: ushiro-kasumi-geri

Es la misma técnica ejecutada con el pie adelantado: Se golpea de abajo arriba y de fuera adentro (por ejemplo después de una defensa o una esquiva, encontrándose de perfil respecto al

FIG. 113

FIG. 114

adversario). La rotación de la cadera tiene lugar aquí en sentido inverso al de la trayectoria del talón.

Variantes

Como en el mawashi-geri, se puede efectuar un movimiento más o menos amplio según el ángulo formado al principio por las dos piernas; hay que considerar los mismos puntos, especialmente los relativos a la amplitud de la rotación y al momento del impacto (ver mawashi-geri). Los croquis de la fig. 112 ilustran un gancho medio (el ángulo es de 45° al inicio); también es posible una forma más amplia (con las mismas ventajas e inconvenientes que el gran gancho) así como una forma más directa.

Ki-hon

Mawashi-geri

● *Con la pierna retrasada (hacia delante):* croquis 1.

— Se está en hidari-hanmi-kamae.
— Girar el pie adelantado hacia fuera, girar hacia la izquierda y cambiar la guardia (ver mae-geri).
— Elevar la rodilla retrasada hasta la posición preparatoria.
— Golpear con un gran gancho del pie derecho y mediante una contrarrotación de los brazos.
— Volver el pie derecho hacia atrás doblando la rodilla y luego llevarlo hacia delante apoyándolo en el suelo. Se queda en una posición inversa a la inicial (miji-hanmi-kamae).
— Ejecutar las operaciones inversas para golpear con el pie izquierdo en la misma dirección.

Nota. — Vista la amplitud del movimiento, es necesaria una contrarrotación de los brazos para mantener el cuerpo en la dirección del adversario.

● *Con la pierna adelantada (hacia delante):* Se puede golpear «in situ» o después de efectuar un paso en dirección al adversario.

1. «*In situ*» (fig. 114, croquis 3):

Se golpea después de haber llevado el pie hacia delante. El croquis adjunto muestra los dos tiempos de ejecución: a partir

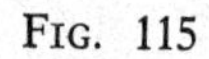

Fig. 115

de una postura de combate, llevar el pie hacia atrás (1), luego golpear solamente en arco de círculo impulsando las caderas en la misma dirección (2). Además de su gran velocidad de ejecución, esta forma de golpe tiene la ventaja de no precisar una rotación de los brazos en sentido inverso, puesto que la rotación de las caderas es menos amplia: la guardia puede pues mantenerse en su sitio y estar a punto de bloquear cualquier eventual contraataque (flecha rayada); pero, como todos los golpes dados con el pie adelantado, es más débil que la misma técnica ejecutada con el pie retrasado. Vigilar los puntos ya mencionados en el ejercicio correspondiente para el mae-geri.

2. *Desplazándose* (fig. 114, croquis 2):

Se avanza más o menos ampliamente hacia el adversario golpeando con la pierna adelantada: mediante un paso añadido (surikonde-mawashi-geri) o un paso cruzado (tobikonde-mawashi-geri).

Se avanza golpeando siempre por el mismo lado. La guardia no se invierte.

NOTA. — En todos los golpes propinados con el pie adelantado, la rotación inversa de los brazos no es necesaria. La guardia puede mantenerse permanentemente en su sitio.

FIG. 116

• *Con la pierna retrasada (hacia el lado):* fig. 116.

En caso de estar rodeado por varios adversarios es posible golpear al que se tiene al lado a la vez que se avanza para hacer frente a otro ataque (ver también yoko-geri). El golpe es sin embargo menos potente que si se hubiera propinado directamente hacia delante con motivo de la menor rotación de las caderas; el pie debe llevarse hacia atrás antes de colocarlo delante, en posición inversa.

Ushiro mawashi-geri

Se avanza golpeando con el pie retrasado mediante una rotación completa del tronco como en ushiro-geri (ver. fig. 105, croquis 1); después del giro inicial sobre ambos pies, se golpea separando el pie retrasado del cuerpo en una trayectoria ampliamente circular; la rodilla de la pierna que golpea se mantiene en un plano horizontal perpendicular al plano de la pierna apoyada. Después del impacto, se dobla la pierna, se detiene la rotación del tronco en la misma dirección y se apoya el pie adelantado, en posición inversa a la inicial.

MÉTODOS DE ENTRENAMIENTO

1) *Para el mawashi-geri:*

— Elevar lateralmente la rodilla, en posición preparatoria, con el talón contra la nalga. Mantenerse encorvados. Sostener el tobillo con la mano del mismo lado y forzar la pierna hacia arriba. Abrir la mano y golpear en mawashi-geri hacia delante; dejar volver inmediatamente el pie contra la nalga y volver a sujetar el tobillo con la mano; golpear así varias veces con el mismo pie sin apoyarlo en el suelo.

— Se está de pie con el pecho contra la espalda de un adversario; colocar las manos sobre sus hombros; el compañero extiende lateralmente un brazo; golpear con el pie situado en el mismo lado contra el revés de su mano abierta. Al golpear mantenerse encorvados, con el abdomen y el pecho pegados al compañero; mantener la pierna apoyada completamente contra su cuerpo; golpear varias veces con el mismo pie, sin apoyarlo, antes de cambiar de lado (este ejercicio desarrolla tanto la flexibilidad de la cadera como la precisión en el golpe, a la vez que consigue la perfección de la técnica).

— Colocarse de cara al compañero en una postura de combate (ver fig. 169, croquis A). Efectuar, turnándose, mawashi-geris con el pie retrasado lo más cerca posible del flanco adverso, pero sin llegar a tocarlo. No bloquear ni dar el golpe con el pie hasta que el compañero haya apoyado su pierna retrasada.

Cuadro 13

POSICION DEL CUERPO EN LOS GOLPES CON EL PIE

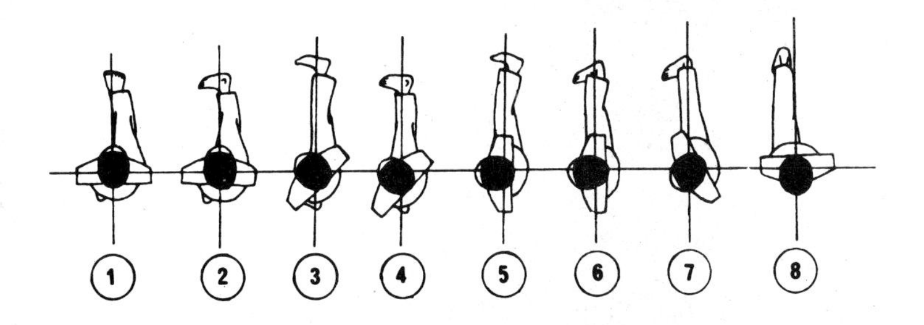

1 — Mae-geri.

2 — Mae-sokuto-geri.

3 — Mawashi-geri.

4 — Yoko-geri-keage.

5 — Yoko-geri-kekomi.

6 — Sokuto.

7 — Ushiro-geri (Shotokan).

8 — Ushiro-geri (Wado-ryu).

Los matices en las posiciones de la 5 a la 8 también están ilustradas en la foto 72 de la página 278 (se admite que el adversario esté siempre colocado sobre el mismo eje y que se golpee hacia la parte superior de la página).

FIG. 117

2) *Para ushiro-mawashi-geri:*

Mayormente que en cualquier otro golpe con el pie, es indispensable ejercitar esta técnica con el saco de arena para conseguir la sincronización del impacto con la correcta contracción de los dorsales y la faja abdominal.

E) El golpe con el pie, en media luna: mikazuki-geri

Esta técnica también se llama *aori-geri.* La superficie golpeadora (arco plantar) describe un arco de círculo oblicuo y de abajo arriba hacia el adversario.

Ejecución de un movimiento a la derecha (fig. 117).

— Se está en kiba-dachi después de haber bloqueado en haishu-uke (ver esta técnica); el brazo izquierdo queda extendido, con la mano abierta; el puño derecho hace hikite.
— Impulsar la pierna hacia delante y arriba; el movimiento parte de las caderas; la pierna queda ligeramente doblada y los dedos dirigidos hacia arriba. Mantener el busto vertical y de perfil.
— Golpear contra la mano izquierda (que representa el blanco); la pierna continúa ligeramente doblada y la parte superior del cuerpo todavía no se ha movido.
— Para el ki-hon: efectuar una rotación de las caderas en la misma dirección y colocar el pie en kiba-dachi. Golpear con el codo contra la mano izquierda; se queda en posición inversa a la inicial.
— Hacer haishu-uke con la mano derecha e hikite con el puño izquierdo antes de dar el golpe con el pie izquierdo en la misma dirección.

Aplicación

Se golpea chudan. La misma técnica se utiliza en los bloqueos tal cual (ver mikazuki-geri-uke): se bloquea un ataque a nivel chudan y luego se contraataca con un yoko-geri del mismo pie.

Puntos importantes

— La trayectoria es más directa que en el mawashi-geri. No hay posición preparatoria como en otros golpes con el pie; de ahí su velocidad de ejecución.
— La impulsión procede de las caderas, y la pierna gira alrededor del eje formado por la pierna apoyada y el tronco.
— La rotación de las caderas no es muy importante (ver el

croquis) y sólo actúa plenamente en el golpe con el codo con el que suele enlazarse. Sobre este punto, esta técnica difiere de la sokutei-mawashi-uke.

— El pecho queda de perfil durante la ejecución del golpe.

— Los dedos de los pies apuntan hacia arriba y el tobillo queda flexionado como en sokuto (pág. 93, dibujo B).

F) Los golpes con el pie, saltando: tobi-geri

Estudio técnico

Se golpea de la misma manera que en los golpes de pie fundamentales descritos en las páginas precedentes, pero suprimiendo voluntariamente todo punto de apoyo. El impacto tiene lugar cuando las dos piernas están en el aire y el cuerpo no tiene ningún contacto con el suelo. Estos golpes se dan con la pierna adelantada o retrasada, hacia delante o a los lados, saltando hacia el adversario o hacia arriba «in situ». Se puede golpear una o varias veces durante el mismo salto, si se actúa lo suficientemente rápido. Los golpes con el pie, saltando, constituyen unas técnicas muy arriesgadas contra un solo adversario, puesto que si éste tiene el valor de bloquear o esquivar, puede fácilmente sacar ventaja de su propia estabilidad. Por el contrario, su empleo en un combate contra varios adversarios provoca un efecto de sorpresa que puede aprovecharse para romper el cerco.

Los puntos esenciales comunes a los golpes con el pie, saltando, se describen más adelante.

1) *Golpe con el pie, saltando hacia delante: mae-tobi-geri*

Ejecución:

Fig. 118

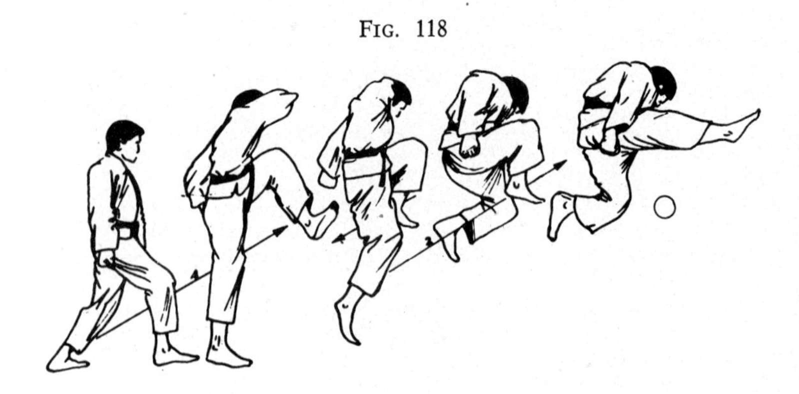

FIG. 119

a) *Con el pie adelantado* (fig. 118).

Se está en una postura adelantada. Impulsar la rodilla retrasada hacia delante y arriba (1). Saltar extendiendo la pierna apoyada y llevando la rodilla retrasada hacia delante (2). En el momento en que las rodillas se cruzan, se está en el punto más alto del salto. Golpear en mae-geri aprovechando la reacción del otro pie hacia atrás. Flexionar la rodilla retrasada al máximo hacia atrás y doblar el cuerpo hacia delante. Llevar el pie adelantado a su posición primitiva y caer en una postura estable, por el mismo lado.

b) *Con el pie retrasado* (fig. 119).

Se está en una postura adelantada. Golpear directamente impulsando la rodilla retrasada hacia delante y arriba. Saltar al mismo tiempo, extendiendo la pierna apoyada. Separar al máximo las piernas en el sentido longitudinal (la postura es de una gran separación) y doblar la pierna retrasada. Inclinar el cuerpo en la dirección del golpe. Volver el pie a su primitiva posición y caer en una postura estable, por el lado contrario.

NOTA. — Esta forma, ejecutada en un solo tiempo, es más conveniente que un salto hacia delante, mientras que la forma precedente es sobre todo un salto hacia arriba (ver «puntos esenciales»).

Aplicación

Se golpea al saltar para provocar un efecto de sorpresa ante un ataque menos clásico. Esta técnica también permite golpear saltando por encima de un ataque (de pierna, por ejemplo, o un ataque con bastón dirigido a la pierna apoyada).

Técnica derivada: niàan-geri (o ni-mai-geri)

Se dan dos mae-geri durante el mismo salto. La ejecución es parecida a un movimiento de «tijeras» de las piernas del mae-tobi-geri, con el pie adelantado; la diferencia estriba en que la pierna retrasada se lanza hacia delante, no con la finalidad de adquirir altura, sino para golpear. El primer tiempo es pues un tobi-mae-geri del pie retrasado; se golpea con el otro pie echando con fuerza el otro hacia atrás. La segunda parte del movimiento se parece al mae-tobi-geri del pie adelantado. En este momento, el cuerpo debe haber alcanzado el punto culminante del salto.

FIG. 120

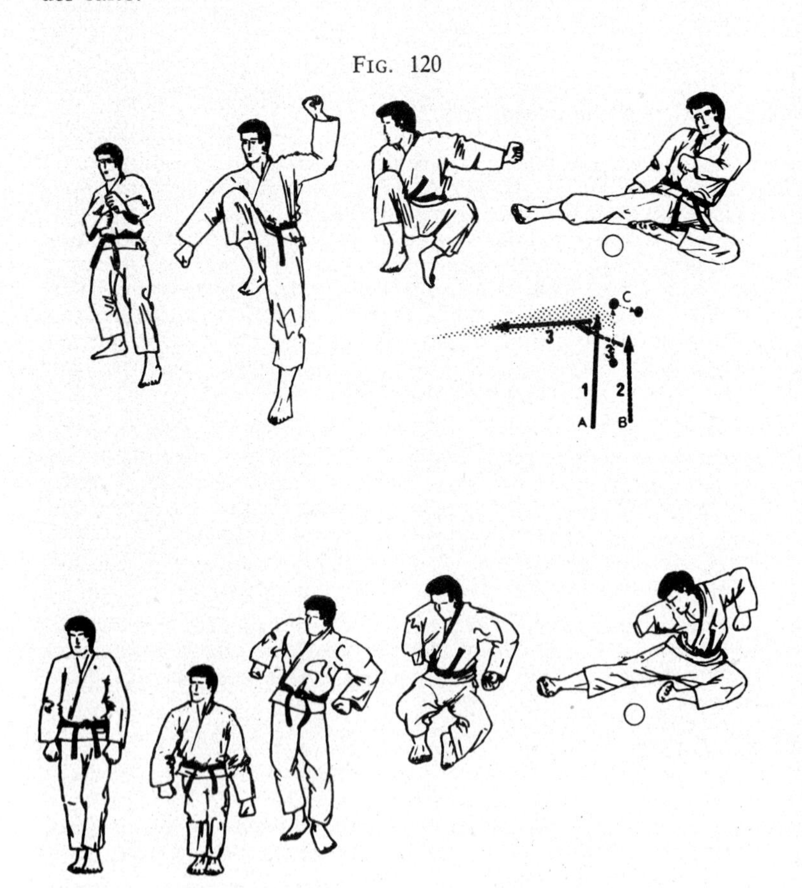

El primer mae-geri apunta hacia un nivel chudan (para sorprender al adversario o saltarle sobre su guardia). El segundo apunta hacia un nivel jodan (sin guardia debido a la abertura provocada por el otro pie). Tiene que ser todavía más rápido que en un mae-tebi-geri simple, puesto que los dos golpes deben propinarse sin puntos de apoyo y hay que volver a caer en una postura estable. La eficacia de esta técnica es muy grande.

2) *Golpe con el pie, saltando de lado: yoko-tobi-geri*

Ejecución:

a) *Hacia el lado* (fig. 120).

Se golpea con el pie retrasado (también es posible golpear con el pie adelantado, pero el movimiento es más difícil y de ejecución más lenta).

— Se está en zen-kutsu izquierdo, con las rodillas ligeramente flexionadas.

— Apoyar el peso del cuerpo sobre la pierna adelantada; impulsar la rodilla retrasada hacia delante y arriba (1); extender al mismo tiempo la rodilla adelantada y saltar hacia arriba impulsando fuertemente el pie hacia abajo (2). Este doble movimiento deja al cuerpo en el punto más alto de su trayectoria; el centro de gravedad (punto negro en el diagrama) se ha desplazado hacia delante y arriba.

— Las dos piernas tienen un movimiento simultáneo (3) durante el golpe con el pie propiamente dicho: extender inmediatamente la pierna derecha para un yoko-geri-kekomi (ver esta técnica); el impacto debe estar perfectamente sincronizado con la proyección enérgica del pie izquierdo contra la parte interna del muslo derecho, con la rodilla muy flexionada y horizontal. Este doble movimiento se acompaña de un ligero balanceo del tronco en la dirección opuesta del golpe (hay que dar el golpe con las caderas): el centro de gravedad (c') queda desplazado.

— Volver inmediatamente a su posición la pierna derecha y caer en una postura estable.

NOTAS:

● Por los motivos ya subrayados en el estudio del yoko-geri-kekomi, el golpe más eficaz es el que se da oblicuamente, ligeramente de arriba abajo. En caso de impacto real, la reacción del golpe desvía al cuerpo horizontalmente en dirección opuesta si se ha golpeado horizontalmente; la onda de choque a la vuelta no puede transmitirse al adversario por medio del pie que ha golpeado (lo ideal en todos los atemis). Por el contrario, en un golpe propinado oblicuamente, la reacción no desvía al cuerpo, puesto que éste se apoya sobre el pie y transmite inmediatamente la onda de choque (además, se mantiene más fácilmente en el aire).

● Para asimilar el movimiento, un excelente ejercicio consiste en saltar «in situ» a partir de una postura «de pie» (croquis inferior, fig. 120); flexionar las rodillas y luego impulsar el cuerpo elevando las rodillas lo más alto posible antes de golpear.

b) *Hacia delante* (fig. 121).

Se golpea con la pierna retrasada después de haberse lanzado hacia arriba como en el movimiento precedente, a la vez que se pivota hacia delante. Se extienden las piernas como anteriormente (en el croquis, el movimiento se ejecuta en tobi-sokuto-geri, con los dedos de los pies hacia el suelo).

NOTAS:

● Es posible saltar de frente y pivotar una sola vez en el aire con el fin de añadir al golpe la suficiente fuerza de rotación de las caderas.

● Girando en mayor grado, se puede llegar a dar la espalda al adversario y golpearlo con un ushiro-geri, saltando (técnica peligrosa para el ejecutante a causa de las dificultades para recuperar el equilibrio en el momento de la caída).

Aplicación

Es un ataque sorpresa, ideal en caso de ser rodeado. Se puede así esquivar un ataque por el exterior y luego saltar golpeando al cuello o esquivar un golpe bajo con el pie (o de bastón) contraatacando. En general se golpea a la cabeza.

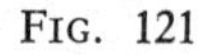

FIG. 121

3) *Golpe circular con el pie, saltando: tobi-mawashi-geri*

Se golpea con el pie en dos tiempos:

— En un primer tiempo el cuerpo, de frente, se eleva como en un mae-tobi-geri con el pie adelantado.

— En un segundo tiempo (sin punto de apoyo) se giran las caderas para golpear en mawashi-geri con el pie retrasado; la dificultad estriba en mantener el pie retrasado con la rodilla flexionada en el aire; una rotación inversa de los brazos es aquí necesaria para estabilizar el cuerpo en el momento del impacto.

4) *Variantes*

A partir de estos golpes fundamentales son posibles otras formas. Algunas son más acrobáticas y peligrosas para el que las ejecuta que no útiles: saltos giratorios, saltos con pérdida de equilibrio voluntario en el momento del impacto para proyectarse contra el suelo, golpes básicos con el pie ejecutados con pérdida de equilibrio para pasar por debajo del ataque, golpes con las piernas en el aire y las manos por el suelo, golpes con el pie, saltando, acompañados de técnicas de manos *(sankaku-tobi)*, etc.

Hay que ejercitarse más que nada en las formas básicas mencionadas anteriormente, so pena de perder toda la eficacia real en unos saltos más fotogénicos que peligrosos para el adversario.

PUNTOS ESENCIALES EN LOS GOLPES CON EL PIE, SALTANDO

— Los factores esenciales son la importancia de la velocidad de despegue y el ángulo de la trayectoria con respecto a la horizontal; esta velocidad es la resultante de dos componentes: la extensión hacia arriba y la velocidad lineal obtenida por el impulso. Pero esta última es menos importante que la velocidad vertical (empuje ascensional); en efecto, si se obtiene un mejor resultado dando en primer lugar un paso en la dirección del golpe, esto viene compensado por el hecho de que el golpe es «advertido» por el contrincante que tiene el tiempo suficiente de preveerlo. (Ciertas escuelas enseñan una técnica de salto basada en la extensión obtenida por el balanceo sucesivo del peso del cuerpo de una pierna a la otra durante un desplazamiento lento y sinuoso de apariencia felina.)

Un salto a partir de una posición estática es mucho más efectivo, pero más difícil puesto que el despegue del cuerpo del suelo requiere entonces un gran esfuerzo.

— La trayectoria del centro de gravedad viene determinada por la finalidad del salto: se puede golpear después de una simple elevación, siendo el ángulo de despegue muy próximo a la vertical, o saltando en una determinada dirección, siendo el ángulo de despegue de unos 45° respecto a la horizontal (por ejemplo con la intención de pasar un obstáculo o la distancia que nos separa del adversario). En el primer caso el salto depende sobre todo de la potencia de los músculos elevadores completamente movilizados a este efecto. En el segundo caso, una parte de la energía desarrollada sólo se utiliza para el salto en dirección al adversario. El reparto de esta energía debe hacerse de manera racional, según la finalidad buscada en el salto, con el fin de evitar cualquier dispersión inútil de los esfuerzos.

— En toda técnica de golpes con el pie, saltando, deben considerarse tres fases:

1. *El impulso inicial:* La altura depende del salto.

El empuje ascensional resulta de la impulsión de la rodilla hacia arriba acompañada de una extensión corta, pero muy vigorosa, de la otra pierna. Hay que utilizar al máximo la extensión de las articulaciones del tobillo, de la rodilla y de las caderas para propulsar el cuerpo hacia arriba; estas articulaciones, ligeramente cerradas al principio, se abren todas al mismo tiempo, mientras la pierna toma un sólido apoyo en el suelo antes de desarrollarse desde el talón a los dedos. En esta propulsión hacia arriba también deben participar los brazos y los hombros: contrariamente a los movimientos clásicos, los hombros ya no se fuerzan hacia abajo sino que se lanzan hacia arriba.

2. *La suspensión:* Es muy breve; es la fase del salto correspondiente al golpe con el pie; la ejecución debe ser muy rápida: «explosiva».

La altura alcanzada por la rodilla determina la del salto; en efecto, a partir del «despegue» de la pierna apoyada, la trayectoria del centro de gravedad viene dada en función del ángulo de la velocidad obtenida por la extensión y ya no puede ser modificada debido a la ausencia de punto de apoyo. La única posibilidad es entonces hacer bascular el cuerpo en la dirección deseada utilizando la acción de vaivén de los brazos o de la pierna que no golpea (ver la acción de la segunda pierna en yoko-tebigeri o la acción de pedaleo de las piernas en ni-dan-geri). Hay que golpear en el punto culminante del salto y lanzar el cuerpo al máximo hacia el blanco (no inclinarse hacia atrás o hacia el lado opuesto); el kime debe ser breve, explosivo, potente y que no se vea reducido por una pérdida de equilibrio.

3. *La recepción:* Es la fase más peligrosa del salto, puesto que a menudo va acompañada de una pérdida de equilibrio; la estabilidad no se adquiere inmediatamente y el adversario decidido puede aprovechar esta debilidad contraatacando en este momento. Después del kime hay que devolver muy deprisa a las rodillas a su primitiva posición para mantener el equilibrio y

Lateral saltando: yoko-tobi-geri

Fig. 122

caer lo más verticalmente posible. El choque debe ser absorbido por el efecto de resorte de los tobillos y de las rodillas que deben flexionarse al tocar el suelo. Hay que tener la costumbre de caer con los brazos en guardia con el fin de poder empalmar inmediatamente con otra técnica.

NOTA. — Estos tres tiempos no forman evidentemente más que uno solo; hay que intentar ejecutar cada una de estas tres fases antes de ser vencidos por la torpeza de movimientos.

MÉTODOS DE ENTRENAMIENTO

— No pueden conseguirse resultados válidos en las técnicas «con salto» sin haber asimilado los golpes con el pie propinados con la pierna apoyada, así como las combinaciones de los mismos (Cuarta Parte).

— Al principio, lo esencial del entrenamiento consiste en desarrollar la «extensión de las articulaciones del tobillo y de la rodilla». En primer lugar hay que conseguir saltar alto, «in situ», sin golpear. Especialmente hay que saltar a la comba, levantando las rodillas lo más alto posible.

— Una segunda etapa consiste en golpear correctamente (el problema consiste sobre todo en utilizar la pierna que no golpea y en no dejarla caer) saltando muy bajo; se salta progresivamente más alto, siempre «in situ», a medida que la sincronización de los movimientos se perfecciona.

—En una tercera etapa, se golpea saltando con carrerilla; ésta

FOTO 79

debe irse reduciendo progresivamente hasta que sea de un solo paso (se toma pues un impulso antes de saltar).

— Finalmente se salta sin impulso.

— Se puede ejercitar la segunda forma de golpe (salto en una dirección dada) entrenándose a golpear mientras se franquea un obstáculo (estrecho caballo de madera de altura regulable o un compañero agachado, arrodillado o inclinado).

G) Los golpes con la rodilla: hiza-geri

Estudio técnico

El golpe con la rodilla (también llamado *hittsui-geri*) es una técnica eficaz en el cuerpo a cuerpo; su ejecución es muy fácil y el resultado sorprendente, teniendo en cuenta la poca fuerza puesta en juego.

Ejecución:

Hay dos formas de golpes, siempre aplicados de frente:

1) *El directo ascendente*

A partir de zen-kutsu, levantar con fuerza la rodilla retrasada hacia delante y arriba como en la posición preparatoria para el mae-geri. La rodilla está levantada lo más alto posible en el plano vertical medianero del cuerpo; la tibia se mantiene vertical; el tobillo puede estar flexionado o extendido; los dedos de los pies hacia abajo.

Es esencial mantener el pie apoyado flexionado (dedos hacia delante) y la faja abdominal contraída durante el golpe. Golpear con una acción ascendente a partir de las caderas, permaneciendo ligeramente arqueados.

2) *El golpe circular*

A partir de zen-kutsu, levantar la rodilla horizontalmente y hacia el lado; como en la posición preparatoria para el mawashi-geri (ver croquis, fig. 106). Utilizar al máximo la fuerza de rotación de las caderas. Como en el mawashi-geri, efectuar el kime en el plano vertical medianero del cuerpo y bloquear la rotación del mismo mediante una rotación inversa de los brazos.

Nota. — Estas técnicas no requieren un aprendizaje especial, puesto que corresponden a la primera fase de los mae-geri o mawashi-geri.

Aplicación

Se golpea a nivel gedan y chudan cuando se está en estrecho contacto con el adversario. Los puntos vitales que se atacan son el bajo vientre, el plexo (directo ascendente), los flancos (golpe circular); también se puede golpear el rostro si el adversario está desequilibrado e inclinado hacia delante. Se golpea generalmente con la rodilla retrasada.

El golpe directo con la rodilla es una técnica de «despeje» muy eficaz en caso de agarrón por delante (hay que inclinarse hacia atrás para golpear de manera que se desequilibre el adversario y poderlo alcanzar de pleno). La foto 79 representa un doble contraataque: golpe directo con la rodilla al plexo acompañado de un golpe circular con el codo del brazo opuesto contra el rostro.

El golpe con la rodilla también constituye un potente bloqueo (ver uke-waza) contra las técnicas de pie o los ataques sorpresa, sobre todo bajo la forma de golpe directo (se puede bloquear con la rodilla adelantada).

Puntos esenciales

— Son los mismos que para las posiciones preparatorias del mae-geri (para el golpe directo) o del mawashi-geri (para el golpe circular).

— El golpe debe ser impulsado por las caderas.

— La rodilla debe estar flexionada el máximo en el impacto.

— La pierna apoyada debe permanecer firme y flexionada para amortiguar la fuerza de reacción del choque.

— Como se efectúa muy cerca del adversario, un golpe con la rodilla no deja prácticamente ninguna oportunidad para enlazar con otra técnica, sobre todo teniendo en cuenta que el contraataque del adversario puede ejecutarse rápidamente; por consiguiente, el golpe debe ser decisivo, o sea propinándolo a fondo, con la máxima energía.

MÉTODOS DE ENTRENAMIENTO

Hay que aprender sobre todo a levantar muy alto la rodilla dando el impulso con las caderas. La figura 123 ilustra un entrenamiento válido tanto para el golpe directo como para el maegeri:

— Se está en zen-kutsu frente a una pared.

— Impulsar la rodilla de la pierna retrasada hacia delante y lo más arriba posible, desequilibrándose hacia delante: apoyarse con las dos manos en la pared, pero no levantar el talón de la pierna que permanece apoyada; empujar hacia delante con

FIG. 123

toda la fuerza de las caderas y levantar la rodilla contra el hombro. Mantener la espalda ligeramente arqueada.

— Volver a adoptar la posición zen-kutsu estable.

El golpe circular debe ejercitarse con el saco de arena.

4

Las técnicas defensivas (uke-waza)

INTRODUCCION

Los viejos maestros nos recuerdan constantemente a lo largo de sus clases que el karate es ante todo un arte de defensa. Los katas, ejercicios de estilo que simulan combates contra varios adversarios y a través de los cuales se han transmitido las antiguas técnicas del karate, empiezan siempre con un movimiento defensivo: la defensa (uke) es la primera razón de existir del karate. No obstante, hay que continuar trabajando a fondo las técnicas de ataque (y casi siempre la enseñanza empieza por aquí, lo cual puede parecer una paradoja), puesto que permiten descubrir los «secretos» reales tan indispensables para las técnicas de defensa: verdaderamente no se puede detener un ataque real (es decir, mortal según el punto de vista del karate) sin ser capaz uno mismo de llevar a cabo un tal ataque; en la defensa se progresa al mismo ritmo que en el ataque; los dos aspectos están muy ligados y tienen las bases comunes. De esta manera, la busca de la liberación total de la energía y del kime en el oi-zuki favorece paralelamente el dominio del bloqueo.

Como en el ataque, las posibilidades de defensa ofrecidas por el karate son particularmente numerosas y variadas. Todo depende de la finalidad pretendida; de hecho, ésta es siempre la puesta fuera de combate del adversario (siempre que sea posible hay que evitar la confrontación, pero si ésta tiene lugar, debe terminar con la eliminación del agresor), pero hay varios medios para lograrlo así como para dosificar la réplica (este aspecto es particularmente importante en una sociedad evolucionada en la que el respeto por la persona humana está más desarrollado que en la Edad Media). Debe considerarse un último elemento en la elección de la defensa: el nivel técnico alcanzado por uno u otro contendiente; una defensa válida contra un adversario inexperto planteará ciertos problemas cuando se trate de un karateka adelantado; sin embargo, puede tener éxito si el nivel técnico del defensor es muy elevado; estas reservas se tratarán durante el estudio que va a seguir.

A menos de haber alcanzado un gran dominio en la práctica del karate, un karateka no se contentará con defenderse sin pasar a la contra inmediatamente. Esto es muy peligroso, puesto que la ocasión para el contraataque puede estar ya definitivamente perdida. Todo golpe, incluso débil, debe detenerse absolutamente, como si se tratara de un ataque con navaja; los brazos y las piernas deben constituir una especie de cortina protectora delante del cuerpo al que ningún golpe debe llegar. La práctica de la obstrucción no es posible en karate (en boxeo consiste en entrar en la guardia del adversario y paralizar sus movimientos dejando «colgados» sus brazos), puesto que siempre hay que temer un golpe con la rodilla. Además, no es cuestión de encajar voluntariamente un golpe (en el cuerpo o en la espalda como en boxeo) ya que éste podría ser decisivo. No hay que dejar ningún punto al azar; toda defensa debe ser limpia, precisa, potente, sin movimientos secundarios e inútiles; debe preparar la respuesta que va a seguir inmediatamente: golpe con un miembro superior o inferior, luxación, caída, proyección seguida de un golpe o luxación en el suelo. La simple inmovilización, como en judo, no resuelve nada, puesto que el adversario guarda todo su vigor y puede «explotar» al relajarse algo nuestra tensión (además puede salir airosamente de numerosas inmovilizaciones con la ayuda de golpes, los cuales están prohibidos en judo).

Los procedimientos defensivos se clasifican en tres categorías:

- Las técnicas que sobre todo exigen fuerza (movimiento con kime).
  - Bloqueos: con los miembros superiores o inferiores.
  - Golpes de parada: con los miembros superiores o inferiores.
- Las técnicas que sobre todo exigen agilidad.
  - Bloqueos «barridos»: con los miembros superiores o inferiores.
  - Bloqueos batidos: con la muñeca.

— Bloqueos en gancho: con la mano o con el pie.
— Esquivas.

- Las técnicas de control (luxaciones y proyecciones). Exigen a la vez agilidad (para colocarse rápidamente en buena posición) y fuerza (para ejecutar el movimiento). Las proyecciones y las caídas precisan la utilización combinada de pies y manos.

El principiante deberá dedicarse a dominar los bloqueos que contribuyen a desarrollar el sentido del kime y no emprenderá las esquivas mientras no esté seguro de sus técnicas de bloqueo (estará así capacitado para hacer frente a cualquier situación imprevista). Las proyecciones y las luxaciones exigen un estrecho control del adversario (y por ello son peligrosas), por lo que no se estudiarán hasta haber asimilado perfectamente los dos niveles precedentes de la defensa (ver cuadro XIV).

Cualquier defensa debe hacer del ataque adverso un movimiento totalmente ineficaz, aunque dejando intactas las posibilidades de un inmediato contraataque. Este resultado se consigue ya sea infligiendo al adversario un dolor tal que termine con sus ganas de atacar de nuevo (bloqueo enérgico contra el miembro atacante o golpe de parada en el cuerpo), ya sea dejándolo en una situación tal que le sea imposible proseguir el ataque (esquivando por el exterior, causando una luxación, proyectando). Pero la defensa no es un fin en sí; a partir de la ejecución del movimiento de defensa, el cuerpo y el espíritu deben prepararse para una réplica que será función del grado de peligrosidad del ataque (puede ir desde el simple control del miembro atacante, lo cual se considera un mínimo, hasta el contraataque mediante un atemi que deje al adversario definitivamente fuera de combate). Es ahí donde el reflejo puede y debe ser «condicionado» (ver pág. 45).

El entrenamiento debe enfocarse hacia la obtención de una sensación única, que haga del conjunto defensa-contraataque un solo movimiento; a partir del inicio del movimiento de defensa, el espíritu debe «envolver» al del adversario, y permanecer constantemente en tensión en su dirección incluso si el cuerpo retrocede previamente (ver Tercera Parte, capítulo I).

I. — LAS TECNICAS DE FUERZA

LOS BLOQUEOS O PARADAS

Son unas técnicas en las cuales se utiliza una parte del propio cuerpo como escudo para impedir que un ataque alcance al-

Cuadro 14. — UKE-WAZA (Técnicas de defensa)*

A) BLOQUEOS O PARADAS

Intervención de la agilidad		*Intervención de la fuerza*
a) ***Bloqueos con detención*** **(con kime)** • de los miembros superiores • de las rodillas	transformables en →	a) *Bloqueos barridos* • de los miembros superiores • de los miembros inferiores
b) ***Golpes de parada*** • mediante una técnica de bloqueo (miembro superior o inferior) contra el cuerpo • mediante una técnica de ataque o de contraataque — golpe directo de un miembro superior o inferior: de pie o saltando — golpe de un miembro superior o inferior esquivando: de pie, saltando hacia el lado o agachándose.		b) *Bloqueos batidos con la muñeca* • bloqueos detenidos • bloqueos barridos c) *Bloqueos con gancho* • con la mano • con el pie

B) ESQUIVAS O FINTAS

De pie	*Con pérdida de equilibrio* (esquiva agachándose)
a) con bloqueo (detenido o barrido) *b*) sin bloqueo *c*) con bloqueo acompañado de un contraataque *d*) con contraataque directo (golpe de parada)	

C) TECNICAS DE CONTROL

De pie	*En el suelo*
— después de una esquiva — después de un bloqueo barrido o con gancho — aprovechando la inhibición momentánea del adversario después de un golpe de parada o un primer contraataque con un atemi: *a*) luxación *b*) proyección *c*) estrangulación *d*) amenaza de atemi	— después de una proyección, un «derribamiento» o una batida. — después de la caída del adversario provocada por su propia pérdida de equilibrio. — después de la caída del adversario provocada por el dolor (después de un atemi) *a*) luxación *b*) estrangulación c) amenaza de atemi

* No se consideran en este cuadro más que los aspectos técnicos de la defensa. Ver la tercera parte para los aspectos mentales, pág. 433

Cuadro 15. — CLASIFICACION DE LAS TECNICAS DE BLOQUEO

	Bloqueos detenidos	Bloqueos barridos	Bloqueos con golpes de parada	Bloqueos batidos con la muñeca	Bloqueos con gancho
TECNICAS DE BRAZO Y DE MANO	Jodan-age-uke 1, a		→ Fumikomi-age-uke 1, a/d		
			Hiji-suri-uke 1, a/d		
			Tsuki-uke 1, a/d		
	Ude-uke (soto, uchi, *morote*) 1, 2, b	→ Uchi-komi 1, 2, b	→ Fumikomi-ude-uke 1, 2, b	→	→ Tsukami-uke 1, 2, b
	■ mae-ude-hineri-uke 1, 2, b	→ Haiwan-nagashi-uke 1, a			■ *Morote-tsukami-uke* 1, 2, b
	Soto-uke 1, 2, b	→ Shuto-barai 1, 2, b	→ Fumikomi-shuto uke 1, 2, b		→ Tekubi-kake-uke 1, 2, b, c
	■ Tate-shuto-uke 1, 2, b	Gedan-barai 3, b			→ Gedan-kake-uke 3, b/a
	Gedan-uke 3, b	→ ■ Chudan-barai 2, b			
	Otoshi-uke 2, 3, c	→ Te-osae-uke 2, 3, c			
	Teisho-awase-uke 2, 3, c				
	Jodan-juji-uke 1, a		Mae-ude-deai-osae-uke 2, 3, d		Sukui-uke 3, b/a
	Gedan-juji-uke 2, 3, c				■ *Morote-sukui-uke* 3, a/c
	Haishu-uke 1, 2, b				
	■ *Sokumen-awase-uke* 1, b			Kakuto-uke 1, 2, a, b,	
	Kakiwake-uke 2, b			Keito-uke 1, 2, a, b	
	Tettsui-uke 1, 2, 3, b, c			Seiryuto-uke 2, 3, b, c	
	Empi-uke 1, 2, a, b	Te-nagashi-uke 1, 2, b		→ Teisho-uke 1, 2, 3, a, b, c	
TECNICAS DE PIERNA Y DE PIE	Hittsuí-geri-uke 2, a	Nami-ashi 3, a	Sokuto osae uke 3, d/c		Ashibo-kake-uke 3, b/a
		Mikazuki-geri-uke 2, b	Sokutei-osae-uke 3, d/c		Ashikubi-kake-uke 3, b/a
		Sokutei-mawashi-uke 2, b			

NOTAS. — Cada técnica va seguida de uno o varios números indicando que el bloqueo se ejecuta a nivel: 1. Jodan; 2. Chudan; 3. Gedan, y de una o varias letras indicando la dirección de la fuerza en el bloqueo. El ataque es: a) rechazado hacia arriba; b) desviado lateralmente; c) impulsado hacia abajo; d) rechazado directamente hacia delante. Una técnica precedida del símbolo ■ deriva de la anterior. Una técnica en itálica es un bloqueo doble o reforzado (con ambas manos).

gún punto vital; se utilizan los brazos, las manos, las piernas y los pies, los cuales son lanzados con fuerza al encuentro de la pierna o del brazo adverso para desviar su trayectoria inicial. Se produce pues un choque frontal de las dos fuerzas, violento y doloroso para una persona no entrenada. Se bloquea con kime en el momento del contacto: la fuerza de todo el cuerpo se concentra una fracción de segundo en el punto de choque con la voluntad de romper el miembro adverso (con este punto de vista el bloqueo forma parte de los ate-waza). Oponemos fuerza a la fuerza y puede haber peligro de heridas tanto para el que bloquea como para el que ataca. En realidad, el primero desarrolla una fuerza mayor que le permite detener el ataque adverso mediante la participación de las caderas (ver más arriba) y sobre todo por el hecho de que golpea mediante un movimiento indirecto (uchi) contra un ataque directo (tsuki o keri); ya que si el segundo es más rápido, el primero es más potente. Hay aquí un problema de dosificación entre la fuerza y la velocidad del bloqueo: es tanto más rápido cuanto más directo, pero tanto más fuerte en cuanto se realice después de un amplio impulso del brazo.

Por esto son indispensables unos antebrazos bien fuertes (ver el entrenamiento en la cuarta parte).

De todas maneras un bloqueo sólo tendrá éxito:

— Si los adversarios son de fuerza sensiblemente igual.
— Si, en el caso contrario, el que bloquea posee un nivel técnico ampliamente superior.

En el caso de un karateka más débil y más bajo que el atacante, y cuando los dos poseen un nivel técnico sensiblemente igual, el primero tendrá interés en utilizar un bloqueo «barrido» o una esquiva (ver estas técnicas). Queda por decir que todo karateka, en el entrenamiento debe profundizar y aplicar los bloqueos, puesto que éstos desarrollan el espíritu de decisión y la fuerza de las caderas (como las técnicas de ataque son la forma de aprender a concentrar la fuerza en un punto); permiten adquirir la sensación del tanden y constituyen un excelente entrenamiento para la estabilidad.

Los bloqueos son numerosos; algunos sólo se ejecutan a uno de los tres niveles (jodan, chudan o gedan) mientras otros son válidos para los tres. Bloquear correctamente un ataque llevado a cabo por un karateka adelantado a un nivel no determinado previamente, exige mucho entrenamiento y una gran experiencia; por ello el principiante deberá dedicarse únicamente al dominio de algunos bloqueos básicos (tales como el gedan-barai, el ude-uke, el shuto-uke, el age-uke) y deberá conseguir ejecutarlos instintivamente, con rapidez y potencia en todas las direcciones, antes de dedicarse a las numerosas técnicas derivadas o variantes propuestas en este estudio.

Teóricamente es posible utilizar cada técnica de ataque como técnica bloqueadora y viceversa. Los tsuki-waza pueden convertirse en golpes de parada mientras los uchi-waza son más adecuados para los bloqueos; por otro lado, una técnica de bloqueo ejecutada con fuerza y velocidad puede utilizarse en un solo ataque o en una sucesión de ellos. Esta inversión en el empleo de las técnicas de karate no es realmente posible más que después de largos años de práctica, excepto para los uchi-waza.

En efecto, en los bloqueos con el sufijo uke encontramos numerosos movimientos estudiados hasta aquí con el sufijo uchi (por ejemplo, teisho-uchi se convierte en teisho-uke, shuto-uchi se convierte en shuto-uke, etc.), poco o nada modificados; esto facilita su asimilación. De una manera general, cada técnica en uchi puede ser un bloqueo en la medida en que la superficie golpeadora se proyecta sobre el miembro adverso que está atacando; lo mismo ocurre para cada una de sus formas, pero en la práctica, como ciertas formas son demasiado difíciles de ejecutar en este sentido especialmente por su falta de potencia, no hemos conservado para cada técnica bivalente más que la dirección más eficaz.

Puntos esenciales comunes a los bloqueos

— Hay que aprovechar la acción de bloqueo para tomar la iniciativa e inclinar el ataque a nuestro favor; hay que intentar desequilibrar al adversario con la sola fuerza del bloqueo.

— No hay que sacrificar el propio equilibrio bloqueando demasiado lejos del cuerpo; el «hueco» entre el punto de contacto y el cuerpo es demasiado importante y el ataque pasa.

— No hay que separarse demasiado del miembro atacante; hay que romper un mínimo con el fin de ser siempre posible contraatacar con la misma mano o con la mano retrasada (forma gyaku) sin pérdida de tiempo. Constantemente hay que estar «pegados» al adversario para poder alcanzarlo con toda seguridad; si se está demasiado lejos, hay que golpear con el pie, lo cual es menos rápido y a la vez no tan eficaz como el contraataque con el puño.

— Todo bloqueo debe ir inmediatamente seguido, o acompañado (ver la Tercera Parte: ippon-kumite) de un contraataque con el fin de no dejar tiempo al adversario de recuperarse y proseguir su acción ofensiva.

Bloquear y romper para tener una mejor oportunidad de contraatacar es peligroso y sólo puede enfocarse si se posee un nivel técnico muy superior.

— Así pues, no basta con permanecer a una buena distancia

del adversario; el espíritu no debe adoptar una actitud demasiado defensiva: en un abrir y cerrar de ojos debe poder pasarse al contraataque.

— El bloqueo debe ser efectivo antes de que llegue el ataque adverso al blanco fijado; estando relajados, se toca entonces al adversario, lo que le causa un dolor tan vivo que le hace perder el equilibrio. Es inútil golpear contra un miembro adverso inmóvil; en este caso, como éste no ha tocado (basta ampliamente con haber roto), se puede pasar inmediatamente a la réplica. Si se golpea de todas maneras contra este miembro antes de golpear el cuerpo (de bloqueo), la técnica utilizada se convierte en ataque (se efectúan en realidad dos contraataques).

— Tampoco hay que bloquear demasiado pronto, puesto que las prisas estropean las fintas. El «timing» es pues esencial: no hay que intervenir ni demasiado pronto ni demasiado tarde. Hay que sentir venir el ataque real casi instintivamente, lo cual no ocurre hasta después de un largo período de entrenamiento y de un serio trabajo de la mente (ver Tercera Parte).

— El brazo permanece relajado durante todo su recorrido con el fin de no frenar el movimiento (la velocidad es esencial, según el mismo principio que el atemi). El puño no se contrae totalmente hasta el contacto con el miembro adverso.

— Cada bloqueo debe llevarse a fondo e ir acompañado del kime. Toda la energía debe ser concentrada durante una fracción de segundo en el punto del impacto; luego debe sustituirse inmediatamente por un cese total de la tensión (relajación). Se consigue así un bloqueo potente, realizado según el principio de los atemis, frecuentemente suficiente para provocar en el adversario un fuerte dolor inhibidor. Por otra parte, el procedimiento permite: *a*) no comprometer el propio equilibrio manteniendo demasiado rato la tensión y *b*) disponer inmediatamente de toda la energía para la réplica. Es inútil querer desviar el miembro adverso de su trayectoria límite en la que el ataque es ya inofensivo. El bloqueo debe ser seco (kime) y sobrio. No hay que tener miedo en rozar el pie o el puño del adversario; esto prueba la economía de los propios gestos, la voluntad de contraataque inmediato y sobre todo un gran dominio técnico y mental (el espíritu debe estar completamente dirigido hacia la réplica).

— El principio «acción-reacción» también se aplica a los bloqueos: la gran mayoría de las técnicas de brazos utiliza una acción en sentido contrario al brazo que no está bloqueando; para permitir este hikite, los brazos a menudo están cruzados en la posición preparatoria de bloqueo. Esta manera de actuar añade unas ventajas suplementarias: la mano que no bloquea, extendida hacia el adversario, constituye una primera defensa que permite detener cualquier eventualidad (ver especialmente las fotos 82, 83 y 88, 89); por otra parte mantienen en todo instante los puntos vitales del pecho completamente protegido; y finalmente permite una primera defensa antes del bloqueo (por ejemplo, nukite a los ojos, tsuki como golpe de parada, desequilibrado del adversario mediante agarrón o «barrido» de su brazo, etc.).

— El principiante sólo ejecutará un bloqueo a partir de la posición preparatoria clásica (en las páginas siguientes todas las técnicas se describen de esta forma). Pero durante un asalto no convencional, la espontaneidad del ataque hace muy difícil el inicio del bloqueo a partir de esta posición; notablemente este es el caso en competición. En un nivel más avanzado, también es posible iniciar el movimiento a partir de posiciones menos ortodoxas. De todas maneras, incluso los karatekas adelantados deberán acordarse de que el ideal en todo bloqueo sería conseguir ejecutar el movimiento a partir de la posición clásica sin por ello retrasarla; ya que el bloqueo es tanto más potente cuanto mayor es el trayecto descrito por el brazo. Debe buscarse una solución de compromiso entre estos dos imperativos. La importancia respectiva que conviene dar a éste es función de la velocidad y de la fuerza del ataque, del nivel técnico alcanzado, de la rapidez de los reflejos, etc.

— Cuando se bloquea con el antebrazo, éste efectúa una rotación sobre su trayectoria. Esta rotación añade fuerza al bloqueo y permite conseguir un golpe cuya brusquedad desvía al miembro atacante hacia una trayectoria distinta; no debe intervenir hasta el final del movimiento del brazo.

— La correcta contracción del brazo en el momento del impacto depende en gran parte de la posición del codo; si éste está demasiado lejos del cuerpo, la fuerza desarrollada por el brazo es menor (gran brazo de palanca); si, por el contrario, el codo está demasiado cerca, el movimiento de bloqueo es demasiado corto: menos rápido y de poca fuerza. Se consigue la posición correcta y eficaz cuando el codo se halla separado del tronco una distancia aproximada de un palmo. Para los bloqueos que tienen lugar con el brazo flexionado a nivel chudan (ude-uke, shuto-uke), el ángulo del brazo deberá ser igual o ligeramente inferior a 90°.

— El hombro del brazo bloqueador debe mantenerse bajo. La contracción tiene lugar bajo el brazo.

— Todos los bloqueos que se ejecutan en su forma fundamental con el puño cerrado pueden efectuarse también con la mano abierta; el movimiento no es tan fuerte (la contracción del brazo se hace mejor cuando el puño está cerrado) y a menudo más peligroso (cuando se trata de golpear con el pie, se corre el peligro de dañar los dedos), pero permite empalmar con un agarrón del miembro adverso inmediatamente.

— La fuerza de rotación de las caderas contribuye a la eficacia del bloqueo. Puede ejercerse de dos maneras (ver «Factores de eficacia de los golpes», pág. 124):

- En el mismo sentido del movimiento del brazo: el resultado es un potente bloqueo, apoyado por toda la fuerza del cuerpo, particularmente útil cuando se gira sobre sí mismo (ver página 124) y cuando se avanza (estilo Wado-ryu).
- En sentido contrario al movimiento del brazo: esta forma se utiliza sobre todo cuando se retrocede y cuando se bloquea «in situ», con el cuerpo inmovilizado (estilo Shotokan). Esta vigorosa rotación de las caderas y del pecho en la dirección opuesta a la del bloqueo, ofrece dos apreciables ventajas: esconde los puntos vitales del pecho al mismo tiempo que permite contraatacar sin pérdida de tiempo, mediante una rotación inversa de las caderas (por ejemplo con un gyaku-zuki). Esta forma de bloqueo con esquiva del pecho permite incluso replicar con una fuerza especial.

— Los bloqueos con el brazo se efectúan generalmente por el mismo lado de la pierna adelantada; para los karatekas adelantados, los bloqueos por el lado contrario (forma gyaku-ashi) son evidentemente posibles (en este caso, los bloqueos acompañados con una esquiva del busto exigen una gran flexibilidad en las caderas).

— El bloqueo no puede ser muy fuerte si no está respaldado por una sólida postura; las caderas deben mantenerse bajas para poder resistir el choque (hay que «romper» el ataque adverso). Las rodillas están flexionadas elásticamente para estar a punto de impulsar al cuerpo hacia delante en el momento del contraataque. El impulso inicial del movimiento de bloqueo debe partir del abdomen; de la manera misma que se ataca «con el vientre», también se bloquea «con el vientre» (hara). Así pues, hay que vencer el natural reflejo que hace retroceder el abdomen o la cabeza por miedo de un golpe.

NOTA. — Una misma técnica puede clasificarse en la categoría de los *bloqueos detenidos* (con kime en el contacto) como en la de los *bloqueos barridos* según el espíritu con que se ejecutan (ver pág. 396, los bloqueos barridos típicos y sus caracteres propios). En las páginas siguientes se estudian los bloqueos generalmente ejecutados con fuerza (con kime) así como las técnicas barridas o los golpes de detención que de ellos se derivan directamente y que sería artificial querer clasificar aparte (en el cuadro 5 estas correspondencias están señaladas por flechas).

Foto 80

Foto 81

A) El bloqueo ascendente alto o parada alta: jodan-age-uke

Estudio técnico

El jodan-age-uke (o age-uke) es una defensa ante un fuerte ataque contra el rostro; éste es desviado hacia arriba con la parte del antebrazo cerca de la muñeca; se utiliza la acción combinada del desplazamiento del brazo delante del rostro y la rotación final del antebrazo (fotos 80 y 81). Esta técnica, que utiliza un reflejo natural que consiste en levantar el brazo cuando se teme un golpe, es tan apropiado a los ataques directos como a los descendentes que tienen por blanco el vértice del cráneo (golpe de bastón por ejemplo).

Ejecución de un movimiento a la derecha

— Se está en hachiji-dachi.
— Extender la mano izquierda hacia delante, con la palma hacia el suelo, a la altura del rostro; colocar el puño derecho, con las uñas hacia abajo, delante del plexo.
— Retrasar el pie izquierdo y girar las caderas hacia la izquierda echando la mano izquierda hacia atrás.
— Los antebrazos se cruzan delante del pecho: mientras la mano izquierda va hacia atrás para colocarse (con el puño cerrado) a la altura de la cadera izquierda, el antebrazo derecho describe una trayectoria inversa, hacia delante y arriba.

Foto 82

Foto 83

Foto 84

— Cuando el brazo derecho pasa a la altura del rostro, efectuar una rotación del antebrazo y bloquear, con las uñas vueltas hacia el adversario.

— Posición final: se está en zen-kutsu derecho, con el cuerpo a ¾.

— Hacer venir el pie izquierdo y volver a la postura hachiji-dachi.

Aplicación

La foto 82 muestra la posición preparatoria, con un brazo extendido, antes del bloqueo de un golpe con el puño (en este caso) (foto 83).

La misma técnica puede utilizarse como liberación: cuando la mano derecha es agarrada por el adversario, se golpea en age-uke con el brazo izquierdo bajo el brazo del adversario (a nivel de su muñeca) para rechazarlo hacia arriba, al mismo tiempo que se retira con fuerza el brazo derecho.

Asimismo, con algunas modificaciones, se puede detener un golpe de bastón contra el cráneo.

La postura adoptada, en general, es la zen-kutsu o la fudo-dachi, bien estables hacia delante; cuando se es desbordado por el ataque (o una sucesión de ataques como el gohon-kumite, ver pág. 444) se puede bloquear en ko-kutsu (entonces es particularmente importante flexionar fuertemente la rodilla retrasada y mantenerla en tensión hacia delante), lo que permite contraatacar inmediatamente con el pie adelantado. Al bloquear en kiba-dachi, el pecho y las caderas quedan completamente de perfil (esquiva), lo que las coloca fuera de la línea de ataque adversa (se evita así más fácilmente un golpe con el pie propinado inmediatamente después de un golpe con el puño).

En general se suele bloquear por el mismo lado de la pierna adelantada; es posible bloquear en posición contraria *(gyaku-ashi-age-uke)* y contraatacar con el puño correspondiente al lado de la pierna adelantada. La foto 84 muestra un gyaku-ashi-age-uke con esquiva lateral (el mismo brazo puede obtener inmediatamente cualquier otro ataque).

NOTA. — A veces se reserva la denominación *soto-age-uke* para el bloqueo ejecutado por el lado contrario al del ataque (se bloquea pues por el exterior del ataque) y la de *uchi-age-uke* para el que se ejecuta por el mismo lado del ataque (se bloquea pues por el interior del mismo).

Variantes

Existen una serie de variantes según las escuelas e incluso

según los expertos de una misma escuela; cada una presenta sus ventajas e inconvenientes:

Croquis A de la fig. 125: La dirección general del bloqueo hacia delante y arriba (línea de puntos). Se bloquea directamente lanzando el antebrazo oblicuamente bajo el brazo del adversario; este choque de frente de las dos fuerzas hace saltar el ataque (flecha) hacia arriba (métodos Shotokan y Shotokai). Esta manera de bloquear es la única posible después de haber ejecutado un ataque con el mismo brazo (el puño vuelve hacia atrás, a la altura del plexo, pasa por delante del rostro y bloquea: la trayectoria de conjunto es un arco de círculo cuya parte cóncava mira al adversario). Ventajas: el bloqueo es particularmente potente, sobre todo cuando se avanza sobre el ataque, y conviene adecuadamente a la liberación después de un agarrón de la otra mano (ver «aplicación»). Ver esta ejecución en las fotos 82 y 83.

Inconvenientes: El choque que debe encajar el antebrazo es importante y puede ocasionar heridas; esta manera de bloquear se destina menos al empleo contra un golpe de bastón de arriba abajo: se bloquea muy lejos hacia delante, lo que permite al extremo del bastón, animado de una gran velocidad, tocar el blanco, aunque el golpe sea amortiguado (el brazo del adversario y el bastón no constituyen un bloque rígido; bajo el efecto del choque mediante el bloqueo, puede doblarse al nivel de la muñeca).

Croquis B de la fig. 125: El puño describe una trayectoria inversa al movimiento precedente. Sale hacia delante y arriba y luego a partir del contacto con el brazo adverso, vuelve hacia

FIG. 124

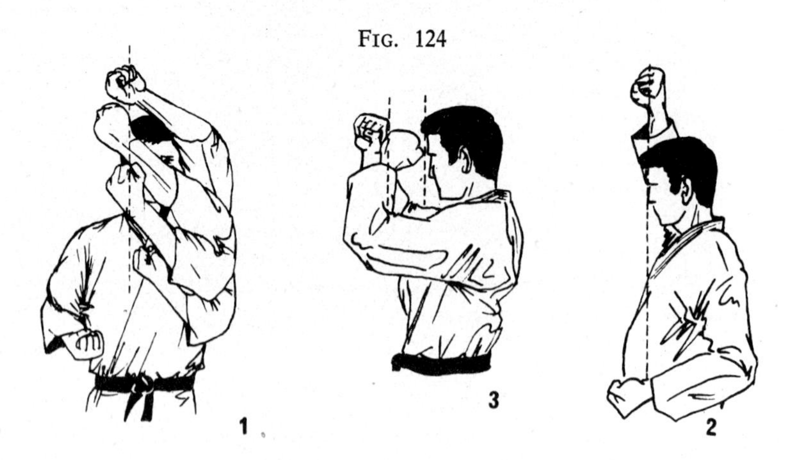

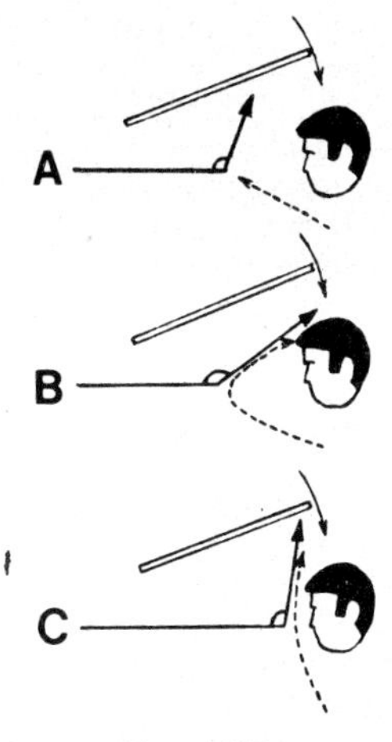

FIG. 125

atrás y se coloca hacia delante y un poco por encima de la frente: la trayectoria de conjunto es un arco de círculo cuya parte convexa está girada hacia el adversario; el ataque no es rechazado hacia arriba sino desviado hacia una dirección en la que no pueda causar ningún perjuicio (es otra forma del age-uke en Shotokan).

Ventajas: Este bloqueo se basa más en la esquiva que en la técnica de fuerza y por consiguiente es más interesante si el adversario tiene una potencia netamente superior. No se intenta neutralizar la fuerza adversa, sino desviarla para hacerla ineficaz (el ángulo que forma el ataque con la horizontal se mantiene menor que en la forma A); se lleva el ataque hacia sí, lo que requiere menos fuerza, puesto que se actúa en el mismo sentido que él; por este hecho, el movimiento del adversario no se detiene brutalmente y el contraataque puede intervenir cuando todavía no se ha inmovilizado o sea contraído. Ver esta ejecución en las fotos 80 y 81.

Inconvenientes: Este bloqueo es eficaz cuando se retrocede ante el ataque (por ejemplo adoptando la postura ko-kutsu), pero demasiado lento cuando se avanza para bloquear y contraatacar al mismo tiempo; la forma A, entonces, conviene mejor, así como para soltarse de un agarrón. Para bloquear un golpe de bastón, una forma más directa será más eficaz y más rápida; ya que en estos casos intervienen otros imperativos (ver forma C).

Croquis C de la fig. 125: La dirección general del bloqueo es directamente de abajo arriba; el antebrazo se desplaza en un plano prácticamente vertical (método Wado-ryu); se rechaza el ataque directamente hacia arriba. Los croquis 1 y 2 de la figura 124 ilustran esta forma de age-uke: el puño sale del plexo y pasa por delante del rostro para detenerse encima de la cabeza; el antebrazo se mantiene oblicuo durante todo el movimiento y no gira sobre sí mismo (parte carnosa de delante) hasta haber pasado a la altura del rostro; el puño debe rozar el rostro durante su trayectoria (fig. 124, croquis 3, la máxima separación es la anchura del puño). El pecho queda de frente con el fin de que los músculos del pecho, de la axila y del abdomen puedan participar al máximo en el movimiento de levantamiento.

Ventajas: Como se trata de un movimiento directo hacia arriba y el puño se inmoviliza por encima de la cabeza, esta forma es más apropiada para bloquear un golpe de bastón (se ejecuta con la misma idea que el jodan-juji-uke, pág. 379).

Inconvenientes: Es un bloqueo peligroso de utilizar contra un golpe con el puño. En efecto, no se toca el brazo del adversario hasta que su puño no está cerca del rostro (comparar los tres croquis); se rechaza el ataque hacia arriba según un ángulo de 90° respecto de la dirección inicial. Esto es muy atrevido teniendo en cuenta que el ataque puede pasar (lo cual es siempre posible si es violento e imprevisto), por lo que los centros vitales del pecho y de la cabeza están particularmente expuestos.

Otra variante consiste en girar completamente el busto de perfil con relación al ataque, con el fin de bloquear con el codo más que con el antebrazo. La ejecución del movimiento es la misma, pero el codo se coloca delante del rostro y apunta hacia el adversario (así no se corre el peligro de verlo con un solo ojo); esta deformación del bloqueo básico es muy interesante para hacer frente a un ataque repentino; la parad es muy fuerte.

NOTA. — Cada una de estas formas es una manera distinta de concentrar la fuerza y por consiguiente es apropiada para tal o cual situación. El principiante, sin embargo, deberá concentrarse, como en las técnicas de ataque, en una forma básica: si practica Wado-ryu, ejecutará la forma C, si practica Shotokan, bloqueará con las formas A o B. Todas estas formas pueden ejercitarse con la mano abierta en shuto (shuto-jodan-uke).

Puntos esenciales

— Cualquiera que sea la potencia del age-uke, el bloqueo debe ser ejecutado en un solo tiempo y con una sola sensación (no hay que distinguir el impulso del puño, hacia atrás o hacia delante, de la parada propiamente dicha).

— A la mitad del movimiento, los brazos forman una cruz a la altura del cuello; los codos se mantienen al máximo en contacto con el tronco y los hombros permanecen bajos.

— El codo del brazo que bloquea sigue la trayectoria más directa hacia el blanco.

— La rotación del antebrazo no debe intervenir, vigorosamente, hasta el último tercio del recorrido. Este movimiento, como un «latigazo» hacia arriba es la base de la eficacia del age-uke; él es el que desvía el ataque, y no la sola fuerza de levantamiento del brazo (los dos movimientos se suman). Para que esta rotación pueda ser rápida, hay que mantener el brazo relajado durante toda su trayectoria hasta el momento del contacto. El hecho de girar la parte carnosa del brazo y las falanges del puño hacia delante, confiere al bloqueo su solidez (en caso contrario, el brazo podría romperse bajo un ataque fuerte, especial mente con bastón). La orientación del antebrazo permanece constantemente oblicua con relación a la horizontal (foto 81 y croquis 1). Se rechaza el ataque oblicuamente (si en el momento del contacto el antebrazo está horizontal, es imposible rechazar el ataque hacia arriba, puesto que el bloque hombro-axila no es lo suficientemente fuerte; por otra parte se corre el riesgo de una llave en el brazo, del tipo brazo retorcido).

Este procedimiento permite, por otra parte, mantener de un extremo al otro del movimiento, la protección del rostro.

— La cabeza debe permanecer recta durante el bloqueo; hay que vencer el natural reflejo que consiste, cuando nos atacan el rostro, en hundir la cabeza entre los hombros, en girarla o echarla hacia atrás, so pena de debilitar el brazo.

— El kime se efectúa bloqueando; este es el resultado de varias acciones:

- La inmovilización de la pierna retrasada; el pie presiona fuertemente contra el suelo.
- El potente hikite del otro brazo.
- La contracción breve y simultánea de la faja abdominal (después de la inmovilización de las caderas), de la axila, del brazo y del puño que bloquean (el meñique no debe aflojarse). El hombro se mantiene bajo.
- Sigue inmediatamente una relajación para permitir enlazar con el contraataque.

— Posición final:

- Se bloquea en el eje vertical del cuerpo.
- La muñeca del brazo que bloquea se desplaza pues constantemente sobre este plano vertical medianero. El puño se coloca por encima de la cabeza (Wado-ryu) o hacia delante (Shotokan); una distancia de más o menos tres an-

chos de puño entre este puño y la frente como máximo; si es superior, se bloquea demasiado lejos hacia delante, más allá del codo del brazo adverso: éste corre el peligro de doblarse bajo el choque y el puño puede tocar el rostro a pesar del bloqueo (esta forma de bloqueo hacia delante se convierte en un age-uke en el ataque. Ver «técnicas derivadas»).

● El codo se mantiene en el plano vertical que contiene la pierna adelantada y lo más cerca posible de la cabeza; así la axila puede contraerse al máximo. El ángulo del codo es ligeramente superior a 90°; cuando se trata de detener un golpe de bastón, vale más orientarlo hacia abajo y afuera que detenerlo brutalmente, so pena de perjudicar al antebrazo; en este caso, el ángulo que forma el codo es muy obtuso con el fin de presentar una línea curva a lo largo de la cual resbalará el bastón; si el codo sobresale como en un bloqueo contra un golpe con el puño, puede herirse.

Técnicas derivadas

— *Fumikomi-age-uke* (age-uke como ataque).

Cuando el adversario ataca o avanza sobre él agachándose para pasar por debajo de sus brazos, se bloquea con un age-uke directo hacia delante (forma A, fig. 125) bajo el hombro; el golpe es doloroso para la articulación y el choque puede ser tal que haga innecesario un contraataque. Se puede aumentar este excelente golpe de parada con un puñetazo contra la barbilla (foto 85: age-uke con tettsui ascendente). El «timing» es esencial ya

FOTO 85

FIG. 126

que si se baja demasiado pronto, el adversario sigue y su puño llega al blanco a pesar del bloqueo; el movimiento es pues eficaz pero peligroso. Queda muy lejos de la forma clásica del age-uke enseñado a los principiantes.

— *Age-uke como técnica de luxación.*

Después de haber efectuado un bloqueo normal por el mismo lado de la pierna adelantada, se abre el puño y se agarra el brazo del adversario desequilibrándole, tirando de él con esta mano; se avanza la pierna retrasada y se le golpea en age-uke con el puño correspondiente bajo su brazo y detrás de su codo; simultáneamente se tira hacia abajo con la otra mano. El codo queda así en posición de luxación.

NOTA. — El segundo age-uke no puede ejecutarse hasta el final; el antebrazo se mantiene oblicuo.

— *Hiji-suri-uke (o tsuki-uke).*

Consiste en un bloqueo y en un ataque simultáneamente; la finalidad de esta técnica no es la de detener el ataque, sino la de hacerlo resbalar a lo largo del antebrazo y del codo; precisa menos fuerza que el fumikomi-age-uke.

Cuando el adversario ataca, se retrocede mientras se ejecuta el primer tiempo de un age-uke, pero en un segundo tiempo (en el contacto), se abre la articulación del codo y se golpea en tsuki al rostro. La posición final recuerda el kizami-zuki (cuerpo de perfil), pero el brazo queda ligeramente doblado, como cuando se intenta deflectar un golpe de bastón (ver «puntos esenciales»); la cabeza se mantiene bien recta.

La foto 86 muestra un hiji-suru-uke con nukite al rostro. Los croquis permiten comparar las posiciones del cuerpo en hiji-suri-uke (A) y en age-uke (B).

Ki-hon

Hay que avanzar y retroceder en zen-kutsu, ko-kutsu o kiba-dachi (con esquiva). Para pivotar «in situ» para el age-uke, se ejecuta el movimiento en dos tiempos (contrariamente a como tiene lugar el gedan-barai o el uchi-uke: en un solo tiempo): en el primer tiempo, se pivota para colocarse en zen-kutsu en la dirección inversa, sin mover el puño que se ha mantenido retrasado; en el segundo tiempo, el puño deja la cadera para bloquear mientras el que ha hecho age-uke anteriormente se coloca en posición de hikite. Al contrario de un bloqueo lateral (gedan-barai), aquí la fuerza horizontal de rotación de las caderas no puede sumarse directamente a un movimiento de elevación hacia arriba; el age-uke, pues, sólo puede iniciarse después de la rotación. De todas maneras, si los dos tiempos van unidos, una parte de la fuerza de las caderas pasa al bloqueo.

Métodos de entrenamiento

— Colocarse frente a un compañero, estando ambos en hachiji-dachi.
— Situarse en postura de age-uke a la izquierda (el puño derecho hace hikite) y bajo el brazo derecho del compañero en postura jodan-tsuki. Es la toma de contacto.
— El compañero golpea en jodan-tsuki con el puño izquierdo y nosotros bloqueamos con un age-uke derecho; cuando él prosiga con un jodan-tsuki a la derecha, nosotros volvemos a bloquear a la izquierda, etc.

Nota. — Al principio, se debe golpear lentamente, marcando un tiempo de detención después de cada golpe. No acelerar el ritmo en tanto no se vaya asimilando el movimiento. Golpear y

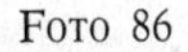
Foto 86

bloquear con un ritmo regular, siendo la finalidad del ejercicio la de desarrollar la musculatura del antebrazo y de la axila; si el ritmo es demasiado rápido los age-uke pueden ejecutarse incorrectamente.

Entre principiantes, se golpea en dirección a la frente; luego se va golpeando progresivamente más bajo, hasta la altura de la barbilla; el bloqueo es entonces más difícil de ejecutar y se requiere una mayor fuerza para rechazar el brazo adverso hacia arriba. Golpear permaneciendo de frente, pero bloquear con una rotación de las caderas (busto en hanmi). Invertir los papeles después de una veintena de repeticiones.

B) Bloqueo lateral con el antebrazo: ude-uke

Estudio técnico

El ude-uke constituye un sólido bloqueo del antebrazo que hace desviar el ataque de su trayectoria inicial golpeando el brazo o el pie adverso con un movimiento lateral horizontal. Esta técnica es en general utilizada contra los ataques a nivel chudan y bajo esta forma son esencialmente estudiados en la técnica básica; en las páginas siguientes se describen, pues, las formas del chudan-ude-uke. Este bloqueo es también muy eficaz al nivel jodan, a condición de conservar el mismo ángulo del codo, de no levantar el hombro del brazo bloqueador, de poder contraer todavía con facilidad la axila y de no bloquear demasiado lejos hacia delante. Todos estos puntos son demasiado delicados para que los domine el principiante por lo que el entrenamiento de este último debe estar centrado ante todo en el estudio del movimiento a nivel medio progresando en este nivel, se progresará paralelamente al nivel jodan. Empezar a la inversa sería hacerles aprender los primeros errores difíciles de corregir más tarde.

La denominación ude-uke agrupa en realidad dos movimientos muy diferentes en su ejecución y en las superficies bloqueadoras utilizadas:

— *Soto-ude-uke (o soto-uke):* Se bloquea mediante un amplio movimiento circular de fuera adentro, con el canto externo (soto) del antebrazo, del puño (tettsui) o también con la parte carnosa cerca del codo.

— *Uchi-ude-uke (o ude-uke):* Se bloquea mediante un movimiento circular menos amplio de dentro afuera, con el canto interno (uchi) del antebrazo.

1) *Movimiento de fuera adentro: soto-uke*

El ataque es desviado lateralmente con el canto externo del antebrazo, al mismo tiempo que se imprime una rotación a las caderas en el mismo sentido. Este bloqueo con parada, muy potente y de fácil ejecución, puede evolucionar hacia un bloqueo barrido con esquiva si el ataque es particularmente fuerte. Es el único bloqueo en el que al principio del movimiento no se cruzan los brazos.

Ejecución de un movimiento a la derecha

1. Se está en zen-kutsu a la derecha.

— Extender la mano izquierda hacia delante (con la palma mirando al suelo) a la altura del plexo y llevar el puño derecho a la altura de la oreja derecha, con las falanges dirigidas hacia el adversario, y el codo doblado. El busto debe estar erguido y en hanmi (hombro derecho hacia atrás).

— Efectuar una rotación de caderas hacia la izquierda y lan-

Foto 87

FIG. 127

zar el puño hacia delante y a la izquierda mientras se hace hikite con el otro puño (el izquierdo).

— Justo antes del impacto, imprimir una rotación al puño «como un latigazo», con las falanges hacia arriba. La última parte de la trayectoria es un movimiento horizontal, de la derecha hacia la izquierda. El cuerpo está en hanmi (hombro derecho hacia delante).

2. Figura 127, de arriba abajo:

— Se inicia el movimiento a partir de la postura hachiji-dachi, con la mano izquierda extendida hacia delante y con el puño derecho levantado.

— Retrasar el pie izquierdo y bloquear con una rotación de las caderas.

NOTA. — Los principiantes deben levantar muy alto el puño antes de golpear y girar al máximo el pecho (hombro correspondiente al puño levantado hacia atrás) con el fin de conseguir una potente rotación de las caderas en el momento del bloqueo (foto 88). Luego se podrá reducir progresivamente este impulso inicial hasta dejar el pecho de frente ya desde el principio (pero el puño se mantiene levantado contra la oreja); el movimiento es entonces más directo y más breve. Si se dispone de una flexibilidad de caderas suficiente, se puede bloquear también en una posición de pies contraria (gyaku-ashi).

Aplicación

Las fotos 88 y 89 muestran las dos fases de bloqueo de un chudan-oi-zuki. Observar el papel del brazo derecho (en guardia ya desde el principio y una posterior reacción, hikite, hacia atrás durante el movimiento). El cuerpo permanece estable y el pecho de perfil (foto 90).

En general se bloquea con el canto del brazo cerca de la muñeca (kote), parte muy dura por nturaleza; el golpe es muy doloroso para el adversario y puede provocar una parálisis momentánea del brazo; un tal bloqueo puede ser suficiente para desanimar al agresor.

También se puede golpear con el puño (tettsui) contra el exterior o el interior de la articulación del codo, originando una luxación (debe evitarse en el entrenamiento: los impactos sólo deben hacerse a lo largo del antebrazo del compañero). Este bloqueo puede también utilizarse contra un golpe directo con el pie propinado contra el pecho (mae-geri o yoko-geri); hay que bloquear siempre por el exterior de la pierna del adversario (ya que un mae-geri, notablemente, puede transformarse en un komawashi-geri en la última parte de su trayectoria y puede alcanzar su objetivo a pesar del bloqueo si éste se ha efectuado por el interior).

Contra un ataque con el puño se bloquea indiferentemente por el interior o por el exterior del brazo (la foto 49 muestra un soto-uke por el interior; entonces se puede contraatacar inmediatamente con un uraken con el mismo puño o con un codazo).

Este bloqueo puede utilizarse como liberación en caso de ser agarrados por la muñeca.

Puntos esenciales

— Al hacer hikite, barrenar con fuerza la mano hacia atrás,

FOTO 88

FOTO 89

FOTO 90

cerrando el puño como para agarrar y tirar del adversario hacia sí.

— El movimiento debe ser breve; para conseguir una velocidad máxima el brazo se mantiene relajado y el puño ligeramente abierto durante el movimiento; la contracción del brazo y del puño no intervienen hasta el momento del contacto con el brazo adverso; no bloquear con fuerza: dejar actuar la propia velocidad y la rotación del puño en el momento del impacto.

— El kime interviene cuando el puño ha llegado contra el plano vertical medianero del cuerpo (foto 87).

— El arco de círculo descrito por el puño es horizontal y no descendente.

— Cuando más vigorosa y breve es la rotación de las caderas, mayor es la fuerza transmitida al brazo. Esta rotación no solamente debe efectuarse a nivel de los hombros sino realmente al de las caderas; el bloqueo, de hecho, procede de la zona abdominal.

— Posición final: el codo está doblado a unos 90° (igualmente si el movimiento se ejecuta a nivel jodan); si estuviera menos doblado, el brazo de palanca sería demasiado débil y haría imposible la correcta contracción de la axila. El puño llega a la altura del mentón. Como en el age-uke, el codo debe apuntar hacia abajo y no hacia fuera. El antebrazo se encuentra en un plano ya sea vertical conteniendo al pecho (es el caso cuando se está completamente de perfil respecto al ataque) ya sea ligeramente oblicuo cuando el pecho está en hanmi (el codo se mantiene al nivel de las costillas flotantes, lo que las protege, pero el puño está sobre la misma línea que el hombro retrasado). Una postura en hanmi es en general suficiente, pero ciertos ataques fuertes y largos (estilo tsukomi) deben esquivarse adoptando una postura completamente de perfil; se puede entonces transformar el movimiento en un uchi-komi (ver «técnicas derivadas»). Los hombros permanecen al mismo nivel.

— Se realiza un buen bloqueo cuando el puño (o el pie) adverso pasa muy cerca del pecho.

Variantes

Ciertos expertos ejecutan una forma más directa, sin ningún impulso del puño. En cuanto se perfila el ataque, el brazo que va a bloquear se extiende en la dirección del adversario; se bloquea echando de golpe el codo hacia atrás a la vez que giran las falanges de los dedos del puño hacia arriba; la posición final es la del soto-uke, pero con el codo completamente contra el flanco.

No se trata pues verdaderamente de un bloqueo; el puño y el brazo se mantienen en el mismo plano vertical y no sirven más que para conducir el ataque hacia uno mismo; éste se esquiva mediante una rotación del pecho que se coloca de perfil.

Esta defensa es muy fácil de enlazar después de un tsuki con el mismo brazo, que el adversario ha detenido; se puede así esquivar rápidamente su contraataque para iniciar un segundo ataque.

El soto-uke como técnica de luxación

Después de haber efectuado un soto-uke por el lado de la pierna adelantada y por el interior del brazo del adversario, se agarra su brazo para atraerlo hacia delante; al mismo tiempo se ejecuta «in situ» en gyaku-zuki, un soto-uke con el otro brazo contra el tríceps del adversario (ver foto 144).

Nota. — Esta técnica sólo es posible en el nivel chudan. Los codos deben apretarse el uno contra el otro.

El uchi-komi (foto 91 y fig. 128, croquis B)

Fig. 128

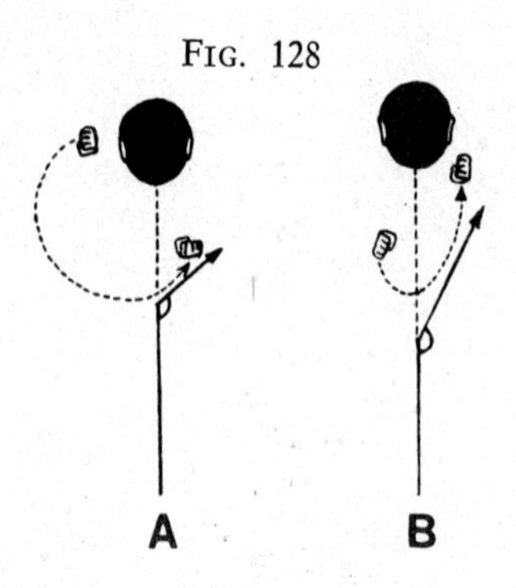

FOTO 91

Es un soto-uke que acaba con un barrido; se bloquea «entrando» en la guardia del adversario; así pues, no «se rompe» su ataque como en el soto-uke (fig. 128, croquis A), pero se le desvía hacia atrás a la vez que avanza hacia el adversario.

El pecho queda completamente de perfil (esquiva en zenkutsu o kiba-dachi) y el puño del brazo que bloquea llega hasta la altura del hombro retrasado.

El uchi-komi es por consiguiente una defensa mucho más flexible que el soto-uke clásico (comparar el ángulo de deflección del brazo adverso: flecha negra en los croquis A y B de la figura 128) y es particularmente apropiado en los casos de neta desventaja física frente el adversario. También es interesante por el hecho de que el impulso del puño adelantado antes de golpear es menos importante (inútil para el barrido), por lo que la defensa es más rápida; finalmente, se puede contraatacar inmediatamente en uraken con el mismo puño, puesto que se encuentra más adelantado que en el soto-uke.

El fumikomi-soto-uke

Cuando el adversario ataca, se avanza hacia él ejecutando un amplio soto-uke; se intenta bloquear golpeando con el puño contra su rostro (tettsui de fuera adentro). El pecho está completamente de perfil (foto 92), puesto que un ataque largo puede alcanzar incluso si el golpe viene amortiguado por el bloqueo; por otra parte, a partir del impacto, se lleva inmediatamente y durante la ejecución, el antebrazo hacia atrás, en la posición de soto-uke clásica (foto 93) para controlar los brazos del adversario.

De la misma forma se puede golpear contra los bíceps del contrincante; esta acción provoca un dolor particularmente intenso.

Este movimiento no es aconsejable para los principiantes y en los casos en que el adversario disponga de unas armas naturales con un alcance netamente superior al de las nuestras (hay que tener en cuenta que el brazo bloqueador permanece flexionado).

Por otra parte, esta técnica es difícil de ejecutar en el entrenamiento ya que o se toca al compañero en el rostro, lo cual detiene su impulso (pero está prohibido en el dojo) o bien sólo se simula el golpe y entonces el ataque llega a su objetivo.

El tsukami-uke

Es un bloqueo que acaba con un agarrón del brazo; después de haber golpeado en soto-uke, se abre la mano para agarrar la

FOTO 92

FOTO 93

FOTO 94

manga de la chaqueta del adversario y desequilibrarlo empujándolo hacia nosotros.

El shuto-soto-uke

Se golpea en soto-uke, pero con la mano abierta en shuto en vez de con el puño cerrado; también se puede golpear contra el antebrazo adverso con el canto de la mano.

2) *Movimiento de dentro afuera: uchi-uke*

El ataque es desviado lateralmente mediante la acción del canto interno del antebrazo (cerca de la muñeca) y la rotación de las caderas en el mismo sentido (estilo Wado-ryu) o en sentido contrario (estilo Shotokan).

Este bloqueo es más difícil de ejecutar, puesto que la articulación del hombro se hace trabajar muy poco; más que soto-uke, es un movimiento de fuerza. Así como se utiliza generalmente el canto externo del brazo para bloquear, el uchi-uke se practica con la parte interna.

Ejecución de un movimiento a la derecha

1. Se está en zen-kutsu a la derecha.

— Extender la mano izquierda hacia delante, con la palma hacia el suelo, a la altura del plexo y colocar el puño derecho en la cadera izquierda, con las falanges hacia abajo (el antebrazo derecho debajo del brazo izquierdo). Si se quiere golpear con una rotación de las caderas en el mismo sentido, estilo Wado-ryu, se coloca el pecho en hanmi, con el hombro derecho adelantado; si se desea golpear con una rotación de las caderas en sentido contrario, estilo Shotokan, hay que colocarse de frente.

— Contraer la mano izquierda cerca de la cadera izquierda (hikite), desviar el codo derecho algunos centímetros hacia la derecha y luego barrer la línea de ataque de izquierda a derecha con el antebrazo tomando el codo como eje de giro (el codo juega el mismo papel que en el uraken). El hikite está sincronizado con el kime en el momento del contacto con el antebrazo adverso.

— Justo antes del impacto, volver a su primitiva posición el puño mediante un efecto de «latigazo», con las falanges hacia arriba. La última parte de la trayectoria es un movimiento horizontal, de derecha a izquierda.

Se acompaña el movimiento del brazo con una potente rotación de caderas, ya sea en el mismo sentido (el pecho se encuentra entonces de perfil) o bien en sentido contrario (el pecho está entonces en hanmi, con el hombro derecho adelantado).

2. Figura 129 (de arriba abajo).

— A partir de hachiji-dachi, con la mano izquierda extendida y el puño derecho en la cadera izquierda.

— Retrasar el pie izquierdo y bloquear con una rotación de las caderas hacia la izquierda, estilo Shotokan.

Nota. — También se puede bloquear en postura gyaku-ashi.

Aplicación

La foto 95 muestra un ushi-uke en ko-kutsu.

Hay que retroceder ante el ataque y agacharse a una postura más baja para colocarse a la altura de un ataque medio que tenga por blanco el plexo. Es la causa de que este movimiento sea delicado de ejecutar cuando el ataque tiene por meta la base del esternón. Por otra parte, si se está demasiado cerca del adversario, el ataque puede tocar el bíceps. El éxito del uchi-uke

Fig. 129

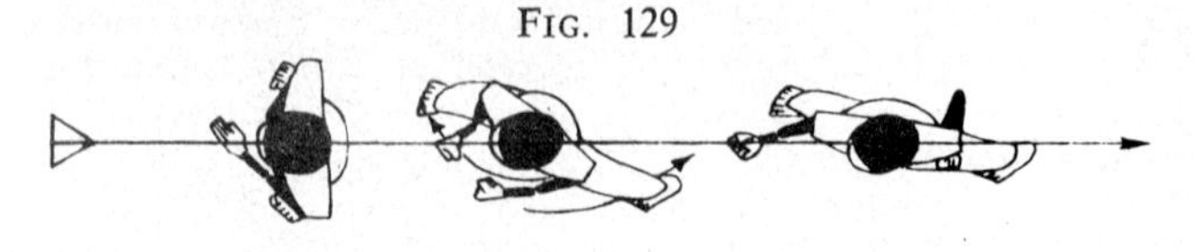

Foto 95

depende pues esencialmente de la altura del ataque y de la distancia con respecto al adversario en el momento del contacto (el bloqueo debe tener lugar al nivel de la muñeca adversa).

Si el soto-uke y el uchi-komi son más indicados para un ataque chudan, el uchi-uke es un sólido y eficaz bloqueo a nivel jodan (foto 96). El bloqueo sirve también para liberarse en caso de agarrón por la muñeca.

Variante

La escuela Wado-ryu practica el uchi-uke a nivel jodan, con el pecho de frente (foto 96); bloqueo y contraataque se ejecutan en rápida sucesión, utilizando la misma rotación de las caderas (en la dirección del bloqueo, lo que permite el gyaku-zuki directo del puño retrasado); el movimiento de bloqueo conjugado con el giro de la faja abdominal es muy potente y permite desviar ampliamente el ataque adverso (flecha negra sobre el croquis D de la figura 130; la flecha grande negra punteada indica el sentido de rotación de las caderas); con el brazo adverso separado, el contraataque con el otro puño se lleva a cabo más fácilmente. Esta forma es muy adecuada cuando se desea pivotar 180° in situ, bloqueando hacia atrás, o cuando se avanza sobre el ataque.

El croquis C de la figura 130 ilustra la forma con rotación inversa de las caderas (estilo Shotokan). El bloqueo continúa siendo muy fuerte, pero tiene menor amplitud y no separa el brazo adverso el cual sólo se desvía ligeramente de su dirección inicial (línea punteada). Es un bloqueo acompañado de esquiva (del cuerpo); el choque que debe absorber el antebrazo es menor, pero la cadera, en una posición muy retrasada, vuelve a impulsarse con fuerza hacia delante para un contraataque particularmente potente con el puño retrasado. Así pues, éste tiene lugar en un segundo tiempo y utiliza de nuevo él solo (y del todo) la única fuerza desarrollada por el giro de las caderas.

Esta forma es muy interesante cuando se retrocede ante un ataque.

Puntos esenciales

— Son los mismos que para el soto-uke en lo que respecta a la rotación de las caderas, al hikite, al kime y a la posición final del codo.

— Contrariamente al soto-uke, los codos se mantienen muy cerca del cuerpo durante todo el movimiento; el codo del brazo que bloquea se desplaza muy poco durante el bloqueo y juega el papel de pivote.

— Como en el soto-uke, la brusquedad de la rotación final del puño es esencial: más que el propio movimiento del brazo, desvía al miembro adverso hacia el lado; por otra parte, permite al brazo establecer correctamente el contacto con el del adversario: hay que tocar con el canto y no con la parte plana del antebrazo que hace el bloqueo menos eficaz.

— El barrido del antebrazo se prosigue hasta que la totalidad del brazo (hombro, codo y puño) quede en un plano vertical. El puño está a la altura del hombro.

— A pesar de la posición poco habitual de la articulación del hombro, hay que mantenerlo en posición baja y contraer la axila.

Los dos hombros se mantienen al mismo nivel.

Técnicas derivadas

— *El uchi-uke como técnica de luxación.*

FIG. 130

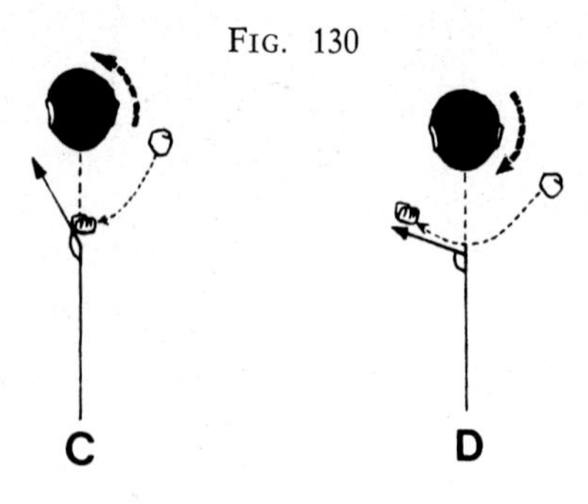

FOTO 96

Después de haber hecho uchi-uke por el lado de la pierna adelantada y por el interior del brazo del adversario, se pasa a desequilibrarlo empujándolo hacia delante agarrándolo por la muñeca; al mismo tiempo se avanza el pie retrasado y se ejecuta un segundo uchi-uke con el otro brazo contra el tríceps del adversario (el antebrazo pasa por debajo del brazo adverso y viene a golpearlo por el exterior).

NOTA. — Esta técnica sólo es posible a nivel chudan; los codos mantienen el más estrecho contacto con el tronco.

— *El morote-uke* (fig. 131).

Es un uchi-uke en el que el otro puño, en vez de hacer hikite se coloca contra el codo, con las falanges hacia arriba para reforzar el bloqueo; el contraataque también es rápido e imparable: ya sea un tsuki con el puño adelantado como en el uchi-uke clásico o bien un tsuki o uraken-shomen-uchi con el puño retrasado mientras que el puño adelantado se mantiene en posición de bloqueo.

Otra variante consiste en reforzar el antebrazo mediante el apoyo de la mano del otro brazo abierta, con los dedos juntos y el pulgar hacia arriba.

NOTA. — Estos bloqueos dobles pueden ejecutarse a nivel chudan o jodan, con una rotación de las caderas en el mismo sentido o en sentido contrario.

— *El made-ude-hineri-uke* (foto 97 y fig. 132).

Es un uchi-uke en gyaku-ashi sin previo impulso del puño.

No se cruzan los brazos. Cuando el adversario ataca, se impulsa el puño hacia delante, con las falanges hacia abajo y después del contacto se vuelve bruscamente el brazo hacia atrás; así pues no se bloquea como en el uchi-uke, sino que se controla el ataque adverso desviándolo luego mediante una rápida rotación de la muñeca (en sentido contrario a las agujas del reloj, en el croquis adjunto). La posición final del antebrazo es la vertical y con el dorso del puño girado hacia el adversario.

Como el otro puño puede permanecer en hikite incluso durante la fase de preparación del bloqueo, éste puede ejecutarse inmediatamente después de un gyaku-zuki del mismo brazo (por ejemplo, para detener un contraataque instantáneo del adversario después de su bloqueo del gyaku-zuki).

El movimiento se ejecuta generalmente a nivel jodan, pero puede tener lugar también a nivel chudan. La superficie de bloqueo, como en uchi-uke, es el canto interno de la muñeca, cerca del pulgar.

— *El kakate-tsukami-uki.*

Al mismo tiempo que se hace ude-uke con una mano, con la otra se agarra el codo o el hombro del brazo que ha atacado (efectuando un movimiento de fuera adentro como en el soto-uke).

— *El haiwan-nagashi-uke.*

Ese movimiento se parece al anterior en su forma general. Dos puntos los distinguen: aquí se bloquea con el dorso del antebrazo (wan), cerca de la muñeca, y se acompaña el movimiento con una inclinación del busto para esquivar.

Cuando el adversario ataca el rostro, se está en yoi. Retroceder inmediatamente el pie derecho impulsando hacia delante el puño izquierdo con las falanges hacia abajo. Una vez estable-

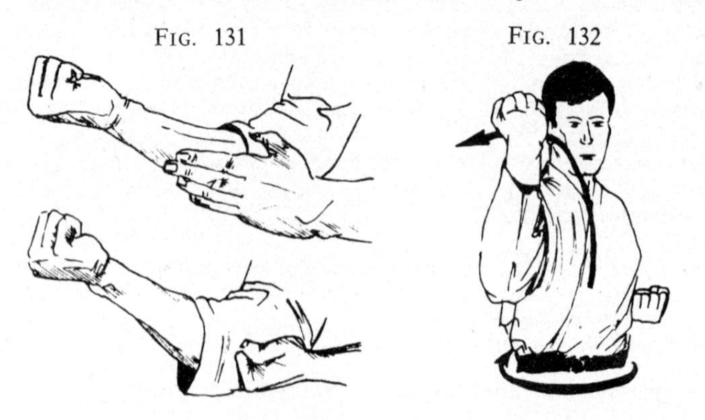

FIG. 131 FIG. 132

FOTO 97

cido el contacto entre la parte superior de este antebrazo y la parte inferior del brazo del adversario, llevar el puño hacia atrás y arriba; en la posición final el puño queda cerca de la cabeza, con su revés hacia fuera y el codo apuntando directamente hacia el lado. No se bloquea este golpe, pero se establece el contacto con el brazo adverso para desviarlo hacia una trayectoria algo diferente de la original (el movimiento exige pues poca fuerza); esta ligera modificación, acompañada de una inclinación del busto por el lado opuesto, basta sin embargo para hacer el ataque ineficaz; el contraataque puede seguir entonces inmediatamente, por ejemplo, con el otro puño, ya que esta técnica permite permanecer muy cerca del adversario.

FOTO 98

FOTO 99

Esta defensa es muy rápida y directa puesto que el puño no precisa ningún impulso preliminar.

— *El shuto-uchi-uke.*

Se bloquea con la mano abierta en shuto. El interés de esta variante es la de poder agarrar inmediatamente el brazo adverso (ver tekubi-kake-uke).

KI-HON

(Dibujo fig. 133)

Ejercicio 1: Empalme con una sola técnica

Los croquis superiores ilustran la manera de avanzar en zenkutsu efectuando chudan-soto-uke.
1. Se adelanta el pie retrasado; puño levantado.

Cuadro 16

UDE-UKE, SOTO-UKE o UCHI-UKE

A veces se produce confusión entre los términos:

Se puede precisar:

UDE-UKE		Bloqueando por el interior (uchi) del brazo del adversario.	Bloqueando por el exterior (soto) del brazo del adversario.
de fuera hacia dentro	Entrando: uchi-komi	uchi-uchikomi	soto-uchikomi
de fuera hacia dentro	Sin entrar: soto-uke	uchi-soto-uke	soto-soto-uke
de dentro hacia fuera	uchi-uke (o ude-uke)	uchi-uchi-uke (o uchi-ude-uke)	soto-uchi-uke (o soto-ude-uke)

FIG. 133

2. Se ejecuta el soto uke «in situ» con una fuerte rotación de las caderas.
3. Se levanta el puño izquierdo (retrasado) y se echa el puño derecho hacia delante (inverso del 1).
4. Se adelanta el pie retrasado, etc.

Los principiantes avanzan en dos tiempos hasta que no hayan asimilado perfectamente el movimiento. Durante todo el desplazamiento las caderas deben permanecer al mismo nivel y los hombros no deben balancearse. El abdomen se mantiene «fuerte» e impulsa el cuerpo hacia delante. De la misma manera se puede retroceder (en zen-kutsu o ko-kutsu) o ejecutar un uchi-komi sin levantar el puño previamente.

Ejercicio 2: Empalme in situ, soto-uke-uchi-uke

Los croquis inferiores ilustran la manera de empalmar con un uchi-uke del mismo brazo después de haber avanzado con un soto-uke.
1. Se ejecuta un chudan-soto-uke avanzando (ver más arriba).

2. Se empalma inmediatamente con un uchi-uke con el mismo brazo después de haber hecho pasar el puño a la cadera opuesta. El puño contrario puede permanecer en hikite durante el ejercicio o echarse rápidamente hacia delante para permitir un segundo hikite añadiendo fuerza al movimiento.

3. Se levanta el puño retrasado y se echa hacia delante el puño que acaba de bloquear.

4. Se avanza haciendo soto-uke con el puño retrasado, etc.

Nota. — Movimiento de rotación de las caderas: estando de perfil para un soto-uke, hay que colocarse de frente para un uchi-uke con el fin de bloquear con todo el cuerpo. El codo sirve de pivote y se mueve muy poco.

Esta sucesión es excelente para ejercitar la velocidad y la sequedad de ambos bloqueos; por otra parte puede ser útil cuando hay que parar un segundo tsuki adverso que sigue inmediatamente al primero.

También es posible, aunque más difícil, empalmar en orden inverso un uchi-uke y luego un soto-uke o un uchi-uke seguido de un uchi-komi (que es una forma más directa que la primera).

Ejercicio 3

También se puede ejecutar un uchi-uke en ko-kutsu, o retroceder en vez de avanzar, etc.

Ejercicio 4

Para girar 180°:

— Se puede girar y bloquear con un uchi-uke en un solo tiempo, como con gedan-barai o shuto-uke (ver pág. 355). La rotación de las caderas se ejerce en el mismo sentido que el bloqueo.

— Por el contrario, para girar bloqueando en soto-uke, se requieren dos tiempos como en el age-uke: se gira en zen-kutsu en un primer tiempo, levantando el puño, y en un segundo tiempo se bloquea con una rotación de las caderas en sentido opuesto al del giro inicial. Por consiguiente hay una fracción de segundo durante la cual el pecho queda relativamente al descubierto. Asimismo siempre es más rápido y directo parar con un movimiento que se ejecuta de dentro afuera, en el mismo sentido que el giro de las caderas (uchi-uke, gedan-barai, shuto-uke, haishu-ke, etc.).

Métodos de entrenamiento

1) *Para la correcta ejecución de los bloqueos*

Fácilmente se puede verificar si la posición del pecho o del codo es o no correcta. Un compañero extiende hacia nosotros, horizontalmente, a nivel chudan, un bastón (o un mango de escoba...):

— Coloquemos la punta del bastón contra nuestro plexo y hagamos soto-uke o uchi-komi, avanzando y bloqueando sobre el bastón; el pecho está obligado a girar para esquivar el extremo de la barra; no separarla mucho pero dejarla rozar el pecho. Mantenerse erguidos.

— Coloquemos la punta de la barra contra nuestro plexo y hagamos uchi-uke retrocediendo después de haber hecho pasar el puño junto a la cadera opuesta; efectuar una rotación de las caderas en el mismo sentido o en sentido contrario; el antebrazo debe, en ambos casos, mantenerse en un plano vertical; si el compañero empuja la barra hacia nosotros, ésta debe pasar por el exterior; si la posición del codo es mala (dirigido hacia el exterior), el extremo de la barra tocará el bíceps y toda la fuerza de nuestro antebrazo no será suficiente para separarla.

2) *Para el endurecimiento de los antebrazos* (ver pág. 539)

Este ejercicio es válido para todos los bloqueos que utilicen el antebrazo, pero particularmente para el uchi-uke; el canto interno del brazo es evidentemente menos duro que el borde externo del mismo.

C) Bloqueo lateral con el sable de la mano: shuto-uke

Estudio técnico

Esta defensa con el sable de la mano es típica del karate (ver pág. 102). Su fuerza es tan grande que hasta puede romper la muñeca del adversario; en general sirve para bloquear ataques con el brazo a nivel chudan, golpeando lateralmente siguiendo el principio del shuto-uchi, de dentro afuera; las diferencias esenciales entre esta forma de shuto-uchi y shuto-uke residen en la posición de la otra mano (que no está completamente echada hacia atrás en el bloqueo) y en el ángulo del brazo que golpea (codo flexionado a 90° en el bloqueo).

El shuto-uke es bastante difícil de ejecutar correctamente para el principiante con motivo del trabajo de las articulaciones del hombro y del codo: éstas toman unas posturas poco naturales y al propio tiempo están sometidas a un choque violento en el momento del kime (parada brutal).

El bloqueo es muy rápido y permite quedar protegido (cuerpo de perfil y mano retrasada en el plexo) a la vez que se facilita el contraataque o una defensa con la mano retrasada en caso de ataques sucesivos.

Contrariamente al uchi-komi o al age-uke, no se toma contacto con el miembro adverso más que para guiarlo hacia otra trayectoria; el shuto-uke es un bloqueo típicamente muy fuerte, como el soto-uke, el uchi-uke o el gedan-barai; en todas estas defensas la parte del brazo utilizada para bloquear sigue la línea más directa posible hacia el blanco y choca violentamente contra él (kime). La fuerza de ataque y la de bloqueo son casi directamente opuestas. Es el choque entre ambas fuerzas lo que desvía el ataque; esto supone evidentemente que la potencia del bloqueo sea superior a la del ataque, lo cual ocurre:

— Cuando el miembro adverso es golpeado lateralmente y no de frente (ver «variantes»).

— Cuando el cuerpo esquiva correctamente (lo más a menudo retrocediendo).

— Cuando la concentración de la fuerza en el punto de impacto es total. El último punto es particularmente delicado; si la concentración de fuerza no es correcta, un ataque realmente fuerte puede llegar a pasar. Es lo que explica el que el shuto-uke sea una importante técnica de base, y que se utilice en cada

Foto 100

FIG. 134

entrenamiento y en numerosos katas. Su correcta ejecución indica el nivel alcanzado en el dominio del bloqueo en general. Como el ude-uke, el shuto-uke se ejecuta a los niveles chudan y jodan.

NOTA. — El estudio siguiente sólo tiene en cuenta la forma de bloqueo a la que se reserva el nombre de shuto-uke; también es posible llamar «defensas con el sable de la mano» a las técnicas respectivas del:

— Age-uke (ver pág. 331 shuto-jodan-uke).
— Ude-uke (ver pág. 345 shuto-soto-uke o shuto-uchi-uke).
— Gedan-barai (ver pág. 372 shuto-gedan-uke).

en las que en vez de con el puño cerrado, se bloquea con el shuto.

1) *El bloqueo medio: chudan-shuto-uke*

Por los motivos ya expuestos en el ude-uke, el shuto-uke debe trabajarse en primer lugar a nivel medio; practicar más adelante el movimiento a un nivel alto planteará menos problemas que el proceso inverso.

Este bloqueo se efectúa en ko-kutsu, con la pierna del mismo lado que el brazo que bloquea, adelantada.

Ejecución de un movimiento a la izquierda

1. Se está en ko-kutsu a la izquierda.

— Impulsar la mano derecha hacia delante, con la palma hacia el suelo, a nivel chudan y colocar la mano izquierda junto a la oreja derecha, con la palma hacia dentro; el codo izquierdo, doblado, reposa sobre el codo derecho, extendido. Los hombros se mantienen bajos y el pecho está en hanmi (hombro derecho hacia atrás).

— Efectuar un movimiento contrario con las manos: impulsar la mano derecha hacia atrás, lanzando la izquierda hacia delante según una trayectoria a duras penas circular y oblicua (para pasar de la altura de la oreja a la del plexo). Golpeando con la mano izquierda, conservar el ángulo inicial del codo.

— Justo antes del impacto, efectuar una rápida rotación de las dos muñecas, girando la mano izquierda su palma hacia abajo mientras la derecha se coloca en el plexo con la palma hacia arriba.

2. Figura 135.

— A partir de hachiji-dachi, con la mano derecha extendida hacia delante y a la izquierda, junto a la oreja derecha.

— Retrasar el pie derecho sobre el eje del pie izquierdo (o avanzar el pie izquierdo sobre el del pie derecho) y bloquear.

NOTA. — Se han dado a título indicativo los dos tiempos obligatorios para un principiante. Como en todos los bloqueos, la posición preparatoria (mano en la oreja) sólo es una fase preparatoria y no es una actitud estática; en cuanto haya asimilado la sincronización de los movimientos, el karateka bloqueará directamente a partir de yoi, pasando la mano a la oreja durante el tiempo de desplazamiento del pie.

Aplicación

El shuto-uke constituye un fuerte bloqueo contra un ataque que llegue a la altura del plexo. Por los mismos motivos ya indicados en el uchi-uke (ver «aplicación»), el shuto-uke es bastante difícil de conseguir con un ataque largo y potente; el factor esencial del éxito del movimiento es la distancia con respecto al adversario: hay que retroceder ampliamente o esquivar el ataque por los lados.

La foto 101 A muestra el bloqueo después de retroceder sobre la línea de ataque; la foto 101 B ilustra un bloqueo con esquiva

FIG. 135

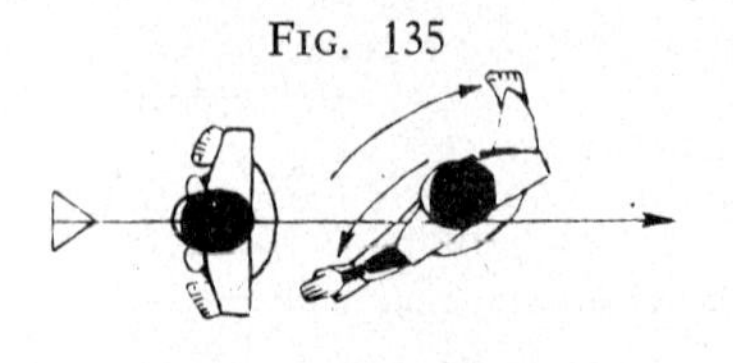

FOTO 101 A FOTO 101 B

hacia el exterior de la línea de ataque (así se puede bloquear sobre el interior o exterior del brazo adverso); esta última forma es la más interesante, puesto que permite bloquear poniendo en juego una menor fuerza a la vez que permite permanecer más cerca del adversario, así como efectuar muchos más tipos de contraataques y mucho más decisivos (foto 101 A: se está demasiado lejos para contraatacar con el puño retrasado, lo que sería a pesar de todo, lo más eficaz). Estos contraataques son también más directos cuando se efectúan sobre adversarios todavía no inmovilizados; el bloqueo y los contraataques se suceden rápidamente.

La foto 102 ilustra una falta muy común: la distancia, demasiado corta, permite al puño adverso penetrar hasta el bíceps, incluso si la posición del codo es correcta. La distancia es correcta cuando el canto de la mano bloquea al antebrazo cerca de la muñeca. Por lo tanto, nunca hay que avanzar sobre el ataque, sino detenerlo.

La posición de la mano retrasada, a la altura del plexo, pero sin presionar contra el pecho, tiene un interés triple:

— Es una forma de hikite que añade fuerza al bloqueo.

— Es una protección contra todo ataque imprevisto (encadenamiento).

— Es una posición a partir de la cual se puede bloquear fácilmente en cualquier dirección así como contraatacar (nukite, gyaku-zuki, etc.). El contraataque también puede venir del puño adelantado (nukite, kizami-zuki, etc.). Finalmente se puede agarrar al adversario por su mano adelantada para desequilibrarlo mientras se contraataca con el pie adelantado (mae-geri, mawashi-geri) o con el puño retrasado.

Puntos esenciales

— La posición correspondiente del codo del brazo que bloquea es esencial (fig. 136): esta posición es difícilmente compatible con la sequedad del movimiento («como un latigazo») y su amplitud indispensable para imprimir a la mano una velocidad suficiente; también la articulación puede ser dolorosa al principio. El codo juega el papel de pivote y sólo se desplaza muy ligeramente en la dirección del bloqueo (sobre el croquis, la posición inicial del brazo está indicada en negro y la final en blanco); permanece flexionado 90° más o menos (pequeño brazo de palanca) y apunta directamente hacia abajo; esta posición hace sufrir a la articulación del hombro del principiante. No obstante, hay que insistir hasta llegar a mantener el brazo en su totalidad, de la mano al hombro, en un plano vertical que contenga además la pierna adelantada. Querer bloquear demasiado lejos hacia delante es un defecto común: resulta un brazo demasiado extendido y un codo apuntando hacia el lado; el codo está entonces demasiado lejos del tronco, por lo que la contracción a nivel de la axila ya no puede realizarse correctamente y el brazo no es lo suficientemente sólido: el ataque llega a su objetivo.

— El brazo debe quedar totalmente relajado durante el recorrido, si no, la velocidad alcanzada es insuficiente para conseguir un efecto de choque eficaz en el momento del impacto.

— Como en todas las técnicas, los hombros no deben levantarse. Efectuar el movimiento de bloqueo como el del hikite, manteniendo los codos lo más cerca posible del tronco. Un defecto frecuente es el de levantar y separar los codos en la posición preparatoria, lo cual deja el pecho al descubierto.

— El brazo que bloquea pasa por encima del otro.

— La rotación de las muñecas sólo interviene en el último instante antes del impacto; más todavía que la amplitud del des-

FOTO 102

FIG. 136

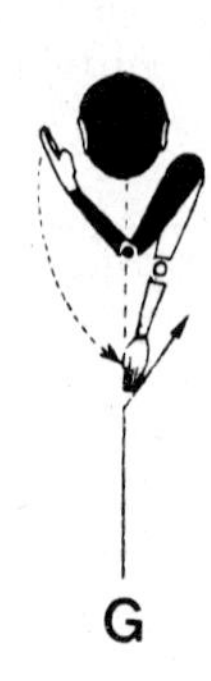

plazamiento de la mano, es esta rotación la que desvía el ataque. Esta debe ser completa con el fin de establecer el contacto entre el filo de la mano (y no el dorso) y el antebrazo adverso.

— La mano que bloquea debe estar en la prolongación del antebrazo (la palma está en el plano de la parte carnosa del antebrazo). Los dedos están dirigidos hacia el adversario y no pasan de la altura del hombro.

— El antebrazo retrasado está junto al pecho; el filo de la mano está colocado en la base del esternón y los dedos dirigidos hacia el adversario.

— Es tan perjudicial como inútil para la solidez del bloqueo, lanzar la mano más allá del plano vertical que contiene la rodilla adelantada. Como todo bloqueo, el gesto queda reducido al mínimo.

— El busto se encuentra casi completamente de perfil respecto al adversario.

— La postura en ko-kutsu debe ser correcta; notablemente la pierna retrasada debe estar bien firme y la rodilla bajo tensión con el fin de que inmediatamente pueda lanzarse el cuerpo en el contraataque.

Variantes

Si la posición final es la misma, la posición preparatoria así como la trayectoria de la mano pueden variar según las escuelas o los expertos; he aquí las tres variantes más conocidas:

— Posición preparatoria: La mano que va a bloquear se lleva a la oreja opuesta como en la forma básica, pero el otro brazo no está extendido hacia delante; esta mano está colocada en ángulo recto respecto a la anterior, con las muñecas en contacto; ambas palmas están dirigidas hacia la oreja. La mano que no bloquea, pues, no hace hikite en el momento del impacto, sino que baja verticalmente hasta el plexo.

— Posición preparatoria: Misma posición, en la oreja, de la mano que va a bloquear, pero la otra está ampliamente desplazada hacia el lado (ver foto 20, pág. 126, ilustrando un shutouke después de un giro de 180°) para poder proyectarla con fuerza contra el pecho en el momento del bloqueo. Esta forma es más potente, pero menos rápida por el hecho de ser menos directa.

— Bloqueo circular: Las dos manos están colocadas delante del bajo-vientre y luego son lanzadas hacia atrás y arriba; después de haber pasado por encima de la cabeza y haberse colocado delante de la frente (la palma de una mano sobre el revés de la otra), la que bloquea baja hacia delante mientras la otra cae directamente a la altura del plexo. Es un amplio movimiento circular, contenido en un plano vertical; el impacto ya no tiene lugar lateralmente sino oblicuamente de arriba abajo. Este movimiento se practica en la escuela Kyokushinkai y se acerca bastante a las formas del Kempo chino.

Técnicas derivadas

— *Fumikomi-shuto-uke*

Cuando el adversario ataca, se avanza hacia él mientras se ejecuta un amplio shuto-uke cuya finalidad es la de bloquear a la vez que se contraataca (shuto-uchi al rostro o nikite circular a los ojos).

Para la apreciación general del movimiento y los consejos volver a repasar lo ya indicado para el fumikomi-soto-uke (página 343).

Esta técnica es muy peligrosa, pero muy eficaz, especialmente

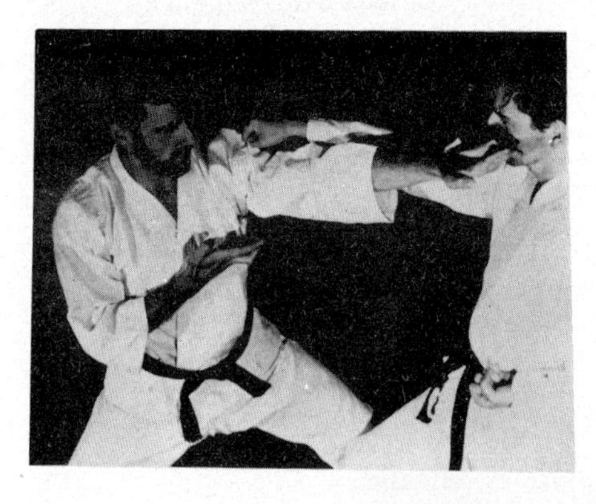

Foto 103

Foto 104

FOTO 105

si se golpea contra los bíceps del adversario o contra la articulación del hombro (golpe de parada). Contrariamente al shuto-uke clásico, el brazo está casi extendido.

— *Tate-shuto-uke*

Se bloquea con el sable de mano colocado verticalmente (fotos 104 y 105). La muñeca está doblada en ángulo recto y los dedos apuntan hacia arriba.

La posición inicial es la misma que la del shuto-uke clásico, pero a partir del momento en que la mano parte hacia delante, el brazo se extiende y la muñeca se dobla en su posición definitiva; la mano describe un amplio arco de círculo sobre un plano horizontal. El puño opuesto hace hikite. El pecho está en hanmi o completamente de perfil. Se bloquea en ku-kutsu, zen-kutsu o kiba-dachi (en este caso hay que colocarse de perfil con respecto al adversario y se extiende el brazo lateralmente, en el plano vertical que contiene el pecho).

— *Kake-shuto-uke (o Shuto-barai)*

Verlo a nivel jodan.

2) *El bloqueo alto: jodan-shuto-uke*

Es la misma técnica ejecutada cuando se trata de detener un ataque destinado al rostro (fig. 137).

Ejecución

La mano describe una trayectoria circular en un plano horizontal. En su posición final, se encuentra a la altura del rostro, pero el codo conserva un ángulo de 90° y está situado a la altura del hombro; de esta manera no se bloquea demasiado lejos y el brazo se mantiene firme (pequeño brazo de palanca).

Aplicación

La foto 106 muestra una defensa en shuto-uke con la mano retrasada colocada a la altura de la frente, con la palma hacia el exterior. Esta posición prepara un contraataque en shuto-uchi de fuera adentro (al cuello del adversario, por ejemplo).

Técnica derivada

Kake-shuto-uke (o shuto-barai)

El sable de mano, ya no se utiliza para bloquear sino para barrer el ataque (nivel jodan y chudan). Este bloqueo barrido se ejecuta de la misma manera que el shuto-uke, pero la diferencia en la aplicación es la misma que existe entre el soto-uke y el uchi-komi (ver estas técnicas). A partir del momento del contacto, se prosigue mediante una acción de barrido lateral acompañada de un agarrón; el adversario se encuentra así desequilibrado hacia delante o lateralmente, lo que permite proyectarlo o contraatacarlo en pleno relajamiento.

— Mientras en el shuto-uke la mano se encuentra en la prolongación del antebrazo, en el shuto-barai la muñeca puede estar doblada para facilitar el agarrón (fig. 138); la palma se mantiene a pesar de todo en el plano de la parte carnosa del antebrazo. El pulgar a veces está separado (Wado-ryu), lo que permite

FIG. 137

FOTO 106

FIG. 138

agarrar más fácilmente la muñeca (ver foto 131). A veces se bloquea con el revés de la mano (ver haishu-uke).

La mano retrasada puede colocarse en las caderas (hikite) o en el plexo como para el shuto-uke. El dibujo 2 adjunto ilustra una posición, con la palma hacia abajo frente al abdomen, que se encuentra en un kata del Pin-An (los cinco Pin-An son los katas básicos que hay que aprender en primer lugar); es una defensa descendente cuya finalidad es la de rechazar hacia abajo un ataque a nivel gedan.

KI-HON

Ejercicio 1

Se puede avanzar o retroceder de tres diferentes maneras (ver fotos de la 20 a 23, así como el comentario sobre la acción de rotación de las caderas):

1. Se acaba de hacer un shuto-uke a la izquierda.

— Avanzar el pie derecho; al mismo tiempo extender la mano izquierda hacia delante, con la palma hacia el suelo y llevar la mano derecha junto a la oreja izquierda.

— Colocar el pie derecho hacia delante, en ko-kutsu y bloquear al mismo tiempo mediante un shuto-uke con la mano derecha.

NOTA. — Es la forma más directa.

2. Se acaba de hacer un shuto-uke a la izquierda.

— Adelantar el pie derecho, al propio tiempo extender la mano izquierda hacia la izquierda. La mano derecha se queda en el plexo o sube a la oreja izquierda. El pecho está en hanmi (hombro derecho adelantado).

— Colocar el pie derecho hacia delante, en ko-kutsu y bloquear al mismo tiempo en shuto-uke con la mano derecha, impulsando hacia atrás con fuerza la mano izquierda, con la palma hacia arriba, contra el pecho.

NOTA. — Es una forma más potente pero un poco más lenta; se utiliza sobre todo para acompañar un giro de 180° (fotos 20 y 21).

3. Se acaba de hacer un shuto-uke a la izquierda (foto 21).
— Adelantar el pie derecho apoyando tan sólo los dedos de los pies; la posición del cuerpo no varía por encima de la cintura, pero la rotación de las caderas hacia la izquierda ha dejado al busto de perfil (foto 22).
— En un segundo tiempo, bloquear en shuto-uke con la mano derecha pivotando con fuerza sobre el pie apoyado 90° hacia la izquierda (foto 23); este giro implica la rotación de las caderas hacia la izquierda y proporciona toda su fuerza al bloqueo (rotación en sentido inverso). La pierna adelantada no se mueve.

NOTA. — Esta forma, practicada en el estilo Wado-ryu, es un bloqueo acompañado de esquiva.

Ejercicio 2

In situ: Shuto-uke en varias direcciones:

— Se está en postura yoi.
— Retrasar el pie derecho y hacer shuto-uke izquierdo.
— Volver a la postura yoi.
— Retroceder el pie izquierdo y hacer shuto-uke derecho.
— Volver a la postura yoi.
— Separar el pie derecho hacia la derecha y hacer shuto-uke hacia la izquierda.
— Volver a la postura yoi.
— Separar el pie izquierdo y hacer shuto-uke hacia la derecha.
— Volver a la postura yoi.
— Adelantar el pie derecho y hacer shuto-uke derecho.
— Volver a la postura yoi.
— Adelantar el pie izquierdo y hacer shuto-uke a la izquierda.
— Volver a la postura yoi.

NOTA. — Asimismo se puede avanzar o retroceder para bloquear a 45° respecto de la línea de ataque.

MÉTODOS DE ENTRENAMIENTO

FOTO 107

FOTO 108

— Colocarse de espaldas contra una pared y agacharse en kokutsu haciendo shuto-uke. Cuidar de mantener el contacto entre la pared y los talones, la rodilla de la pierna adelantada, la espalda y el brazo que bloquea, desde el hombro a la mano. Bajar lo máximo posible, pero sin separarse de la pared.

— Se puede entrenar con un adversario que extienda hacia nosotros una barra (ver «métodos de entrenamiento» para el ude-uke).

También podemos colocarnos en yoi frente a un compañero, el cual, de pie, tocará con el puño nuestro plexo, con el brazo extendido en tsuki. Separarse hacia la derecha o a la izquierda, dejando un pie en su sitio y bloquear en shuto-uke contra la parte interior o exterior de su antebrazo. Hay que golpear al brazo siguiendo una trayectoria oblicua, ligeramente de arriba abajo.

D) EL BLOQUEO BARRIDO BAJO O LA PARADA BAJA: GEDAN-BARAI

ESTUDIO TÉCNICO

El gedan-barai (o gedan-uke) es un potente bloqueo que sirve contra cualquier ataque, de pierna, o de brazo, que llegue al nivel

de la cintura; ejecutado correctamente inflinge al adversario tal dolor que se ve obligado, la mayoría de las veces, a abandonar.
A pesar del término «barai» (= barrer), esta técnica es más que nada un bloqueo con parada, con kime, de la misma categoría que el ude-uke o el shuto-uke. Se golpea el miembro adverso con el canto externo del antebrazo, cerca de la muñeca o con el puño (tettsui). El gedan-barai es una de las primeras técnicas que debe aprender todo principiante. Se ejecuta al principio de un ki-hon o para adquirir en el combate la posición adecuada después del saludo (ver fotos de la 145 a la 147).

Ejecución de un movimiento a la izquierda

1. Se está en zen-kutsu a la izquierda..
— Extender la mano derecha hacia delante, con la palma hacia el suelo, a nivel gedan y llevar el puño izquierdo junto a la oreja derecha, con las falanges hacia fuera; el codo izquierdo, flexionado, se apoya sobre el codo derecho, extendido; los hombros se mantienen bajos y el pecho de frente (hombro derecho hacia atrás).
— Efectuar un movimiento inverso con las manos: echar la mano derecha hacia atrás con una rotación de las caderas hacia la derecha y lanzar el puño derecho hacia delante y abajo según una trayectoria oblicua. El cuerpo está en hanmi (hombro derecho hacia atrás).
— Justo antes del impacto, efectuar una rotación de la muñeca adelantada (falanges hacia abajo) mientras el otro puño hace hikita. Detener el puño por encima de la rodilla.
2. Figura 139:
— A partir de hachiji-dachi, con el puño derecho extendido

FIG. 139

FOTO 109

y el puño izquierdo contra la oreja derecha. Mantener los codos cerca del cuerpo con el fin de proteger el pecho.

— Retrasar el pie derecho y bloquear.

NOTA. — También se puede ejecutar esta técnica en posición de pie contraria (gyaku-ashi) o en ko-kutsu, sobre todo cuando hay que retroceder rápidamente ante un kumite; también es posible avanzar para «romper» el ataque del adversario. Como para el shuto-uke, hay que ejercitarse a pasar rápidamente la mano a la oreja durante el tiempo de desplazamiento del pie.

Aplicación

Se bloquean los golpes de puño bajos o los golpes con el pie al estómago o al bajo vientre (foto 109); en este caso se golpea contra el lado interno de la tibia, cerca del tobillo, deshaciendo el ataque. El cuerpo está en posición correcta para empalmar inmediatamente con un gyaku-zuki con el puño retrasado.

El gedan-barai puede servir de liberación cuando la otra muñeca es agarrada por el contrincante: se retrasa considerablemente el pie del mismo lado con el fin de desequilibrar al adversario hacia delante y se le golpea con el puño opuesto después de haberlo hecho resbalar a lo largo del brazo extendido, desde la oreja a la mano. Se golpea así sobre la base del pulgar del adversario, lo cual es muy doloroso y le hace soltar su presa. El puño liberado hace hikite, lo que le coloca inmediatamente en posición para un eventual contraataque.

Como todos los bloqueos de base, el gedan-barai puede utilizarse como una técnica de luxación: después de haber efectuado un bloqueo normal por el mismo lado de la pierna adelantada (uchi-gedan-barai: contra la parte interna del brazo adverso) se avanza la pierna retrasada y se golpea gedan-barai con el puño correspondiente contra su tríceps, pasando por encima de su brazo (soto-gedan-barai); si el brazo que ha bloqueado en primer lugar, es mantenido en su sitio, el brazo del adversario se encuentra en posición de luxación y se requiere muy poca fuerza para romperlo.

Se puede combinar el bloqueo con una acción de esquiva del cuerpo, lo que hace que la técnica sea particularmente eficaz sin que el antebrazo experimente un choque demasiado violento (ver foto 162).

Puntos esenciales

— No hay que mover los hombros al bloquear; durante la posición preparatoria hay que mantener los codos cerca del cuerpo. El brazo extendido guía al puño opuesto hasta el blanco, ya que éste se desliza por encima.

— Los dos antebrazos deben efectuar una rotación seca justo antes del impacto: el que bloquea, con la finalidad de girar el sable hacia el exterior y desviar el ataque, y el que no bloquea, con el fin de efectuar un potente hikite.

— El codo del brazo bloqueado se desplaza muy poco en la dirección del bloqueo (ver croquis E y F de la fig. 140) y juega un papel de pivote alrededor del cual se abre el antebrazo.

— En el impacto, el brazo está completamente extendido, pero el puño regresa inmediatamente en sentido inverso; el codo no se encuentra así en posición de luxación.

— El puño se detiene encima de la rodilla adelantada (por un movimiento ejecutado por el mismo lado que la pierna adelantada); bloquear más allá es tan inútil como peligroso, ya que se descubren todos los puntos vitales del flanco y del pecho; cuanto más breve sea el kime, más rápido podrá ser el contraataque, puesto que toda la energía se encuentra inmediatamente disponible. Contraer el antebrazo y el puño en el momento del impacto (no aflojar el dedo meñique) con el fin de poder disponer de una masa sólida.

— El ángulo que forma el brazo con el tronco no debe ser muy abierto, puesto que el ataque podría pasar por debajo del barrido, el cual sería, por otra parte, menos fuerte. Si, por el contrario, este ángulo es demasiado pequeño, el brazo es más potente ya que está más pegado al tronco (contracción más fácil de la axila), pero se bloquea demasiado cerca del cuerpo, lo cual es peligroso (el ataque llega demasiado tarde; entonces es inútil bloquear: una pequeña retirada hacia atrás es suficiente). El ángulo correcto varía según la morfología de cada karateka, pero en general se alcanza cuando el puño se detiene a unos 20 cm por encima de la rodilla.

— Las caderas juegan un papel muy importante; mediante su fuerte rotación, proporcionan al bloqueo una potencia máxima, indispensable para detener un ataque con el pie por ejemplo. Al deshacer el ataque enemigo hay que evitar retrasar las caderas (es un reflejo natural: miedo de ser tocado); en este caso el cuerpo se inclina hacia delante y ya no se pueden contraer correctamente los abdominales. Por el contrario, hay que empujar las caderas hacia el adversario y adoptar una postura muy baja con el fin de oponer al ataque una gran fuerza estática (se trata de un bloqueo forzado y no de una esquiva); la faja abdominal se contrae al máximo en el momento del kime.

Variantes

— *La orientación del pecho* (fig. 140).

En el estilo Shotokan se bloquea mediante una rotación inversa de las caderas, lo cual deja al tronco en hanmi (croquis A), mientras en el estilo Wado-ryu se bloquea con una rotación en el mismo sentido (croquis B). Las ventajas y los inconvenientes de cada forma han sido señalados en el estudio del uchi-uke (ver «variantes», pág. 348), que utiliza los mismos principios. De todas maneras, en lo que respecta a la aplicación del gedan-barai contra un mae-geri (croquis adjunto) se observará que el flanco queda mayormente protegido contra un ataque largo o transformado en ko-mawashi-geri al final de su trayectoria, cuando el pecho está de frente (B); pero en competición sucede a menudo que un ataque con el pie se dirija ligeramente de fuera adentro.

— *La posición del codo.*

En los croquis E (visto desde arriba) y F (visto de frente) de la figura 140, el brazo rayado (1) representa la posición preparatoria en el estilo Shotokan y el brazo negro (2) representa la del estilo Wado-ryu; se observará la diferente posición del codo (punto negro) en función del impulso preliminar del puño.

En el caso 1, el puño se encuentra cerca de la oreja, y el codo delante del plexo: para bloquear, el antebrazo se «despliega» alrededor del codo, el cual él mismo se desplaza ligeramente en el sentido de la acción (foto 108); el brazo «barre» entonces ampliamente la zona amenazada y corta la trayectoria del ataque adverso en el plano vertical medianero del cuerpo.

En el caso 2, el puño se coloca en el plexo, y el codo ocupa ya su posición final: para bloquear, el antebrazo se «despliega» alrededor de un pivote que no se mueve; el brazo sólo barre la mitad de la zona protegida en el primer caso; no hace más que rozar la trayectoria de ataque del adversario si ésta se desarrolla por un plano vertical medianero del cuerpo. Este bloqueo es más directo, por lo tanto, más rápido, pero no es suficiente, excepto si el ataque adverso tiene como meta el lado cubierto por el barrido del brazo (esto ocurre cuando se esquiva al mismo tiempo o cuando se bloquea girando 180°; bloqueando hacia delante, también se puede tomar la posición preparatoria acompañándolo de un ligero impulso con la cadera hacia atrás antes de hacerla girar en el sentido del bloqueo. Así, presentando muy rápidamente el flanco al ataque, se desplaza el codo en el momento del bloqueo y el antebrazo barre ampliamente el plano vertical medianero del cuerpo).

Una vez más se puede ver como cada variante de una misma técnica tiene sus propias ventajas y sus adaptaciones particulares; por todo ello es muy útil que el karateka adelantado las trabaje a todas por igual.

— *Gedan-shuto-uke:*

Se bloquea de la misma manera, pero con la mano abierta

FIG. 140

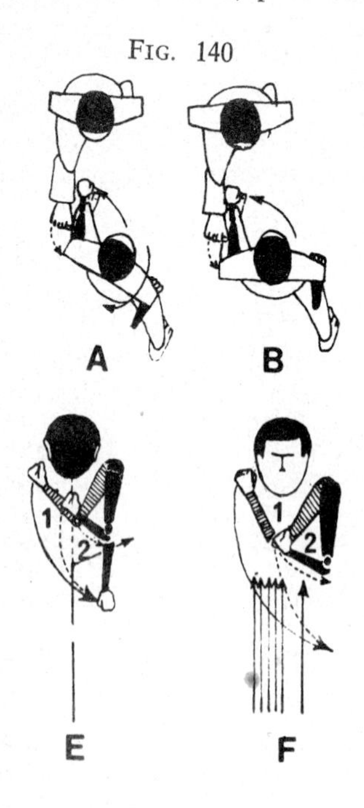

en posición shuto. Esta manera de proceder es peligrosa por el riesgo de dañar los dedos, especialmente debido a los golpes con el pie. En ningún caso hay que bloquear con la palma de la mano, ya que esto supondría una rotación demasiado importante del antebrazo, exponiendo el codo (el brazo está en posición de luxación).

Técnicas derivadas: chudan-barai y jodan-barai

Se trata de la misma técnica ejecutada a los dos niveles superiores. Las fotos de la 16 a la 19 (pág. 125) ilustran un chudan-barai. Se puede bloquear con el puño (tettsui) o con la mano (shuto). Estos dos bloqueos deben evitarlos los principiantes ya que, como se ha mencionado en el estudio de los puntos esenciales del gedan-barai, cuanto más se levanta el brazo, menos unido está al tronco, de donde una contracción más difícil de la axila.

KI-HON

Ejercicio 1

Se avanza o retrocede en zen-kutsu, ko-kutsu o kiba-dachi.

Ejercicio 2

Los karatekas adelantados podrán ejecutar dos gedan-barai simultáneos avanzando en zen-kutsu (muy eficaces contra un ataque doble o una tentativa de agarrón): los antebrazos están cruzados en ángulo recto delante del pecho, con los codos junto al cuerpo; los puños están a la altura del mentón, con las falanges dirigidas hacia el rostro; se avanza bloqueando con ambos brazos y cuidando de mantener entre los puños una distancia equivalente al ancho de los hombros.

Ejercicio 3

Se puede bloquear gedan-barai con un brazo haciendo al mismo tiempo uchi-uke con el otro; el puño que acaba de hacer uchi-uke roza el codo opuesto por el interior, abatiéndose de arriba abajo para hacer gedan-barai; el puño que acaba de hacer gedan-barai sube directamente hacia arriba para describir un arco de círculo en un plano vertical y llegar en posición de uchi-uke. Los dos codos juegan el papel de pivotes inmóviles durante la inversión de los movimientos de bloqueo. Este uchi-uke-gedan-barai es una defensa interesante contra dos ataques simultáneos y a dos niveles diferentes; puede adaptarse fácilmente para la competición (ver pág. 468).

Ejercicio 4

En general, el principiante aprende a pivotar 180° acompañando su movimiento de un potente gedan-barai. Las posibilidades de giro son múltiples según el sentido de la rotación y depende de que ésta se lleve a cabo «in situ» avanzando o retrocediendo (ver los diagramas de la fig. 25). En todos los casos hay que girar lo más rápido posible, en una sola pieza, sin movimientos secundarios y con una fuerte rotación de las caderas; la cabeza gira inmediatamente en la nueva dirección y el puño sube a la oreja opuesta durante el mismo giro. El bloqueo (kime) debe estar perfectamente sincronizado con la inmovilización total del cuerpo (pies en su sitio, caderas bajas y estabilidad recuperada).

E) El bloqueo empujando hacia abajo: otoshi-uke

Estudio técnico

Constituye una potente parada contra todo golpe que llegue a un nivel bajo o medio. Se bloquea con fuerza mediante el canto externo del antebrazo o del puño (entonces se trata de una forma de tettsui-uke: ver esta técnica). La superficie golpeadora se abate verticalmente sobre el miembro adverso para desviarlo hacia abajo.

Es una fuerte defensa en la que lo más importante es tener un fuerte antebrazo, puesto que si la fuerza que opone el adversario es mayor, el ataque llega a su objetivo a pesar de todo No obstante, su eficacia es muy grande, sobre todo contra los ataques de brazo.

Foto 110

FIG. 141

Ejecución de un movimiento a la derecha a nivel chudan

— Se está en hachiji-dachi.
— Adelantar el pie derecho y levantar el puño derecho lo más alto posible, con las falanges hacia el adversario. El brazo izquierdo está extendido hacia delante y el pecho está de frente.
— Pasar a la postura zen-kutsu e impulsar directamente el puño hacia abajo dándole un efecto de barrena justo antes del impacto (dorso del puño hacia el adversario). Hacer un enérgico hikite con el otro puño. El pecho queda en hanmi.

Aplicación (foto 110)

Se bloquea un ataque con el puño al abdomen; se requiere bastante poca fuerza para rechazarlo hacia abajo; el bloqueo es más difícil de conseguir contra un ataque directo del pie, puesto que la dirección de la fuerza del bloqueo (de arriba abajo) se opone directamente a la del golpe con el pie (de abajo arriba), lo que provoca un choque frontal doloroso tanto para el uno como para el otro.

Puntos esenciales

— El antebrazo está contraído al máximo en el impacto y el puño, muy apretado, se encuentra en su prolongación con el fin de evitar cualquier riesgo de dañarse los dedos o la muñeca; nunca se debe abrir la mano.
— Hay que bloquear con la fuerza del abdomen y no solamente con la del brazo; esto puede realizarse acompañando la

caída vertical del puño mediante un pequeño movimiento en el mismo sentido de las caderas: el centro de gravedad se encuentra más bajo y más estable, lo que contribuye a deshacer el ataque adverso (se encontrará ante una gran energía estática). Por ello se adopta la postura zen-kutsu muy baja o la fudo-dachi, tate-seishan, etc. (mismo principio que para el otoshi-empi-uchi); este descenso de nivel de las caderas es todavía más eficaz cuando tiene lugar a partir de una postura de pie (yoi).

— Las rodillas están particularmente flexionadas cuando se bloquea un ataque gedan: entonces hay que cuidar de mantener el abdomen en tensión, las nalgas contraídas y no sobresalientes y no inclinarse hacia delante (el equilibrio estaría comprometido y sería imposible enlazar con un potente contraataque).

— En su posición final, el antebrazo está paralelo al suelo para un chudan-otoshi-uke, y ligeramente oblicuo, con el puño más bajo que el codo para un gedan-otoshi-uke; en ambos casos el codo se encuentra por encima de la pierna adelantada.

Variante

Se puede ejecutar una forma más rápida, aunque menos potente, en la que al principio el puño no está levantado: a partir del plexo, con las falanges hacia arriba y con los antebrazos pegados al cuerpo. El golpe, más directo, es entonces ligeramente oblicuo, de arriba abajo y de atrás hacia delante. Esta forma de otoshi-uke puede ser suficiente contra un ataque con el brazo o en el caso de una protección acompañada de una rápida retirada (es más una esquiva que un bloqueo); sin embargo, es insuficiente cuando hay que bloquear in situ, por ejemplo, al avanzar sobre el ataque de un sólido mae geri.

Técnicas derivadas

— Te-osae-uke (ver pág. 397).
— Seiryuto-uke (ver pág. 402).
— Teisho-uke (ver pág. 402).

Todas estas técnicas se ejecutan directamente de arriba abajo después de un gran impulso de la mano, y rechazando el ataque hacia abajo. Serán estudiadas más adelante.

KI-HON

Se avanza o retrocede en zen-kutsu, levantando el puño y las caderas en cada posición intermedia para hacer el bloqueo siguiente más potente.

Foto 111

F) El bloqueo directo con las palmas de ambas manos: teisho-awase-uke

Se utiliza la superficie conjunta de ambas manos abiertas para bloquear un ataque a nivel gedan. Se bloquea lanzando en línea recta hacia el adversario la horca que forman las manos reunidas. Es pues como el otoshi-uke, una técnica de fuerza pura, en la que se oponen directamente la fuerza del defensor y la del atacante.

Ejecución

— Se está en hachiji-dachi, con los puños en posición de hikite.

— Adelantar un pie e impulsar el abdomen en la misma dirección; lanzar al mismo tiempo los puños hacia delante y abajo.

— Justo antes del impacto, abrir las manos cuyas muñecas deben tocarse. Se está en una sólida posición hacia delante, con el pecho de frente y los brazos rígidos.

Nota. — Como el movimiento es doble, la posición de los pies es indiferente.

Aplicación

El ataque no solamente es desviado hacia abajo sino también hacia atrás, puesto que las manos siguen una trayectoria oblicua, de arriba abajo y de atrás hacia delante (o sea como la variante del otoshi-uke); se bloquean de esta manera ataques con el brazo y con la pierna; para estos últimos hay que bloquear antes de que la mano del adversario esté completamente extendida, ya que el ataque habría llegado entonces al punto de su mayor fuerza, velocidad y alcance. Los peligros de dañarse los dedos son, no obstante, muy grandes.

Puntos esenciales

— Hay que impulsar las caderas hacia delante y adoptar una postura muy baja si se quiere bloquear con seguridad un ataque con el pie (mismo principio que el otoshi-uke o gedan-juji-uke, estudiado a continuación).

— En el impacto, los codos están en tensión lo más cerca

FOTO 112

FOTO 113

posible el uno del otro; las manos están apretadas la una contra la otra por la base de su palma. Las muñecas están dobladas al máximo con el fin de presentar al ataque una horca suficientemente abierta y de no dañarse los dedos; éstos están dirigidos hacia el ataque; los pulgares están flexionados como en un shuto.

G) EL BLOQUEO O PARADA EN CRUZ: JUJI-UKE

ESTUDIO TÉCNICO

El juji-uke es un bloqueo rápido y eficaz, tanto a nivel jodan como gedan. Se bloquea en el interior de la horca constituida por el cruce de los dos antebrazos. El ángulo así formado se lanza directamente al encuentro del miembro adverso, como en un tsuki; otra vez aquí, el resultado es un choque violento, lo que hace de esta técnica un bloqueo muy fuerte. No obstante, la participación simultánea de los dos brazos y la dirección de la energía liberada explican el que un juji-uke correcto requiera muy poca fuerza para un resultado sorprendente. Su ejecución a ambos niveles se basa en los mismos principios.

1) *El bloqueo alto: jodan-juji-uke*

Ejecución:

Se rechaza el ataque hacia arriba como en el age-uke (foto 112, serie de arriba). Los puños están en hikite. Para bloquear, se lan-

Foto 114

zan los puños directamente hacia arriba y ligeramente hacia delante, golpeando como para un jodan-heiko-zuki (pág. 186), pero cruzando la trayectoria de los puños antes del impacto. Se da a los puños un efecto de barrena, como en un tsuki, lo que los deja, en el kime, con las falanges hacia delante. En general, se utiliza la postura zen-kutsu o fudo-dachi.

Variantes

— Se pueden abrir las manos en shuto, justo antes del impacto (foto 113).
— Ciertos expertos ejecutan una forma menos directa, pero más circular: las manos o los puños se cruzan bajo el brazo adverso, pero a partir del contacto, en vez de continuar el empuje hacia delante para elevar el ataque, se vuelven éstos hacia atrás y arriba para controlarlo (principio expuesto en el estudio del age-uke, fig. 125, croquis B).

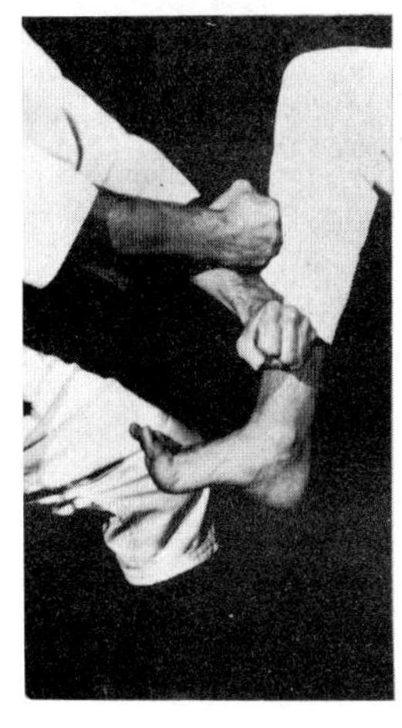

Foto 115

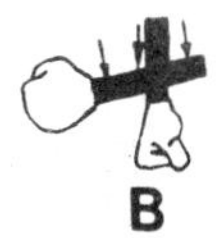

Fig. 142

— La rotación final de los puños puede ser más o menos importante: se puede bloquear con el ángulo formado por los bordes externos de los antebrazos (las falanges o las palmas están orientados entonces hacia delante: foto 112) o por el revés de los mismos (la parte plana del cúbito, las falanges o las palmas, están entonces orientadas hacia el exterior: foto 113).

Aplicación

Esta técnica puede utilizarse contra los golpes con el puño al rostro, o en defensa contra los golpes de bastón, o incluso de navaja, propinados de arriba abajo. El arma es detenida, mientras en el age-uke, se corría el peligro de herirse al resbalar aquélla a lo largo del antebrazo. Un juji-uke con las manos abiertas permite entonces agarrar inmediatamente el brazo del adversario y desequilibrarlo hacia delante, mientras uno se coloca fuera de la zona peligrosa.

Cuando un ataque es bloqueado en juji-uke, el flanco del adversario queda muy al descubierto, lo que permite contraatacar en mae-geri con el pie adelantado (es muy fácil bloquear y contraatacar al mismo tiempo); son posibles otros contraataques a partir de este bloqueo, puesto que se dispone de dos manos: shuto-uchi, haishu-uchi, etc.

2) *El bloqueo bajo: gedan-juji-uke*

Ejecución

Se rechaza el ataque hacia abajo como en el teisho-awase-uke (foto 112, serie inferior). Los puños están en hikite. Para bloquear, se lanzan los puños directamente hacia delante y abajo golpeando como en un gedan-heiko-zuki (pág. 186), pero cruzando la trayectoria de los puños antes del impacto; al mismo tiempo se imprime un efecto de barrena a los puños, como en un tsuki, lo cual los coloca, en el kime, con las falanges hacia abajo.

En general, esta técnica se ejecuta a partir de una postura baja y estable tal como la zen-kutsu o la fudo-dachi.

Variantes

— Se puede bloquear con las manos abiertas en shuto, lo cual es bastante peligroso contra un ataque con la pierna, ya que pueden dañarse los dedos.

— Una segunda forma de gedan-juji-uke es particularmente eficaz contra un mae-geri (fotos 114 y 115): en vez de bloquear con el ángulo formado por las muñecas (croquis A), se detiene el golpe con el filo de un antebrazo (estilo otoshi-uke) a la vez que se contraataca mediante un tate-zuki con el otro puño (croquis B) contra la tibia del adversario; este bloqueo es un golpe de parada muy eficaz, evitando ya cualquier otro contraataque. Hay que cuidar de estar lo más agachados posible en el momento del impacto con el fin de no desequilibrarse ante la fuerza del choque. La posición inicial de los puños es el hikite o bien lateral (foto 114): en este caso, es el puño llevado a la cadera correspondiente el que hace tsuki por encima del otro antebrazo.

Aplicación

Esta defensa, sobre todo en su segunda forma (B), se utiliza frecuentemente contra los mae-geri. Hay que avanzar en la dirección del ataque, impulsando las caderas para bloquear ya desde el principio (foto 115); en efecto, a partir del momento en que la pierna del adversario se «despliega» alrededor de la rodilla, el golpe se hace más peligroso: su velocidad y su potencia son mayores y si la pierna está extendida, es muy difícil bloquear sin que el pie toque, a pesar de todo, el abdomen (sobre todo teniendo en cuenta que éste está constantemente hacia delante).

Hay que golpear bruscamente con los dos puños, como en un tsuki, y no apoyar demasiado el golpe: un kime breve pero enérgico basta para desviar el ataque hacia abajo y permite mantener el equilibrio.

También es posible ejecutar un juji-uke en su forma clásica (A) para rechazar hacia abajo un ataque de puño ejecutado a nivel chudan; la posición final es siempre la de un gedan-juji-uke.

KI-HON

Ejercicio 1

Se avanza en zen-kutsu, colocando después de cada bloqueo los puños en las caderas.

Ejercicio 2

A partir de la postura yoi, se bloquea hacia delante y hacia los lados agachándose lo máximo posible y volviendo a la posición de partida entre cada movimiento; según la dirección y el lado elegido para el bloqueo, un pie queda siempre en el sitio que ocupaba en la postura yoi.

PUNTOS ESENCIALES COMUNES A LOS BLOQUEOS EN CRUZ

— Hay que golpear enérgicamente acompañando la acción de los brazos con un vigoroso impulso de caderas en el mismo sentido; se ha de vencer el reflejo natural que provoca la retirada del abdomen por miedo al golpe.

— Las caderas deben estar lo más bajas posibles y el polígono de sustentación debe ser muy amplio (posición separada y abierta). El busto se mantiene vertical y frente al adversario.

— Como en los tsuki, los codos rozan el tronco al pasar hacia delante; en el impacto quedan bloqueados (excepto para el gedan-juji-uke, segunda forma) y separados lo menos posible; si su separación sobrepasa el ancho de los hombros, el bloqueo no tiene ninguna fuerza.

— Si se bloquea con los puños, éstos deben estar bien contraídos.

— En el kime, la contracción tiene lugar esencialmente en las axilas (hombros bajos), el abdomen, los dorsales y los glúteos (nalgas).

H) BLOQUEO LATERAL CON EL REVÉS DE LA MANO: HAISHU-UKE

ESTUDIO TÉCNICO

Tal como se golpea, se puede bloquear con el revés de la mano en varias direcciones (ver aishu-uchi). No obstante, en general sólo se utiliza el movimiento de dentro afuera y en los niveles jodan y chudan. Como en el shuto-uke, la mano está en la prolongación del antebrazo y forma con él un bloque sólido.

1) *El bloqueo alto: jodan-haishu-uke*

Ejecución:

Parecido al jodan-shuto-uke, pero con el canto de la mano dirigido hacia delante (es también la posición para un jodan-shuto-barai); también se puede tomar el impulso previo con la mano colocándola en la cadera opuesta, como en el uchi-uke.

En el impacto, la mano retrasada puede colocarse en el plexo, como en el shuto-uke, en la cadera, en hikite clásico (foto 116) o en guardia delante de la frente, lo que permite un rápido contraataque en shuto-uchi (fig. 143).

Aplicación

Foto 116

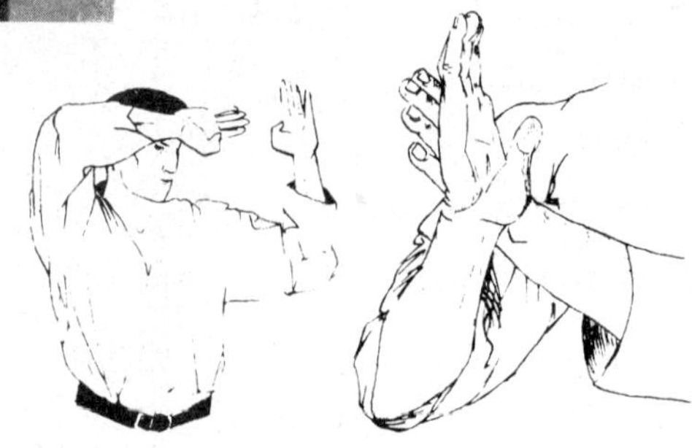

Fig. 143

FOTO 117

Es un bloqueo contra un golpe al rostro que permite agarrar el brazo adverso. La utilización es la misma que el shuto-uke, pero la posición del brazo es menos forzada, puesto que el antebrazo sufre una menor torsión; éste está vertical. Se utiliza sobre todo el ko-kutsu.

Técnica derivada: sokumen-awase-uke

Es un bloque doble que combina un haishu-uke y un teisho-uke (ver esta técnica) con la otra mano que no hace más que reforzar la acción del primero (dibujo adjunto).

Mientras en el haishu-uke el pecho estaba de perfil, aquí se coloca en hanmi para permitir a la mano que hace teisho-uke llegar hasta la otra. Hay que apretar los codos y bloquear muy cerca de la cabeza. El borde interno de la mano adelantada cubre el borde externo de la mano retrasada; la superficie de bloqueo es pues muy grande y se requiere muy poca fuerza para desviar el ataque hacia el lado.

Se combina esta defensa con una esquiva del cuerpo hacia el interior del ataque, adoptando la postura ko-kutsu o tate-seishan.

Puntos esenciales

Son los mismos que para el shuto-uke (ver esta técnica).

2) *El bloqueo medio: chudan-haishu-uke*

Ejecución:

Como el chudan-shuto-uke, pero con el filo de la mano dirigido hacia abajo. También la mano puede tomar un impulso previo a partir de la cadera opuesta como en el uchi-uke. En el impacto, la mano retrasada hace hikite.

Aplicación

La foto 117 muestra un haishu-uke ejecutado por el lado exterior del brazo del adversario. La postura más frecuentemente adoptada es la kiba-dachi por ser la que permite colocarse completamente de perfil.

Puntos esenciales

Son los mismos que para el shuto-uke (ver esta técnica).

KI-HON

Se avanza o retrocede en ko-kutsu haciendo jodan-haishu-uke. Se avanza o retrocede en kiba-dachi haciendo chudan-haishu-uke (también se puede enlazar con un haishu-uke, un mikazuki-geri y un empi-ate (ver. pág. 303).

I) BLOQUEO O PARADA CON AMBAS MANOS: KAKIWAKE-UKE

Es un bloqueo simultáneamente ejecutado con los bordes externos de los dos antebrazos; la amplitud del movimiento de los brazos es débil: se separan con fuerza (de dentro afuera).

FOTO 118

FOTO 119

FIG. 144

Ejecución

— Se está en hachiji-dachi.

— Levantar los puños a la altura de los ojos (falanges mirando al rostro), cruzando los antebrazos; los codos están pegados al cuerpo delante del pecho.

— Retrasar un pie y pasar a la postura ko-kutsu bajando con fuerza las caderas al mismo tiempo. Separar con fuerza lo más bruscamente posible los brazos hacia los lados, acompañando este movimiento con una breve rotación de los puños (falanges hacia delante).

Aplicación

Esta defensa, muy poco estudiada como técnica de base, es sobre todo útil en caso de agarrón con las dos manos por parte del adversario (fotos 118 y 119).

A partir del momento en que el adversario nos agarra la solapa y antes de que tenga tiempo de sujetarnos con fuerza, deslizamos los brazos por entre los suyos (revés de las falanges hacia él) a nivel de las muñecas; en un segundo tiempo, bajamos el centro de gravedad, retrasando un pie para colocarnos en zen-kutsu, lo cual desequilibra al adversario hacia delante; al mismo tiempo separamos los brazos hacia fuera y abajo; entonces podemos contraatacar en mae-geri o hittsui-geri con el pie adelantado. También podemos hacer kakiwake-uke golpeando con los puños contra el interior de la articulación de los codos del adversario, lo que es particularmente doloroso.

NOTA. — A veces, se ejecuta este bloqueo en zen-kutsu, pero entonces no se provoca desequilibrio en el adversario. El kakiwaze-uke es también un bloqueo muy eficaz contra un chudan-heiko-zuki (se bloquea con los dos kote o con los tettsui).

Puntos esenciales

— La orientación de los antebrazos se mantiene igual durante todo el movimiento (croquis adjunto); los codos se separan algunos centímetros hacia fuera, pero su ángulo no varía; no obstante, no deben separarse demasiado y han de permanecer lo más cerca posible del cuerpo (así, la contracción de las axilas es posible). Los hombros se mantienen bajos.

— Son sobre todo la rotación de los puños y el descenso del centro de gravedad los que confieren al movimiento toda su potencia.

— El pecho está de frente o en hanmi (en este caso el puño correspondiente a la pierna adelantada se encuentra más cerca del adversario que el otro).

— Se puede ejecutar la misma técnica abriendo las manos en shuto; se golpea entonces con los sables de las manos, lo cual permite agarrar inmediatamente los brazos del adversario y controlarlos mejor.

J) Bloqueo o parada con el puño: tettsui-uke

Esta técnica ya es conocida: para bloquear se utiliza el «martillo de hierro» (tettsui) de la misma manera que para atacar (ver tettsui-uchi).

Se bloquea según tres direcciones:

— *De arriba abajo:*

Se abate verticalmente el puño después de haberlo levantado muy alto; se puede golpear orientando el eje del brazo en la dirección del adversario (la superficie golpeadora es restringida y se puede fallar el golpe contra el brazo o el puño atacantes) o en una dirección perpendicular (entonces se trata de la misma ejecución que el otoshi-uke: el codo está doblado).

— *De fuera adentro:* La ejecución es la del soto-uke (ver foto 51).

Foto 120

FOTO 121

— *De dentro afuera:* La ejecución es la de un gedan-barai o de un chudan-barai (foto 120).

También existe una forma directamente hacia delante, como un golpe de parada (ver maeude-deai-osae-uke).

El interés de los tettsui-uke es el de poder bloquear fuertes ataques a la vez que se golpean fuertemente lugares vulnerables (tibia, articulaciones del codo o de la rodilla, etc.).

K) EL BLOQUEO CON EL CODO: EMPI-UKE

Todos los ataques con el codo pueden utilizarse también como bloqueos. Hay tres formas particularmente interesantes:

— *De fuera adentro:*

La ejecución es la del yoko-mawashi-empi-uchi (ver esta técnica). Se puede contraatacar inmediatamente a partir de esta posición (foto 121) mediante un uraken, desplegando el antebrazo alrededor del codo que se mantiene en su sitio.

— *De abajo arriba* (foto 157):

Se desvía el ataque hacia arriba mediante la articulación fuertemente flexionada; el puño queda cerca del pecho.

— *De arriba abajo:*

La ejecución es la del otoshi-empi-uchi (ver esta técnica). Este bloqueo es uno de los más eficaces y de los más rápidos contra un mae-geri. En el dojo prácticamente nunca se utiliza debido al agudo dolor que puede causar al contrario.

El empi-uke es un bloqueo rápido (puede efectuarse sin previo impulso) y fuerte; en un combate, siempre es posible protegerse interponiendo un codo entre el ataque y uno mismo; el movimiento es por otra parte a menudo instintivo cuando uno se siente desbordado. En combinación con una protección de la rodilla (se levanta la rodilla delante del abdomen) la defensa del codo constituye una parada total contra un ataque imprevisto o impreciso.

LOS GOLPES DE PARADA

Las técnicas de los golpes de parada son difíciles de delimitar. ¿En dónde termina el bloqueo? ¿Dónde empieza el ataque? ¿A partir de cuándo una técnica puede considerarse como un golpe de parada?

Un golpe de parada consiste en detener bruscamente al adversario en su impulso, golpeándolo al cuerpo, al rostro, a la pierna o al brazo con el que ataque; se puede utilizar una técnica de mano o de pie. Esto viene a decir que se golpea al adversario antes de que éste haya podido terminar su ataque, pero después del inicio de éste; este último punto hace que el golpe propinado sea un contraataque (o un bloqueo) y no un ataque.

Podemos ver la velocidad y el sentido del «timing» indispensables para el logro del golpe de parada: hay que empezar el movimiento después de que lo haya iniciado el adversario, pero hay que acabar la técnica antes que él; se trata aquí de un aspecto mental profundo del karate, llamado sen-no-sen (ver página 434). Por ello el golpe de parada es una etapa superior en la defensa, que va más allá de la técnica de bloqueo que apunta esencialmente a detener un ataque en su última fase antes de contraatacar al adversario inmóvil.

En la práctica, el golpe de parada procede de una verdadera «explosión» de energía, breve pero total, en dirección del adversario. Cuando un golpe de parada se da al avanzar, frecuentemente suele ser decisivo, puesto que alcanza al adversario en plena relajación (es como si chocara contra un objeto sólido violentamente lanzado hacia él); pero también es posible dar voluntariamente un golpe de parada dosificado (golpe al plexo o a los ojos) destinado a detener al adversario durante una fracción de segundo, sin causarle un gran perjuicio, con el fin de poder empalmar con otra técnica (por ejemplo, una técnica de control para dominarlo).

De todas maneras, un golpe de parada debe ser una técnica directa para que pueda ser lo suficientemente rápido. La acción debe ser muy breve, por lo tanto sin impulso previo, para no dar motivos de recelo al adversario. El flujo nervioso y el tiempo de reacción de los músculos juegan un papel esencial.

El golpe de parada, pues, es menos una técnica especial que un estado del espíritu en el que se utiliza una técnica conocida; así es como durante los bloqueos estudiados hasta aquí hemos podido encontrar numerosas defensas que pueden llegar a ser

FIG. 145

golpes de parada, adaptación que es más lógica citar en esta fase del estudio (por ejemplo: fumikomi-age-uke, tsuki-uke, gedan-juji-uke, etc.). No volveremos a estudiarlos sino que en este breve capítulo nos limitaremos a analizar algunos bloqueos especialmente utilizados como golpes de parada.

Podemos clasificar los golpes de parada en dos categorías:

1) *Golpes contra el cuerpo o rostro*

Se utilizan técnicas de ataque (tsuki-waza o keri-waza), por ejemplo, gyaku-zuki, yoko-geri, mae-kakato-geri o tobi-yoko-geri. Se puede golpear con la máxima fuerza, lo cual dispensa de todo contraataque posterior, con motivo del quebranto general provocado por el golpe en el organismo del adversario; la puesta fuera de combate es definitiva. También se puede golpear con una fuerza controlada sobre puntos vulnerables: un ligero golpe al plexo (corte en la respiración) o al bajo vientre, amenaza de puya a los ojos (en general bastan para detener al adversario en su impulso). Esto exige una precisión muy grande y un encadenamiento rápido con la técnica siguiente antes de que el adversario se haya recuperado de la sorpresa.

El interés de estos golpes de parada reside en que es posible golpear desde el inicio del movimiento del adversario, antes incluso de que se precise el ataque.

2) *Golpes contra un miembro*

Se puede golpear un miembro que no ataca, por ejemplo la pierna que avanza en oi-zuki o la pierna apoyada mediante un golpe con el pie; se utiliza entonces una técnica de ataque, en general un golpe con el pie lateral contra la tibia (*ashibo-uke* = golpe de parada bajo con el pie) que detiene el avance del adversario o le impide terminar su golpe con el pie debido al dolor causado en su pierna apoyada.

Finalmente, se puede golpear desde el inicio de su movimiento al miembro que ataca, contra uno de sus segmentos o contra una articulación (croquis adjunto: fumiko-shuto-age-uke avanzando ampliamente hacia el ataque con el fin de desencajar el hombro golpeando hacia atrás y de abajo arriba; se está en el límite del bloqueo y del golpe de parada). Las tres técnicas estudiadas en las páginas siguientes entran en esta categoría.

Este tipo de golpe de parada es sin embargo más difícil que el anterior, puesto que el ataque debe precisarse en mayor grado antes de que sea posible contraatacarlo con una técnica adecuada; entonces hay que actuar muy deprisa; este punto ya es delicado en el bloqueo, en donde no se reacciona hasta el final del ataque, pero es particularmente complicado en el golpe de parada en donde se trata de tomar inmediatamente la iniciativa para no llegar demasiado tarde.

FIG. 146

FOTO 122

Los golpes de parada son difíciles de entrenar en el dojo: si se llevan a fondo dañan seriamente al compañero; si no son más que simulados, el ataque no es detenido y se corre el peligro de ser tocado.

En un combate real o durante la competición, los golpes de parada sólo deben propinarse con fuerza controlada. Hay que cuidar de no desequilibrarse uno mismo en el choque; también hay que decir que todas las bases de los bloqueos son válidas y más que nunca: caderas bajas y estables, abdomen contraído, etc.

A) El bloqueo empujando hacia delante: maeude-deai-osae-uke

La finalidad de esta técnica es la de detener el avance del adversario, saliendo abiertamente a su encuentro y oponiéndole el borde externo del antebrazo; éste es impulsado con fuerza hacia él en línea recta. Se ataca a nivel chudan.

Ejecución de un movimiento a la izquierda

— Se está en hachiji-dachi.

— Adelantar el pie izquierdo y llevar el puño izquierdo junto a la cadera derecha, con las falanges hacia arriba. Extender al mismo tiempo el puño derecho hacia delante, con las falanges hacia abajo, por encima del brazo izquierdo.

— Pasar a la postura zen-kutsu izquierda e impulsar el antebrazo en la misma dirección con rotación en el impacto, haciendo que las falanges del puño giren hacia abajo. Hacer hikite con el puño derecho.

Aplicación

Hay que anticiparse al ataque del puño a nivel chudan o gedan, saltando hacia el adversario y bloqueando por el interior de la articulación de su codo con la máxima fuerza. El golpe es muy doloroso; si se bloquea con el canto externo del antebrazo, el puño golpea en general a nivel del abdomen (es pues al mismo tiempo una forma de tettsui-uke).

Puntos esenciales

— La noción del «tiempo» es primordial en esta técnica. Si la acción no es lo suficientemente rápida, se llega demasiado tarde, en el momento en que el adversario ya ha lanzado su ataque; su codo está demasiado adelantado, por lo que su brazo extendido está en una posición de fuerza: entonces es imposible bloquear sin peligro de ser tocados a pesar de todo.

— Para poder resistir uno mismo el choque resultante del contacto directo de las dos fuerzas, hay que impulsar las caderas hacia delante y bajar al máximo el centro de gravedad; para ello, se avanza ampliamente en zen-kutsu muy bajo o en fudo-dachi.

— El tronco se mantiene vertical; el pecho está de perfil o en hanmi (mejor contracción de los abdominales).

— El antebrazo ejecuta un movimiento seco y directo resultante del enérgico impulso del codo hacia delante; el ángulo de éste no varía (no más de 90°) y en el kime el antebrazo queda paralelo al suelo; el puño es sólido y está en la prolongación del antebrazo.

Nota. — A veces este movimiento se ejecuta como un chudan-barai en el que el antebrazo no se despliega alrededor del codo después de la colocación de este pivote. También es posible obtener un golpe de parada parecido bloqueando el codo del adversario con la palma de la mano; ésta se lanza en línea recta (teisho-zuki) y con el brazo extendido; se empalma entonces con un gyaku-zuki con el puño retrasado; asimismo, si el adversario avanza girando el hombro demasiado lejos hacia atrás (ver oi-zuki), se bloquea con la palma de la mano abierta contra el hombro o el bíceps del brazo atacante.

Estos procedimientos son, no obstante, peligrosos de aplicar contra un adversario entrenado, puesto que la superficie de bloqueo es menor y puede resbalar sobre el brazo; el golpe es por otra parte menos potente y un ataque fuerte y decidido puede pasar muy fácilmente.

Así, el fracaso en un golpe de parada significa el éxito seguro del ataque; no hay que menospreciar ningún punto...

B) Los bloqueos empujando con el pie

Cuando el adversario ataca con el pie, hay que golpearle con el pie contra su tibia, antes de que tenga tiempo de extender la pierna. Es esencial tocarlo antes de la extensión final del pie, ya que en este momento está en una posición de fuerza y el ataque podría llegar a pasar. Vuelve a ser este sentido del «timing» el que hace de esta técnica un bloqueo eficaz o no, puesto que la técnica de por sí ya es conocida: utiliza los clásicos

FOTO 123

1) *El bloqueo, empujando, con la planta del pie: sokutei-osae-uke*

Es posible golpear de dos maneras:

a) *Mediante un golpe lateral bajo:*
El golpe de parada se ejecuta como el fumikomi-yoko-geri (ver esta técnica). Desde el comienzo del ataque se gira 90° sobre la pierna apoyada, levantando la rodilla lo más alto posible; se golpea en diagonal hacia abajo con un movimiento de las caderas en el mismo sentido; el canto interno del pie se mantiene paralelo al suelo. Se golpea con la planta del pie o con el talón.
b) *Mediante un golpe directo bajo.*
En su fase final, el golpe de parada es un gedan-geri (foto 63), pero se ejecuta diferentemente: en vez de golpear directamente de atrás hacia delante, se levanta la rodilla muy alto antes de golpear, como en el fumikomi-mae-geri; se extiende en seguida la pierna hacia delante y abajo, con los dedos de los pies hacia fuera y con el lado interno del tobillo girado hacia arriba.

2) *El bloqueo, empujando, con el sable del pie: sokuto-osae-uke*

Continúa siendo un golpe lateral bajo, pero se lleva a cabo con el filo externo del pie. La ejecución es la de la primera forma de sokutei-osae-uke. Sólo cambia el ángulo del tobillo (volver a mirar los croquis A y B, figs. 91 y 92).

II. — TECNICAS DE AGILIDAD

El procedimiento defensivo básico del karate es el bloqueo duro, ejecutado con fuerza. Sin embargo, existen un gran número de técnicas que se basan en la agilidad:

— Ya sea la agilidad del cuerpo: el cuerpo se separa de la dirección de ataque de una manera tan sutil que prácticamente mantiene la misma orientación. Mientras en los bloqueos típicos había que colocarse en posiciones de fuerza para poder desviar el ataque, en las esquivas hay que apoyarse en el ataque para desplazar el propio cuerpo.

— Ya sea la flexibilidad de las articulaciones: en los bloqueos barridos, en gancho o «como latigazos» (especialmente con la muñeca), la sola velocidad del movimiento separa el ataque adverso.

En todas estas técnicas se economiza la fuerza en la defensa para utilizarla totalmente en el contraataque. No siempre se trata de técnicas nuevas; muy a menudo, en lo que respecta al movimiento de los brazos, son las mismas que las que acabamos de ver (especialmente para las esquivas).

BLOQUEOS BARRIDOS

La superficie con la que se bloquea no es detenida en el momento del impacto contra el miembro adverso, sino que prosigue su movimiento en la misma dirección, ya sea para separar mayormente el ataque o bien lo más a menudo para desequilibrar al adversario, mientras se inicia el contraataque; así pues, no se intenta deshacer brutalmente el ataque así como tampoco hay sensación de kime en el momento del impacto. Ciertos bloqueos, como el shuto-barai, el haiwan-nagashi-uke o el uchi-komi deben clasificarse en este grupo; de todas maneras, nos ha parecido útil estudiarlas al mismo tiempo junto con sus movimientos directamente derivados.

A) Los bloqueos barridos con la mano

1) *El bloqueo o parada barriendo lateralmente: te-nagashi-uke*

El aspecto general del movimiento es el del uchi-komi ejecutado con la palma.

Colocarse en zen-kutsu con la mano levantada, palma hacia fuera, como al iniciar un soto-uke; barrer en arco de círculo sobre un plano horizontal hasta que la mano llegue, con la palma hacia fuera, contra la oreja (croquis adjunto), codo pegado al cuerpo.

FIG. 147

Esconder el pecho. Se puede bloquear pasando a ko-kutsu para dirigir mejor el brazo del adversario y preparar un potente contraataque con el puño retrasado que hacía hikite. Es inútil golpear fuerte o barrer muy lejos hacia el lado; el ataque debe pasar muy cerca de la cabeza, por lo que la desviación es mínima.

2) *El bloqueo o parada aplastando: te-osae-uke*

El aspecto general del movimiento es el de un otoshi-uke ejecutado con la palma, pero con poca fuerza. Se empuja al miembro adverso hacia abajo: esta defensa es más adecuada contra los ataques con la mano a nivel chudan que contra los ataques con el pie (peligro de dañarse la mano).

Colocarse en zen-kutsu, con la mano levantada, con la palma hacia fuera, como al principio de un otoshi-uke. Proyectar verticalmente la mano hasta la altura de la cintura; la palma queda dirigida hacia abajo y el antebrazo queda doblado y sensiblemente paralelo al suelo; con el fin de desequilibrar al adversario hacia delante, se puede pasar «in situ» de la postura zen-kutsu a la ko-kutsu; el puño retrasado ha hecho hikite.

NOTA. — Se deja al puño adverso en el mismo plano vertical que contiene su trayectoria, pero se le rechaza ligeramente hacia abajo a la vez que se le dirige hacia uno mismo, lo cual no requiere ningún esfuerzo.

Las técnicas de barrido con la mano, que utilizan los movimientos conocidos como *barate-ucho,* se engloban a veces bajo el nombre de *harai-te.*

B) Los bloqueos barridos con el pie

Los pies se utilizan igualmente en las técnicas de defensa *(keri-uke-waza)*, ya sea para propinar golpes de parada (ver página 127) como para desviar un ataque adverso (tales como yoko-geri-keage o mae-sokuto-geri, foto 65).

El éxito de estas técnicas requiere un buen equilibrio (el pie utilizado para bloquear debe volver muy de prisa hacia atrás para mantener la estabilidad y estar listo para la réplica) y mucha vista; no obstante son muy útiles cuando es imposible utilizar las manos (manos agarradas por el adversario, ataques contra varios adversarios).

1) *El barrido ascendente: nami-ashi*

Es un movimiento circular, de abajo arriba y de fuera adentro, de la planta del pie y de la cara interna de la pierna.

El movimiento se practica en general en kiba-dachi, frente al adversario; sin mover la otra pierna que se mantiene flexionada, llevar la planta del pie delante del bajo vientre mediante un movimiento en arco de círculo; idealmente, la rodilla hace de pivote y no se mueve, así como el centro de gravedad (foto 124); entonces la tibia queda paralela al suelo.

No solamente se requiere una buena flexibilidad de caderas y de rodillas, sino que además hay que ser muy rápido para no mover la posición del busto; el pie vuelve en seguida a su punto de partida, en kiba-dachi estable. Cuidado: un defecto corriente es el de llevar la planta del pie contra la rodilla o el muslo de la

Foto 124

Fig. 148

FOTO 125

FOTO 126

pierna opuesta: la amplitud del movimiento es entonces insuficiente.

El nami-ashi es a la vez:

— Un barrido hacia arriba contra un ataque al bajo vientre (foto 125).

— Una esquiva rápida en caso de un ataque lateral de pierna (yoko-fumikomi, golpes con un bastón, etc.).

2) *El barrido en media luna: mikazuki-geri-uke o sokutei-mawashi-uke*

Es la técnica del mikazuki-geri utilizada para desviar con un potente movimiento circular horizontal y de fuera adentro un ataque directo. Se le imprime un efecto de barrido a la planta del pie mediante una fuerte contracción de la faja abdominal; la rodilla queda flexionada y el tobillo girado como en el sokuto (ver pág. 269). Por otra parte, se puede aprovechar este movimiento circular para hacer regresar el pie antes de volver a lanzarlo en yoko-geri sin haberlo apoyado (fotos 127 y 128: para que el encadenamiento sea posible el cuerpo debe estar vertical en el momento del bloqueo).

De la misma manera se puede desviar la guardia del adversario antes de golpearlo con el mismo pie.

El croquis 1 de la figura 149 muestra las posiciones del pecho en el momento del bloqueo seguido de la réplica con el mismo pie (1) y en el momento del mikazuki-geri en el ataque (2).

3) *El bloqueo con la rodilla: hittsui-geri-uke*

El golpe de rodilla propinado hacia arriba es una excelente parada contra todos los ataques que apuntan al nivel bajo o medio; el golpe hace saltar el ataque hacia arriba. También se puede utilizar para desviar lateralmente un ataque (foto 136). Este bloqueo es muy útil:

— Contra los ataques con el pie.
— Cuando uno se queda sorprendido por la velocidad del ataque.
— En competición, contra una sucesión de ataques que desbordan nuestra defensa.

Basta con colocar la rodilla contra el pecho, con el talón protegiendo el bajo vientre, para detener el impulso del adversario; de todas maneras, se debe contraatacar inmediatamente, puesto que la posición sobre una pierna atraerá inevitablemente una tentativa de hacernos caer por parte del agresor.

FIG. 149

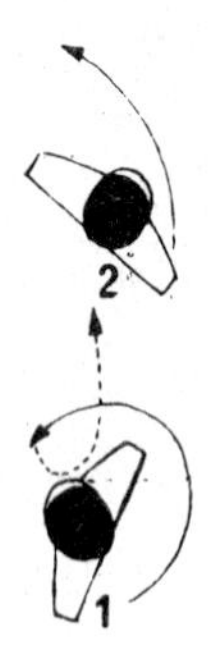

FOTO 127

FIG. 150

FOTO 128

BLOQUEOS BATIDOS CON LA MUÑECA

Los bloqueos siguientes se basan en la flexibilidad de la muñeca, la cual es capaz de propinar «golpes batidos» (movimientos de resorte en cuatro direcciones; volver a ver la foto 6). Son movimientos de corta trayectoria que exigen muy poca fuerza pero mucha velocidad y «timing»; son particularmente importantes para la competición en donde las defensas deben ser muy rápidas y no precisar largo tiempo de preparación. Las técnicas descritas a continuación no son nuevas: vamos a completar los párrafos con lo que ya se ha dicho durante el estudio de las técnicas de muñeca (uchi-waza: capítulo II). Entre las numerosas direcciones posibles para la aplicación de estas técnicas, sólo vamos a exponer las más utilizadas.

1) *Con el revés de la muñeca: kakuto-uke (o koken-uke)*

Se bloquea de abajo arriba contra ataques preferentemente altos. El mismo bloqueo puede utilizarse en un movimiento lateral de dentro afuera. El movimiento es potente si la flexión de la muñeca es fuerte. Su aplicación es no obstante delicada, puesto que hay que apuntar correctamente bajo el brazo del adversario.

El kakuto-uke, como el keito-uke, es el más a menudo utilizado, retrocediendo en ko-kutsu sobre el ataque. Ver kakuto-uchi.

2) *Con la parte alta de la muñeca: heito-uke*

Como el kakuto-uke, de abajo-arriba, pero con la «cresta de gallo» (base del pulgar en su primera falange). El movimiento se ejecuta a nivel chudan o jodan (foto 129). Ver keito-uchi.

3) *Con la base de la muñeca: seiryuto-uke*

Se provoca un descenso de nivel en un ataque gedan o chudan. Es un movimiento muy potente, igualmente válido para los golpes de pie. Ver seiryuto-uchi.

4) *Con la palma: teisho-uke*

Se bloquea:

— Horizontalmente de fuera adentro a nivel gedan o chudan (croquis adjunto).

— Verticalmente de arriba abajo a nivel gedan o chudan. Este movimiento es particularmente potente.

— Verticalmente de abajo arriba (croquis adjunto) a nivel jodan. La aplicación de esta técnica es tan delicada como la de los movimientos similares del kakuto-uke y del keito-uke. Ver teisho-uchi.

Puntos comunes

— Estas técnicas son aplicables sobre todo contra los golpes con el puño, excepto el teisho-uke y el seiryuto, que igualmente pueden servir contra golpes con el pie.

— Hay que buscar la velocidad en la ejecución y no la fuerza, puesto que permite la relajación indispensable antes del impac-

Foto 129

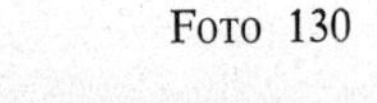

Foto 130

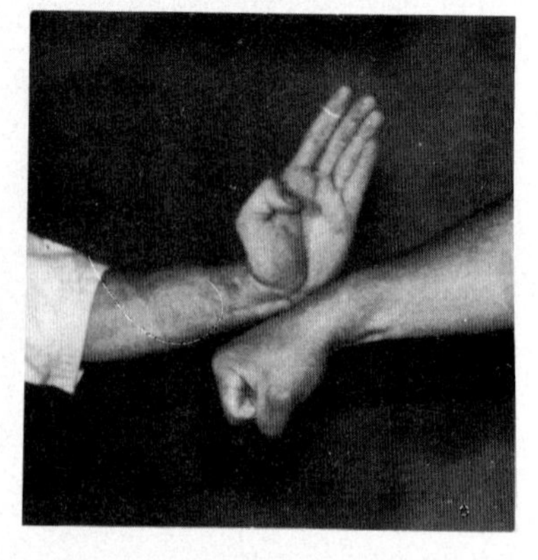

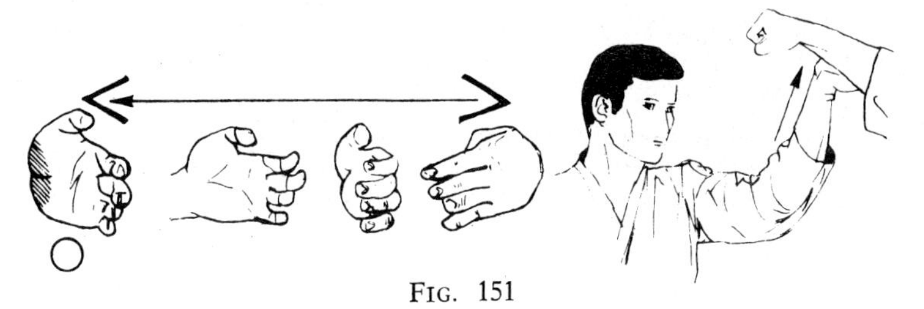

FIG. 151

to; de esta manera el movimiento de retorno de la muñeca (después de un impulso en el otro sentido) será vivo y seco. Lo importante no es el movimiento inicial del brazo, sino la flexión seca de la muñeca en el impacto. Contraer entonces los abdominales y ponerse rígidos una fracción de segundo.

— Si el golpe es lo suficientemente breve (kime), el ataque adverso sale de su trayectoria y si se apunta hacia un punto sensible (como el codo o la muñeca del adversario) la eficacia de un tan pequeño movimiento es sorprendente.

— Hay numerosas posibilidades de combinación entre los movimientos de muñeca utilizados en el bloqueo y los mismos utilizados con la misma mano, como contraataque; así:

- Gedan-seiryuto-uke seguido de jodan-keito-uchi.
- Gedan-teisho-uke seguido de jodan-kakuto-uchi.

También es posible combinar con la misma mano varios bloqueos batidos, utilizando lados distintos, contra ataques encadenados a varios niveles.

BLOQUEOS EN GANCHO: KAKE-WAZA

En estas técnicas, se «engancha» el miembro adverso para atraerlo hacia otra dirección:

— Ya sea efectuando el gancho después del contacto (con la mano o el pie).

— Ya sea «enrollando» la superficie bloqueadora a su alrededor (con la mano, la muñeca o el codo actuando de pivotes).

Durante el «agarrón», hay que dedicarse, pues, a sujetar al adversario para mejor desequilibrarlo (en los bloqueos barridos sólo se intentaba desviar el ataque); por consiguiente es algo peligroso demorarse en la defensa. De todas maneras, un bloqueo en gancho llevado a cabo con éxito permite un contraataque decisivo.

A) Bloqueos utilizando la mano como gancho

1) *Gancho con la muñeca: tekubi-kake-uke*

Esta técnica, también llamada *tensho,* utiliza un movimiento de torsión de la muñeca *(tekubi)* alrededor de la muñeca del adversario que ataca a nivel chudan; aquélla debe estar fuertemente doblada. La foto 131 ilustra este movimiento; hay dos posibilidades:

Forma A

— En cuanto se lanza el ataque, extender la mano hacia el adversario, con la palma hacia el suelo.

— Establecer el contacto y luego girar inmediatamente y con brusquedad la mano 180° de dentro a fuera.

— Terminar este movimiento circular doblando la muñeca, con los dedos hacia abajo y la palma hacia el adversario, mientras lo atraemos hacia nosotros: tiramos así de la muñeca adversa hacia nosotros a la vez que avanzamos hacia el adversario el pie situado en el mismo lado (dibujo adjunto).

—Entonces es muy fácil contraatacar con la misma mano en jodan-teisho-uchi.

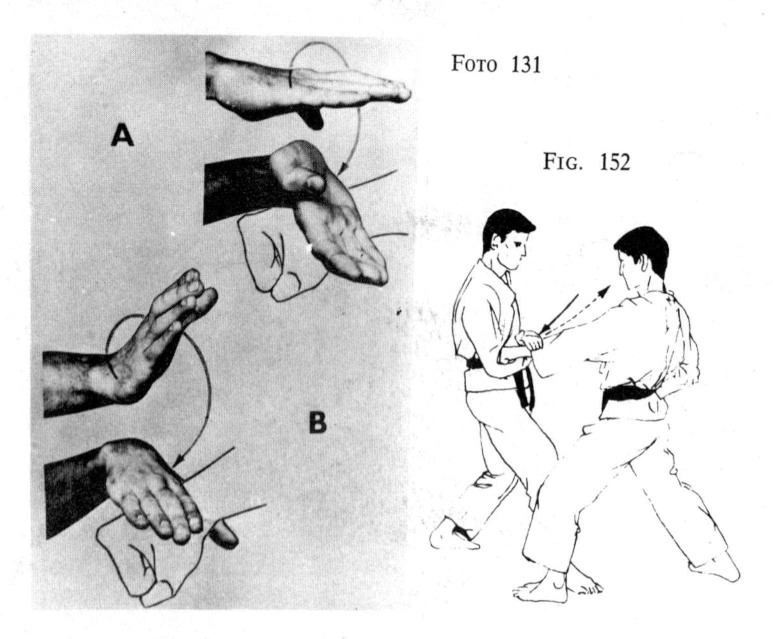

Foto 131

Fig. 152

Foto 132

Fig. 153

En este movimiento la mano debe estar muy móvil, actuando la muñeca de pivote; por el contrario, el codo casi no se mueve. El hombro correspondiente debe quedar bajo y la axila contraída en el momento de tracción de la mano hacia atrás.

Forma B

La muñeca adversa no es «enganchada» por el ángulo formado por el sable de la mano y el antebrazo, sino por la horca constituida por el pulgar extendido y el sable de mano interno (hirabasami). Esta disposición especial de la mano ya ha sido estudiada por otra parte en el shuto-kake-uke. En el momento del contacto, la mano queda muy baja, pero no está torcida como en la forma A.

NOTA. — Es posible enlazar ambas formas: se efectúa un gancho según la forma A y luego se empalma inmediatamente girando la mano de fuera adentro mientras se dobla la muñeca hacia abajo para llegar a la forma B: la primera fija la muñeca del adversario y la segunda lo empuja hacia adelante y abajo; el tekubi-kake-uke gana en eficacia si las dos acciones van combinadas.

2) *Bloqueo con doble agarrón: morote-tsukami-uke*

En esta defensa con las dos manos se ejecuta una doble acción (un barrido con una mano y un gancho con la otra) que permite echar el brazo del adversario hacia delante y abajo; es el inicio de una llave al brazo (ver más adelante: kansetsu-waza). Esta defensa se ejecuta a nivel chudan.

Ejecución de un movimiento a la derecha (fig. 153)

— En cuanto el adversario ataca (aquí en el oi-zuki a la izquierda) retroceder el pie izquierdo y separar las manos hacia la derecha, con el pecho de frente.

—Desviemos su brazo mediante el golpe de nuestra mano derecha, a la vez que efectuamos un gancho con la mano izquierda alrededor de su muñeca, mediante un movimiento circular de arriba abajo.

— Si seguimos girando las caderas en la misma dirección, a la vez que vamos apretando firmemente nuestros dedos contra su brazo, obligamos al adversario a proseguir su acción hacia delante y abajo, y ligeramente a la izquierda de su trayectoria inicial: se encontrará desequilibrado.

NOTA. — La foto 132 muestra una posición final después de un movimiento a la izquierda.

Puntos esenciales

— Hay que acompañar al movimiento con una fuerte rotación de las caderas.

— Sobre todo hay que cuidar de desviar correctamente el brazo adverso (de la mano situada al nivel superior) y no apretar demasiado en el gancho; por otra parte, en un primer tiempo, las dos manos efectúan una acción de barrido y no tiran hacia delante hasta un segundo tiempo.

— Hay que sincronizar la acción de las manos; la tracción hacia abajo será más fuerte si se desplaza el pie retrasado en arco de círculo para pasar a la postura kiba-dachi, de perfil respecto al adversario.

FIG. 154

3) *El bloqueo en cuchara (o parada recogiendo): sukui-uke*

Es un bloqueo efectuado por la mano abierta contra un golpe con el pie apuntando a nivel gedan o chudan; la mano efectúa una triple acción de la que resulta el desequilibrio del adversario:

- Desvía el pie mediante un movimiento lateral.
- Lo impulsa hacia delante.
- Termina su acción levantándolo agarrado por debajo del talón.

Las figuras 154 y 155 ilustran las *dos maneras de hacer sukui-uke* (la flecha blanca indica la dirección del ataque):

— *De fuera adentro* (1).

La mano adquiere un movimiento circular mientras se retrasa el pie opuesto. El pecho gira de perfil. La palma queda girada hacia el exterior y hacia arriba.

— *De dentro afuera* (2).

Se separa el pie hacia fuera mientras se retrasa el pie situado en el lado de la mano que bloquea (es pues un bloqueo en postura gyaku-ashi); el codo queda un poco flexionado; la palma mira hacia fuera, con los dedos hacia el suelo y el canto de la mano hacia el adversario.

Puntos esenciales comunes:

— La mano debe tomar un amplio impulso antes de agarrar.

— Se retrocede siempre ante el ataque.

— Hay que combinar una fuerte rotación de las caderas con la acción de las manos.

— Hay que sujetar el pie del adversario cerca de la pantorrilla y luego deslizar el agarrón hasta el tobillo (se tira hacia sí mientras se levanta); los dedos quedan ligeramente arqueados para facilitar la presa.

4) *El bloqueo en gancho bajo: gedan-kake-uke*

Este bloqueo también se conoce con los nombres de *uchi-barai* o *gedan-uchi-uke* y se utiliza sobre todo contra los golpes con el pie que apuntan al nivel bajo o medio.

Se efectúa el gancho de la misma manera que el sukui-uke, pero con el canto interno del antebrazo, con el puño cerrado (lo que hace el bloqueo menos peligroso que el precedente en lo que respecta a los posibles daños en la mano).

Los croquis adjuntos ilustran las dos maneras de hacer gedan-kake-uke (la flecha blanca indica la dirección del ataque).

— *De fuera adentro* (1).

El antebrazo barre de dentro afuera y toma contacto con el pie del adversario a nivel del filo interno de la muñeca (foto 133), mientras el pie opuesto retrocede. El pecho está de perfil. A partir de esta posición se echa el brazo hacia atrás (para desequilibrar al adversario hacia delante: figura 155) o bien gira hacia arriba, estilo uchiuke para provocar la caída del adversario: (foto 134).

— *De dentro afuera* (2).

El aspecto general del movimiento es el de un gedan-barai ejecutado con el filo interno del brazo, con las falanges hacia arriba. Se separa el pie adverso barriendo de dentro afuera y retrocediendo el pie situado por el lado del brazo que bloquea (bloqueo en gyaku-ashi).

Nota. — El gedan-kake-uke, como el sukui-uke, son, en sus dos formas, unos *bloqueos que deben ejecutarse preferentemente por el lado exterior* de la pierna que ataca: por una parte, el desequilibrio del adversario es más fácil de provocar y por la otra se

Fig. 155

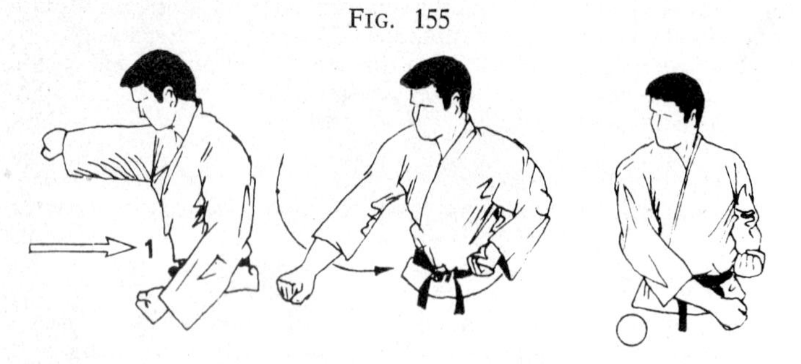

Foto 133

Foto 134

Fig. 156

está protegido contra un golpe evolucionando a ko-mawashi-geri en su fase final (que puede alcanzar su objetivo a pesar del bloqueo por el interior).

5) *El doble bloqueo en cuchara: morote-sukui-uke*

Es un gancho con ambas manos contra un gedan-mae-geri: una mano ejecuta un sukui-uke de fuera adentro a nivel del tobillo, y termina su acción con un levantamiento, mientras la otra bloquea la rodilla empujando hacia abajo.

El croquis explica este movimiento de tenazas de las manos y la foto 135 muestra la posición final: la mano que levanta el talón se encuentra por el lado de la pierna adelantada y se lleva hasta debajo del codo del brazo opuesto; la otra mano aprieta (entre el pulgar y los demás dedos) la pierna por debajo de la rodilla a la vez que la empuja hacia delante y abajo. Esta doble acción hace que la rodilla del adversario se encuentre bloqueada: es fácil desequilibrarlo levantando la mano retrasada.

Cuidado: la sincronización entre las dos acciones es esencial; *el impacto de las dos manos tiene lugar al mismo tiempo;* inmediatamente deben cerrarse como unas potentes pinzas.

B) Bloqueos utilizando el pie como gancho

Se «engancha» el pie del adversario (golpe llegando gedan o chudan) con el ángulo formado por el revés del pie (haisoku) y la tibia (suné). Los dos bloqueos descritos a continuación son bastante parecidos y son muy eficaces a condición de que se posea el sentido del «timing»; es esencial girar fuertemente las

Foto 135 Fig. 157

FOTO 136

FOTO 137

caderas en el mismo sentido que el pie bloqueador; el cuerpo debe encontrarse bien estable.

1) *El gancho con la tibia: ashibo-kake-uke*

Se efectúa el gancho a la altura del tobillo del adversario (foto 136: aplicación contra un gedan-sokuto) mediante un movimiento circular de fuera adentro pivotando sobre la pierna apoyada; el tobillo y la rodilla están fuertemente doblados; el muslo queda al menos horizontal.

NOTA. — Este bloqueo tiene más de barrido que de gancho y evoluciona fácilmente hacia el bloqueo con la rodilla, utilizándose toda la superficie del pie y desde la rótula al tobillo, para desviar el ataque.

2) *El gancho con el tobillo: ashikubi-kake-uke*

La ejecución es la misma que la de la técnica precedente, pero aquí se utiliza el ángulo del tobillo para «enganchar» el tobillo adverso e impulsarlo hacia delante y arriba. Esta defensa es sobre todo eficaz contra un gedan-mae-geri (foto 137).

NOTA. — Después de uno de estos ganchos es posible contraatacar inmediatamente con el mismo pie como después del mikazuki-geri-uke, a condición de haber podido mantener el equilibrio a pesar de la fuerte rotación sobre un solo pie.

LAS ESQUIVAS O FINTAS

Las técnicas de esquiva *(kawashi* o *tai-sabaki)* son combinaciones de movimientos de parada ejecutados con los brazos y desplazamientos del cuerpo alrededor de la trayectoria del ataque; pueden consistir solamente en desplazamientos no acompañados de movimientos del brazo, pero entonces hay que actuar extremadamente rápido. Se puede definir la esquiva como un movimiento, que implica o no el desplazamiento de los pies, consistente en esconder rápidamente la parte del cuerpo amenazada por el ataque y evitando tocar (a lo sumo rozar) el miembro atacante; literalmente hay que deslizarse alrededor del brazo o pie del adversario, procurando tocarlo lo menos posible.

A) Consideraciones generales

Foto 138

Foto 139

1) *Ventajas de la esquiva*

— Mejor utilización de la propia energía:
Debido a que no se intenta deshacer el ataque adverso por la fuerza, sino dirigirlo hacia una dirección en la que no pueda perjudicar (bastan unos pocos grados de separación), se minimiza el choque en el momento del bloqueo, dejando toda la fuerza disponible para el contraataque y evitando dañar el brazo que se interpone al ataque. Las fotos 138 y 139 ilustran una esquiva con un jodan-uchi-uke por el interior del ataque (comparar también las fotos del shuto-uke con o sin esquiva del cuerpo).
También es posible esquivar sin incluso controlar el ataque adverso; es lo ideal, puesto que toda la energía se canaliza hacia el contraataque, pero es difícil cuando el adversario es rápido e intenta tocar por todos los medios. No obstante, es la forma de esquiva que hay que llegar a practicar (los grandes expertos tienen un tal dominio de la esquiva que hasta dejan rozarse por el ataque). Por otra parte, con el desplazamiento del cuerpo, es liberada una importante energía por la rotación de las caderas (ésta vuelve aquí a adquirir toda su importancia). La esquiva es la defensa ideal cuando la desproporción de fuerza entre asaltante y asaltado es demasiado grande o para los de poca talla contra adversarios más altos. La práctica de la esquiva en jiyu-kumite o competición asegura un mejor control de la situación, ya que uno se cansa menos al bloquear y permite a la vez salir constantemente del ángulo de ataque del adversario, lo cual obliga a éste a una mayor defensa física y mental.

— Mejor utilización de la energía del adversario:
Ya que después del bloqueo se contraataca a un advesario inmovilizado después de un primer y brutal contacto, mientras que después de una esquiva se contraataca a un adversario en pleno movimiento, puesto que no ha encontrado todavía ninguna resistencia. En efecto, se esquiva *durante* su ataque y se contraataca antes de que éste termine; así, si la velocidad de ejecución es suficiente y la sincronización correcta, el adversario se «empele» sobre el contraataque en un momento en que no se lo espera, o sea, cuando está en plena relajación (mientras el mismo choque del bloqueo lo obliga a contraerse instintivamente).
Por otra parte, el adversario que se lanza a fondo y no encuentra más que el vacío ante sí, se desequilibra fácilmente en la dirección inicial de su ataque por poco que se acentúe mediante una ligera traccción en este sentido su tendencia natural al desequilibrio; incluso si esta acción no le hace caer, le deja en una postura tal que ya no le permite atacar otra vez (precisa de un tiempo muerto para recuperar la estabilidad); este tiempo es muy breve, pero suficiente para el que ha conseguido escon-

der tan oportunamente su cuerpo y contraatacar en un abrir y cerrar de ojos, si no lo ha hecho ya durante la esquiva.

—Un mejor contraataque:

La esquiva no consiste en una huida ante el ataque, sino que es el movimiento mínimo e indispensable que lo hace eficaz; se permanece, pues, muy cerca del adversario; se guarda un estrecho contacto con él, lo cual permite golpearle de una manera decisiva (puño, codo, rodilla) cuando, lanzado en el ataque, no puede ni bloquear ni cambiar la dirección del mismo. Mediante la esquiva el cuerpo se encuentra en una mejor postura de réplica y a punto de lanzar el contraataque.

El contraataque a veces tiene lugar durante la acción de esquiva (foto 140: tebuki-kake-uke acompañado de un ura-zuki al rostro durante la esquiva en kiba-dachi por el interior del ataque; foto 141: jodan-shuto-uke acompañado de un jodan-uraken durante una esquiva «in situ» con desplazamiento lateral de las caderas). La respuesta es entonces particularmente eficaz, pero simultánea con la defensa, a condición de que uno de los movimientos con el brazo no se refuerce en perjuicio del otro. Por ello deben elegirse preferentemente las acciones de brazo en las que las fuerzas respectivas puedan actuar naturalmente en el mismo sentido, o sea, conjugarse. También es posible contraatacar con una técnica de pie. Si se reacciona en dos tiempos (esquiva-réplica) ante un ataque, vale más colocar el contraataque antes de que aquél haya finalizado.

La figura 158 ilustra la zona en donde debe tener lugar la es-

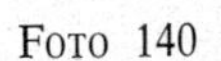

Foto 140

Foto 141

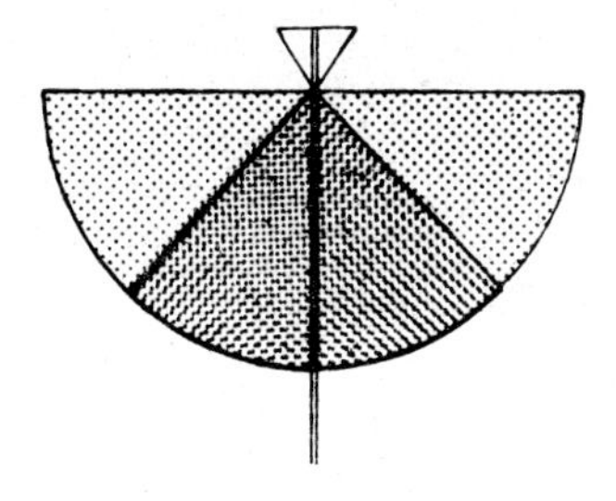

FIG. 158

quiva (sombreado), estando indicada la línea de ataque por una doble línea y efectuándose el mismo de arriba abajo de la página; en efecto, es inútil salir de esta zona, puesto que ello requiere demasiado tiempo, o sea, permite al adversario proseguir la acción y nos lleva demasiado lejos para que el contraataque sea eficaz; esquivando al máximo a 45º respecto de la trayectoria de ataque, se queda en una buena posición. El contacto con el adversario en la esquiva siempre debe ser lo menos posible y, si puede ser, *por el exterior del ataque* (el adversario no puede atacar ya con el brazo o el pie opuestos sin modificar su línea de ataque).

2) *Puntos a vigilar*

— Se requiere un buen sentido del «timing» y una gran velocidad de ejecución para «colocarse» rápidamente sin perder el equilibrio (la estabilidad es indispensable para una réplica instantánea y eficaz); si la acción se lleva a cabo demasiado lentamente, el adversario tiene todo el tiempo libre necesario para modificar la trayectoria de su ataque y de proseguir (esto, sin embargo, le es más difícil si hemos esquivado por el exterior del ataque); para conseguir la velocidad necesaria, hay que permanecer perfectamente relajados durante la esquiva.

— Esta no debe iniciarse hasta que el adversario haya lanzado definitivamente el ataque; como un golpe de parada, la esquiva debe empezar después de que lo haya hecho el ataque, pero debe terminar antes de que éste llegue a su objetivo: La esquiva debe ser una explosión momentánea de la energía; debe realizarse en un abrir y cerrar de ojos; para ello, no solamente el cuerpo debe estar perfectamente relajado y disponible, sino que además el espíritu debe encontrarse sereno y tranquilo, libre del miedo instintivo del golpe.

— Un breve desplazamiento del centro de gravedad basta para anular el ataque; si se acentúa su amplitud se corre el riesgo de desequilibrarse uno mismo hacia delante o lateralmente.

— Suele ser inútil desplazar ampliamente los pies; una rotación enérgica de la cadera y un ligero arqueamiento del busto hacia atrás bastan para esquivar, siempre y cuando se efectúen en el momento oportuno. Los desplazamientos de poca amplitud son los más rápidos: pueden intervenir en el último momento; son los más eficaces. De una manera general, podemos decir que una esquiva eficaz (no un simple bloqueo acompañado de un desplazamiento del cuerpo) tiene lugar a partir de un impulso de las caderas (papel del tanden) y no a partir de un cambio de posición.

— Trabajar completamente relajados, sin bloquear; no el ataque, sino apartarse de él; la esquiva exige la noción correcta de las distancias *(maai)*.

— Las esquivas sólo deben practicarse cuando se está lo suficientemente reposado (buenas reacciones nerviosas).

B) Tipos de esquivas

Las esquivas pueden agruparse en cuatro tipos principales:

— La esquiva-retirada: se retrocede mediante un paso deslizado en la dirección del ataque para saltar luego al contraataque una vez el primero ha llegado al final de su trayectoria.

— La esquiva con reverencia: hay que agacharse ante el ataque para contraatacar inmediatamente.

— La esquiva mediante un paso lateral: se desplaza al menos un pie hacia el lado para salir de la línea de ataque.

— La esquiva giratoria: se anula el ataque mediante una rotación de las caderas y del busto, «in situ», o después de un paso lateral; los pies juegan el papel de pivotes; este último tipo es el más comúnmente utilizado.

Todas estas esquivas pueden ejecutarse con o sin movimiento de los brazos (estilo bloqueos barridos o en gancho). Las técnicas de esquiva no tienen nada de original, excepto en la manera de colocar el cuerpo alrededor de la línea de ataque; en cuanto al movimiento acompañante del brazo, es un bloqueo como el uchi-komi, sukui-uke o gedan-kake-uke; de hecho, no importa que el bloqueo puede evolucionar hacia una esquiva si el cuerpo no permanece inmóvil (fuerza estática), pero gira tomando apoyo sobre aquél. Los croquis de las páginas siguientes ilustran las principales esquivas.

1) *En técnica de base*

(Los ataques se efectúan de arriba abajo de la página, si-

Fig. 159

guiendo el eje indicado; el croquis adjunto —fig. 159— muestra la posición del cuerpo visto desde arriba.)

1, 2, 3: Ejemplo de bloqueo evolucionando a esquiva. Un soto-uke (1) se convierte en uchi-komi cuando el pie retrasado se desplaza hacia atrás, tanto si se permanece en zen-kutsu (2) como si se pasa a kiba-dachi (3); el pecho entonces está completamente de perfil.

4, 5: Soto-uke con esquiva a 45° por el interior o por el exterior del ataque; el pie adelantado juega el papel de pivote mientras el pie retrasado se desplaza ampliamente en arco de círculo hacia atrás.

6: Uchi-uke con esquiva por el interior.

7: Shuto-uke con esquiva por el interior (foto 101, B).

8: Teisho-uke con esquiva por el exterior, en nekoashi-dachi.

9: Gedan-barai en kiba-dachi por el interior, retrocediendo ante el ataque.
10: Sukui-te después del desplazamiento del pie adelantado hacia el exterior y giro hacia la derecha apoyando el peso sobre la pierna derecha.
11: Uchi-uke en kiba-dachi a 45° por el exterior después del desplazamiento de los dos pies.
12: Gedan-barai después de haber llevado, en el mismo movimiento, el pie hacia delante. Posición cercana del nekoashi-dachi.
13: Mismo movimiento acompañado de un uraken de abajo arriba con el puño opuesto.
14: Misma posición de los pies con te-nagashi-uke, y el pecho de perfil.
NOTA: Estos tres últimos movimientos exigen una gran agilidad en las caderas.
15: Te-nagashi-uke en zen-kutsu por el interior.
16: A partir de yoi, te-nagashi-uke después del desplazamiento lateral de las caderas hacia la derecha, «in situ».
17: A partir de yoi, jodan-shuto-uke con la mano izquierda o jodan-shuto-uchi con la mano derecha; rotación del busto «in situ» (foto 141).
18: Tekubi-kake-uke de la mano derecha acompañado de ura-zuki del puño izquierdo después de una esquiva en kiba-dachi (foto 140).

En todas estas esquivas, la mano o el brazo no golpean con fuerza, sino que se limitan a controlar el miembro adverso para mantenerlo en su trayectoria mientras el cuerpo sale de ella.

2) *En combate libre*

En los croquis del 1 al 8 de la fig. 160 se supone que el karateka se encuentra en postura de competición, con el pie izquierdo hacia delante (por ejemplo, en hidari-hanmi-kamae); el ataque tiene lugar de arriba abajo de la página, siguiendo el eje materializado por la línea recta vertical; la flecha negra indica la dirección de desplazamiento del conjunto del cuerpo; las huellas negras muestran la posición inicial, y las rayadas la posición después de la esquiva; las huellas punteadas indican el desplazamiento previo de un pie antes de un giro.
Estos ejemplos indican algunas posibilidades:

1: Esquiva por el exterior sobre un pivote adelantado (ejemplo: te-nagashi-uke con la mano izquierda).
2: Esquiva por el interior sobre un pivote adelantado (ejemplo: uchi-uke con el brazo izquierdo; volver a ver las fotos 138 y 139).
3: Mismas esquivas que 1 y 2, pero después del desplazamiento previo del pie adelantado, lo que permite esquivar

más ampliamente; la esquiva tiene lugar a partir del nuevo emplazamiento del pivote adelantado. El mismo diagrama indica las esquivas después de una breve retirada del pie adelantado (por ejemplo sobre el ataque largo y potente).

4: Mismas esquivas que 1 y 2, pero después de un corto desplazamiento previo del pie adelantado en la dirección del ataque.

5: Esquiva sobre el pivote retrasado. Se puede desplazar el pie adelantado hacia el exterior (ejemplo sukui-uke, ver croquis 10 precedente) o hacia el interior (ejemplo: gedan-barai del brazo izquierdo para hacer pasar el ataque por la espalda; ver croquis 9 anterior y foto 162); en ambos casos las caderas giran fuertemente hacia la derecha.

6: Esquiva sobre doble pivote, «in situ» (ejemplo: uchi-barai con el brazo adelantado).

7: Amplia esquiva sobre el pivote de atrás; el pie adelantado vuelve a su posición mediante un movimiento circular (ejemplo: te-nagashi-uke con la mano derecha, en kiba-dachi) o directo hacia el pie derecho (ejemplo: croquis 12, 13 y 14 precedentes).

Esta esquiva permite deshacer considerablemente el ataque e invertir la guardia (el lado retrasado pasa a ser el lado adelantado hacia el adversario).

3) *Entrenamiento*

En los croquis del 1 al 8 de la fig. 161, el karateka está en yoi (huellas negras) y ejecuta hacia la parte superior de la página (de donde procede el ataque) dos defensas de base, soto-uke y gedan-barai, siempre en postura kiba-dachi; después de cada movimiento, vuelve a la postura yoi. Es un excelente entrenamiento para desarrollar la fuerza de rotación de las caderas — la flecha negra a trazos indica el sentido del movimiento del brazo.

1: Soto-uke del brazo izquierdo después de desplazar el pie derecho y girar hacia la izquierda.

2: Soto-uke del brazo derecho después de desplazar el pie izquierdo girando sobre el derecho.

3: Breve desplazamiento del pie izquierdo y luego giro sobre este pie mientras el derecho pasa hacia atrás. Gedan-barai del brazo izquierdo hacia la izquierda.

4: Breve desplazamiento del pie derecho y luego giro sobre este pie mientras el izquierdo pasa hacia atrás. Gedan-barai del brazo derecho hacia la derecha.

5: Gedan-barai del brazo izquierdo después de desplazar el pie izquierdo y girar sobre el derecho.

6: Gedan-barai del brazo derecho después de desplazar el pie derecho y girar sobre el izquierdo.

7: Breve desplazamiento del pie derecho y luego giro sobre este pie mientras el izquierdo pasa hacia delante. Soto-uke con el brazo izquierdo.

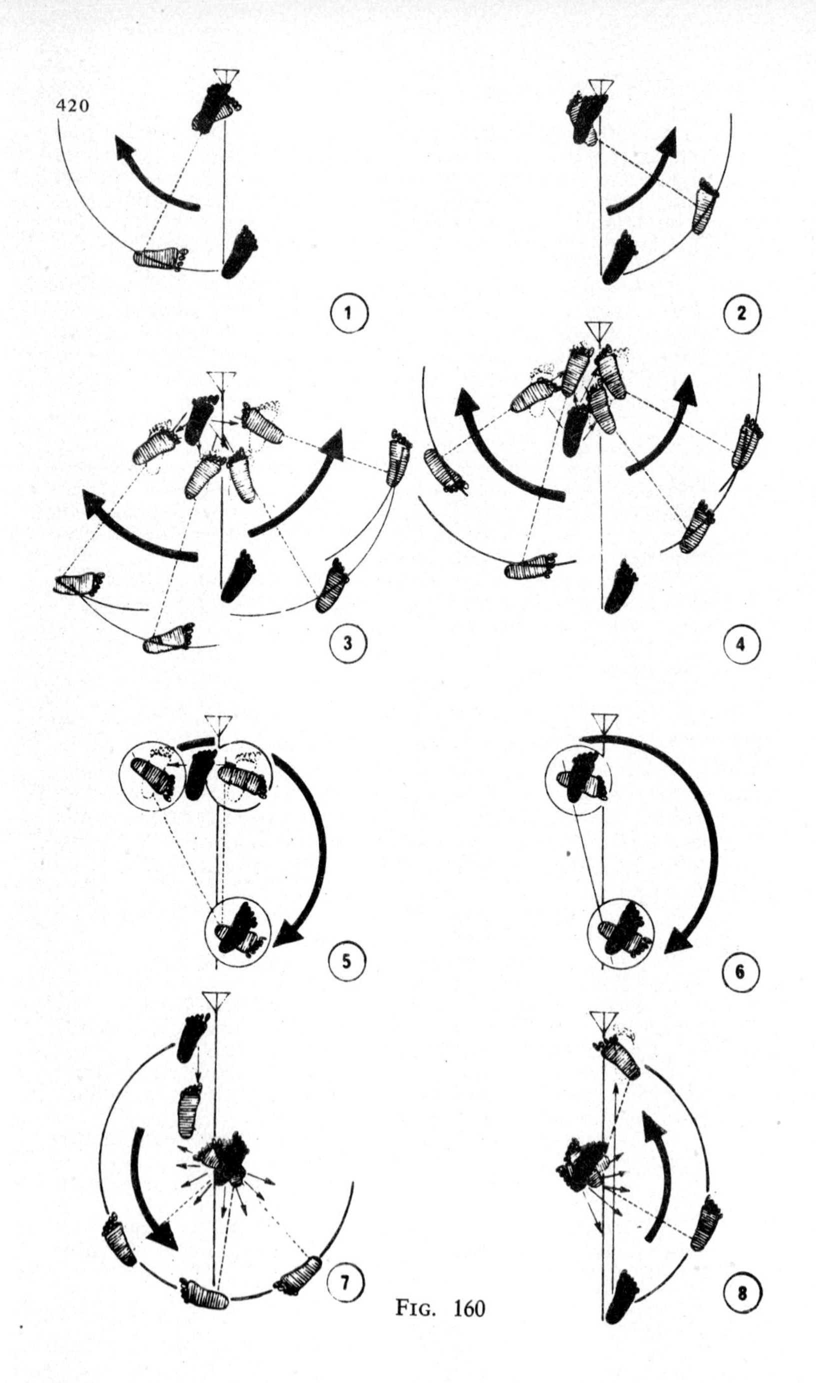

FIG. 160

8: Breve desplazamiento del pie izquierdo y luego giro sobre este pie mientras el derecho pasa hacia delante. Soto-uke con el brazo derecho.

Se observará que los movimientos con soto-uke se realizan en el mismo sentido que la rotación de las caderas, mientras que los que se hacen con gedan-barai, se efectúan en sentido contrario; son unos bloqueos clásicos ejecutados con esquiva del cuerpo a lo largo del eje de ataque; practicar con regularidad esta serie constituye un buen entrenamiento de base para las esquivas.

III. — TECNICAS DE CONTROL

LAS PROYECCIONES: NAGE-WAZA

En karate también existen las proyecciones, pero contrariamente al judo, para el que una proyección representa el final de un combate, un karate no constituye más que una manera de encontrar una abertura en la guardia del adversario para poder contraatacar inmediatamente con un atemi decisivo.

1) *Interés de las proyecciones*

Permiten romper la concentración del adversario; perdiendo la estabilidad éste no puede contraerse correctamente y nuestro contraataque será más eficaz teniendo en cuenta que no hay peligro de esquiva o bloqueo, porque el adversario ha perdido el dominio de su cuerpo; la proyección, seguida de un atemi, es pues una manera segura de acabar un combate. En competición deportiva, la proyección limpia, inmediatamente seguida de un atemi con el puño o con el pie, otorga el punto: victoria incuestionable cada día más buscada por los contendientes.

2) *Técnicas*

— Por barrido y batida del pie adelantado:

Es la técnica más ampliamente utilizada; se efectúa un gancho contra la pierna del adversario a la altura del tobillo (foto 142: después de la esquiva por el exterior del ataque) antes de que esté bien apoyada en el suelo, o sea, justo durante el movimiento del adversario; éste se encuentra desequlibrado debido al deslizamiento de su pie hacia delante.

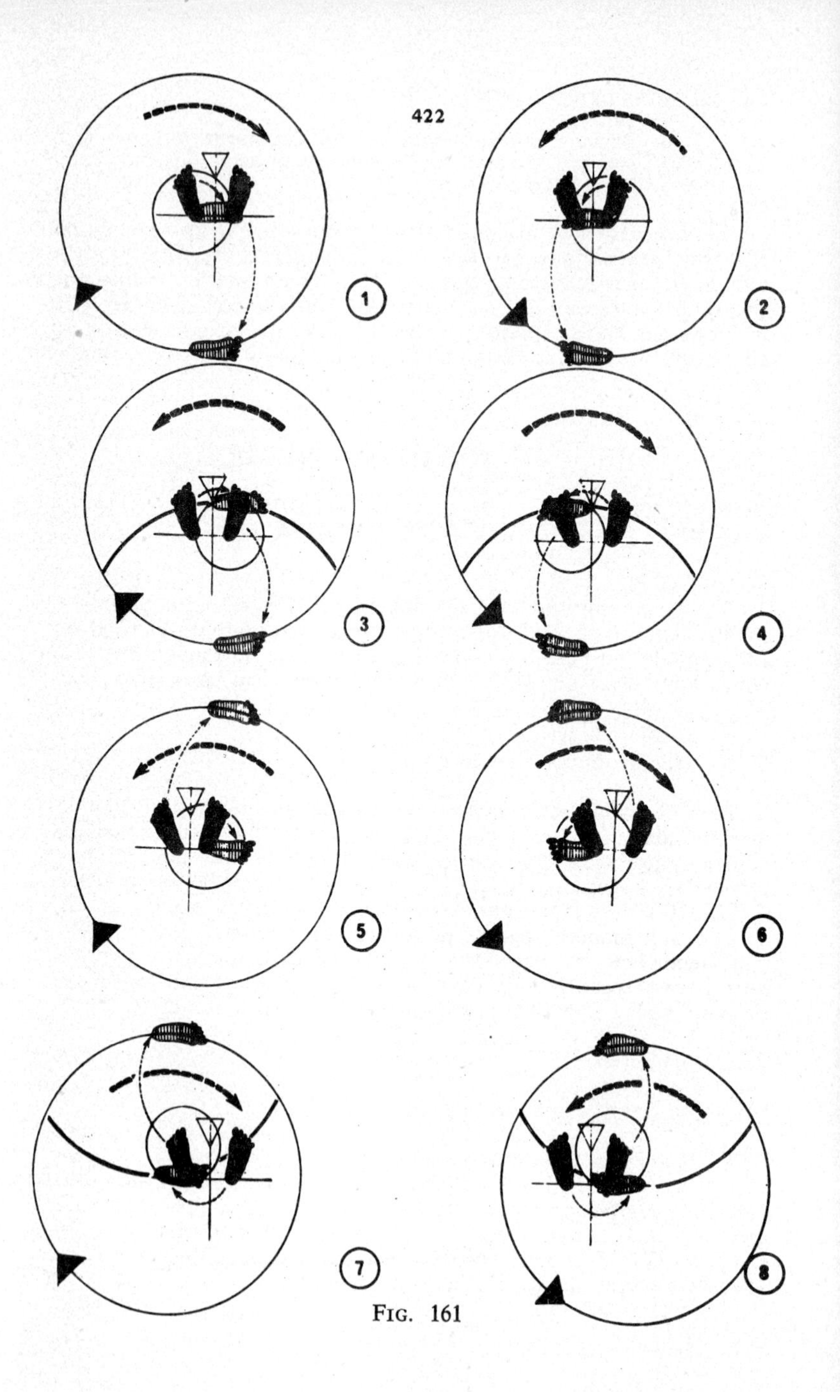

FIG. 161

FIG. 162

FOTO 142

Una segunda forma consiste en barrer la pierna mediante un amplio movimiento de fuera adentro, con la planta del pie (estilo de-ashi-barai del judo: fotos 221, 231); el adversario cae de costado.

Una tercera forma, menos utilizada, puesto que es más larga de ejecutar, es la batida del pie adelantado del advesario con la pantorrilla o el talón, acompañada de un empuje hacia atrás (estilo o-soto-gari). Esta última forma es también más peligrosa de ejecutar, ya que se está obligatoriamente más cerca del adversario.

— Por obstaculización:

Se coloca una pierna atravesada respecto a la postura adversa y se empuja fuertemente al adversario por encima de este punto de apoyo. Croquis adjunto: después de la esquiva en kiba-dachi por el exterior del ataque, se bascula al adversario por encima de la postura con una acción contraria de los brazos (una mano tira hacia delante por la cintura y la otra empuja hacia atrás o propina un atemi, aquí golpe con el codo); la proyección se consigue con poca fuerza cuando el centro de gravedad está más bajo que el del adversario; hay que bajar lo máximo posible.

— Mediante un golpe a la articulación de la rodilla adelantada:

Una técnica de aplastamiento (fumi-waza) ejecutada con el pie contra la articulación de la rodilla (foto 69) provoca la caída del adversario y un dolor local; por todo ello esta técnica está prohibida en competición y se ejercita poco en los dojos.

— Por amenaza de luxación:

Ciertos bloqueos (como el morote-sukui-uke o morote tsukami-uke) permiten bloquear la articulación del codo o de la rodilla del adversario y provocar su caída mediante un efecto de torsión; el adversario gira él solo para intentar disminuir el dolor.

— Mediante un gancho con el pie:

Una defensa como el sukui-uke o gedan-kake-uke permite, incluso sin tener que agarrar el pie del adversario, llevarlo hacia dela te y arriba para provocar su desequilibrio.

— Mediante un golpe contra la pierna apoyada:

Este procedimiento se ha abandonado en el karate moderno, puesto que es imposible de realizar sin herirse peligrosamente durante el entrenamiento; se ataca por ejemplo la tibia adelantada en gedan-barai con la intención de provocar su fractura; asimismo, si el adversario ataca mediante un golpe con el pie alto, se puede golpear enérgicamente contra su pierna apoyada, a la vez que se esquiva su ataque.

FOTO 143

— Por amenaza de golpe:

Aquí hay que limitarse a iniciar un ligero desequilibrio del adversario; éste, entonces, intentará esquivar el golpe que supone debe proseguir al desequilibrio; este tipo de proyección (a veces voluntaria por la parte del adversario que intenta colocar un ataque desde el suelo) sólo puede practicarse en los asaltos convencionales.

— Mediante una acción a partir del suelo:

A partir de una posición inferior es posible provocar la caída de un adversario enganchando su pie adelantado o golpeando su pierna apoyada si ejecuta un golpe con el pie; también se puede (foto 143) colocar una rodilla en el suelo, pegada a la pierna adelantada del adversario a quien acabamos de bloquear su ataque, y hacerlo caer mediante una acción inversa de las manos (una mano golpea contra el hueso poplíteo de la rodilla mientras la otra lo empuja hacia abajo y afuera); si el movimiento se encadena sin tiempo muerto después de la parada, si la acción de las manos está sincronizada y si los abdominales están bien contraídos, esta proyección es fácil de ejecutar; es eficaz sobre todo teniendo en cuenta que el adversario se aplasta bruscamente contra el suelo.

3) *Oportunidades*

— Rompiendo la estabilidad del adversario: se ataca directamente y con fuerza, sin intentar provocar un desequilibrio previo que aseguraría el éxito del ataque; la técnica comúnmente utilizada es la del barrido de fuera adentro por parte de la pierna adelantada del adversario.

Para que esta técnica tenga éxito, por una parte se requiere que el peso del adversario se apoye en la pierna atacada y por otra que el movimiento de barrido sea muy fuerte, llevado a cabo con energía y espíritu de decisión (desproporción de fuerza en favor del atacante). Por otra parte, es posible conseguir la proyección en una segunda tentativa que sigue inmediatamente a la primera, puesto que el adversario que resista la primera tendrá tendencia a relajarse y no esperará resistir una segunda vez un ataque idéntico; no obstante, las dos acciones deben sucederse rápidamente.

— Provocando el desequilibrio mediante un encadenamiento de técnicas: se lanzan una serie de ataques con la mano o el pie destinados a abrir la guardia enemiga y a causar el desequilibrio en una dirección dada; sigue inmediatamente el barrido, antes de que el adversario haya recuperado su estabilidad.

— Provocando la relajación del adversario:

Esto es difícil, pero ocurre en la fracción de segundo que sigue a un encadenamiento de ataques bien controlados por el adversario; en efecto, éste tendrá cierta tendencia a descuidar su atención en este preciso instante; esta oportunidad, muy breve, se refiere al caso citado anteriormente. La mejor manera de provocar una relajación en la concentración del adversario, pero que no puede utilizarse fuera de los asaltos convencionales en el dojo, sería la de colocar un primer atemi de contraataque antes de enlazar con una proyección.

— Dejando al adversario tirarse a fondo en un ataque: éste se encontrará en ligero desequilibrio hacia delante si se esquiva su ataque en el último momento, sin bloquear (lo cual equivaldría a estabilizar al adversario al final del movimiento).

4) *Puntos esenciales*

Una proyección limpia es muy difícil de ejecutar; ciertas condiciones (oportunidades) deben cumplirse, si no sólo se consigue el peligroso fracaso del que ha intentado la proyección, ya que él mismo se encuentra comprometido en una acción que puede dar al adversario más fuerte la ocasión de entrar en el cuerpo a cuerpo y proyectar él a su vez; no hay que llegar a tal extremo; una regla muy importante para el karateka dice que siempre hay que reducir al mínimo el tiempo de contacto con el adversario. Además de las oportunidades estudiadas anteriormente, conviene pues vigilar los siguientes puntos:

— Actuar con rapidez; una acción demasiado complicada es demasiado larga y permite al adversario recuperar el equilibrio.

— Actuar con decisión; no dudar ni un instante en cuanto se haya iniciado la acción; la ocasión no podrá repetirse, puesto que el adversario ya está alerta.

— Controlar estrechamente la caída del adversario agarrándolo y siguiéndolo en su trayectoria hasta el suelo; incluso es posible propinar el atemi decisivo durante el desequilibrio del adversario; esto supone por nuestra parte un equilibrio bien estable, un cierto «timing» y un espíritu alerta (zanshin).

— Proyectar enérgicamente con todo el cuerpo; como siempre, la impulsión y la fuerza decisiva se originan en el vientre y no solamente en la pierna que proyecta.

— No intentar levantar al adversario como en judo; derribarlo bruscamente y ponerlo de espaldas al suelo.

— Entrar lo menos posible en el cuerpo a cuerpo; utilizar las técnicas de pierna (ashi-waza) para barrer, batir y efectuar ganchos a media distancia; las proyecciones con las caderas son muy peligrosas; las de hombro, como en judo, son imposibles de realizar contra un adversario decidido que dispone de todo el tiempo para golpear una nueva vez con el puño opuesto.

LAS LUXACIONES: KANSETSU-WAZA

Las luxaciones (arm-locks) en el codo de un adversario que acaba de atacar en tsuki, son unas técnicas de control muy eficaces; pueden ser de dos tipos:

— *Por torsión:* Por ejemplo, después de un morote-tsukami-uke. Es el estilo más utilizado en aikido (otro deporte de combate japonés).

— *Mediante golpe:* Es el modo clásico en karate, menos espectacular, pero terriblemente eficaz.

Foto 144

Las aplicaciones de los bloqueos como técnicas de luxación ya han sido discutidas a lo largo del presente capítulo; no volveremos a ellas, pues, y sólo nos limitaremos a ilustrar la luxación ocasionada «al vuelo» contra el brazo del adversario:

La foto 144 muestra un doble movimiento de los puños girando de fuera adentro, como en el soto-uke; el uno bloquea en una dirección a la altura de la muñeca y el otro empuja en la dirección opuesta un poco por encima del codo. Cuando el ataque llega, hay que permanecer de frente, y luego se golpea con ambos puños *al mismo tiempo,* efectuando una fuerte rotación de las caderas hacia la pierna retrasada.

● El croquis adjunto muestra un movimiento similar; una mano sujeta la muñeca del adversario y lo empuja hacia delante, mientras se golpea en empi-uke de fuera hacia dentro contra el codo mediante una fuerte rotación del tronco.

Cuidado: Cuando están bien sincronizados y se llevan a fondo, estas defensas son muy peligrosas; la luxación es inevitable por lo que durante los entrenamientos hay que moderarse. En un combate real, constituyen un contraataque decisivo o un medio de control a condición de dosificar la fuerza.

FIG. 163

TERCERA PARTE

Los asaltos

5

Consideraciones generales

Esta parte dedicada a los asaltos *(kumite)* es más sucinta; en efecto, sólo vamos a tratar los principios de las diferentes formas de asalto, ilustradas con algunos ejemplos, ya que las técnicas utilizadas, tanto en el ataque como en la defensa, son bien conocidas. El asalto es la prueba de la verdad que permite al karateka hacer el balance de su nivel técnico y mental; todo error, despiste o debilidad en la ejecución de una técnica es inmediatamente sancionado por el adversario: penetrando nuestra defensa en un asalto de estudio, y apuntándose un tanto en una competición. El asalto permite pues mantener el contacto con la realidad y proporciona, como verdadera finalidad del entrenamiento de base, todo su valor a los ejercicios practicados aisladamente, los cuales, sin esta finalidad no serían más que simple juego; cada movimiento de ataque o de defensa, incluso practicado aisladamente, adquiere una nueva importancia cuando se ejecuta como si se estuviera ante un adversario: la forma será más perfecta, la velocidad de ejecución mayor, el kime profundo y con el espíritu dirigido hacia la victoria; entonces el movimiento es verdaderamente eficaz; y cada aplicación en la que colabore un compañero exige una nueva puesta a punto de los detalles y de los «tiempos» de ejecución, en función de la morfología y del nivel técnico de este compañero. El asalto es así una forma de entrenamiento apasionante en donde la sola técnica no permite ganar, puesto que se trata de la confrontación de dos mentes animadas con unas voluntades opuestas; y el más fuerte psicológicamente tiene más probabilidades de vencer que el fino estilista o el tecnicista.

Los kumites (kumi = encuentro; te = mano) forman un capítulo relativamente reciente en el entrenamiento del karate, puesto que se han desarrollado, sobre todo, bajo el impulso de los universitarios japoneses a partir de la última guerra mundial; el resultado ha sido la competición deportiva tal como se practica actualmente, mientras el karate clásico sólo permitía los asaltos convencionales.

Un asalto de karate sólo es posible si los contrincantes observan unas reglas muy concretas, cuya base consiste en controlar rigurosamente cada ataque y cada contraataque (se llevan a cabo con violencia, pero se detienen secamente algunos centímetros antes del impacto). Sobre esta base, indispensable para evitar los accidentes graves, se han desarrollado dos tipos de asaltos:

— Los asaltos convencionales, o asaltos de estudio *(kihon-kumite)* en donde se determinan de antemano ciertos aspectos (nivel de ataque, tipo de ataque, quién actuará como asaltante o defensor, número de ataques, etc.).

— Los asaltos libres *(jiyu-kumite)*, cuya forma deportiva es la competición, en los que no se determina nada de antemano.

El primer tipo es el eslabón intermedio indispensable entre las técnicas de base, practicadas en solitario, y la forma de combate libre. En efecto, cuando ya se domina el propio cuerpo, y por lo tanto practicando en solitario la técnica ejecutada, no se puede pasar sin peligro a una forma de entrenamiento en donde una natural tendencia emotiva hace perder a los principiantes parte de sus medios; de ello resulta una técnica rudimentaria y una confrontación peligrosa para ambos contendientes, puesto que la noción de control no es más que relativa, teniendo en cuenta el grado de excitación en que se hallan sumidos.

El profesor, pues, tendrá la obligación de iniciar al alumno progresivamente en el combate, obligándolo a pasar por todas las etapas convencionales, y a continuar ejercitando la técnica básica; sin el dominio de esta última, ningún ataque ni contraataque podrán ser decisivos a la hora de la verdad. Así pues, es inútil intercambiar con el adversario golpes de poca eficacia; el sentido del karate es otro: vencer con toda seguridad y si es posible utilizando una sola técnica.

La práctica de los asaltos, pues, no debe ser sistematizada

por los principantes; una excesiva improvisación y una relajación técnica y mental en este dominio les harían adquirir demasiados defectos de actitud difíciles de corregir más adelante; tampoco es conveniente hacerles evitar sistemáticamente los asaltos, puesto que ello serviría para crearles un falso sentido de seguridad, a la vez que iría anulando su vitalidad natural; por consiguiente, el entrenamiento debe dosificarse en función de estos dos imperativos: formar el cuerpo y el espíritu mediante la práctica asidua de las técnicas de base y mantener y desarrollar la sensación de combate mediante breves asaltos convencionales e incluso libres; la proporción respectiva de estas dos formas de entrenamiento varía evidentemente según el nivel del karateka, sin embargo, no hay que sacrificar la eficacia para conseguir una forma pura. Es cierto que estos dos aspectos del karate progresan juntamente, pero los principiantes no tienen conciencia de ello; el profesor, pues, debe recordárselo constantemente por medio de un severo entrenamiento de base.

Dos adversarios que se enfrentan están obligados a tener en cuenta un cierto número de nuevos factores (variables en función del contrincante) que deben afrontar con las bases técnicas y mentales planteadas en el curso de las dos primeras partes del presente libro:

● *Factores mentales:* Volver a repasar los principios psicológicos (1.ª parte).

Un nuevo factor interviene, sin embargo, cuando uno se encuentra frente a un adversario: se trata de la iniciativa en la lucha *(sen)*. Se observa frecuentemente que quien toma la iniciativa consigue la victoria (¿acaso no se dice en otros deportes de combate que la mejor defensa es el ataque?); el primero que ataca con decisión, o sea sabiendo dónde y cómo va a llevar a cabo el ataque, tiene una neta superioridad sobre el contrincante. Este tipo de iniciativa en el combate es la que se ve hoy en día en las competiciones deportivas, por lo que es manifiesta la ausencia de defensas (que han sido sustituidas por golpes dobles; ver capítulo 7); es provechosa cuando el nivel técnico del adversario es insuficiente para que pueda recuperar la dirección del combate, ya sea defendiéndose o bien contraatacando (lo cual ocurre todavía con la mayor parte de los luchadores actuales). Cuando se eleva el nivel de los karatekas, éstos, incluso al ser atacados en primer lugar, pueden invertir la situación a su favor, replicando con dos formas superiores de iniciativa.

La primera es el contraataque ante la iniciativa *(go-no-sen)*: cuando el adversario ha tomado la iniciativa en primer lugar, antes de replicar, hay que defenderse mediante una esquiva o bloqueo. El entrenamiento de los asaltos convencionales tiende a desarrollar esta forma de iniciativa, puesto que todo ataque debe ser neutralizado antes de la réplica.

La segunda es la iniciativa ante la iniciativa *(sen-no-sen)*: no se bloquea, pero se contraataca antes que el ataque del adversario haya terminado; la técnica ejecutada es entonces un golpe de parada (ver esta técnica); se requiere pues una gran facultad de percepción y una gran velocidad de ejecución para golpear cuando el adversario ya ha empezado a golpear, pero de manera que lleguemos al objetivo antes que él. En el último estado de la perfección en este dominio, el experto toma la iniciativa en el mismo momento en que aparece en el adversario la simple voluntad de tomarla en primer lugar... Esto requiere entrenarse a fondo, un espíritu perfectamente calmado y unas excelentes condiciones nerviosas.

También se observa que existen diferentes niveles mentales en la defensa (ver el cuadro 5), en donde el sen-no-sen constituye el estado superior, excluyendo todo movimiento de defensa considerado como secundario para hacer llegar más de prisa el contraataque hacia un adversario en plena relajación.

- *Factores físicos:* Fuerza, alcance, velocidad de ejecución, reflejos del adversario.

- *Factores técnicos:* Nivel técnico del adversario, por lo que de ello depende la táctica a adoptar durante el combate.

- *«Timing»:* Hay que ejecutar la técnica correcta en el momento oportuno; de este tiempo de ejecución, que dura una fracción de segundo, depende la eficacia real de la técnica. Por ejemplo, según que un golpe llegue demasiado pronto o demasiado tarde, no se conseguirá la fuerza y la velocidad suficiente para un kime enérgico o bien tendrá lugar cuando el adversario ya haya tenido tiempo de evitarlo retrocediendo, esquivando o contraatacando.

- *Distancia (ma* o *ma-ai):* Llamamos ma a la distancia ideal que nos separa del adversario, lo suficientemente grande para ponernos al abrigo de un ataque imprevisto y lo suficientemente corta para permitirnos atacar de golpe; en efecto, si nos encontramos demasiado cerca, el adversario puede sorprendernos con un ataque rápido con el puño o con el pie adelantado, mientras que si estamos demasiado lejos, no es posible ningún ataque sin impulso previo ni tiempo muerto. La distancia a mantener es pues función del nivel de los dos contrincantes (especialmente de la velocidad con que pueden ejecutar una técnica), del alcance de sus extremidades y de su disposición de espíritu (espíritu de ataque, de defensa, mental, pasivo o activo); ante la inminencia de un ataque, la tensión nerviosa y la concentración deben incrementarse a medida que la distancia que nos separa del adversario se va reduciendo, y pueden disminuir cuando dicha distancia ya no le permite al adversario atacar a menos que se desplace hacia nosotros. Las artes marciales japonesas distinguen tres distancias:

— *Uchima* (o *issoku-itto-no-ma*): Es el intervalo medio que permite propinar un golpe avanzando un solo paso hacia el adversario.

— *To-ma:* Es un intervalo más amplio; como la distancia que nos separa del adversario es más larga, hay que acompañar el desplazamiento con alguna finta *(kyo)* para enmascarar la acción principal.

— *Chika-ma:* La distancia es muy corta; es posible tocar al adversario sin avanzar hacia él. No se puede conservar mucho rato esta distancia sin actuar, ya que el riesgo de ser atacado en primer lugar es muy grande.

• *Cortesía:* Este aspecto puede parecer curioso; no obstante, se dice que un arte marcial empieza y termina siempre con cortesía; ésta se refiere al saludo (verlo en la introducción y en las fotos 1, 145 y 146) antes y después del combate, a la corrección y al sentido del «juego limpio» frente al compañero que hace posible el entrenamiento; en el auténtico espíritu del karate no es posible ningún progreso sin la noción de respeto hacia el compañero; esto quiere decir que por una cuestión de honor nunca hay que tocarle, de la misma manera que hay que hacerlo cuando la forma de asalto lo exige (ver jiyu-ippon-kumite). Hay que practicar siempre con toda sinceridad y ver en el compañero (incluso si se trata de un adversario en un campeonato) una persona digna de consideración y no un objeto que permite realzar nuestro valor; sería equivocar el camino no ver en el karate una disciplina que enseña la humildad y el respeto al prójimo.

¿Cuál es la actitud a adoptar durante un combate?

Los puntos siguientes valen tanto para los asaltos de estudio como para el combate libre; otros, propios de uno u otro estilo, se tendrán en cuenta durante su estudio:

• *El espíritu tranquilo* (mizu-no-kokoro) y a punto de aprovechar la primera ocasión (zanshin).

• *El espíritu de decisión:* Hay que abordar la lucha con coraje y firme voluntad de vencer a la primera ocasión; es la primera victoria la que cuenta en un combate real, por lo que no hay que dejarla escapar. Ya sea en el ataque o en la defensa, hay que saltar con el cuerpo «lleno de kiai» y canalizar toda la propia energía en esta dirección. Como se ha explicado en la primera parte, la movilización física y mental debe ser total, pero muy breve (kime) antes de la vuelta inmediata a la relajación absoluta que permite hacer frente, por sí sola, a cualquier otra dirección. De un extremo al otro del combate hay que dominar psicológicamente al adversario, aprisionarlo en cierta manera en nuestra inquebrantable voluntad. Por sí sola la técnica no es nada si no tiene el apoyo de la mente.

- *El cuerpo ágil:* Toda contracción inmoviliza el cuerpo y disminuye la velocidad del movimiento; mantener una ligera tensión en el abdomen (tándem) y dejar relajado el resto del cuerpo antes de iniciar un nuevo movimiento.

- *La mirada perdida:* Se dice que los ojos son los espejos del alma o que la mirada es el reflejo de la mente. Como el espíritu, la mirada debe ser tranquila y no fijarse en nada concreto; hay que mirar hacia un lugar a partir del cual se pueda percibir cualquier movimiento del adversario; hay que ver el cuerpo del adversario en su conjunto y no mirar ningún punto determinado; así la mirada no está distraída y el campo visual es lo mayor posible; así pues, se deja vagar la mirada a la altura del rostro del adversario, sin mirarle a los ojos. Los kendokas (practicantes de la esgrima japonesa) llaman a esta manera de mirar «*enzan-nometsuke*» (el tipo de mirada que se adoptaría al mirar una montaña situada muy lejos en el horizonte); proyectando la mirada más lejos que el adversario, como a través suyo, el espíritu queda libre y preparado a todo. El menor movimiento del adversario, ya sea un impulso del pie o un gesto de la mano, es rápidamente percibido.

La progresión en los asaltos es generalmente la siguiente:

1) Asaltos convencionales (ki-hon-kumite o yakusoku-kumite).

   a) Gohon-kumite (5 pasos).
   b) Sambon-kumite (3 pasos).
   c) Ippon-kumite (1 paso).

2) Asalto semi-convencional (jiyu-ippon-kumite).

3) Asalto libre (jiyu-kumite y shiai).

Querer quemar etapas sólo perjudica a la progresión de conjunto; evidentemente, es incumbencia del profesor juzgar el tiempo que debe consagrarse al estudio de cada uno de estos tipos de asaltos en función del nivel técnico, del autocontrol y de la combatividad instintiva del alumno. También es posible, e incluso fructífero a condición de no abusar de ello, permitir el acceso al combate libre a algunos buenos elementos al cabo de unas pocas semanas de entrenamiento; el resultado puede ser, en el karateka principiante lleno de combatividad y animado de un buen espíritu, la voluntad de profundizar las técnicas de base con el fin de ganar eficacia sin dispersar esfuerzos, o sea, el reconocimiento de que ésta no puede existir sin la perfección técnica.

6

Formas de estudios convencionales y semiconvencionales

Se llama *ki-hon-kumite* o *yakusoku-kumite* a los asaltos reglamentados por las convenciones detalladas en la Introducción y cuya finalidad es la de entrenar al karateka a emplear correcta y oportunamente las técnicas que hasta ahora había aprendido en solitario; además de la correcta forma de ejecución, de la fuerza y de la velocidad, el karateka aprende también la noción de la distancia (maai) y del «timing»; está obligado a tener en cuenta los factores exteriores (que ya no dependen de él, sino del adversario) y por este hecho su técnica ya no puede ejecutarse ciegamente; por lo tanto, el grado de concentración se incrementa. El kumite es ante todo una excelente forma de entrenamiento del espíritu.

En los asaltos de estudio son definidos con precisión varios puntos que, claro está, deben respetarse escrupulosamente por parte de los contrincantes:

— *Los papeles de agresor y defensor:* El que ataca es *Tori* (también se llama *Semete* cuando se trata de un kata) y el que se defiende es *Uke* (también se llama *Ukete* cuando se trata de un kata), limitándose cada uno a su papel (lo que implica un estado de espíritu adecuado: Tori debe concentrarse solamente en el ataque y Uke debe lanzarse todo él en la defensa); después del asalto se invierten los papeles: Tori pasa a ser Uke y Uke pasa a ser Tori.

— *Dirección y sentido del ataque:* Tori ataca a partir de una posición inicial dada y a una distancia que le permita tocar a Uke dando un solo paso hacia él.

— *Las técnicas:* Durante las clases técnicas en el dojo, el profesor define las técnicas de ataque y de defensa que quiere ver ejecutar respectivamente a Tori y a Uke; los karatekas se limitarán entonces a estos movimientos, practicándolos sin descansar. En los entrenamientos libres, Tori y Uke serán libres de atacar y de replicar como se les antoje, dando por sentado que se habrán puesto de acuerdo previamente sobre el tipo de ataque llevado a cabo por Tori, el cual deberá ser el mismo durante

Foto 145

Foto 146

FOTO 147

todo el ejercicio; Uke podrá entonces variar sus defensas y sus réplicas contra un mismo plan de ataque.

En ciertos casos, cuando se trata de karatekas adelantados, se puede establecer una sucesión de ataques dados (pies-pie-puño o puño-pie, etc.), propinándose cada uno de ellos a una altura (baja, media o alta) igualmente establecida de antemano; Uke enlaza entonces sus defensas, «in situ», retrocediendo o girando, ya sea improvisándolas él mismo o siguiendo las indicaciones del profesor.

ACTITUD AL INICIAR UN KIHON-KUMITE

Las fotos adjuntas ilustran el principio de un *ki-hon-kumite;* se trata de un saludo (ritsurei) seguido de una toma de postura antes de que se desencadene el ataque en gohon-kumite, sambon-kumite o ippon-kumite. Uke se encuentra a la izquierda y Tori a la derecha.

Con los pies juntos (heisoku-dachi), el cuerpo erguido y las manos a lo largo del cuerpo, Tori y Uke están frente a frente. El cuerpo debe estar perfectamente relajado y el espíritu tranquilo.

Cuando el profesor ordena «*¡Rei!*» (saluden), Uke y Tori se saludan inclinando el busto unos 30°; la mirada se fija a nivel del pecho del adversario.

Luego Tori y Uke se enderezan (foto 145).

Cuando el profesor ordena «*¡Kamae!*» (en guardia), Uke y Tori se colocan en postura yoi, separando un poco el pie izquierdo y luego el derecho (hachiji-dachi) y apretando los puños delante del abdomen. Luego Tori retrasa el pie derecho haciendo gedanbarai con el brazo izquierdo e hikite con el puño derecho: Tori está a punto de atacar con el puño o con el pie derecho dando un paso hacia Uke. El ataque se inicia cuando el profesor ordena «*¡Hajime!*» (empiecen) (ver la continuación en las fotos de la 148 a la 150).

Después del ataque, Tori deja que Uke coloque su contraataque, luego los dos contrincantes permanecen algunos segundos en esta posición; altamente concentrados, como para apoyar mentalmente el golpe. No vuelven a la postura de la foto 147 hasta que su profesor les ordena «*¡Yame!*» o «*¡Naole!*» (volver), antes de un nuevo ataque. Cuando el ejercicio ha terminado, el profesor ordena «*¡Yasame!*» (descansen) y los contrincantes se relajan volviendo a la postura de la foto 145; se saludan a la orden de «*¡Rei!*»

Cuidado: Los ataques de Tori se llevan siempre a cabo con un paso del pie retrasado hacia Uke, no «in situ».

— *El grado de control de los golpes:* En general, los ataques de Tori deben llevarse a cabo violentamente, con fuerza y rapidez, pero deben ser retenidos justo antes del impacto; este acuerdo permite que Uke no se crispe instintivamente ante el riesgo de encajar el golpe, o sea, puede trabajar más libremente, proporcionando a la vez a Tori la ocasión de practicar una forma de «maestría» indispensable en la competición deportiva. El bloqueo de Uke, sin embargo, debe ser ejecutado con fuerza contra el miembro que ataca, con el fin de entrenar brazos y piernas; estos golpes, por otra parte, sólo son dolorosos al principio, puesto que los brazos se endurecen en seguida; son indispensables para que el karateka, eventualmente, pueda hacer frente, con decisión, a un combate real, sin temor de una contusión local de hecho poco importante cuando se trata de salvar la propia vida. Por el contrario, el contraataque de Uke debe ser estrictamente controlado, no debe ni rozar a Tori que ha permanecido «in situ» después del final de su ataque; esto constituye una regla elemental de corrección: es inadmisible abusar de la buena voluntad de un compañero que permanece inmóvil con el fin de dar a Uke la oportunidad de colocar correctamente su contraataque cuando la lentitud de este último le habría dado tiempo suficiente de esquivar.

Sin embargo, los karatekas adelantados, y voluntarios para este ejercicio, pueden desarrollar un asalto más viril, destinado a desarrollar el coraje y el espíritu de decisión: se puede convenir que Tori ataque a fondo (pero siempre al nivel y de la manera definida previamente) y que Uke lleve a cabo su contraataque ligeramente (excepto al rostro y al bajo vientre); la finalidad es la de dar a Tori la voluntad de golpear realmente liberando toda su energía y mantenerse bien contraído en el momento de su kime, lo que permite amortiguar el contraataque; será menos vulnerable a los ataques de mediana fuerza y ganará confianza en sí mismo. En cuanto a Uke, así puede saber verdaderamente si su defensa es válida o si sólo la consigue cuando Tori no insiste... Es la prueba de la verdad para ambos, a la que un verdadero hombre, que practica el karate con la finalidad de fortalecer su personalidad, no puede dejar de someterse de vez en cuando. Queda claro que a partir del momento en que se decida esto, Tori va a golpear realmente actuando con tanta decisión de tocar como anteriormente para controlar, y esto para el mayor provecho de su compañero para el cual es la única forma de progresar (se supone que habrá siempre la suficiente técnica para amortiguar el golpe, retrocediendo en el último instante, por ejemplo).

Finalmente algunos consejos generales que deberán recordarse durante el estudio de los siguientes asaltos:

— *Para Tori:* Atacará lo más rápidamente y lo más fuerte posible con la voluntad de no dejarse desviar de su trayectoria ya que para que el ejercicio sea provechoso para Uke, el ataque debe ser duro y sincero. Atacará sin impulso físico (pie adelantado que gire hacia el exterior antes de iniciar el movimiento, contracción del rostro, inspiración ruidosa, etc.) ni mental (voluntad de lanzarse al ataque, temor del contraataque, etc.); el ataque será directo, puro, sin que las caderas se eleven, sin que el cuerpo se desequilibre. Por otro lado, Tori corregirá su postura cuando haya terminado su ataque, sin preocuparse de la acción de Uke. En efecto, Tori deberá convencerse de que el papel que juega le permite progresar tanto a él como a Uke, aunque la actuación de este último le pueda parecer más atractiva; todo él deberá estar presente en el ataque y «ver» mentalmente la defensa que eventualmente podría ejecutar ante la réplica de Uke, *pero sin llevarla a cabo.* De un extremo a otro del asalto no deberá perder de vista el rostro de Uke, sin fijar nunca la mirada, ni que sea rápidamente, sobre la zona objeto del ataque. Para dar mayor fuerza al ataque «lanzará» el kiai.

— *Para Uke:* Conservará su calma, como si estuviera paralizado «in situ»; nunca deberá perder de vista el rostro de Tori aunque sin fijar nunca la mirada sobre el puño o el pie con el que Tori va a golpear. Una vez se haya puesto en marcha el ataque, hará «explotar» su movimiento de defensa, recordando que el más eficaz es siempre el más sencillo; bloqueará o esquivará con decisión, con el abdomen (hara) en tensión y el resto del cuerpo bien flexible antes del contacto, siempre extremadamente breve, con Tori. Defensa y réplica deberán enlazarse sin tiempo muerto, antes de que Tori pueda lanzar un nuevo ataque; idealmente, las dos acciones no deberán ser más que una, con una sola sensación (incluso si el cuerpo ejecuta un gesto de defensa, el espíritu ya debe estar a punto del contraataque). El conjunto se ejecutará con celeridad y kime en el momento del contacto (parada o impacto simulado en el momento de la réplica); el contraataque se apoyará mentalmente (concentración) durante uno o dos segundos antes de la relajación física y mental total.

Uke deberá recordar que defenderse no quiere decir huir, evitar ampliamente el pie o el puño del adversario sino evitarlo, pero ya sea desviándolo respecto a su cuerpo (bloqueo) o bien desplazando el propio cuerpo con relación al de aquél (esquiva), gracias a lo estrictamente necesario; esto exige mucha vista, apreciar bien las distancias, «timing» y coraje. Uke lanzará el kiai en el momento del bloqueo o bien en el contraataque.

Un buen kumite es un breve desencadenamiento de violencia (fuerza-velocidad-voluntad-kiai) precedida por una fase de preparación extremadamente tranquila y precediendo a una nueva fase de relajación total.

I. — LOS ATAQUES EN SUCESION

A) EL ASALTO DE ESTUDIO SOBRE 5 PASOS: GOHON-KUMITE

A partir de la posición de la foto 147, Tori ataca 5 veces consecutivas dando 5 pasos hacia Uke (ataque en línea recta), haciendo corresponder un ataque a cada paso con el pie o con el puño retrasado (go = cinco; hon = vez); Uke se defiende retrocediendo 5 veces y bloqueando 5 veces de la misma manera antes de contraatacar en la 6.ª vez (ver dibujos fig. 164). Ataques y bloqueos se llevan a cabo con fuerza, con kime y kensei, lo cual impone un límite en la velocidad de encadenamiento de los ataques, al menos para los principiantes, no hay que correr, sino ejecutar cada movimiento con fuerza, manteniendo la estabilidad, en una postura baja y estable, sin elevar las caderas durante el avance o el retroceso. Es un excelente ejercicio, sobre todo practicado por los principiantes hasta el 6.º kyu; desarrolla la noción de la distancia, el timing, la solidez de la técnica y la resistencia; finalmente se está obligado a trabajar por los dos lados, alternativamente. Tori ataca en general con 5 kensei. ¡Uke debe esforzarse en no retroceder antes de que Tori haya avanzado! Debe imitar los movimientos del adversario, «pegarse» prácticamente a él, sin nunca separarse demasiado. Un buen método consiste en mantener el contacto del brazo que acaba de bloquear con el brazo de Tori hasta el momento en que éste lo retire para golpear con el otro (tomando el caso de ataques en oi-zuki): así Uke «siente» físicamente el ataque y bloquea con un timing perfecto; es la manera de mantener siempre un estrecho contacto con el adversario.

El primer bloqueo de Uke debe ser correcto y sólido, puesto que las faltas ya no podrían corregirse a lo largo de los cuatro ataques siguientes: al contrario, rápidamente desbordado por Tori, Uke vería como sus errores se amplifican progresivamente y ya no sería capaz, debido a una mala distancia o a una postura delicada, de contraatacar fuertemente y sin tiempo muerto en el momento de la inmovilización final de Tori.

El gohon-kumite se ejecuta primeramente a un ritmo lento, sincopado, dirigido por el profesor; el ritmo se acelera cuando se llevan ya muchas repeticiones hasta que la sucesión sea muy rápida y muy fluida sin que, a pesar de todo, Tori y Uke no se desequilibren en ningún momento del asalto. Entonces, todo llega a ser rápido, limpio y preciso, sin vacilaciones. Este estadio es difícil de alcanzar, pero la evolución progresiva hace del gohon-kumite un asalto siempre interesante para los karatekas adelantados; éstos, por otra parte, pueden introducir diversas variaciones: tales como atacar en len-zuki (2 ó 3 zukis al mismo nivel) o en dan-zuki (2 ó 3 zukis a niveles diferentes) a cada paso. Igualmente se puede atacar con el pie (ver en la fig. 166 algunos ejemplos de contraataques a partir del bloqueo final).

B) EL ASALTO DE ESTUDIO SOBRE 3 PASOS: SAMBON-KUMITE

El aspecto general del asalto es el mismo que el del gohon-kumite, pero Tori sólo avanza y ataca 3 veces en línea recta a partir de la postura de la foto 147; Uke se defiende retrocediendo 3 veces y bloqueando 3 veces de la misma forma antes de contraatacar en el 4.º tiempo (ver dibujos de la fig. 164).

Las observaciones efectuadas para el gohon-kumite sirven igualmente para el sambon-kumite; como el ejercicio es más corto se ejecuta más rápidamente y representa un estadio superior en la práctica de los asaltos. Mientras los principiantes ejecutan el sambon-kumite de uno en uno, esencialmente mediante ata-

ATAQUES EN SUCESION:
- GOHON-KUMITE
- SAMBON-KUMITE

FIG. 164

GOHON-KUMITE

TORI: 5 jodan-oi-zuki.

UKE: 5 age-uke en ko-kutsu. Contraataque mediante un mae-geri con el pie adelantado.

SAMBON-KUMITE

TORI: 3 chudan-oi-zuki.

UKE: 3 soto-uke en zenkutsu.
Contraataque mediante gyaku-zuki.

ques oi-zuki, los karatekas adelantados introducirán algunas dificultades suplementarias:

— Atacando también con mae-geri-kekomi o yoko-geri-kekomi.

— Enlazando los tres ataques lo más rápidamente posible: los tres tsuki, por ejemplo, se sucederán sin que el cuerpo se inmovilice un solo instante (no hay fase de detención) permaneciendo siempre bien equilibrados e intentando empujar a Uke; sólo es detenido fuertemente el tercer golpe, con kiai. También Uke está obligado a enlazar tan rápidamente, manteniéndose en postura estable; el contraataque debe seguir de inmediato antes de que, virtualmente, Tori tenga tiempo de atacar una cuarta vez.

— Introduciendo variantes en la sucesión: por ejemplo oi-zuki, mae-geri, oi-zuki; los movimientos evidentemente se establecen de antemano.

Lo esencial, para que el asalto continúe siendo un sambon-kumite, es que Tori ataque dando tres pasos en la misma dirección.

Como en el gohon-kumite, Uke se esforzará en no «deshacer» siempre en ko-kutsu, ni en zen-kutsu, manteniendo la pierna retrasada rígida. Estos dos tipos de asaltos constituyen para Tori una manera de entrenarse a atacar con naturalidad con todo el cuerpo (fuerte traslación rectilínea de las caderas hacia delante) así como para Uke son un medio de movilizar todo su cuerpo en la defensa; ambos exigen la coordinación entre los movimientos y el ritmo respiratorio, además de una total concentración.

(Ver en la fig. 166 algunos ejemplos de contraataques a partir del bloqueo final.)

II. — LOS ATAQUES SOBRE UN PASO

A) EL ASALTO CONVENCIONAL SOBRE UN PASO: IPPON-KUMITE

PRINCIPIOS

El ippon-kumite (ippon =-uno) es el resultado del entrenamiento con el gohon y con el sambon-kumite, una forma reducida en cierto modo; en efecto, a partir de un cierto nivel técnico, Uke es tan rápido en el encadenamiento de su contraataque

que a Tori ya no le es posible atacar otra vez en la sucesión. Para un experto, el combate se resume en un solo ataque que es inmediatamente contraatacado. El estudio del ippon-kumite, de todas formas, se dirige igualmente a los principiantes, en todo caso después del 6.º kyu; esta técnica les permite concentrarse en las técnicas sencillas, más fáciles de ejecutar teniendo en cuenta que la estabilidad está menos comprometida por un solo desplazamiento. El ippon-kumite es el asalto típico para el estudio de una técnica recién aprendida.

En la práctica, Tori ataca dando un paso hacia delante con el pie retrasado y golpeando con el puño o el pie correspondiente a este lado (se ha establecido de antemano, así como el nivel del ataque); ataca lo más rápidamente posible con kime y kensei, y luego se inmoviliza para dar la ocasión a Uke de colocar un contraataque técnicamente correcto. Este se mueve alrededor de Tori para ejecutar su defensa y su réplica, mientras controla su estabilidad y la distancia, siendo su objetivo el de «pegarse» a Uke para colocar el contraataque antes de que haya podido golpear otra vez, incluso «in situ»; para ello, se requiere cierta concentración mental y rapidez en la ejecución. Luego los contrincantes vuelven a la postura inicial antes de volverse a enzarzar en la lucha después de un breve espacio de tiempo de observación y de concentración in situ.

La acción de Uke

Ya hemos prodigado los suficientes consejos a lo largo de la Segunda Parte de esta obra en lo que respecta a la manera de ejecutar un bloqueo, un golpe de parada o una esquiva, así como el estado de ánimo que debe presidirlos, para no tener la necesidad de volver a detallarlos con todos los pormenores. Sólo consideramos pues las diversas combinaciones de defensas y réplicas con que Uke puede hacer frente a Tori; sea cual sea la combinación elegida en función de tal o cual imperativo, es primordial para Uke no dejar nunca un ataque de Tori sin contraataque, incluso, si con motivo de ciertas faltas cometidas, éste no puede intervenir hasta un momento en que ya sería demasiado tarde en un combate real; eficaz o no, rápido y fuerte o simplemente un esbozo, el contraataque debe ejecutarse aún con el riesgo de que se convierta en instintivo.

Los diagramas de la figura 165 muestran la posición de los pies de Tori después del ataque (huellas negras) y la de los pies de Uke (huellas rayadas), luego en posición defensiva (huellas en blanco). La doble flecha indica la dirección del eje de la posición defensiva de Uke.

Ippon-Kumite: Ejemplos de réplicas a partir del bloqueo en Chudan-Soto-Uke.

Foto 148

1) Mawashi-geri con el pie retrasado.

2) Mae-geri-keage con el pie adelantado.

3) Mae-empi-uchi con el codo del brazo retrasado.

4) Gyaku-zuki.

Para la toma de postura preliminar, ver las fotos desde la 145 a la 147.

En cuanto se perfila el ataque de Tori (en este ejemplo ataca con el puño derecho a nivel jodan; en la foto 149 se encuentra en la mitad del recorrido) Uke retrasa el pie derecho y toma la postura preparatoria para ejecutar su bloqueo. Queda a cubierto con los brazos cruzados sobre el pecho.

Fase de defensa: Uke bloquea con jodan-shuto-barai izquierdo, en postura ko-kutsu.

Observar la rotación de las caderas que ha tenido lugar entre las fotos 149 y 150 y que ha proporcionado toda la fuerza al movimiento del brazo (rotación en sentido inverso del bloqueo).

Fase de contraataque: Uke aprieta su mano derecha contra

FOTO 149

FOTO 150

Foto 151

la muñeca Tori y lo arrastra hacia abajo y hacia sí con una fuerte rotación de las caderas, haciéndolo pasar «in situ» de kokutsu a zen-kutsu; contraataca al mismo tiempo con un nukite (como gyaku-zuki) al cuello de Tori que está desequilibrado.

Después de un breve espacio de tiempo de detención en esta postura, Uke y Tori vuelven a colocarse en yoi y luego se saludan (fotos 145 y 146).

— *En dos tiempos:* La defensa y la réplica son dos acciones distintas aunque deben enlazarse como si sólo se tratara de una. Todo tiempo muerto entre ambas pondría en duda la eficacia de la defensa ejecutada por Uke, puesto que Tori tendría tiempo de atacar otra vez antes de ser neutralizado.

● Bloqueo, retrocediendo, seguido de un contraataque (diagrama 1): hay que retroceder rápidamente adoptando una posición estable; deshaciendo así el ataque, Uke se pone fácilmente fuera del alcance del golpe, pero esto puede llevarle demasiado lejos para contraatacar eficazmente y sin tiempo muerto; por otra parte Uke está así obligado a replicar contra un adversario inmóvil, o sea ya contraído y estable. Es la combinación que habitualmente se enseña a los principiantes.

● Bloqueo, avanzando, seguido de contraataque (diagrama 2): es una forma superior de defensa que exige timing y sangre fría, y cuya eficacia ha sido comprobada. Las ventajas son múltiples: saliendo al encuentro de Tori, Uke detiene su ataque antes de que haya llegado a la fase de la rapidez y de la fuerza (kime), lo que exige menos esfuerzo (el efecto de choque es mucho más importante puesto que las dos fuerzas chocan directamente);

Uke desequilibra fácilmente a Tori ante el choque, sobre todo teniendo en cuenta que éste, detenido en pleno impulso, queda sorprendido por esta iniciativa; el breve tiempo de parada que sigue le basta a Uke para contraatacar.

● Bloqueo, esquivando por el interior del ataque, seguido de un contraataque (diagrama 3 de la fig. 165).

Como toda esquiva, esta combinación presenta numerosas ventajas a condición de ejecutarse muy rápidamente; si Uke va demasiado lento, Tori puede seguir su desplazamiento y tocarlo antes de que aquél se haya colocado en una postura de fuerza; por otra parte, si replica con retraso, Tori puede golpearlo con el puño opuesto (izquierdo en el ejemplo del diagrama). Pero actuando deprisa, Uke puede defenderse con muy poca fuerza permaneciendo cerca de Tori para mejor contraatacarle uno de sus puntos vitales así particularmente bien expuestos. Lo ideal

FIG. 165

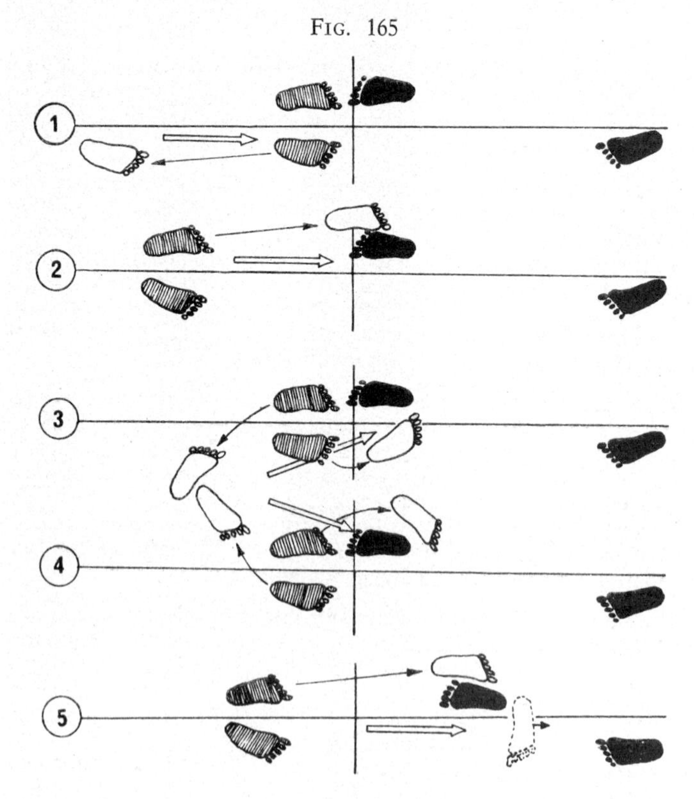

sería replicar antes de que Tori estuviera completamente inmovilizado.

● Bloqueo, esquivando por el exterior del ataque, seguido de contraataque (diagrama 4): mismas ventajas que la combinación anterior, además de la de salir de la zona peligrosa, puesto que Tori no puede seguir con un nuevo ataque sin cambiar la dirección de éste. Por otra parte, como el pie está ampliamente adelantado por el exterior del pie de Tori, es posible «barrerlo».

— *En un solo tiempo:* Defensa y réplica se confunden en una sola acción; suprimiendo todo intervalo entre ambos, las combinaciones siguientes quitan a Tori la posibilidad de golpear una nueva vez en el límite de ambas. No obstante, hay que cuidar, aplicando dos técnicas simultáneas, de elegirlas complementarias (es decir, cuyas fuerzas, ejercidas en la misma dirección, puedan sumarse); ninguna de las dos, ni la defensa ni la réplica, debe reforzarse en detrimento de la otra.

● Bloqueo retrocediendo acompañado de contraataque:
Por ejemplo, soto-uke por el interior del ataque acompañado de un golpe con el pie adelantado. La dificultad consiste en no comprometer la estabilidad al deshacer el ataque mientras se lanza el cuerpo al contraataque.

● Bloqueo avanzando acompañado de contraataque:
Por ejemplo, age-uke con gyaku-zuki; la ejecución de esta combinación es más fácil por el hecho de que lanzándose hacia delante uno se beneficia desde el principio de un sólido apoyo sobre la pierna retrasada.

● Esquiva acompañada de contraataque:
Puede ir acompañada de un bloqueo barrido o no y tener lugar por el interior o por el exterior del ataque; en cualquier caso, el contraataque debe empezarse durante la esquiva con el fin de que Tori sea tocado antes del final de su ataque.

● Anticipo del ataque acompañado de contraataque (diagragrama 5): Uke golpea en cuanto Tori se pone en movimiento sin preocuparse por la defensa, puesto que confía en su mayor velocidad de ejecución, haciendo prueba de sen-no-sen, ataca directamente (golpe de parada seguido o no de otra técnica) mucho antes de que Tori haya adquirido una posición de fuerza.

EJEMPLOS

Estas combinaciones, amalgamadas con las múltiples técnicas de defensa y de réplica, en posturas variadas, permiten innumerables formas de ippon-kumite.

FIG. 166

Sin embargo, lo esencial para progresar realmente es empezar por movimientos muy sencillos, suficientemente cortos y breves para poder dominarlos rápidamente; además, suelen ser los más eficaces. Por otra parte, hay que acordarse de que un solo contraataque debe ser decisivo y que es inútil dispersar los propios esfuerzos; los expertos suelen utilizar formas muy sencillas, puesto que al final resultan ser las más eficaces. Finalmente, no hay que dar sistemáticamente la preferencia a los golpes con el pie, ya que no hay nada tan potente como una técnica de mano realizada a partir de una sólida postura de base. A continuación (croquis de la fig. 166) se citan algunos ejemplos de réplicas a partir de bloqueos elementales (estas réplicas evidentemente también son aplicables después de un gohon o de un sambon-kumite):

1. *Uchikomi por el exterior ante un chudan-oi-zuki:*
Yoko-empi-uchi del codo adelantado (A), gyaku-zuki (B), shuto-uchi pasando a kiba-dachi y arrastrando al adversario por la muñeca desequilibrándolo.

2. *Jodan-uchikomi por el interior ante un jodan-oi-zuki:*
Mae-empi-uchi en gyaku-ashi (A), uraken con el puño adelantado (B), tettsui con el puño adelantado pasando a la postura kiba-dachi (C).

3. *Uchi-uke por el interior ante un chudan-oi-zuki:*
Kizami-zuki con el puño adelantado (A), mawashi-geri con el pie retrasado después de retrasar ligeramente el pie adelantado (B), suri-konde-mawashi-geri con el pie adelantado (C).

4. *Jodan-morote-uke por el exterior ante un jodan-oi-zuki:*
Tettsui con el puño adelantado pasando de ko-kutsu a kiba-dachi (A), mawashi-geri con el pie adelantado (B), hiza-geri con la rodilla retrasada (C).

5. *Shuro-uke por el interior ante un chudan-oi-zuki:*
Nukite en gyaku-ashi pasando de ko-kutsu a zen-kutsu (A), nukite con la mano adelantada (B), sokuto con el pie adelantado (C).

6. *Age-uke por el exterior ante un junzuki-no-tsukkomi:*
Gyaku-zuki pasando de ko-kutsu a zen-kutsu (A), ushiro-kasumi-geri con el pie adelantado (B), mae-geri-keage con el pie adelantado (C).

7. *Jodan-shuto-barai por el exterior ante un junzuki-no-tsukkomi:*
Gyaku-zuki con desequilibrio de Tori debido a un agarrón

por la muñeca (A), ushiro-geri con el pie adelantado (B), morotetsukkomi-uke con barrido del pie adelantado de Tori después del giro de 180° sobre el pie adelantado (C).

8. *Gedan-barai por el interior ante un gedan-oi-zuki:* Surikonde-mae-geri del pie adelantado (A), mae-geri del pie retrasado después de retrasar ligeramente el pie adelantado (B), tate-empi-uchi del codo retrasado después de girar y pasar a la postura kiba-dachi (C).

Variantes y adaptaciones

Los karatekas adelantados pueden variar el ippon-kumite estableciendo otras convenciones:

— Tori ataca con el pie y luego con el puño retrasado, avanzando.

— Tori ataca muy de prisa y luego vuelve inmediatamente a su posición inicial para obligar a Uke al contraataque lo más rápido posible.

— Tori ataca a fondo con la intención de tocar.

— Tori bloquea el contraataque de Uke antes de contraatacar él mismo.

La misma persona juega pues el papel de Tori y de Uke durante el mismo asalto. Constituye una forma de asalto bastante elevada que sólo hay que abordar cuando se dominan las formas

FIG. 167

FIG. 168

de base. El asalto termina cuando Tori, que se ha convertido en un segundo Uke, coloca su contraataque (el primer Uke está entonces obligado a contraatacar muy deprisa y sin revelar sus intenciones).

El croquis adjunto muestra un golpe de parada en yoko-geri ejecutado después de la caída voluntaria al suelo (observar los apoyos sólidos).

Igualmente se puede practicar el ippon-kumite estando arrodillados, frente a frente.

En la figura 168 una réplica en mawashi-geri, echándose hacia un lado para liberar la pierna derecha; Uke agarra al mismo tiempo la muñeca de Tori.

Son todavía posibles otras formas que hacen del ippon-kumite un asalto apasionante, fuente de investigación jamás agotada.

B) EL ASALTO SEMICONVENCIONAL SOBRE UN PASO: JIYU-IPPON-KUMITE

El jiyu-ippon-kumite (asalto ágil sobre un paso) es una aplicación más dinámica de las técnicas del ki-hon-kumite; es la forma de entrenamiento que se acerca más al combate libre. Tori y Uke se determinan de antemano así como la forma y el nivel del ataque. El asalto se parece a un combate real, puesto que Tori debe atacar a fondo, con la firme voluntad de tocar y porque los dos contrincantes pueden adoptar cualquier posición de partida (en general hidari-hanmi-kamae): mientras Uke espera el ataque en la postura que más le conviene (puede cambiarla a su gusto durante el asalto), Tori debe intentar buscar una abertura *(suki)* en la guardia del adversario y colocarse a una buena distancia antes de lanzarse al ataque. Uke bloquea o esquiva y luego contraataca reprimiendo imperativamente su réplica antes del impacto; se invierten los papeles.

Este tipo de asalto es muy viril, pero siempre convencional, puesto que el tema general es determinado al principio; como cualquier error de Uke puede ser duramente sancionado, exige una gran concentración mental tanto para no ser tocado por el ataque como para no tocar en el contraataque. El jiyu-ippon kumite es pues una etapa decisiva hacia el dominio del cuerpo y el espíritu, debiendo mantenerse este último perfectamente tranquilo incluso ante el peligro que representa un ataque que atraviese la defensa de Uke. Los peligros sin embargo son mínimos, puesto que siempre es posible amortiguar un golpe que se espera en un lugar determinado deshaciendo ligeramente el ataque (incluso ejecutando una defensa técnicamente mala), y ya que este tipo de entrenamiento sólo se dirige a los karatekas experimentados con un bagaje técnico suficiente para afrontarlo con conocimiento de causa. Otra vez aquí pueden plantearse una serie de variantes. evidentemente *antes* de comenzar el combate:

— Tori enlaza dos o tres ataques reales (con el puño o el pie).

— Tori efectúa una finta antes de atacar realmente (queda claro que la finta no debe tocar a Uke).

— Tori ataca de cualquier manera al nivel establecido de antemano.

— Tori ataca de forma preestablecida, pero a cualquier nivel.

— Tori ataca de cualquier manera y a cualquier nivel.

En el jiyu-ippon-kumite de base (que sólo debe practicarse hasta el grado de 2.º kyu) Tori sólo ataca con el puño en oi-zuki clásico (y no en gyaku-zuki «in situ») saltando hacia Uke a partir de cualquier posición preliminar, empezando el combate en el momento en que finaliza el saludo y terminando con la réplica de Uke (Tori permanece en su sitio después del ataque).

En el capítulo dedicado al combate libre se encontrarán los consejos y los métodos de entrenamiento igualmente válidos para el jiyu-ippon-kumite (verlo a continuación).

7

El asalto libre

El asalto libre es la forma de entrenamiento del karate más reciente y la que más interesa a las nuevas generaciones de luchadores. Es el resultado lógico de la práctica asidua de las técnicas de base y el medio de verificar la teoría; muchas técnicas que parecen posibles de ejecutar cuando se estudian en solitario, en el momento del ki-hon no resisten una confrontación real con un adversario decidido o, mejor dicho, cada técnica necesita ser adaptada en función de la morfología y el nivel técnico del adversario al que se opone; ninguna puede ser considerada como inmutable. Por otra parte, esta búsqueda constante de la eficacia en cualquier situación, es lo que hace de la técnica del karate un conjunto vivo y susceptible de ser perfeccionado continuamente. En el asalto libre, todo está permitido, excepto tocar realmente al adversario; sin embargo, no es un simple simulacro de combate y se puede comprobar ya desde la primera confrontación. En efecto, los golpes deben llevarse a cabo con violencia y deben bloquearse con fuerza; resultan unos choques bastante dolorosos en las extremidades; por el contrario, no debe producirse el impacto real contra el cuerpo, debiendo ser absoluto el control de los golpes, puesto que el karateka no lleva otra protección que un protege-genitales de material resistente. Se comprende que este tipo de asalto sea reservado a los practicantes que posean un mínimo de técnica y de control. Existen dos versiones:

— El asalto libre flexible (jiyu-kumite).
— La competición deportiva (shiai).

I. — EL ASALTO LIBRE FLEXIBLE: JIYU-KUMITE

Para desarrollar en el estudio de esta versión hemos escogido algunos principios generales del asalto libre, así como variados ejemplos, dejando sentado que los mismos elementos podrán servir de base para la competición; por lo tanto no los volveremos a tratar en el estudio de esta segunda versión.

KAMAE: LA GUARDIA EN EL ASALTO LIBRE

Las zonas punteadas indican las partes del cuerpo que agrupan los puntos vitales esenciales hacia los que hay que apuntar, sobre todo teniendo en cuenta que la protección es más difícil por este lado (un ataque que llegue por el flanco es fácilmente bloqueado por el antebrazo). Los arcos de círculo negro delimitan el radio de acción del pie adelantado y retrasado, suponiendo que no exista desplazamiento previo del luchador n.° 1; los arcos de círculo rayado delimitan el radio de acción del luchador n.° 2.

Son posibles dos actitudes:

A) *Ai-hanmi* (buena guardia): Los dos contrincantes tienen el mismo pie, derecho o izquierdo, hacia delante.

B) *Gyaku-hanmi* (falta guardia): Los dos contrincantes han adelantado el pie contrario.

El ejemplo A muestra una distancia corta (uchima) y el ejemplo B una distancia larga (to-ma).

El combate se inicia a partir del final del saludo; ni Tori ni Uke han sido definidos; cada uno de los contrincantes puede atacar donde quiera, cuando quiera y como quiera, ya sea con el pie o con el puño, «in situ» o desplazándose, en una sola vez o durante un encadenamiento, directamente o después de una finta, etc. La acción debe ser breve, sin cuerpo a cuerpo prolongado, por una parte para evitar los accidentes que puedan surgir cuando se crucen los golpes y por otra porque en karate la decisión debe ser instantánea; si esto no ocurre de este modo,

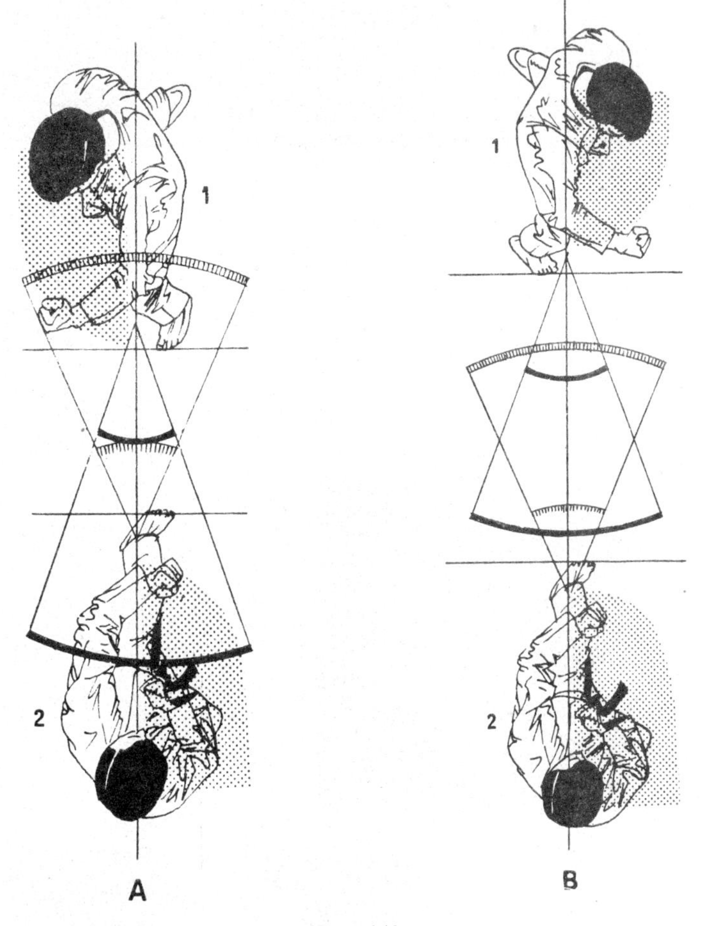

FIG. 169

hay que separarse y volver a empezar después del obligatorio saludo; a partir de la 1.ª victoria el combate ha terminado y hay que separarse (en el combate real la 1.ª victoria es la que cuenta). Los karatekas se separan a la orden del árbitro o, lo que demuestra un excelente espíritu, de común acuerdo en cuanto una acción se prolonga sin que pueda conseguirse una decisión en los primeros segundos.

A) La defensa

1) La guardia (kamae)

Es una posición de los puños que permite hacer frente rápidamente a cualquier ataque sorpresa del adversario así como lanzarse uno mismo al ataque sin impulso previo.

No hay reglas concretas, todo está permitido a condición de que sea eficaz. De esta manera, el puño adelantado en general suele estar dirigido hacia el adversario (así puede golpear en mai-te, kizami-zuki, o ejecutar un golpe de parada) y el puño retrasado a la altura del plexo, con la palma hacia arriba (así está a punto de golpear en gyaku-zuki a la vez que protege el pecho o el bajo vientre; fácilmente puede bloquear, mientras que la postura en hikite clásico sólo permite actuar con retraso).

La guardia queda baja (puño adelantado a nivel de la cintura) cuando la distancia suficientemente grande hace suponer

Foto 152

Foto 153

FOTO 154

que el primer ataque del adversario será un ataque con el pie; queda alta (puño adelantado a nivel del bíceps) cuando la distancia se reduce, haciendo posibles los ataques rápidos con el puño.

La postura de la pierna es habitualmente un fudo-dachi o un tate-seishan, lo que permite actuar rápidamente en todas direcciones; no hay que aplastarse contra el suelo, pues se puede perder toda movilidad. El cuerpo queda de perfil o a ¾. La actitud general se mantiene flexible; los hombros están relajados; el codo adelantado está en el plano vertical de la pierna adelantada (si apunta hacia el exterior descubre las costillas flotantes), a una distancia aproximada del flanco de un ancho de mano; permanece flexionado y relajado para permitir un rápido golpe con el puño. El abdomen bien firme: la fuerza en el tanden y en las axilas. El cuerpo debe estar erguido, perfectamente estable, con el peso igualmente repartido sobre las dos piernas en tanto no se decide el ataque (ver más adelante).

El cambio de guardia

Se cambia la guardia cuando se está obligado a invertir la posición, ya sea retrocediendo, ya sea avanzando, o bien «in situ». El cambio en la posición de los brazos debe tener lugar rápidamente, sin que el adversario pueda encontrar una abertura que le permita atacar con éxito. Las fotos de la 152 a la 154 ilustran dos cambios de guardia:

— Cuando se retrocede para bloquear (a la izquierda):

En primer lugar se desplaza el pie adelantado hacia atrás sin mover los puños, luego se invierte la posición de estos últimos con una fuerte rotación de las caderas (proporcionando el vigor necesario al bloqueo o a la esquiva). Las caderas permanecen al mismo nivel.

— Cuando se avanza para atacar con el pie retrasado (a la derecha):

En primer lugar se giran las caderas (lo cual da el impulso necesario al golpe con el pie) a la vez que se invierte la guardia (así ya se queda protegido contra toda réplica eventual); finalmente se lanza el ataque con el pie.

Se comparará este cambio de guardia con el que se muestra en las fotos desde la 155 a la 157: se gira retrocediendo lo menos posible (pierna adelantada muy flexionada, mientras se efectúa un golpe de parada con el puño retrasado a nivel del estómago y levantando el puño adelantado para protegerse de un ataque simultáneo al rostro; se gira inmediatamente en sentido inverso, «in situ», para contraatacar en gyaku-zuki. La diferencia reside en la actitud del espíritu: el karateka que retrocede en la foto 154 tiene el espíritu defensivo, mientras el de la foto 156 mantiene, mientras retrocede, el espíritu ofensivo (zanshin) que le permite encadenar inmediatamente.

2) Las defensas contra los golpes al rostro

Foto 156

Foto 155

FOTO 157

Estos golpes, especialmente los golpes con el puño (fotos 158 y 159, mai-te a la derecha), son muy rápidos y siempre sorprendentes; sin embargo, bastan ligeras paradas para anularlos, estilo haraite o ude-uke. Cuando se trata de golpes con el puño, las manos de Uke pueden mantenerse abiertas, lo cual incrementa la velocidad de los bloqueos barridos; contra los golpes con el pie, siempre relativamente raros a este nivel, hay que reaccionar con los puños cerrados para no dañarse los dedos. Hay que pensar que sólo echando un poco hacia atrás la cabeza basta a menudo para anular un ataque directo; de todas maneras hay que reaccionar ante un tal ataque, puesto que el golpe llega muy de prisa y puede hacerse con el punto incluso antes de que Uke haya tenido tiempo de mover un brazo. La guardia debe ser alta (ver más adelante), pero con la axila adelantada bien contraída y con el codo adelantado a punto de bloquear toda tentativa que apunte hacia las costillas; el abdomen en tensión (tanden hacia delante). Los croquis adjuntos y la foto 160 muestran una defensa con fuerte rotación de las caderas «in situ»; la defensa es doble: de dentro afuera a nivel chudan-gedan (contra un eventual golpe con el pie: foto 156); también se ejecuta un doble bloqueo en cada rotación «in situ».

3) LAS DEFENSAS CONTRA LOS GOLPES CON EL PIE

Casi siempre el adversario ataca primero con un golpe con el pie destinado a abrir la guardia y luego enlaza con otra técnica; el alcance de un tal ataque, así como su potencia, son muy graves; no basta pues con retroceder, puesto que el adversario podrá fácilmente empalmar con otro golpe con el pie en la misma dirección y rápidamente se estaría desbordado. Vale más bloquear o esquivar sin huir para contraatacar inmediatamente aprovechando el hecho de que el adversario es más fácil-

Foto 158

Foto 159

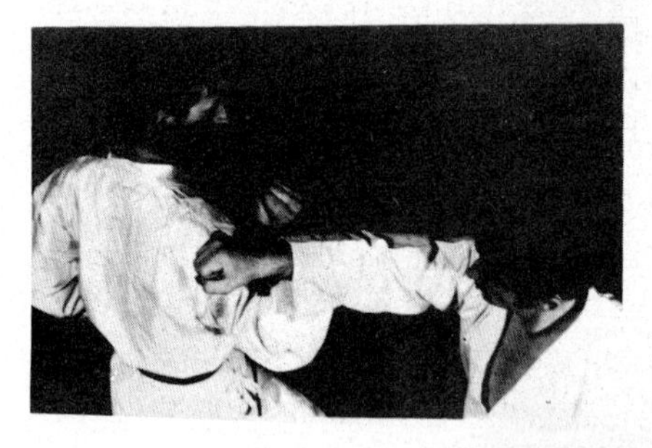

Foto 160

Foto 161

FIG. 170

mente desequilibrado con un pie en el aire. Si Uke reacciona con prontitud y sangre fría, puede cambiar la situación a su favor; no hay que intentar sujetar la pierna adversa a toda costa, sino separarla con un golpe seco.

Los bloqueos

Sólo son interesantes si la fuerza de Uke es netamente superior a la de Tori o si ya no es posible reaccionar de otra manera (ataque sorpresa).

Se puede reaccionar mediante:
— Otoshi-uke.
— Gedan-juyi-uke.

— Sukui-uke.

— Gedan-kake-uke.

El gedan-barai clásico es demasiado peligroso puesto que, como ya se ha señalado en su estudio, puede tocar en la espalda si se trata de un mawashi-geri.

El bloqueo fuerte provoca siempre contusiones en los antebrazos sobre todo teniendo en cuenta que en el asalto libre, los ataques se lanzan con fuerza. Los bloqueos esquivados son preferibles.

FOTO 162

FOTO 163

FOTO 164

FOTO 165

FIG. 171

Las esquivas

Siempre deben tener lugar acompañadas de un movimiento del brazo (bloqueo barrido) como garantía suplementaria. Todas las esquivas son evidentemente válidas desde el momento en que son eficaces. Durante una misma esquiva, Uke debe preparar su contraataque o incluso ejecutarlo ya, lo que le quitará a Tori toda posibilidad de volver a empezar (lanzado en el ataque se protegerá menos).

— Foto 162: esquiva con gedan-barai (notar el hikite del puño izquierdo y la fuerte rotación de las caderas escondiendo la rodilla que se presentaba al adversario; el cuerpo se mantiene erguido, a punto de iniciar la rotación en sentido inverso).

— Fotos 163-164: esquiva con shuto-gedan-barai en postura gyaku-ashi después de un paso lateral. Contraataque mediante shuto-uchi después de la rotación «in situ».

Todas las fotos, desde la 162 a la 167, ilustran defensas contra mawashi-geri, ataque muy corriente en el asalto libre.

Retroceder no sirve de nada, ni esquivar agachándose. Todas las esquivas son peligrosas si van acompañadas por una protección suplementaria del brazo.

— Foto 165 y figura 171:

Ante un jodan-mawashi-geri, bloqueo con el antebrazo (puño

hacia abajo) escondiendo el cuerpo y contraatacando simultáneamente, estilo nagashi-zuki (Wado-ryu). El cuerpo está ligeramente arqueado y esquiva al avanzar hacia Tori.

— Foto 166:

Ante un jodan-mawashi-geri, bloqueo con el antebrazo (puño hacia arriba) con contraataque mediante teisho-zuki; misma posición del cuerpo que anteriormente. Este bloqueo es más adecuado para los ataque al rostro, puesto que el golpe no puede resbalar hacia arriba sobre el antebrazo (como en la foto 165).

— Foto 167:

Ante un chudan-mawashi-geri, bloqueo en gedan-barai con esquiva mediante la retirada del pie adelantado para pasar a la postura neko-ashi-dachi. Se puede contraatacar sin tiempo muerto mediante un kingeri con el pie adelantado.

4) Las defensas contra las tentativas de barrido con el pie adelantado

El golpe es clásico en competición, puesto que la proyección seguida de golpe en el suelo otorga indiscutiblemente el punto. Las fotos 189, 191 y 230 muestran la ejecución correcta de un barrido. Con timing y sangre fría, Uke puede sacar provecho de la situación:

— Apoyando todo su peso sobre la pierna adelantada y resistiendo; Tori, sorprendido por la violencia del choque, corre el peligro de desequilibrarse durante una fracción de segundo. Esto

Foto 166

Foto 167

DEFENSAS Y REPLICAS ANTE UN MAWASHI-GERI

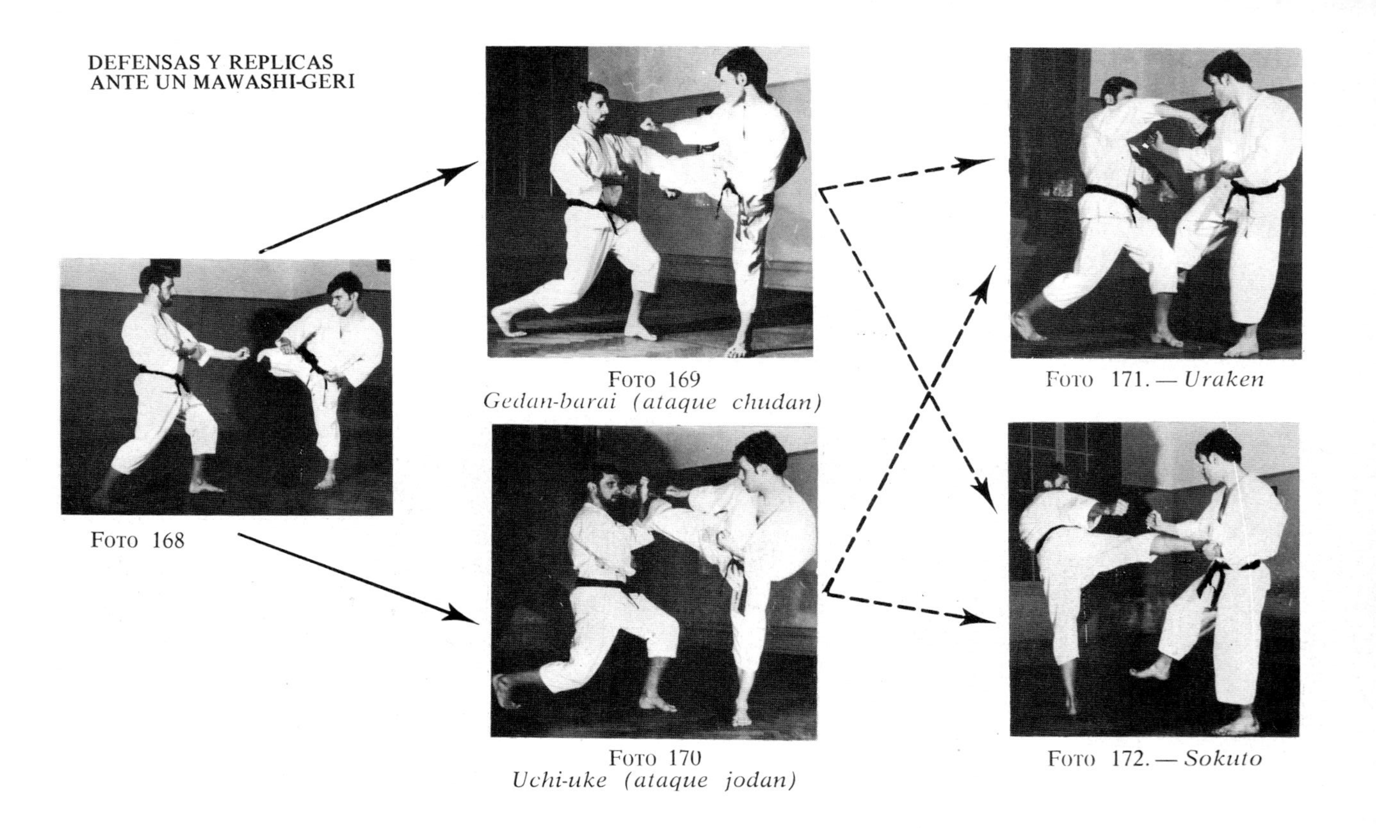

FOTO 168

FOTO 169
Gedan-barai (ataque chudan)

FOTO 170
Uchi-uke (ataque jodan)

FOTO 171. — *Uraken*

FOTO 172. — *Sokuto*

Foto 173

Foto 174

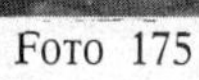

Foto 175

Foto 176

Foto 177

es peligroso para Uke, ya que el ataque puede golpearle en su rodilla adelantada.

— Echando la rodilla adelantada hacia arriba:

Sin retroceder ni desequilibrarse hacia arriba, Uke levanta la rodilla contra el pecho y ejecuta inmediatamente un mai-te-jodan con el puño adelantado o un mae-sokuto-keage (foto 174); en efecto, no debe girar el cuerpo de perfil para un yoko-geri, puesto que si Tori enlazara con un mawashi-geri sobre su barrido fallado, tocaría a Uke en la espalda (foto 175).

— Desplazando la pierna adelantada en la dirección del barrido (foto 176) para contraatacar con ura-mawashi después del giro sobre el pie así desplazado (foto 177). Tori, al no encontrar más que el vacío, se encuentra inmediatamente desequilibrado.

B) El ataque

1) El ataque directo

Como se ha explicado anteriormente, la iniciativa a menudo se ve coronada por el éxito; no hay que esperar que el adversario tome la dirección de las operaciones, sino mantener el espíritu zanshin, a punto de aprovechar la primera ocasión, y si es necesario, crearla. El ataque único, lanzado a partir de una postura estática es, no obstante, raramente eficaz, puesto que el adversario siempre puede retroceder un poco para anularlo; sin embargo existe (por ejemplo, mae-geri-kekomi con el pie retrasado a partir de la foto 178) y demuestra que el que lo practica posee una gran capacidad de concentración (no hay nada que traicione sus intenciones) y una gran velocidad de ejecución.

Las fotos adjuntas ilustran una manera de atacar directamente después de romper el equilibrio del adversario: la mano adelantada barre fuertemente el puño adelantado de Uke, no para desviarlo ampliamente sino para fijar la atención del adversario durante una fracción de segundo; se encadena ya desde el principio de la acción de la mano con un gyaku-zuki o con un mae-geri con el pie retrasado, incluso si el barrido con la mano sólo descubre un poco el flanco de Uke. Se desliza ampliamente el pie adelantado hacia el adversario, impulsando el peso del cuerpo hacia delante. Esta manera de entrar directamente en la guardia de Uke es más fácil de ejecutar cuando éste acaba de llevar a cabo un ataque sin éxito.

Según el mismo principio, se puede golpear en keage con el pie adelantado contra la guardia de Uke y luego golpear con el puño o con el pie retrasado.

2) Los ataques encadenados

Las técnicas combinadas *(renzoku-waza)* suelen ser indispensables para asegurarse la victoria, sobre todo cuando se trata de enfrentarse con un karateka experimentado. La finalidad de un encadenamiento es la de provocar una abertura *(suki)* en la guardia del adversario; enlazando técnicas sin parar, el cuerpo nunca está inmóvil y las técnicas podrán ejecutarse sin tiempo muerto, a una gran velocidad, en función de la situación creada por la acción precedente. Antes de la acción principal se ejecutan una o varias fintas *(kyo)*, cuyo efecto es el de «convencer» al adversario (la finta es el inicio de un movimiento preparador de golpe: no se intenta tocar, pero el movimiento debe ser muy preciso y debe ir seguido inmediatamente por la acción decisiva) o se lanzan a fondo diversas acciones de igual intensidad; esta segunda fórmula es muy interesante puesto que cualquier impacto, incluso ligero, propinado por Tori contra Uke tiene como

Foto 178

Foto 179

Foto 180

Foto 181

efecto concentrar por un instante a Uke sobre este punto, por lo que disminuye fuertemente su facultad de reacción inmediata. De todas maneras, los golpes deben ser secos, y propinarse de manera muy seguida para no dar a Uke el tiempo de recuperarse.

¿Cuándo hay que desencadenar el ataque?

Hay dos momentos ideales:

a) Cuando el adversario inicia él mismo una acción: toda su fuerza está ya movilizada en una dirección y su acción le acapara del todo; le es más difícil protegerse. Es el sen-no-sen.

b) Cuando el adversario acaba justo de ejecutar una acción; sigue un breve momento de relajación que le permite atacar con éxito.

¿Cómo llevar a cabo la acción?

Se puede tomar la iniciativa de dos maneras:

a) Provocando al adversario: ya sea aparentando una mala preparación para soportar el ataque, o bien creando voluntariamente una abertura en la propia guardia (elevando la guardia, cambiando de posición sin invertirla, desplazándose, etc.) para incitarle a desencadenar la acción para la que estamos preparados (zanshin).

b) Desencadenando la acción uno mismo: ya sea mediante un ataque directo o bien mediante una sucesión de ellos; se pueden efectuar fintas bajas y luego atacar por arriba, enlazar diversas técnicas o la misma (por ejemplo mai-te) en la misma dirección y al mismo nivel, atacar en línea o mediante técnicas giratorias (ver más adelante), atacar sólo con los pies o con los puños, combinar ambas acciones, etc. Todo es aconsejable a condición de conseguir desorientar al adversario y ponerle a nuestro alcance. Tori debe variar el ritmo durante la sucesión: también puede atacar varias veces con relativa lentitud al mismo nivel y luego ejecutar secamente y con kensei la misma técnica cuando Uke se encuentra suficientemente desorientado, interrumpirse para dejar al adversario en una determinada postura antes de empalmar una última vez con una técnica en función de la postura adquirida, etc. Durante su acción, Tori no debe descubrirse ni avanzar sin cambiar la guardia, con los codos en el cuerpo, excepto cuando sea evidente la victoria y que quiera entrar profundamente en la guardia adversa. Todo encadenamiento debe ser rápido, y llevarse a cabo con espíritu de decisión, sin debilidades durante la acción, pues se puede anular quizás así el efecto de sorpresa realmente causado al principio y del que finalmente se habría sacado provecho.

En las páginas siguientes encontramos cierto número de encadenamientos más o menos complicados y más o menos directos; otros se indican en la Cuarta Parte. Estos ejemplos, evidentemente, no son en absoluto limitativos, siendo libre cada uno de componer su ataque en función de su morfología, de sus gustos, pero también en función del adversario. Veremos sucesivamente unos encadenamientos de técnicas de mano, de pie y combinaciones de ambas.

Encadenamiento de técnicas de mano

Una tendencia natural o un falso sentimiento de seguridad,

Foto 182

Foto 183

Encadenamiento ante un bloqueo de un Chudan-Oi-Zuki

FOTO 184

FOTO 185
Volver inmediatamente el puño a su posición...

FOTO 187
Adelantar el pie retrasado hacia fuera

FOTO 186

Golpear uraken-jodan de fuera adentro

FOTO 188
Tumbar al adversario bloqueando su espalda con la mano izquierda y su cuello con el codo del brazo derecho

hacen preferir los ataques llevados a cabo con el pie. Hay que entrenarse a golpear rápidamente con los puños en tsuki, a partir de la postura kamae (mai-te con el puño adelantado, gyaku-zuki con el puño retrasado, en los tres niveles). El control de un golpe con el puño es más fácil que el de un golpe con el pie; el puño, por otra parte, permite golpear muy fuerte, a partir de una posición perfectamente estable; finalmente, un ataque seco con el puño al rostro, sorprende siempre y, como técnicamente es válido, otorga el punto en una competición (ver más adelante). Veamos dos ejemplos:

— A partir de la postura kamae (fotos 182 y 183): Tori (a la derecha) y Uke están en postura gyaku-hanmi; Tori desliza su pie adelantado hacia delante y hacia fuera del pie de Uke, golpeando con jodan-kizami-zuki (o nagashi-zuki), por encima de la guardia, la cual evita mediante la rotación del busto; empalma inmediatamente con un chudan-gyaku-zuki por debajo de la guardia adversa.

— A partir de un ataque con el puño bloqueado (fotos desde la 184 a la 188): el primer tsuki no va apoyado. Este encadenamiento es particularmente rápido y difícil de detener.

ENCADENAMIENTO DE TÉCNICAS DE PIE

Suelen preferirse las técnicas de pie *(ashi-waza)* a las técnicas de mano *(te-waza)* debido a su mayor alcance y fuerza; «entrando con un golpe con el pie» *(kerikomi)* se puede lograr la abertura en la guardia adversa mientras se prepara la acción final con el puño. En efecto, el puño o el codo siempre deben estar a punto al finalizar un ataque con el pie; para ello es necesario conservar la estabilidad en cualquier momento. Un solo golpe con el pie no basta sin embargo, puesto que el adversario retrocederá con toda seguridad; así pues, hay que seguir sin tiempo muerto.

Son posibles varias formas:

a) Formas directas: Se enlazan varios golpes de pie directamente en la misma dirección, ya sea alternativamente con ambos pies o con el mismo; este caso está ilustrado en las fotos 189 (gedan-geri o tentativa de barrido, sin cambiar la guardia) y 190 (encadenamiento mediante kubi-mawashi-geri en el flanco, girando sobre la pierna apoyada y cambiando de guardia); este encadenamiento es muy rápido.

b) Formas indirectas: Se imponen cuando el adversario bloquea el primer golpe «in situ» (foto 191); en vez de golpear una

Foto 189

Foto 190

nueva vez frontalmente y correr el peligro de un nuevo bloqueo violento, Tori apoya el pie separándolo hacia fuera de la línea de ataque de Uke (en la foto 192, el que va a contraatacar con jodan-kizami-zuki) y luego golpea en mawashi-geri con el pie contrario, esquivando el contraataque de Uke (foto 193); de la misma manera podría golpear en sokuto o ushiro-geri con el pie derecho después de apoyar el peso del cuerpo sobre la pierna izquierda (sería una esquiva).

c) Formas giratorias: Las fotos desde la 194 a la 198 ilustran una sucesión de ataques con el pie en la misma dirección con rotación completa del cuerpo: mae-geri, sokuto y luego ushiro-geri. Esta forma permite agarrar rápidamente al adversario que retrocede (observar el cambio de guardia), puesto que Tori dispone de un mayor alcance; debe golpear muy de prisa cuando está vuelto de espaldas (peligro de contraataque); mantenerse estables al girar y no perder de vista los ojos de Uke.

Encadenamientos combinados

Es la manera de utilizar la totalidad de medios del propio cuerpo y la manera más segura de ser capaz de aprovechar la menor abertura en la guardia de Uke. Sólo el entrenamiento continuado permite alcanzar este nivel. Las fotos de las páginas siguientes no dan más que una pequeña idea de todas las combinaciones posibles; el karateka encontrará las otras a lo largo de sus números jiyu-kumite; para ser eficaz, no obstante, no debe plantear un encadenamiento rígido ya desde el principio, sino adaptarlo en función de las exigencias del momento.

Tori (a la izquierda) ataca con un mawashi-geri que es bloqueado por Uke que inmediatamente contraataca con un jodan-

Golpes con el pie:

Columna de la izquierda:
Formas indirectas.

Columna de la derecha:
Formas giratorias.

Foto 191

Foto 192

Foto 193

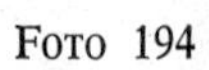

Foto 194

Foto 195

Foto 196

Foto 197

Foto 198

FOTO 199 FOTO 200 FOTO 201

FOTO 202 FOTO 203 FOTO 204

gyaku-zuki; Tori apoya su pie manteniendo bajas las caderas y las rodillas flexionadas a la vez que bloquea con shuto-jodan-uke antes de replicar con el gyaku-zuki contra el flanco descubierto del Uke (notar la rotación de las caderas y la acción de la pierna retrasada que bloquea el cuerpo hacia delante; en un asalto libre, el talón retrasado puede elevarse para el gyaku-zuki).

Tori (a la derecha) ataca con un mae-geri seguido de un jun-zuki-no-tsukkomi muy apoyado (para fijar el bloqueo de Uke) antes de contraatacar muy bajo mediante un gyaku-zuki con una rotación «in situ».

Tori (a la derecha) ataca con un chudan-oi-zuki que Uke se encarga de bloquear (foto 211). Tori puede entonces efectuar dos tipos de acciones:

— Si Uke retrocede invirtiendo la guardia, Tori prosigue inmediatamente con un mawashi-geri con el pie retrasado (foto 212).

— Si Uke bloquea permaneciendo «in situ», Tori lleva el pie izquierdo junto al derecho para colocarse a una distancia que le proteja de un golpe con el pie (foto 213); entonces puede golpear en mawashi-geri con el pie retrasado (foto 214).

Foto 205

Foto 206

Foto 207

Foto 208

Foto 209

Tori (a la izquierda) ataca con un mae-geri y luego con un mawashi-geri
Acaba su acción con un ura-mawashi (foto 208) al rostro o a la pierna adelantada de Uke, el cual se desequilibra antes de propinar un jodan-uraken que había preparado después de la rotación
La foto 207 muestra el tiempo de preparación para el sura-mawashi

Foto 210

FOTO 211 FOTO 212

FOTO 213 FOTO 214

Vemos pues la importancia de una correcta separación: en efecto, si el primer golpe con el puño se propina correctamente, Tori está demasiado cerca para un golpe con el pie retrasado si Uke, por su lado, no aumenta la distancia.

Fotos 215, 216, 217, 218:
Tori (a la izquierda) ataca con un jodan-oi-zuki seguido de un surikonde-mawashi-geri con el pie adelantado y finalmente con un mawashi-geri con el pie retrasado. Observar el bloqueo en postura gyaku-ashi por parte de Uke.

Fotos 219, 220, 221:

Tori (a la izquierda) ataca con un chudan-oi-zuki, seguido inmediatamente de un jodan-gyaku-zuki y luego de un gedan-geri (acción de barrido con tracción hacia delante a la izquierda de Uke con la mano derecha):
Observar el talón del pie retrasado ya levantado en el momento del gyaku-zuki (el encadenamiento en gedan-geri ya se ha iniciado) y la acción del cuerpo durante el barrido.

Foto 215

Foto 216

Foto 217

Foto 218

Foto 219

Foto 220

Foto 221

Foto 222

Foto 223

Foto 224

Tori (a la izquierda) ataca en jodan-gyaku-zuki y luego en tobikonde-mae-geri, para hacerlo finalmente en mai-te-jodan.

Foto 225

Foto 226

Foto 227

Tori (a la izquierda) ataca de lejos en jodan-gyaku-zuki para preparar la acción del pie retrasado que atacará inmediatamente en mawashi-geri; Tori apoya el pie y termina con un jodan-gyaku-zuki inverso

Fotos *222, 223, 224:*

Tori (a la izquierda) ataca con un jodan-gyaku-zuki seguido de un tobikonde-mae-geri y finalmente de un mai-te-jodan.

Fotos 225, 226, 227:

Tori (a la izquierda) ataca de lejos mediante un jodan-gyaku-zuki para preparar la acción del pie retrasado que inmediatamente golpeará en mawashi-geri; Tori apoya el pie y finaliza su acción con un jodan-gyaku-zuki inverso.

Fotos 228 y 229:

Tori (a la izquierda) ataca con un jodan-gyaku-zuki deslizando ampliamente el pie hacia delante (el talón de la pierna retrasada puede estar levantado) con el fin de llegar muy cerca del rostro de Uke y obligarle a bloquear. Tori no retira su puño, pero efectúa una presión sobre la guardia de Uke (la inmoviliza) mientras lanza el ataque decisivo mediante un mawashi-geri (foto 229) o un sokuto. Si el encadenamiento es lo suficientemente rápido (el golpe con el pie derecho debe iniciarse antes de que finalice el golpe con el puño) el segundo ataque alcanza a Uke en el flanco que ha debido descubrir para bloquear el primero. Para que el golpe con el puño sea de todas maneras convincente, Tori debe deslizar ampliamente el pie adelantado hacia Uke, so pena de hacer una mala rotación de caderas en el momento del tsuki debido a la falta de estabilidad.

ENCADENAMIENTOS SOBRE BARRIDOS

Como ya lo habíamos señalado, el barrido con la pierna adelantada es el procedimiento más corrientemente utilizado para

FOTO 228

FOTO 229

FOTO 230

provocar la caída del adversario; se trata de un golpe con el pie bajo, propinado gracias a un amplio y potente movimiento batido de fuera adentro con la planta del pie (ashi-barai); en general se ataca con el pie retrasado para poder conseguir una mayor fuerza de rotación en las caderas (foto 231). Pueden presentarse tres casos: .

a) Uke cae: Inmediatamente hay que propinarle un atemi en el suelo (foto 230), en general un gyaku-zuki que se inicia en cuanto Uke se desequilibra.

b) Uke contraataca (ver foto 174): Tori debe dejar siempre una fuerte guardia hacia delante para poder cloquear en caso de necesidad.

c) Uke resiste sin reaccionar inmediatamente: De todas formas está fuera de combate durante unos breves instantes, lo cual hay que aprovecharlo para enlazar con otra técnica; Tori puede ya sea golpearle al rostro con un tsuki o al flanco con el puño situado del lado de la pierna que barre (no debe dudar ni un segundo), o bien reaccionar empalmando con otro golpe con el pie (ver página siguiente).

II. — LA COMPETICION (SHIAI)

A) OBSERVACIONES GENERALES

La competición deportiva no es más que un jiyu-kumite arbitrado; una de las principales consecuencias de este nuevo ele-

Foto 232 Foto 233

Tori apoya inmeditamente el pie hacia fuera, desplazando el peso del cuerpo en la misma dirección antes de propinar un mawashi-geri con el pie opuesto

Foto 231

Fotos inferiores (Uke ha esquivado levantando el pie): Como Tori no encuentra ninguna resistencia, es impulsado por el movimiento giratorio del barrido; acelera esta rotación y apoya el pie antes de terminar la rotación en el mismo sentido con un ura-mawashi con el pie opuesto

Foto 234 Foto 235

FOTO 236

Una vista de los combates para la Copa de Francia 1968 en el estadio «Pierre de Coubertin» de París

mento es que los resultados obtenidos durante un asalto, comprobados por un tercero, permiten conseguir un título deportivo.

Es más o menos la única diferencia: mientras en el jiyu-kumite el número de victorias o de derrotas no tiene ninguna importancia, puesto que se lucha por afán de progresar (por este hecho, uno se arriesga más, para sacar una enseñanza del posible fracaso), en shiai, la misma postura explica el ardor de los combatientes y los choques terribles que pueden resultar (ver «protecciones»).

La orientación de un combate en una competición arbitrada es en conjunto la misma que en el asalto libre flexible: durante la fase de observación preliminar (foto 236) se busca cómo poder abrir la guardia adversa y cómo colocar la técnica preferida o el encadenamiento que permita llevarla a cabo *(tokui-waza)*, la que mejor se ha puesto a punto durante los entrenamiento de base. Los combates duran de dos a tres minutos, a menos que el ippon (punto) se marque antes. Hay que atacar lo máximo posible, cambiando la táctica durante el combate (ver jiyu-kumite), ya sea variando los encadenamientos o bien rompiendo el ritmo (inmovilizarse de vez en cuando, obligar al adversario a moverse en cuanto se inmovilice, marcar el principio de la acción mediante un potente kensei destinado a romper la concentración del adversario o hacer kensei solamente durante el ataque decisivo, etc.). Es inútil lanzar el ataque desde demasiado lejos, puesto que sólo se consigue hacerse bloquear las extremidades del miembro que ataca, lo cual es siempre doloroso cuando se trata de los dedos de los pies... El croquis adjunto muestra una manera de reducir la distancia antes de atacar, con el pie retrasado, sin que el adversario lo advierta: se va reduciendo la distancia al deslizar lentamente el pie adelantado hacia el adversario, manteniéndose muy bajo y distrayendo su atención con algunas fintas con la mano; luego hay que lanzarse bruscamente, apoyando todo el peso sobre la pierna adelantada; esta corta distancia permite entrar ya en la guardia del adversario y no simplemente rozarla. Si se trata de defender (hacerlo de vez en cuando con un kensei defensivo) no hay que retroceder sistemáticamente en línea recta, puesto que ésta es la trayectoria de los siguientes ataques del adversario, que no tiene mas que enlazar técnicas en la misma dirección; hay que poder bloquear «in situ» (a veces con una simple esquiva de las caderas) contraatacando, o desbordar al adversario sobre su lado durante la defensa *(ilimi-uke)* con el fin de desorientarlo y poder contraatacar contra su flanco, menos protegido que la zona frontal.

Este procedimiento defensivo, por otro lado, es eficaz sobre todo cuando se trata de enfrentarse a un adversario más pesado o con un alcance mayor: girando alrededor de él se le obliga a gastar más energías, mientras que si sólo se retrocede se le proporciona la ocasión de aprovechar la longitud de sus piernas. Si se tiene suficiente valor, un método todavía mejor consiste en entrar en su guardia durante el ataque, para privarlo así de su baza principal: sus largas piernas; inmediatamente hay que replicar contra su cuerpo. En cualquier caso en donde se dé desproporción de fuerza importante, el luchador más bajo y más débil

FIG. 172

sólo puede salvar la situación saltando por encima del golpe adverso (golpes con el pie, saltando, por ejemplo) o yendo directamente a su encuentro, esquivándolo; se requiere «timing», buena vista y un abdomen «lleno de kiai» (ciertos directivos de federaciones occidentales pretendían adoptar categorías de pesos como en el boxeo o en judo, cuestión que el karate tradicional rechaza debido ante todo a que en un arte marcial la lucha debe ser total); el luchador pequeño y bajito, sin embargo está más desfavorecido por el karate de competición, porque le prohíben llevar a cabo ciertos golpes muy eficaces, pero también demasiado peligrosos (ver las reglas de competición), los cuales podría utilizar en un combate real. Sin entrar aquí en la polémica, señalemos simplemente un hecho notorio: la extremada afición de los jóvenes karatekas por la competición pura implica el abandono progresivo de las técnicas clásicas juzgadas como no «útiles» en competición y la evolución hacia un karate deportivo basado solamente en algunas técnicas, eficaces en la lucha contra un solo adversario (y no siempre en un combate real). La emulación que resulta del desarrollo de la competición puede ser constructiva, a condición de que no se abandonen los valores tradicionales enseñados por los viejos maestros; la competición no es una forma de desmitificación del karate, sino una nueva rama, diferente. Pero al ir hacia el deporte de masas, se va hacia el abandono del espíritu marcial, única fuente de eficacia real.

Sin embargo, los japoneses han sido los primeros en poner en marcha todo este tinglado, organizando los primeros campeonatos; después de lo cual el motivo de prestigio para las diferentes escuelas ha decidido a más de uno que dudaba. Hace algunos años apareció en Francia una nueva técnica aparentemente revolucionaria: el *Shukokai,* cuyo promotor fue Tani de Kobé y el pionero en Europa, Nambú. Una obra editada por la «World Karate Union» creada por Tani afirmaba que una nueva generación de campeones iba a formarse en breve tiempo gracias a su nuevo método. El Shukokai no se ha impuesto sin embargo tan ampliamente como pareció hacerlo creer el entusiasmo de los luchadores cuando se descubrió.

¿Cuáles son las novedades esenciales? (ver dibujos fig. 173)

— El espíritu: Aquí lo importante es la lucha contra un solo adversario; esta orientación limitativa explica la técnica, toda ella estudiada en una sola dirección (hacia delante), y el abandono de ciertos movimientos de múltiples usos (en la eventualidad de un ataque por parte de varios adversarios apareciendo en varias direcciones).

— La posición hacia delante: Se trata de un zen-kutsu muy

FIG. 173

comprometido, hacia delante, mientras el zen-kutsu clásico es más estático; se la llama «standard stance», sin darle nombre japonés. Después del saludo, el luchador adquiere la postura yoi (yoi-dachi, también llamada en esta escuela nai-hanchin-dachi), con los brazos extendidos por delante del cuerpo y con los puños verticales; luego adopta la «standard stance» pasando un pie hacia delante (diagrama fig. 173), gesto algo imitado por el otro en la misma dirección; la rodilla adelantada está flexionada, el pie apunta a 30° hacia el interior; el abdomen está en tensión hacia delante, pero el busto se mantiene erguido; el brazo situado en el lado de la pierna adelantada está extendido en el mismo plano, con la mano abierta (shuto) mientras la mano o el puño retrasado se coloca en el plexo. El cuerpo está de frente o a ¾. Esta postura permite atacar muy rápidamente con el puño o el pie retrasado hacia delante, estando el cuerpo (tanden) entero en tensión hacia esta dirección (no inclinado).

— La noción de kime: El tiempo de penetración de un golpe es muy corto y sólo interviene en el último momento de una técnica, lo cual permite unos movimientos de muy débil amplitud. Así, en el oi-zuki y en el gyaku-zuki, la mano opuesta permanece extendida hacia delante cuando el puño inicia su rotación en los últimos centímetros solamente de su trayectoria; en el impacto, el pie se dobla todavía más hacia delante. Observar la débil rotación de las caderas en el momento del gyaku-zuki (figura 173), pero la importante traslación del abdomen hacia delante y la postura muy baja. Para el mae-geri, la rodilla de la pierna apoyada se mantiene flexionada hasta el momento del kime en cuyo instante se pone rígida y se extiende hacia delante con el fin de permitir una mejor penetración del golpe; el busto nunca se inclina hacia atrás. La cabeza se mantiene erguida.

— Los bloqueos: Estas técnicas están muy simplificadas y se basan en la utilización del seiryuto que sustituyen a los demás bloqueos. Los bloqueos se ejecutan con la mano extendida a los tres niveles (fig. 173) y muy cortos; el puño opuesto no hace hikite en la cadera pero permanece a la altura del plexo.

B) MATERIAL PROTECTOR

Existe desde hace relativamente muy poco, pero todavía se utiliza muy raramente. En luchas tan violentas como las que se producen en karate, los golpes pueden controlarse mal, o bien chocar entre ellos, sobre todo cuando un adversario (o los dos) avanza hacia el otro. Los golpes dobles (técnicas similares ejecutadas al mismo tiempo) son numerosos, respecto a los bloqueos o esquivas que suelen ser raros; con bastante frecuencia suelen producirse accidentes, casi siempre de poca importancia (cortes en la respiración, luxación en los dedos de los pies, etc.). Esto demuestra, primero que el nivel de los luchadores no ha llegado a ser todavía lo que debería ser para permitirles el acceso a tales confrontaciones, y segundo que el karate es muy difícil de transformar en deporte. Un equipo de protección individual se hace indispensable, no solamente para proteger las zonas susceptibles de poder encajar un golpe (rostro, pecho, bajo vientre), sino también las que corren el peligro de ser violentamente bloqueadas (tibias, antebrazos). Las protecciones permtirían combatir sin ninguna aprensión inhibidora, puesto que no deberían temerse los golpes peligrosos, ni el bloqueo adverso en el momento del ataque (quedaría amortiguado) ni la réplica del adversario. Tampoco existiría el temor de golpear demasiado fuerte y ser descalificado por falta de control; permitiendo los golpes apoyados en el impacto, las protecciones definirían claramente los límites permitidos en los ataques, lo cual, a pesar de los reglamentos (ver a continuación) siempre es una cuestión muy difusa. De todas maneras, a pesar de que en el Japón se hayan puesto a punto equipos eficaces y poco molestos para la ejecución de los movi-

FIG. 174

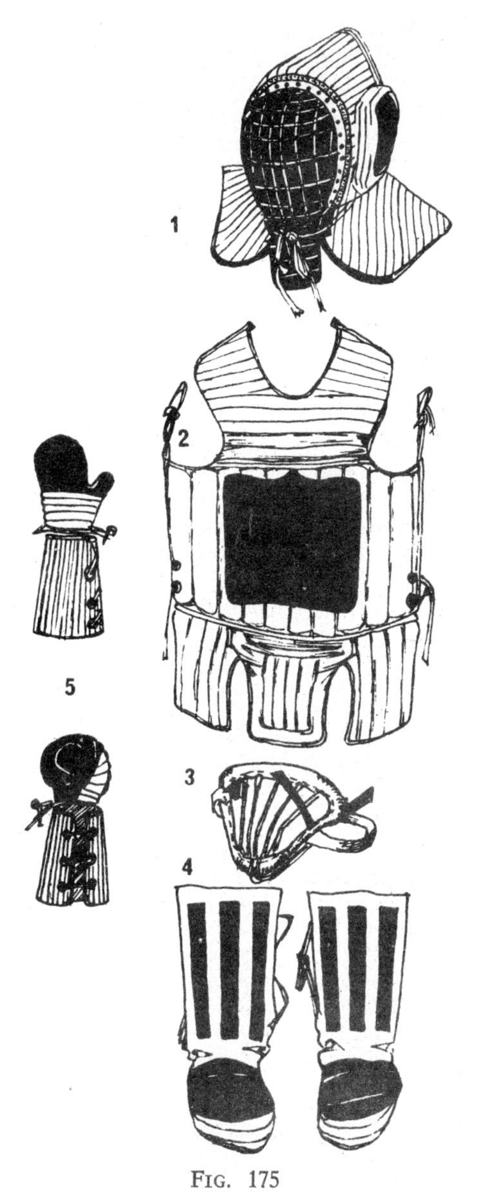

FIG. 175

mientos, *las competiciones se practican siempre sin protectores*, pero deben retenerse todos los golpes antes del impacto; la única pieza protectora es la de los genitales, que puede ser de plástico duro o metálica; incluso están prohibidos los protege-tibias excepto en los casos en que se lleven por prescripción facultativa. Los elementos del karatector (equipo protector para el karateka, verdadera armadura; figura 175) que se describen a continuación sólo lo son a título indicativo; pueden llevarse tanto durante los encadenamientos como durante los asaltos libres flexibles.

El karatector

Estos distintos elementos se sujetan por encima del karategi.

1) *La careta (men)*

Ofrece una perfecta protección al rostro (rejilla), al cráneo y al cuello (relleno). Observar la protección de las orejas y el cuello contra los ataques directos. Esta pieza, así como la siguiente, difiere muy poco de las piezas homologadas de protección utilizadas en el kendo (esgrima).

2) *El peto (doh)*

Pieza envolvente que protege el pecho, el abdomen, los flancos y las clavículas. La armadura está fabricada a base de tiras de bambú; la tela, perfectamente almohadillada, está recubierta en la zona del pecho por una pieza de cuero (en negro).

3) *El protector de genitales*

Pieza no solamente autorizada, sino además obligatoria.

4) *Los protege-tibias (ate)*

La tibia, tan vulnerable en los asaltos, está recubierta por unos almohadillados armados con varillas de acero flexible; a esta pieza se añade otro elemento para cubrir el revés de los pies, dejando al descubierto las plantas, desde el talón a los dedos.

5) *Los guantes (kote)*

El guante (con el pulgar separado) está concebido para permitir los ataques con kaisho y los agarrones; se prolonga con un protege antebrazos.

Dos Ippon mediante Keri-Waza:

Foto 237: Mae-geri-kekomi.

Foto 238: Ura-mawashi.

Foto 237

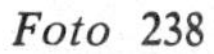

Foto 238

Dos Ippon mediante golpes de parada:

Foto 239: Chudan-zuki.

Foto 240: Yoko-geri-kekomi.

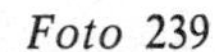

Foto 239

Foto 240

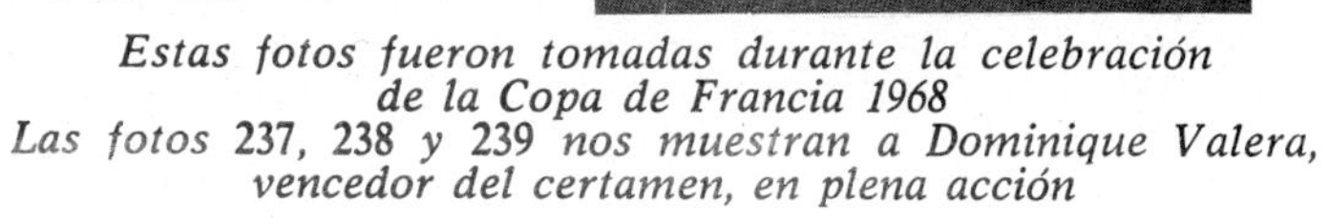

Estas fotos fueron tomadas durante la celebración de la Copa de Francia 1968
Las fotos 237, 238 y 239 nos muestran a Dominique Valera, vencedor del certamen, en plena acción

C) REGLAMENTO DEL KARATE

LUGAR DE LA COMPETICIÓN (O SHIAI-JO)

ART. 1. Toda competición deberá desarrollarse sobre una superficie cuadrada de 8 metros de lado como mínimo y 10 metros como máximo.

Si por falta de espacio u otras circunstancias no pudiera conseguirse una superficie de tales dimensiones, el primer párrafo del presente artículo puede dejar de aplicarse estrictamente.

La superficie deberá ser llana y estar constituida por parquet de tatamis-omote pulido o barnizado o por lona, según las posibilidades.

Sin embargo, la línea de demarcación entre el espacio de la competición y la superficie a su alrededor deberá estar bien marcada en blanco o en rojo (preferentemente en este último color).

EQUIPO DE AMBOS CONTENDIENTES

ART. 2. Cada luchador deberá llevar su karategi blanco (o ropa de karate) así como un cordón blanco o rojo además del cinturón.

El cinturón deberá anudarse correctamente mediante un nudo cuadrado y de manera que la chaqueta no pueda salir libremente; su longitud deberá ser tal que permita dar dos vueltas a la cintura y, una vez hecho el nudo, que sus extremos sobresalgan 15 cm como mínimo.

El cinturón deberá ser blanco, marrón o negro según el grado alcanzado, con una franja longitudinal de color rojo.

Las chaquetas podrán llevar el distintivo del club, pero sin ostentación.

El karategi deberá estar bien limpio y planchado, sin roturas ni descosidos.

ART. 3. Los luchadores deberán llevar un protector de genitales de material resistente, aprobado por las autoridades federativas.

Los protectores de tibias, antebrazos, codos y rodillas y las vendas elásticas están prohibidos, salvo en casos de lesión justificada por un médico.

ART. 4. Los luchadores deberán llevar las uñas de las manos y de los pies bien cortas y no podrán llevar consigo ningún objeto metálico, etc., susceptible de causar heridas al adversario. Los anillos o alianzas que no pudieran sacarse deberán envolverse en esparadrapo.

COMPETICIÓN

ART. 5. Ambos contendientes deberán colocarse de pie en el centro del espacio reservado para la competición, uno frente a otro, con una separación entre ambos de unos 3 metros, e intercambiarán el saludo; el combate podrá empezar inmediatamente a la orden de «Hajime» (puede utilizarse también la postura arrodillada).

Cuando se trate de una competición por equipos, éstos se saludarán de pie.

ART. 6. Al final del combate, los luchadores deberán volver a su posición inicial, de pie y frente a frente y, siguiendo las indicaciones del árbitro, se saludarán simultáneamente.

ART. 7. El resultado del combate se decidirá sobre la base de una victoria definitiva en la cual el luchador que propine un «chi-mei» (golpe mortal) es el ganador.[1]

ART. 8. El resultado del combate se decidirá con un «ippon» (un punto), que equivale a la victoria.

AR. 9. El combate dará comienzo con ambos contendientes puestos en pie.

ART. 10. La duración de un combate se fijará con anterioridad a la competición. Sin embargo, el tiempo asignado podrá prorrogarse en ciertos casos especiales.

ART. 11. Cuando el tiempo asignado para el combate haya terminado, el árbitro debe ser advertido mediante un avisador acústico o cualquier otro medio; deberá detener inmediatamente el combate.

ART. 12. Una técnica aplicada en el preciso instante final del tiempo, se considerará como válida.

ART. 13. Una técnica aplicada cuando uno de los contendientes o ambos se encuentren fuera de la superficie del combate, se considerará como nula y sin valor.

(1) Las reglas internacionales de arbitraje, modificadas el 23 de febrero de 1969, suprimen la noción de «golpe mortal» y la sustituyen por la de «golpe eficaz».

Arbitraje de la competición

Art. 14. La decisión de los árbitros será definitiva e inapelable.

Art. 15. En principio deberán presenciar el combate un árbitro, un asesor y cuatro jueces. Sin embargo, según las circunstancias y la naturaleza de la competición, podrán limitarse a un árbitro, un asesor y dos jueces. También será posible limitarse a un árbitro y un asesor.

Art. 16. Sólo el árbitro tiene la responsabilidad de dirigir el combate. Deberá permanecer en el interior del perímetro de competición; también deberá encontrarse en él el asesor; el desarrollo y el arbitraje del combate sólo pueden tener lugar en el interior de este perímetro.

Art. 17. Los jueces y el asesor ayudarán en su labor al árbitro. Los cuatro jueces se situarán en los cuatro extremos del cuadrilátero, pero fuera de él, y en la postura adecuada que les permita ver todos los aspectos de la lucha.

Art. 18. Una vez ambos contendientes se hayan saludado, el árbitro ordenará el comienzo del combate a la voz de «hajime» (¡empezar!); los luchadores se saludarán con espontaneidad; eventualmente el árbitro podrá recordárselo.

Art. 19. Si un luchador vence el combate por la técnica «chimei» (golpe mortal) o «killing blow», el árbitro anunciará «ippon» (un punto), detendrá el combate y hará volver a los luchadores a su posición inicial —de pie— y señalará al vencedor levantando la mano hacia él.

Art. 20. Si un luchador consigue un «waza-ari» (80-99 % del punto), el árbitro anunciará «waza-ari». Si el mismo luchador consigue un segundo «waza-ari», el árbitro anunciará «waziari awasete ippon» (un punto por las dos técnicas); detendrá el combate, hará volver a los luchadores a su posición inicial —de pie— y señalará al vencedor levantando la mano hacia él.

Art. 21. Si un juez o el asesor tienen una opinión diferente a la del árbitro, ambos tienen el deber de comunicarle su criterio. En este caso, el árbitro puede adoptar la opinión del juez o la del asesor. La decisión señalada o anunciada a los contendientes por el árbitro será definitiva.

Art. 22. Cuando el tiempo límite esté expirando y todavía

no haya tenido lugar ningún «ippon», el árbitro anunciará «yame», detendrá el combate y hará volver a su posición inicial a los luchadores. El árbitro, volviendo también a su posición inicial levantará la mano hacia los cuatro jueces diciendo «¡hantei!» (decisión).

Ante esta señal los jueces designarán la superioridad o inferioridad de los luchadores mediante una señal roja o blanca preparada de antemano. En el caso de «hikiwake» (combate nulo), las dos señales roja y blanca deberán levantarse al mismo tiempo.

ART. 23. El árbitro, añadiendo su propia opinión sobre la superioridad o inferioridad de un luchador a la de los jueces y según el criterio de la mayoría decidirá y declarará «yusei-gashi» (vencedor por superioridad) o «hikiwafle» (combate nulo).

En el caso de que las opiniones de los cinco federativos difieran, el juicio del árbitro prevalecerá.

En ningún caso el árbitro irá en contra de la mayoría constituida por tres opiniones iguales.

El árbitro, en plan de consulta, puede pedir la opinión del asesor; este último no tendrá voz preponderante en el «hantei».

Cuando sólo haya un árbitro y un asesor, el primero pedirá la opinión al segundo y señalará o declarará la decisión de «yusei-gashi» o «hikiwake».

ART. 24. En los siguientes casos el árbitro puede anunciar «yame» y detener momentáneamente el combate. Para reanudar el combate, deberá anunciar «hajime». En este caso, si el árbitro ha anunciado «time», el tiempo transcurrido deberá descontarse del tiempo de combate:

a) Cuando un contendiente salga del perímetro de combate.
b) Cuando un contendiente cometa un acto prohibido.
c) Cuando un contendiente se lesione, se encuentre indispuesto o tenga lugar algún accidente.
d) Cuando un contendiente deba volver a atarse el karategi.
e) En todos los demás casos en los que el árbitro crea necesario detener el combate.

ART. 25. Los técnicos federativos que deben asistir al desarrollo de un combate son los siguientes:

a) Un director de competición que deberá situarse de tal manera que pueda ver claramente la totalidad del lugar de la competición. Su misión será la de organizar y supervisar el conjunto de las competiciones. Junto con un representante de la Federación, puede formar parte de un jurado de apelación en caso de litigio evidente.

b) Un árbitro central que dirigirá el combate y hará respetar el reglamento.

c) Un asesor que ayudará al árbitro central durante el combate.

d) Dos o cuatro jueces que se situarán en los vértices del cuadrilátero. Deberán ayudar al árbitro en las mejores condiciones.

e) Uno o varios cronometradores y un secretario de competición que anote los resultados y las incidencias de la competición.

ACTOS PROHIBIDOS

ART. 26. Respecto a las acciones y técnicas de los luchadores se prohíbe lo siguiente:

a) Golpear sin control los puntos vitales del adversario, en la forma que sea. Todos los ataques deben controlarse.

b) Atacar o simular un ataque de puya contra los ojos con la mano abierta y extendida.

c) Morder, arañar.

d) Ejecutar una técnica con la idea de lesionar al adversario.

e) Gritar sin motivo o hacer observaciones o gestos irrespetuosos al adversario con la finalidad táctica de hacerle perder su sangre fría.

f) El que un luchador no siga inmediatamente las indicaciones del árbitro.

g) El que un luchador pierda su sangre fría hasta el punto de poner en peligro a su adversario y de no tener en cuenta los actos prohibidos.

h) El que un luchador haciendo gala de espíritu poco deportivo, emita una opinión o proteste la decisión del árbitro o de los jueces.

i) El que el comportamiento de un luchador pueda perjudicar a la competición o al espíritu del karate.

j) Coger, agarrarse, mantener al adversario sin actuar inmediatamente.

k) Dar la espalda al adversario. En las esquivas o combinaciones giratorias ejecutadas rápidamente, todo ataque llevado a cabo contra la espalda por parte del adversario podrá valorarse como «chi-mei» por el árbitro.

l) Evitar de cualquier forma el combate sincero con el adversario; por ejemplo, correr con la evidente finalidad de alcanzar el límite del tiempo.

m) Salir deliberadamente del perímetro de combate.

n) Adoptar una postura desagradable con la finalidad de evitar la derrota haciendo una obstrucción sistemática.

o) Atar o desatar el cinturón o los cordones del pantalón del karategi sin el permiso del árbitro.

p) A los luchadores les está completamente prohibido hablar.

q) Los golpes de parada podrán llevarse a cabo con *fuerza controlada* sobre las zonas sin puntos vitales.

Los párrafos a, b, c, d, e, f, g, h, i se consideran como faltas graves que ocasionarán un aviso directo por parte del árbitro o bien la inmediata descalificación (esta última preferentemente de acuerdo con los jueces).

Los párrafos j, k, l, m, n, o, p, q ocasionarán una observación por parte del árbitro.

Tres observaciones equivalen a un aviso.

Cuatro observaciones pueden ocasionar la descalificación.

ART. 27. El árbitro puede advertir al luchador en caso de infracción no grave de las reglas. Deberá dar un aviso oficial en el caso de que uno de los contendientes hubiera intentado hacer o ya hubiera hecho una infracción grave de las reglas o en el caso de varias infracciones no graves. Si después de este aviso constatara una nueva infracción a las reglas, podría declararlo perdedor por infringir el reglamento, tras consulta con los jueces. En caso de infracción muy grave podrá descalificar directamente al luchador.

ARBITRAJE DE UN COMBATE

ART. 28. Podrá otorgarse un «ippon» en las siguientes condiciones:

A) El «chi-mei» (golpe mortal) estará constituido por un ataque llevado a cabo contra un punto vital (Art. 34).

Este ataque deberá ser:

a) Correcto en su forma.
b) Correcto en la actitud.
c) Correcto en la distancia.
d) Con la fuerza, velocidad y precisión suficientes.

Sin embargo, si la técnica no parece suficiente, el árbitro, a voluntad, puede hacer volver a los contendientes a sus posiciones iniciales.

B) Cuando uno de los contendientes diga «maitta» (he perdido o abandono), puede, si está desbordado y semiinconsciente, levantar el brazo en señal de derrota o de lesión.

ART. 29. Podrá otorgarse un «waza-ari» (80-99 % del punto) en las siguientes condiciones:

A) En el caso de una técnica «chi-mei» (golpe mortal) cuando un luchador golpee al adversario en una forma y actitud bastante buenas que casi merezcan el «ippon».

B) En el caso de tres salidas consecutivas y voluntarias de uno de los contendientes.

ART. 30. Podrá otorgarse un «yusei-gashi» (vencedor por superioridad) en las siguientes condiciones:

A) Cuando un luchador haya obtenido un «waza-ari» o casi. El luchador no obtendrá necesariamente un «yusei-gashi» si ha combatido de manera opuesta al espíritu del karate; si ha recibido un aviso oficial, éste anula el «waza-ari».

B) La actitud de los dos contendientes en el combate, su habilidad en las técnicas, si han habido infracciones del reglamento o no y otras circunstancias podrán considerarse con la finalidad de emitir un veredicto.

ART. 31. Podrá otorgarse un «hikiwake» (combate nulo) cuando durante la lucha no se haya producido ningún resultado o cuando la inferioridad o superioridad de ambos contendientes no pueda valorarse.

ART. 32. El árbitro podrá declarar «hansoku-make» (perdedor por violar el reglamento) a un luchador en los siguientes casos:

A) Si ha llevado a cabo una acción susceptible de ser peligrosa para el adversario, o si profiere palabras o gestos considerados como muy graves.

B) Si viola de nuevo algún artículo sin tener en cuenta el anterior aviso por parte del árbitro.

ART. 33. Cuando un luchador no se presenta al combate, el adversario puede ser designado «fusen-sho» (vencedor por incomparecencia de la otra parte).

PUNTOS VITALES

ART. 34. Se consideran puntos vitales:

El rostro, el cuello, el bajo vientre (genitales), el plexo solar, la espalda del adversario (región lumbar), las costillas flotantes.

ART. 35. No se hará ninguna distinción entre los adversarios, ya sea de altura, de envergadura, de fuerza o de peso.

ART. 36. En el caso de que un contendiente no pudiera continuar la lucha como consecuencia de un incidente, una lesión o una indisposición, el árbitro podrá decidir, después de consultar con los jueces, victoria, derrota o combate nulo teniendo en cuenta los siguientes aspectos:

A) En caso de lesión:

1. Si la responsabilidad de la lesión es imputable al herido, éste será declarado perdedor.
2. Si la responsabilidad de la lesión es imputable al adversario, éste último será declarado perdedor.
3. Cuando la responsabilidad no pueda atribuirse a ninguno de los dos, el lesionado será declarado perdedor por abandono.

B) Si el combate no puede proseguirse a consecuencia de la indisposición de uno de los contendientes, este último será declarado, en principio, perdedor.

Art. 37. Si se presentara una situación no prevista en el reglamento, el árbitro y los jueces deberían decidir conjuntamente.

Convenciones

Gestos del árbitro

Durante el arbitraje las indicaciones orales pueden ir acompañadas por gestos. Algunos de ellos son obligatorios y muy precisos. Deben ayudar a comprender las indicaciones orales.

De este modo van acompañados con un gesto del brazo derecho extendido los:

— Ippon: brazo derecho extendido hacia delante y arriba con una inclinación de 30° respecto a la vertical.

— Waza-ari: brazo derecho extendido horizontal y lateralmente.

— Waza-ari awasete-ippon: *Waza-ari:* brazo derecho extendido horizontal y lateralmente. *Awase-ippon:* brazo derecho extendido hacia delante y arriba (como en el ippon).

— Hantei: brazo derecho extendido verticalmente.

— Hikiwake: brazos extendidos (palmas hacia abajo) a unos 45° respecto al cuerpo. Seguidamente el árbitro los separa manteniéndolos sobre un mismo plano y, al mismo tiempo, gira la palma hacia arriba y dirige los brazos hacia los dos contendientes.

En caso de rebasar el perímetro de la competición, el árbitro o los jueces anulan las acciones llevadas a cabo fuera de la pista mediante un movimiento de vaivén del brazo o banderilla.

Términos de arbitraje

Desarrollo del combate

Rei. — Saludar.
Yoi. — Concentrarse.
Shobu-ippon-hajime. — Empezar (al inicio del combate).
Tsuzukete-hajime. — Empezar (durante el combate).
Nota. — El término hajime, empleado solo, se utiliza indiferentemente en uno u otro caso.
Yame (o soremade, o maie). — Detenerse, stop.
Jyogai. — Salirse de los límites.
Jikan. — Tiempo.
Chuoni-modoru. — Volver al centro.

Arbitraje del combate

Chui. — Aviso oficial.
Hansoku-make (o shikkaku). — Perdedor por violación de las reglas (descalificación).
Ippon. — Punto.
Waza-ari. — Ventaja.
Waza-ari-awasete-ippon. — Punto por dos waza-ari.
Fusen-sho. — «Forfait».
Hantei. — Decisión.
Ippon-gashi. — Vencedor por ippon.
Waza-ari-yusei-gashi. — Vencedor por superioridad (por waza-ari).
Hantei-gashi. — Vencedor por decisión.
Hansoku-gashi (o shikkaku-gashi). — Vencedor por descalificación del adversario.
Kiken-gashi. — Vencedor por abandono del adversario.
Hikiwake. — Combate nulo.
Itami-wake. — Combate nulo a consecuencia de una lesión involuntaria que implica la imposibilidad de reanudar el combate.

Aspectos concretos del arbitraje

Como complemento a los artículos generales precedentes, pareció necesario concretar algunos puntos; una comisión compuesta por los señores Mochizuki y Plée, ambos 5.º Dan y principales responsables técnicos, los señores Sauvin, entrenador del Equipo Nacional de Francia, y Baroux, responsable del arbitraje, ambos luchadores internacionales, estableció, pues, los siguientes comentarios para aclarar estos puntos.

Estos comentarios han sido agrupados por centros de interés:

NIVEL JODAN

1. Regla esencial: Ataques autorizados al rostro, pero con control absoluto.

Este control debe variar entre 5 y 10 cm.

Este control debe existir incluso cuando el adversario avanza.

2. Cuando ha habido un mal control, el árbitro debe dar un aviso, quedando bien claro que dos avisos implican la inmediata descalificación.

3. En los casos de heridas graves: Si el lesionado sangra abundantemente, etc., descalificación inmediata.

4. ¿Cómo contar?

a) «Waza-ari» para cualquier ataque limpio al rostro, incluso sin fuerza en las caderas, si el adversario no ha bloqueado ni retrasado la cabeza ni esquivado.

«Ippon» si el golpe es rápido y sin reacción por parte del adversario.

«Ventaja» si el golpe no es rápido.

«Influencia considerable» de los ataques al rostro en la decisión final.

b) «Waza-ari» para los Shuto y Uraken, pero estos ataques deben ser rápidos; técnicamente válidos y controlados.

«Waza-ari» para los Shuto en todas las zonas del cuello, propinados con técnica, fuerza y control, sin reacción por parte del adversario.

c) «Waza-ari» para los ataques penetrantes con el codo y sin reacción de defensa por parte del adversario.

d) «Cabezazo al rostro», prohibido.

Otros detalles:

Cuando dos luchadores atacan simultáneamente el uno al rostro y el otro al cuerpo, incluso si un ataque es más fuerte que el otro, ambos quedan anulados. (Caso que ocurre frecuentemente en los contraataques gyaku-zuki al cuerpo sin intentar detener un ataque, incluso malo, al rostro.)

Consecuencias principales sobre la antigua manera de arbitrar:

— Ser más tolerante al contar los golpes al rostro y más severo en el control a este nivel.

— Aparición de la noción de «ventaja», la cual al repetirse, da un waza-ari e influye por lo tanto en la decisión final.

Diferencias entre la ventaja y el Waza-ari:

— Ventaja: Aproximadamente un 50 % del ippon.

— Waza-ari: *Siempre* un 75 % del ippon.

NIVEL MEDIO (SHUDAN)

1. *El pecho:*

Es muy difícil poder otorgarle un Waza-ari, dado que, en la realidad, o bien se produce K.O. o nada. *Sobre todo no tener en cuenta el ruido.*

Ejemplos frecuentes: mawashi-geri y gyaku-zuki.

2. *El vientre:*

Los golpes fuertes contra el cuerpo, que el adversario acusa en cualquier forma, son reglamentarios, siempre que no se llegue al límite de la lesión, o sea que deben ser controlados. Si al agredido se le corta la respiración, el golpe es válido (sin descalificación ni aviso), puesto que debía estar contraído.

Se toleran los golpes fuertes al cuerpo excepto las lesiones comprobadas o los K.O.; o sea que se requiere un cierto control según la fuerza física del adversario.

3. *La espalda y la zona renal:*

¡Atención! No cuentan los golpes en la zona renal: si el ataque llega hasta los omoplatos no contar nada.

En este nivel, los «mawashi-geri» son válidos, incluso si se propinan junto con un golpe con el pie. Control necesario cuando se golpea con la bola del pie y con los puños.

4. *¿Cómo contar?*

a) Waza-ari, cuando el adversario «acusa» el golpe en el abdomen.

Ippon, cuando es todavía más neto (corte de respiración).

Nada, cuando el golpe se limita a un simple toque, incluso si se produce ruido y que el adversario no parece físicamente afectado (ejemplos muy frecuentes: mae-geri al final de un «recorrido», gyaku-zuki, mawashi-geri, etc.).

b) No es necesario tocar la zona renal para conseguir un Ippon. Basta con que el adversario no esté en equilibrio y que su espalda ofrezca un blanco (ej.: gyaku-zuki en la zona renal después de un barrido que provoque el desequilibrio).

Waza-ari, cuando el movimiento precedente es menos neto (ej.: gyaku-zuki imperfecto).

Ippon o Waza-ari, para un golpe de rodilla directo al plexo, incluso con reacción del adversario en caso de gyaku-zuki.

Waza-ari, para un golpe de rodilla *controlado,* en mawashi-geri contra la zona renal.

c) Todo ataque alcance un músculo dorsal contraído no cuenta.

d) Todo ataque que alcance las costillas flotantes, las axilas o el corazón, proporciona un waza-ari. Se exige control.

Consecuencias principales sobre la antigua manera de arbitrar:
En este nivel el arbitraje debe ser más viril. No obstante, hay que tener en cuenta la condición física del luchador. Para ello, pues, el principal criterio es la resistencia del adversario.
El waza-ari no es aquí proporcional al ruido del kimono o a los gritos del luchador.

NIVEL GEDAN

1. Es obligatorio llevar un protector en los genitales (unanimidad); sin embargo, no descalificar a un luchador que toque a un adversario sin el protector, sino al contrario, otorgarle waza-ari o ippon.

2. Los golpes contra las rodillas no cuentan. El movimiento no está prohibido, excepto de frente (para hacer caer al adversario de rodillas, por ejemplo).

3. Los golpes bajos con los pies están autorizados, pero no cuentan.

4. En los bloqueos, los golpes contra los muslos y las tibias (por ejemplo: fumi-komi, rodillas, codos) están autorizados, pero no cuentan.

5. ¿Cómo contar?
El protector en los genitales es un criterio.
a) Waza-ari, cuando cualquier ataque, incluso imperfecto, toca dicho protector.
b) Ippon, cuando un ataque técnicamente bueno toca al protector y no se observa reacción de defensa por parte del adversario (ej.: mae-geri sin bloqueo).
También cuando, teniendo sujeta la pierna del adversario, se ataca inmediatamente de forma neta el bajo vientre de aquél, sin llegar a tocarle necesariamente.
Penalización que se deja al criterio del árbitro si el golpe al bajo vientre implica un K.O. incluso momentáneo del adversario que lleva protector. Así pues, control, pero *cuidado con los fingimientos.* En estos casos no hay que dudar en verificar el estado del protector.

OTRAS REGLAS

1. Tres salidas voluntarias (es decir, huida manifiesta ante el adversario) implican un Waza-ari. Una simple salida no tiene importancia así como el hecho de empujar al adversario fuera del cuadrilátero.

Las proyecciones ejecutadas desde el interior del perímetro de combate, inmediatamente proseguidas de ataques clásicos, serán válidas. Si el adversario tiene un pie fuera de los límites y en este instante es atacado, o si él mismo ataca, esta técnica será considerada como válida.

2. Caso de las caídas (proyecciones):

— Cuando el que se cae mal queda K.O., la victoria es para el otro.

— Si el luchador reemprende sin embargo el combate (obligatoriamente después de la opinión favorable del médico), no se cuenta nada.

— El deseo manifiesto de proyectar mal al adversario está prohibido e implica la descalificación.

3. Unánimemente la Comisión es partidaria de la presencia indispensable de un asesor que juegue el papel de «espejo» para el árbitro principal.

D) EL ENTRENAMIENTO

Debe ser racional e intensificarse progresivamente. La competición presenta a veces ciertos caracteres propios que pueden desorientar al principiante y hacerle abandonar debido a las dificultades iniciales; con el fin de evitarlo, es interesante seguir una progresión evidentemente variable según la facultad de asimilación y la resistencia del karateka, así como según el tiempo que pueda dedicar al entrenamiento. No hay pues ningún esquema general. Sin embargo, las siguientes etapas deberán respetarse, decidiendo el profesor en función de cada caso la importancia relativa que deba acordarse a cada una de ellas:

- *Práctica de las técnicas de base (ki-hon).*

Sobre todo oi-zuki, mae-geri, gyaku-zuki, mawashi-geri y sokuto para desarrollar la estabilidad, la velocidad y el espíritu de ataque.

- *Práctica de los encadenamientos (renzoku-waza):* Ver Cuarta Parte.

— En solitario: Empezar con técnicas simples y directas, «in situ», luego enlazar técnicas desplazándose (ver algunos ejemplos en el «jiyu-kumite»). Son necesarias centenares de repeticiones para que los movimientos sean eficaces (reflejos). Introducir técnicas especialmente eficaces en competición.

— Con un compañero: En primer lugar con flexibilidad y luego con fuerza y rapidez, ejecutar los mismos encadenamientos contra un adversario que esquive o bloquee sin atacar. Invertir los papeles.

- *Práctica del control:* ejecutar ataques únicos (tsuki-waza, keri-waza).

— En solitario: Golpeando con violencia, con el puño o con el pie en dirección hacia un blanco cualquiera para detener secamente el golpe justo antes del impacto; ejecutar las mismas técnicas haciendo que el puño o el pie retrasado vuelvan rápidamente a su posición primitiva (el golpe rebota como si hubiera aplastado un muelle en el momento del impacto simulado); el golpear y volver el brazo a su posición con una importante participación de las caderas (esencialmente por rotación: por ejemplo para un gyaku-zuki).

— Con un compañero: Trabajar las mismas técnicas tomando como punto de referencia los puntos vitales del adversario aunque sin rozarlos siquiera; éste permanece inmóvil y luego se desplaza, pero sin bloquear.

- *Práctica de la potencia de los golpes:* Ejecutar los tokui-waza golpeando a fondo contra la makiwara o el saco de arena (verlo en la Cuarta Parte) para que los golpes se lleven a cabo con fuerza y para que el cuerpo aprenda a golpear en una postura estable.

- *Práctica del asalto libre:* Luchas breves, de más o menos un minuto, cambiando de compañero cada vez:

— Atacar sin parar al contrincante que esquiva, bloquea y contraataca, pero no ataca: se pueden trabajar los golpes con los pies solamente y luego con el puño para atacar finalmente de cualquier manera.

— Cada uno de los adversarios golpea a todos los niveles, pero únicamente con técnicas de puño, o de pie.

— Asalto completo, en donde cada uno de los adversarios puede tomar la iniciativa con cualquier técnica, pero estando relajados y con un ritmo lento (cada uno busca la abertura en la guardia adversa y el medio de enlazar con técnicas eficaces).

— Asalto completo y viril con un equipo protector que consta al menos de un protege-genitales y de un protege-tibias (en esta fase será conveniente un equipo completo tal como el karatector).

— Asalto en las mismas condiciones que en competición.

En la práctica de los asaltos hay que insistir sobre todo en el número de repeticiones y en la brevedad de los encuentros (entrenamiento para la resistencia general, especialmente para la respiración y desarrollo del espíritu zanshin dado el poco tiempo de que se dispone para vencer) así como en los cambios de contrincante (cada uno aporta sus conocimientos, lo cual impide la esclerosis del espíritu que se produciría si no existieran nuevos y constantes estímulos).

- *Mantenimiento de la forma general:* Desarrollar los músculos del cuerpo para conseguir un mejor rendimiento (ver Cuarta Parte) no basta; no hay que fatigar al organismo: antes de una competición moderar el entrenamiento algunos días (trabajo de la flexibilidad); finalmente hay que forjar una moral de vencedor y aquí es donde el papel del profesor es esencial (desarrollo de un sentimiento de emulación, de una voluntad inquebrantable y de una confianza en sí mismo debido a la superación de pruebas físicas de intensidad progresiva, de una potencia de concentración mental, etc.).

CUARTA PARTE

Los métodos de entrenamiento

8

La puesta en forma: junbin-taisho

Como podrían ocurrir distensiones musculares, el entrenamiento no debe empezar con los movimientos completos, rápidos y sincopados del karate; sería someter al organismo entero, y a sus articulaciones en particular a una dura prueba, y correr el peligro de tener que suspender el entrenamiento a causa de no haber permitido al cuerpo pasar de un ritmo cardio-vascular lento, que es su ritmo normal, a un ritmo desigual y violento.

A continuación indicamos una serie de movimientos (croquis de las figuras 176 y 176 bis), cuya misión es la de calentar progresivamente los músculos, flexibilizar las articulaciones y preparar al organismo para el esfuerzo. Toda sesión de karate debe empezar obligatoriamente con estos movimientos ejecutados al aire (tiempo de esta preparación: de 10 a 15 minutos como mínimo), al principio lenta y suavemente y luego progresivamente con fuerza y rapidez; los mismos movimientos pueden por otra parte emprenderse al final de una sesión, con la finalidad de relajar el cuerpo (vuelta a la normalidad).

DESBLOQUEO DE LAS VÉRTEBRAS CERVICALES

1. Rotación de la cabeza, manteniendo la barbilla en un plano horizontal; mirar alternativamente hacia la derecha y hacia la izquierda.

2. Inclinación lateral de la cabeza, acercando al máximo la oreja al hombro correspondiente; evitar el movimiento de rotación natural que dirige la cara hacia arriba y por el lado opuesto.

3. Flexión y extensión simultánea de la cabeza y el cuello, de delante hacia atrás.

4. Movimiento de rotación completa: la cabeza «rueda» por encima de los hombros y del pecho.

Desbloqueo de las vértebras lumbares

5. Flexión hacia delante y extensión con los brazos echados hacia atrás alrededor del eje transversal de las caderas.

6-7. Inclinación lateral alrededor de un eje antero-posterior; una mano se desliza a lo largo de la pierna mientras el codo del brazo opuesto se coloca detrás de la cabeza; también se pueden juntar las manos por encima de la cabeza y apretar los codos contra los pulsos durante las inclinaciones (7); no inclina el rostro hacia el suelo.

8. Movimiento de rotación alrededor de un eje vertical; los brazos se echan hacia atrás, y la cabeza gira hacia el mismo lado; girar la cabeza al máximo mirando hacia atrás.

9. Flexión y torsión con movimientos contrarios de los brazos: una mano toca el pie opuesto mientras la otra se echa hacia arriba y atrás.

10. Manos en la nuca, tocar alternativamente con la frente una rodilla y luego la otra.

11. Con los pies juntos, tocar las rodillas con la frente, bloqueándolas con las manos.

12. Movimiento de rotación completa de la pelvis: con los pies separados, girar impulsando las manos y la cabeza hacia atrás, luego hacia el lado y luego hacia delante inclinándose hacia el suelo. Efectuar las rotaciones en los dos sentidos.

Flexibilización de las piernas y relajación total

13. Con el cuerpo relajado, dar saltitos «in situ», primero con el cuerpo vertical y luego inclinado lateralmente.

14. Dar saltitos «in situ» echando alternativamente los hombros hacia atrás y hacia delante. Sólo el abdomen se mantiene bajo tensión.

15. Con las manos en las caderas, saltar y luego separar ampliamente los pies al caer.

FLEXIBILIZACIÓN DE LOS BRAZOS

16. Echar la cabeza hacia atrás y juntar las manos, con la palmas hacia arriba, por encima de la cabeza; bloquear los codos y estirarse completamente inclinando el busto hacia atrás.

17. Cruzar las manos delante del abdomen, con las palmas hacia el suelo; separarlas echando los codos hacia los lados, hasta un plano vertical que contenga al busto y ejecutar justo antes de la detención final una breve rotación de muñecas para girar las palmas hacia arriba.

18. Cruzar los puños a la altura del plexo, con los brazos extendidos; separarlos lanzando los codos hacia los lados, hasta un plano vertical que contenga al busto; los codos están más doblados que en el movimiento precedente (estilo uchi-uke).

19. Movimiento de balanceo de los brazos extendidos y forzados hacia atrás, uno hacia arriba y el otro abajo. Alternativamente.

20. Especial para el choku-zuki: Extender las manos hacia delante a la altura del plexo, con las palmas hacia el suelo; echarlas hacia atrás (hikite) rozando los codos a lo largo del tronco; las manos se colocan a la altura de las caderas en supinación.

21. Rotación de los brazos extendidos alrededor de la articulación escapulo-humeral, de delante hacia atrás, en los dos planos verticales.

22. Rotación de los brazos extendidos alrededor de la articulación escápulo-humeral, en un plano vertical que contenga al pecho.

23. Flexiones sobre las manos, con el cuerpo rígido.

DESBLOQUEO DE LA ARTICULACIÓN COXO-FEMURAL

24. Con un pequeño zen-kutsu, balancear la pierna extendida de atrás hacia delante con el cuerpo estable.

25. En heisoku-dachi, balancear la pierna extendida de delante hacia atrás con una pequeña inclinación del busto hacia delante; las caderas no deben girar.

26. En yoi-dachi, levantar la pierna extendida en el plano vertical; el canto interno del pie derecho debe quedar paralelo al suelo para evitar que el fémur gire en su articulación con la cadera.

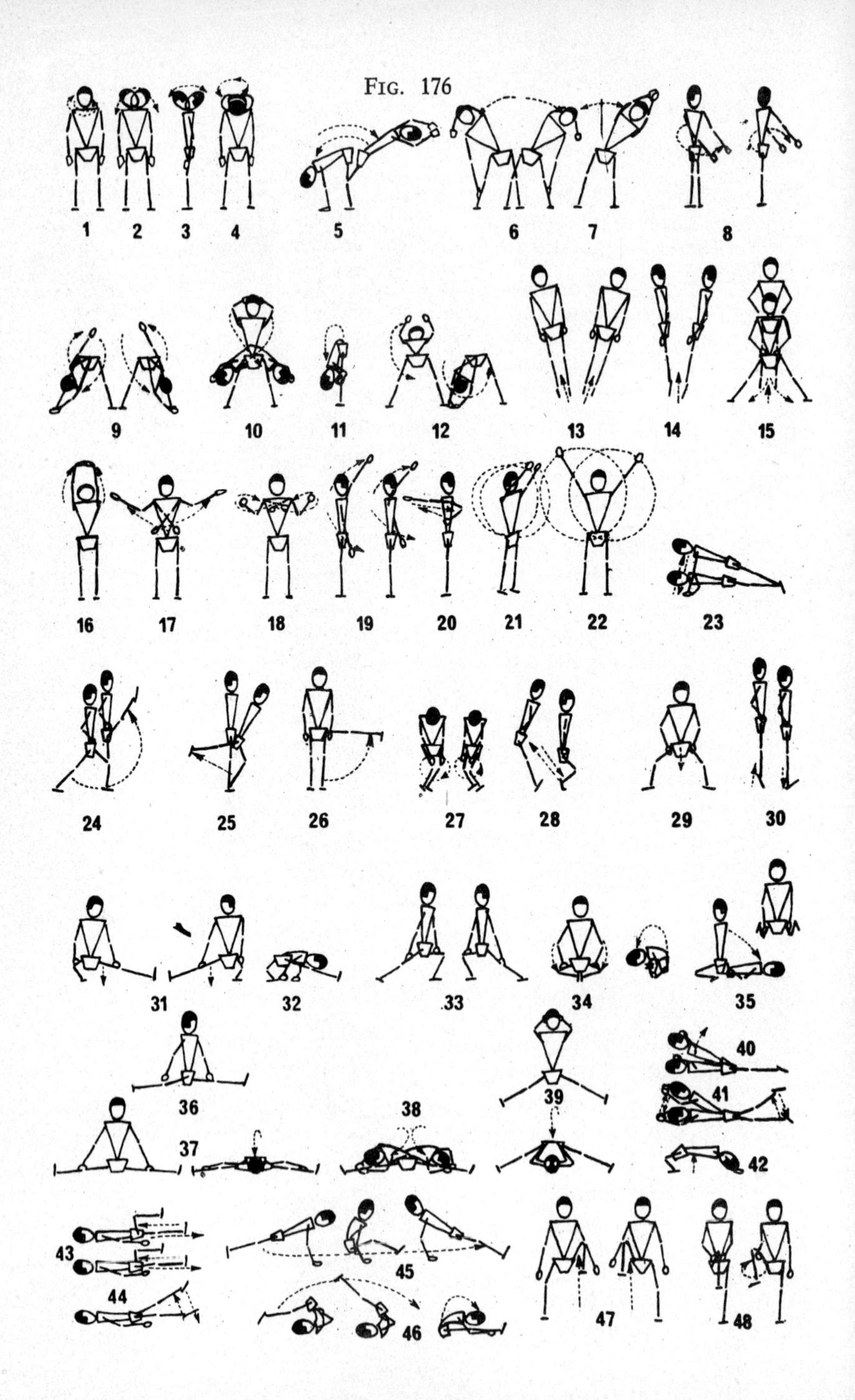
1 2 3 4 5 6 7 8
9 10 11 12 13 14 15
16 17 18 19 20 21 22 23
24 25 26 27 28 29 30
31 32 33 34 35
36 37 38 39 40 41 42
43 44 45 46 47 48

FIG. 176

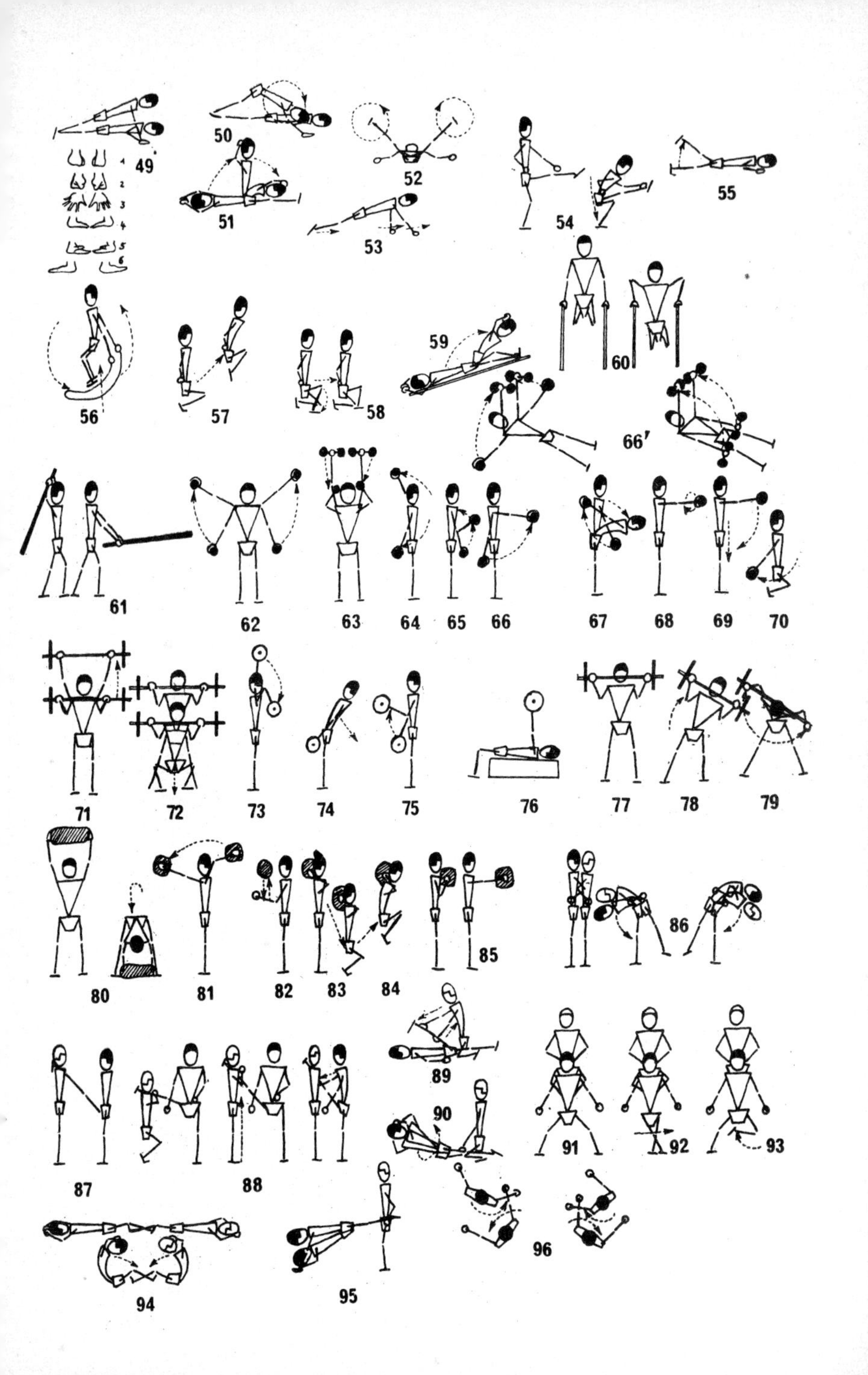
49
1
2
3
4
5
6
50
51
52
53
54
55
56
57
58
59
60
66′
61
62
63
64
65
66
67
68
69
70
71
72
73
74
75
76
77
78
79
80
81
82
83
84
85
86
87
88
89
90
91
92
93
94
95
96

47. Con un pequeño kiba-dachi, levantar la rodilla contra el hombro, sin variar la orientación del pecho y sin elevar el centro de gravedad. No inclinar el pecho hacia delante.

48. A partir de heisoku-dachi, levantar la rodilla delante del pecho (posición preparatoria para un golpe con el pie) y luego, sin mover el resto del cuerpo, abrir la rodilla hacia fuera, hasta el plano vertical que contenga el eje transversal de las caderas; al hacerlo, no bajar la rodilla ni modificar su ángulo.

Flexibilización de las rodillas

27. Con las manos sobre las rodillas, flexionar estas últimas y efectuar pequeños círculos «in situ», en los dos sentidos; las rodillas se mantienen juntas.

28. Con las manos en las caderas, agacharse levantando los talones y separando las rodillas hacia fuera; el busto se mantiene erguido. Incorporarse, poniendo rígidas las piernas y llevando el peso del cuerpo sobre los talones.

Flexibilización de las piernas

29. Con las manos sobre los muslos y los codos bloqueados, agacharse en shuto-dachi forzando el tanden hacia abajo. Sin enderezarse, apoyar el peso del cuerpo sobre la pierna derecha bloqueando la rodilla izquierda; alternar. El abdomen se mantiene bajo tensión.

30. Con los pies juntos y las manos en las caderas, erguirse sobre los dedos de los pies y luego caer sobre los talones levantando la punta de los pies.

31. Con una pierna extendida y su pie correspondiente, vertical, agacharse con la pierna contraria flexionando al máximo la rodilla y el tobillo; el talón de este pie no debe dejar de tocar al suelo; el busto se mantiene erguido.

32. A partir de la posición anterior, colocar las manos en el suelo y flexionar el tronco para tocar con la frente la rodilla de la pierna rígida.

33. Colocarse en zen-kutsu muy abierto y bajar al máximo, con el muslo de la pierna contra la pantorrilla, sin doblar la rodilla de la pierna retrasada; el tanden debe mantenerse lo más bajo posible; el busto permanece vertical y no inclinado hacia delante.

34. Sentarse y doblar las rodillas para juntar los pies y llevarlos hacia así, con los talones contra el bajo vientre; sujetar los tobillos con las manos; luego, haciendo presión con los codos sobre las rodillas, bajarlas hasta hacerlas tocar el suelo sin que los pies pierdan su posición original. Inclinarse hacia delante, con la frente hacia el suelo. Cuidado: las nalgas tienen tendencia a sobresalir hacia atrás.

35. Arrodillarse, con las rodillas muy separadas y con la parte inferior de la pierna en contacto con el suelo (rodillas, tibia, cara interna del tobillo, empeine); sentarse sobre los tobillos y luego tumbarse lentamente hacia atrás sin levantar las rodillas.

36. Gran separación facial.

37. Gran separación lateral, con los pies levantados a la vertical. Luego doblar el tronco hacia delante para tocar el suelo con la frente.

PREPARACIÓN GENERAL

38. Gran separación lateral, luego flexión del tronco hacia uno y otro lado, tocando la rodilla con la frente en cada caso.

39. Separar las piernas, pero dejando el canto interno del pie en contacto con el suelo; colocar las manos en la nuca y doblar el busto hacia delante.

40. Tumbados boca abajo, con las manos en la nuca y con los tobillos inmovilizados por un compañero o por un objeto cualquiera. Levantar el tronco al máximo y luego orientar alternativamente el pecho hacia uno y otro lado (ver. n.º 90).

41. Tumbados boca abajo, con las manos juntas hacia delante; los pies juntos. Ejecutar un movimiento de balanceo elevando al máximo el busto antes de volver a tumbarse al suelo, levantando los pies; cuando los pies se apoyan en el suelo, el tronco se levanta, etc. El arqueamiento del busto es siempre el mismo.

42. Con las rodillas flexionadas y la cabeza echada hacia atrás y con las manos en el suelo, hacer el puente. Arquear al máximo la espalda.

43. Tumbados boca arriba, con los brazos contra el suelo, ejecutar «la bicicleta» llevando la rodilla sobre el pecho y dejando la otra a solamente algunos centímetros del suelo; invirtiendo la posición de las piernas, golpear con el talón anterior-

mente llevado hacia atrás, como para hundir con fuerza; para ser válidos, estos movimientos deben ejecutarse a ras de suelo.

44. Tumbados de espaldas, con los brazos contra el suelo, levantar alternativamente los pies, con las piernas rígidas, pero sólo algunos centímetros por encima del suelo; con los tobillos extendidos, ningún pie toca nunca el suelo durante el ejercicio; el movimiento debe ser lento para que los músculos abdominales trabajen.

45. Colocarse en posición para efectuar flexiones sobre las manos. Lanzar los pies hacia delante, por entre los brazos y luego lanzarlos hacia atrás. En las posiciones finales, el cuerpo queda rígido.

46. Tumbados de espaldas, con las manos en la nuca, echar los pies hacia atrás y luego, con las piernas siempre extendidas, hacer describir a los pies juntos, un arco de círculo hacia delante; flexionar inmediatamente en la misma dirección, llevando la frente entre las rodillas siempre bloqueadas.

Ejercicios con dos personas

86. De espaldas el uno contra el otro, sujetarse por los codos pasando los brazos por debajo de los del compañero y luego llevar los puños hacia delante a la altura de las caderas.

Ejecutar un movimiento de balanceo: sin flexionar las piernas, cargarse al compañero sobre la espalda, inclinándose hacia delante; volver a enderezarse; el compañero hace otro tanto con nosotros. Estos movimientos se ejecutan muy lentamente, espirando en el momento de la flexión hacia delante e inspirando cuando se está sobre la espalda del adversario con el tronco arqueado (pecho hacia fuera).

87. Con la pierna extendida, colocar el talón sobre el hombro del compañero y luego inclinar el busto sobre esta pierna.

88. Mismo ejercicio, con posición de la pierna en yoko-geri, estando el ángulo del tobillo sobre la nuca del adversario; éste se agacha al principio y luego se levanta lentamente bloqueando nuestra rodilla con sus manos. Luego, sin modificar la disposición del pie levantado (canto del pie paralelo al suelo) inclinarse sobre esta pierna.

89. Se está tumbado boca arriba; el compañero, de rodillas, empuja nuestra pierna extendida contra nuestro pecho (una mano bloquea la rodilla, echándola hacia delante y la otra empuja hacia atrás a nivel del tobillo).

90. Mismo ejercicio que el n.º 40, con rotación del tronco despegado del suelo, elevándolo al máximo.

9

El entrenamiento complementario

En un movimiento de karate son esenciales tres elementos:

- Técnica.
- Velocidad de ejecución.
- Fuerza disponible.

El entrenamiento más racional se dedica por igual a estos tres elementos: al practicar uno de ellos, nunca hay que olvidar a los otros dos. Importa prestar la mayor atención a la velocidad y a la adquisición de una fuerza máxima cuando es todavía posible, es decir, mientras se es joven; con la edad, la técnica y luego la velocidad son los dos factores determinantes, pasando la fuerza a un segundo plano (es decir, la práctica regular, pero sin excesos permite mantener el potencial atlético adquirido anteriormente durante los duros entrenamientos), lo que explica por otra parte que un maestro en karate pueda ser una persona de avanzada edad. Así pues, el karate representa, si se desarrolla la fuerza física progresivamente y de acuerdo con las posibilidades del momento y sin sobrepasarlas sistemáticamente y a ultranza, un medio con el que se puede avanzar durante una vida entera, sobre todo teniendo en cuenta que con su práctica, la mente progresa paralelamente y toma el relevo de un vigor corporal que declina forzosamente con la edad.

En el dojo se da prioridad a la técnica; por la cuestión del posible tiempo que se puede dedicar al entrenamiento, el desarrollo del potencial atlético y de la potencia golpeadora no se persigue regularmente como ocurre en el caso de los entrenamientos locos a los que se someten los universitarios japoneses. Un entrenamiento complementario que tiene lugar fuera de las sesiones de entrenamiento colectivo es necesario para que las técnicas aprendidas en sala no pasen de ser superficiales. Si es exacto que un excelente método de formación atlética general consiste en repetir incansable y enérgicamente las técnicas de base del karate, es indispensable, a partir de cierto nivel, que el karateka no sólo entrene sus extremidades en el aire (ki-hon), sino también con la ayuda de cierto material. El karateka que desee progresar, consagrará pues algunas sesiones a los ejercicios descritos en este capítulo; a menudo se le ofrece esta posibilidad en el dojo, en donde puede entrenarse antes o después de la clase (vale más hacerlo después de la sesión técnica, puesto que una excesiva fatiga preliminar reduciría la actividad muscular y las reacciones nerviosas que se requieren a continuación). Algunos de estos ejercicios a veces son introducidos por el profesor en el programa del curso.

I. — LA DOBLE ORIENTACION DEL ENTRENAMIENTO

A) El desarrollo de la resistencia y de la fuerza

Se sabe que la fatiga muscular proviene del agotamiento de las reservas de elementos energéticos contenidos en las células; este gasto se efectúa mediante modificaciones químicas a nivel de las células y no puede tener lugar sin el oxígeno contenido en la sangre (papel de combustible); resultan una serie de desechos (ácido láctico) que se acumulan en el organismo y frenan así las contracciones musculares con la aparición de la sensación de fatiga. Este ácido láctico sólo puede eliminarse mediante un aporte suplementario de oxígeno al músculo; de esta necesidad surge el jadeo, la respiración acelerada que suele seguir al final de todo esfuerzo hasta el restablecimiento del equilibrio normal.

La finalidad de este tipo de entrenamiento es pues la de aumentar las posibilidades cardíacas y respiratorias para que se restablezca rápidamente el equilibrio entre la formación de desechos en el interior de los músculos y la alimentación indispensable en oxígeno para la oxidación y la absorción de estos desechos o para que, idealmente, este equilibrio se mantenga el mayor tiempo posible. Como la necesidad básica es la de intensificar este caudal circulatorio, se trata de que el cuerpo aumente la potencia y el ritmo de sus contracciones. Para reforzar el miocardio y aumentar la capacidad de los pulmones, todos los *esfuerzos prolongados* son buenos. Un entrenamiento bien dosificado, sin excesos que sistemáticamente lleven al cuerpo hasta el agotamiento, desarrolla la resistencia general del karateka.

B) La busca de la «explosión» energética

Cuando el esfuerzo debe ser muy breve, pero violento, caso habitual en las técnicas del karate (ver la Primera Parte), la producción de energía debe tener lugar sin alimentación del músculo en oxígeno por el hecho mismo de la brevedad de esta movilización. Por ello se requieren reacciones nerviosas extremadamente rápidas (el sistema nervioso debe estar por lo tanto perfectamente tranquilo) y una gran cantidad de elementos dinamógenos de reserva en el músculo que puedan gastarse inmediatamente.

En esta dirección debe enfocarse el entrenamiento del karateka; en vez de los esfuerzos largos hay que preferir los esfuerzos *cortos, pero violentos* (kime), alternando con tipos de relajación relativamente largos. La práctica de los esfuerzos prolongados sólo sirve para aumentar el potencial muscular (aumentando la cantidad de tejidos), lo cual se utilizará rápidamente en el kime, ya que éste debe existir; este potencial será más utilizado que la adquisición de ciertos automatismos mediante la práctica de las técnicas de base permite una mejor e involuntaria selección de los grupos musculares concernidos por un movimiento dado; no resulta pues un ahorro de energía sino una mejor utilización de la totalidad de la misma.

La primera orientación del entrenamiento complementario (mejora de las cualidades atléticas) prepara la segunda que exige esfuerzos cardio-vasculares poco frecuentes y peligrosos para un organismo no preparado.

II. — LA MUSCULACION

El desarrollo de la resistencia general debe hacerse por etapas, sin exageraciones, puesto que toda fatiga excesiva provoca una disminución de la actividad neuro-muscular, o sea un freno en la progresión. Hay que desarrollar igualmente los músculos de flexión (kukkin: para agarrar, tirar) y los músculos de extensión (shinkin: son los más solicitados en el karate, puesto que sirven para golpear).

EL MATERIAL

1. *La makiwara:* Estera o almohadilla para golpear, típica del karate, fabricada con un manojo de rafia o paja de arroz atado con un cordel trenzado con el mismo material.

A) La almohadilla tradicional puede sustituirse por una pieza de goma recubierta por una funda de algodón que se anuda en el poste.

B) Pieza de goma espuma o de goma que sustituye al almohadillado tradicional y que, como la anterior, no provoca excoriaciones en las manos.

Hay que golpear siempre directamente, en el sentido de la flecha negra.

2. *Poste:* con fijación mural.

El poste B lleva la makiwara en su parte superior (o los elementos precedentes A o B) y está sujeto sobre una plancha A; ésta está fija en la pared por su parte superior (D) y por abajo por la pieza de madera C. Los postes son de madera: la pieza B debe poseer cierta elasticidad con el fin de que la makiwara, al ser golpeada con fuerza, retroceda algunos centímetros.

3. *Poste al aire libre.*

Idéntico conjunto de elementos que en el caso anterior, pero el soporte (una vigueta cilíndrica o cuadrada) está hincado en el suelo, con unos cimientos a base de grava o cemento.

4. *Poste sin retroceso.*

Hay que golpearlo potentemente, como para arrancar la vigueta clavada en el suelo (C) mediante dos topes o fijada al piso mediante el soporte B. La makiwara (o un pequeño saco de arena) se coloca en la parte superior.

5. *Poste largo.*

Mientras los modelos anteriores sólo se destinan al entrenamiento de las manos, éste permite, además, golpear con el pie. La tabla, sujetada a la pared con dos travesaños, está recubierta de arriba abajo con un trozo de tatamis (tapiz de judo) forrado de tela; es más ancho que la makiwara tradicional.

6. *Makiwara sobre muelles.*

La almohadilla está embutida en una caja pegada a la pared; al golpearla se hunde en la caja.

7. *Makiwara de mano.*

Se fija un trozo de tatamis sobre una tabla provista de dos

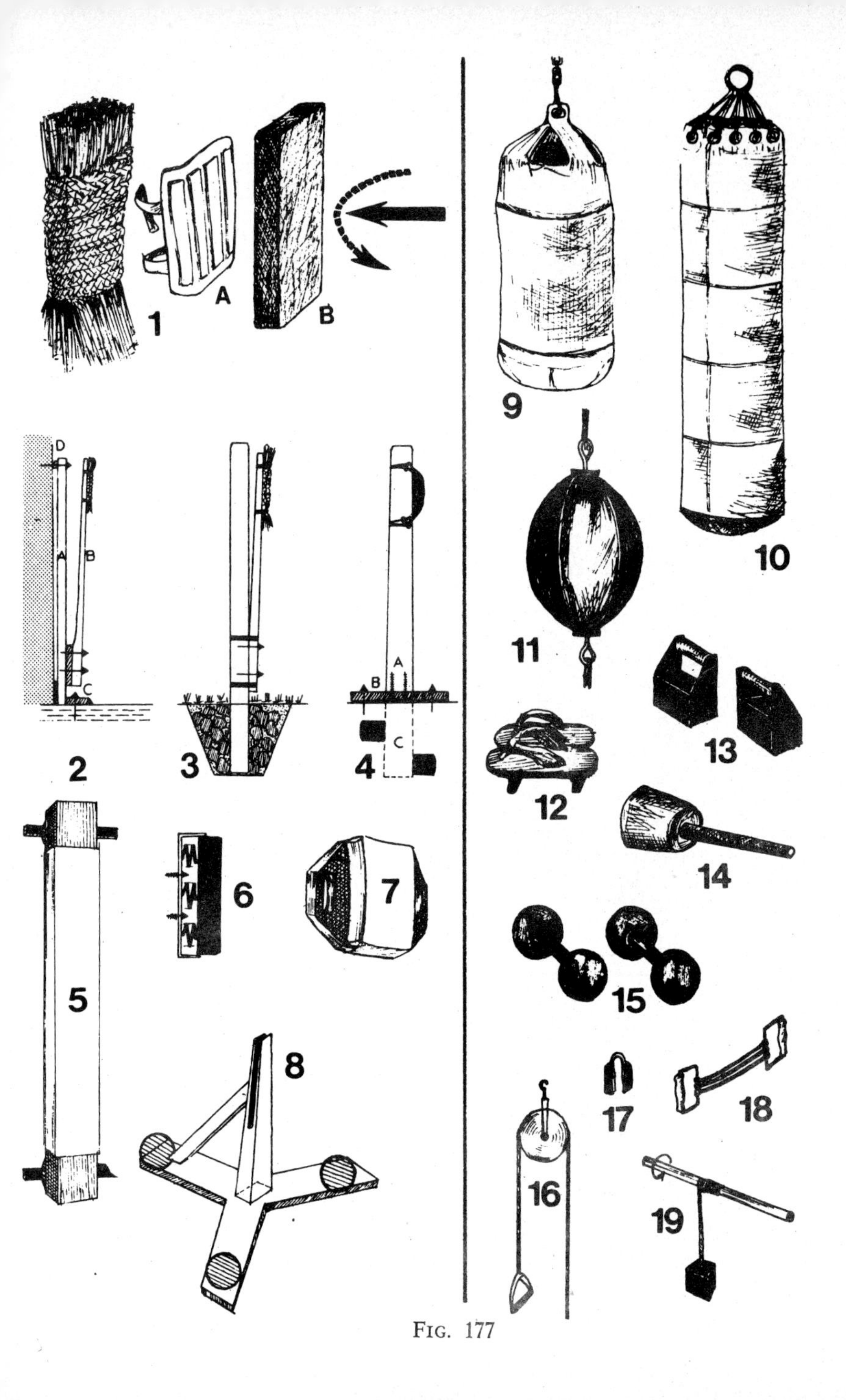

FIG. 177

asas. Un compañero la sostiene mientras el otro golpea contra la makiwara.

8. *Poste.*
Modelo que dispone de una gran base (se pueden fijar los extremos de las patas con pesas). El poste es más grueso en la base y en la parte superior hay una raja vertical para provocar un efecto de muelle cuando se golpea la makiwara.

9. *Saco corto.*
Conteniendo sucesivamente serrín, grano y finalmente arena, es interesante sobre todo para el entrenamiento de los golpes percusores o batidos con el pie y para los golpes con la rodilla o el codo.

10. *Saco largo.*
Modelo más largo y algo más estrecho que el anterior, interesante sobre todo para el estudio de los golpes penetrantes con el pie, saltando, así como para ciertos encadenamientos (pies-puños).

11. *Punching-ball.*
Sostenido por dos cables elásticos o montado sobre un pie, debe poder balancearse a la altura del plexo. Se entrenan con él los golpes con el puño (golpes rígidos y rebotantes) y los golpes con el pie (golpes batidos).

12. *Suelas de plomo (geta)*
Hay que calzarlas para ejecutar los golpes con el pie clásicos, efectuando la contracción total o con la máxima velocidad, con el fin de desarrollar los músculos de las piernas.

13. *Cubos de plomo (chashi).*
Para ejecutar los tsuki y los movimientos de bloqueo con la finalidad de formar una musculatura funcional.

14. *Bloques con mango de hormigón o de piedra.*
Se sostienen con los brazos extendidos para ejecutar movimientos cortantes (uchi-waza).

15. *Pequeñas halteras* (2,5 kg como máximo).
Utilizadas como las dos últimas; efectuar movimientos secos y rápidos.

16. *Polea y estribo.*
Hay que colocarse debajo de la polea e introducir el pie en el estribo; tirar de la cuerda con las manos para forzar al pie, con

la pierna rígida, hacia arriba (en postura mae-geri o koyo-geri).

17. *Dinamómetro.*
Resorte para medir la fuerza de la mano y para desarrollar el músculo de la palma.

18. *Extensor.*
Para los movimientos de musculación general. Hay que forzar siempre los hombros hacia abajo y contraer las axilas.

19. *Polea «Andrieux».*
Se ata un peso a una cuerda que se enrolla alrededor de una barra; sosteniendo la barra por sus extremos, se enrolla y luego se desenrolla el peso manteniendo los brazos extendidos horizontalmente; se desarrolla así la fuerza de los antebrazos y de las muñecas.

A) Desarrollo general y musculación sin material

(Para este apartado habrá que consultar los croquis de la figura 176 bis.)

El cross constituye un excelente ejercicio para ponerse en forma y desarrollar la resistencia general del organismo (respiración).

Todos los movimientos de calentamiento vistos en el capítulo I pueden volver a emprenderse aquí: insistiendo y multiplicando las series, se consigue el fortalecimiento de los músculos afectados por el movimiento. Los ejercicios siguientes son sin embargo más adecuados para el desarrollo muscular:

49. Flexiones de brazos sobre las manos en series de 10 o 20 repeticiones rápidas (el músculo debe ganar elasticidad en vez de hipertrofiarse); hay que bajar la frente hasta el suelo y bloquear los codos al levantarse. Se puede variar el ejercicio ejecutando flexiones de brazos sobre los puños, con el revés de los mismos hacia delante (1: desarrollo de la fuerza de las muñecas), o con los pulgares hacia delante (2), sobre los dedos apenas separados (3), sobre las manos orientadas la una hacia la otra (4), sobre el revés de las manos (5: palmas hacia arriba, con los dedos dirigidos los unos hacia los otros). Igualmente nos podemos apoyar sobre el revés de las manos, con los dedos dirigidos hacia fuera, con los codos bloqueados (6: flexibilización de las muñecas): sin efectuar flexiones, mantenerse en esta postura el mayor tiempo posible.

50. Flexiones en el suelo con rotación del cuerpo de atrás

hacia delante y de delante hacia atrás, actuando los hombros de pivotes (musculación de los brazos y de los hombros).

51. Flexiones abdominales de atrás hacia delante, con las manos en la nuca y las piernas rígidas; la frente viene a tocar las rodillas (musculación abdominal).

52. Tumbados de espaldas, elevar las piernas extendidas y separadas, a unos cincuenta centímetros por encima del suelo; ejecutar pequeños círculos con los pies, de fuera a dentro o de dentro hacia fuera (musculación abdominal).

53. Colocarse en posición para hacer flexiones de brazos sobre los puños, con los pies juntos; andar sobre los puños arrastrando el cuerpo rígido; brazos extendidos.

54. Adoptar la postura final de un chudan-mae-geri-kekomi y luego agacharse in situ flexionando al máximo la pierna apoyada (musculación de las piernas).

55. Tumbarse boca abajo para ejecutar el movimiento de tijeras inverso al n.º 44; las piernas deben permanecer extendidas (musculación de las piernas y de los dorsales).

56. Saltos a la comba (relajación y respiración).

57. El salto de la rana: estando agachados, con las manos en la espalda, saltar hacia delante y arriba (relajación y musculación de las piernas).

58. La marcha del pato: estando agachados, con las manos en la espalda, avanzar sin levantarse ni inclinar el busto hacia delante (musculación de las piernas).

59. Igual movimiento que el n.º 51, pero estando tumbados sobre una superficie inclinada (plancha), con la cabeza en la parte inferior; los tobillos sostenidos por una faja (musculación abdominal).

91. Colocarse en kiba-dachi con un compañero sobre los hombros y permanecer en esta postura el mayor tiempo posible (musculación de las piernas).

92. A partir de la postura anterior, desplazarse lateralmente en kiba-dachi cruzando un pie por delante del otro sin elevar el nivel de las caderas (musculación de las piernas).

93. A partir de la misma postura, ejecutar nami-ashi (musculación de las piernas, velocidad y equilibrio).

94. Tumbado de espaldas, con las manos en la nuca, unir

las piernas con las de un compañero en la misma posición; ejecutar flexiones hacia delante (musculación abdominal).

95. Se está en posición de hacer flexiones de brazos en el suelo (con los brazos rígidos); un compañero nos sostiene por los tobillos; a partir de esta postura, ejecutar series de flexiones (musculación de los brazos); una dificultad suplementaria consiste en ejecutar flexiones con un peso sobre la espalda (por ejemplo un pequeño saco de arena).

B) Desarrollo muscular con cargas adicionales

Se trata de halteras cortas, de barras con discos (clásicas en halterofilia), de chashi, de suelas de plomo (ver dibujos fig. 177), etcétera. Las cargas, sin embargo, no deben ser muy pesadas (de más o menos 2,5 kg para las halteras y de 15 a 20 kg para la barra), debiendo sobrevenir la fatiga muscular, no por su peso excesivo, sino por las *numerosas repeticiones ejecutadas a un ritmo rápido.* Como se indica más arriba, el karateka no debe buscar la hipertrofia del músculo como en el culturismo sino su fuerza de extensión y su resistencia.

Movimientos con materiales diversos

60. Sobre las barras paralelas con las rodillas flexionadas (musculación de los brazos).
61. Movimiento vertical ejecutado con un bastón de grosor desigual; el golpe debe ser rápido (como si se diera con un sable, de arriba abajo después de un gran impulso) y detenerse bruscamente cuando el extremo del bastón llega a la altura del plexo; en este momento poner rígidos los brazos y forzar los hombros hacia abajo y contraer los abdominales.

Movimientos con halteras cortas

62. Movimientos laterales con los brazos extendidos.

63. Movimientos de flexión y extensión de los brazos por encima de la cabeza.

64. Réplica del n.º 19.

65. Flexiones alternas de los antebrazos contra los bíceps, con los codos inmóviles.

66. Balanceo de los brazos extendidos de delante hacia atrás.

67. Mismo movimiento con flexión del tronco hacia delante en el momento de echar los brazos hacia atrás y arriba.

68. Con los brazos extendidos a la altura del plexo, efectuar rotaciones de muñeca.

69-70. El movimiento de los brazos es el mismo que el del n.º 66; agacharse echando los brazos hacia atrás y enderezarse volviéndolos hacia delante.

Movimientos con la barra de discos

71. Movimientos de flexión y de extensión de los brazos por encima de la cabeza.

72. Movimiento de flexión y de extensión de las piernas con la barra mantenida por delante del pecho contra las clavículas.

73. Movimiento de extensión de los brazos por encima de la cabeza y de flexión hacia atrás, pasando la barra por la nuca.

74. Con los brazos extendidos hacia abajo y con la barra contra los muslos, inclinarse hacia atrás.

75. Réplica del n.º 65, pero ambos brazos se flexionan al mismo tiempo.

76. Movimiento de flexión y de extensión de los brazos en posición tumbada.

77-78. Balanceo lateral del tronco en un plano vertical con la barra a la altura del rostro.

79. Movimiento de rotación del tronco inclinado hacia delante con la barra pasando por la nuca.

Movimientos con el saco de arena

80. Con los brazos extendidos por encima de la cabeza, flexión del busto hacia delante.

81. Movimiento de atrás hacia delante del saco, por encima de la cabeza.

82. Con los brazos flexionados por delante del cuerpo, hacer saltar el saco sobre los antebrazos.

83. Con el saco en la nuca, agacharse al máximo sin inclinar el busto.

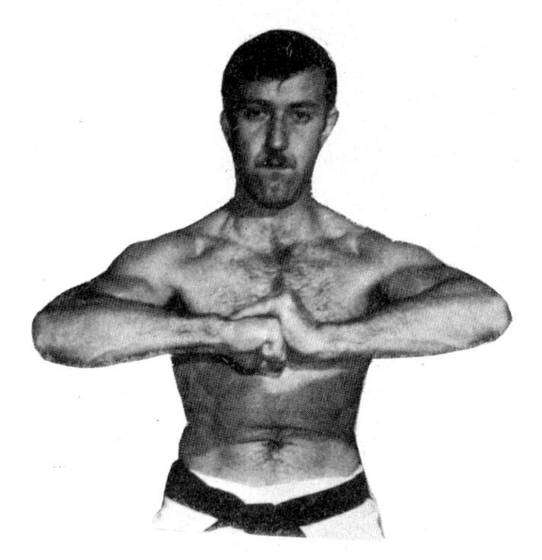

FOTO 241

84. A partir de esta posición, ejecutar el salto de la rana (número 57).

85. Con el saco contra el pecho, lanzarlo bruscamente y en línea recta hacia delante, extendiendo los brazos; forzar los hombros hacia abajo y contraer las axilas.

C) CONTRACCIÓN ISOMÉTRICA

Es una excelente forma de refuerzo muscular basada en la comprobación de que la contracción muscular que se realiza sin encogimiento de las fibras, provoca una tracción más importante sobre sus inserciones. La contracción estática, sin que el gasto muscular se traduzca en un desplazamiento, requiere el concurso de todos los tejidos musculares y el esfuerzo alcanza la máxima intensidad.

Las fotos desde la 241 a la 243 muestran unas contracciones isométricas en unas posturas determinadas; un brazo se encuentra en la posición final de una técnica mientras la mano opuesta representa la resistencia al movimiento bajo la forma de empuje o tracción actuando en sentido opuesto:

— Foto 241: El puño derecho está en kagi-zuki y empuja hacia la izquierda mientras la mano izquierda lo bloquea empujando hacia la derecha.

— Foto 242: El brazo derecho está en age-uke mientras la

mano izquierda, aguantando la muñeca derecha, fuerza al brazo hacia abajo.

— Foto 243: El brazo derecho está en uchi-uke y empuja hacia el lado exterior derecho, mientras la mano izquierda, aguantando a la muñeca derecha, mantiene el brazo echándolo hacia la izquierda.

En todas estas posturas hay que forzar los hombros hacia abajo y contraer al máximo los músculos del cuello, de las axilas, de los brazos y del abdomen; el esfuerzo debe mantenerse durante unos 6 segundos y luego relajarse totalmente durante un minuto como mínimo. Con el mismo principio, son posibles evidentemente otras posturas, que el lector encontrará fácilmente partiendo de los bloqueos de base por ejemplo, siendo siempre lo esencial forzar un miembro en una dirección mientras el miembro opuesto lo impide.

Igualmente se puede aplicar la contracción isométrica al desarrollo muscular de las piernas: colocarse, por ejemplo, en la postura preparatoria de un golpe con el pie, con la rodilla levantada y colocar el pie en el anillo formado por las manos unidas, desplazadas lateralmente, a nivel de la cintura; forzar el pie hacia abajo mientras tiramos con los brazos hacia arriba. Hacer el mismo ejercicio colocándose en yoko-geri o en sokuto: impulsar las caderas en la dirección del golpe reteniendo con fuerza

FOTO 242

FOTO 243

el pie en el anillo formado por las manos; la rodilla debe quedar ligeramente flexionada durante la contracción.

Si este tipo de entrenamiento se efectúa de manera regular, entrecortado por tiempos de descanso completo, los resultados se hacen rápidamente patentes; el esfuerzo cardio-vascular es sin embargo muy importante, por lo que no sería conveniente para un organismo no preparado progresivamente. Así pues, hay que empezar con pequeñas series muy breves.

III. — EL ENDURECIMIENTO

Es indispensable un mínimo de endurecimiento para que las partes del cuerpo destinadas a chocar contra las del adversario estén preparadas para soportar el choque ocasionado en el impacto; constituye igualmente un excelente medio para sincronizar la contracción muscular total con este impacto, transformándose el cuerpo entero en un bloque resistente durante una fracción de segundo (verlo en la Primera Parte).

El endurecimiento puede ser:

— *Defensivo.*

● Los antebrazos deben estar fuertes para poder ejecutar potentes bloqueos. Además de las flexiones de brazos en el suelo, de los ejercicios de musculación con halteras y con el pequeño saco de arena, el ejercicio siguiente desarrolla la resistencia ósea (dibujo n.º 96, fig. 176 bis): frente a un adversario (compañero) extender los brazos hacia delante y formando un ángulo de unos 45° con el tronco; el compañero hace otro tanto por lo que se puede establecer el contacto con las partes internas de los antebrazos; girando el tronco alternativamente a derecha e izquierda alrededor de un eje vertical, golpear secamente contra los antebrazos del compañero que gira al mismo ritmo, pero en sentido contrario. Los antebrazos deben conservar la misma inclinación y la misma separación; contraer los abdominales y las axilas, apretar los puños. Los choques son dolorosos al principio, provocando hematomas; entonces hay que suspender el entrenamiento; con el tiempo este ejercicio llega a ser mucho menos doloroso.

● Es indispensable una fuerte faja abdominal tanto para desarrollar la potencia de las técnicas como para poder soportar los golpes ligeros o medianos que pueden llegar a esta altura durante los saltos libres.

— *Ofensivo.*

Se trata del endurecimiento de las extremidades, de las armas naturales. Señalemos que este endurecimiento no es el origen de la eficacia de los golpes, como ciertas «leyendas» tenaces pretenden hacerlo creer, siendo la velocidad el elemento determinante, pero tiene como finalidad acostumbrar al choque el hueso requerido para la técnica en cuestión y al mismo tiempo forjar la resistencia del cuerpo entero dándole la sensación real del golpe.

Este es el tipo de entrenamiento (absolutamente indispensable para que la técnica no sea floja) que vamos a tratar a continuación; diversos materiales más o menos duros pueden servir como superficies de impacto; dos elementos son particularmente familiares al karateka:

A) El poste (makiwara)

Es el elemento más conocido del karate; su empleo correcto sin embargo, lo es mucho menos. En la fig. 177 están represen tados varios modelos de postes que pueden instalarse en una sala o al aire libre. La parte superior de este poste lleva la makiwara propiamente dicha, o sea la almohadilla para golpear. El poste debe poseer una cierta elasticidad (a menudo suele utilizarse un viejo esquí o una barra semi-rígida) con el fin de que al ser golpeado directamente, el extremo superior registre cierto retroceso; esto da al karateka la sensación correcta de penetración (kime), que no puede conseguir con el solo trabajo de los movimientos en el aire; al mismo tiempo el conjunto de su cuerpo y no solamente el puño como se suele creer, se fortalece y gana estabilidad. Por ello hay que golpear como se hacía en las técnicas de base, con la participación total del cuerpo. Las fotos desde la 244 a la 249 muestran algunos ejercicios con la makiwara:

— Fotos 244 y 245: Gyaku-zuki. Observar la rigidez de la rodilla de la pierna retrasada que impulsa al cuerpo hacia el tsuki, lo bajo que está el hombro del lado del puño golpeador y el hikite del puño opuesto.

— Foto 246: Shuto-uchi ejecutado a partir de la posición final precedente con una rotación de las caderas en sentido inverso que deja al cuerpo de perfil; el puño opuesto va hacia atrás, a punto de golpear con un nuevo gyaku-zuki con una rotación de las caderas hacia delante.

Foto 244

Foto 245

Foto 246

Foto 247

Foto 248

Foto 249

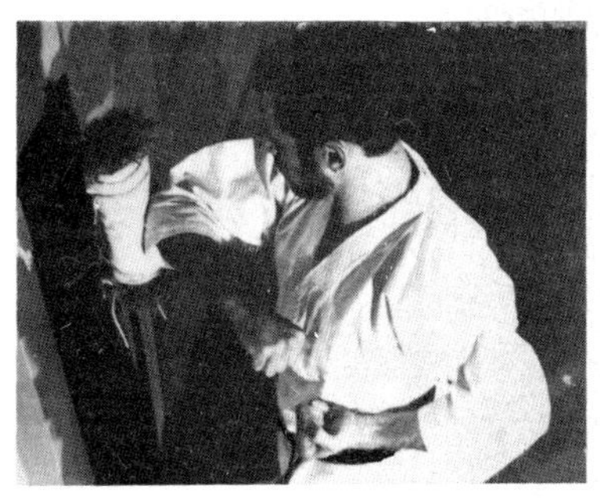

— Foto 247: Haito-uchi ejecutado a partir de kiba-dachi a 45° respecto del eje de los ejercicios anteriores.

— Foto 248: Shuto-uchi de dentro afuera en zen-kutsu.

— Foto 249: Mae-empi-uchi; la técnica es la misma que para el gyaku-zuki, pero hay que estar muy cerca de la makiwara con el fin de no desequilibrarse hacia delante.

Hay que practicar mucho en la makiwara hasta la categoría de primer Dan e incluso de 2.º Dan. Colocarse a una buena distancia, en una postura correcta y concentrarse antes de golpear, fijando la vista sobre la almohadilla a la altura del propio plexo: golpear secamente, no de forma pesada, con una espiración breve y con una voluntad profunda de penetración (la makiwara debe acusar un breve retroceso); mantenerse totalmente relajados durante el golpe; sólo hay que ponerse rígidos en el impacto (kime); no elevar el nivel de las caderas ni inclinarse hacia delante al golpear; golpear «con el vientre», manteniendo el tanden bien fuerte. Pensar en lo que se está haciendo y a cada impacto lanzar la energía mental en la misma dirección, pero a través del blanco. No golpear con una rápida sucesión de movimientos; volver lentamente a la posición inicial y concentrarse antes de golpear otra vez con toda la energía.

Entrenarse regularmente con la makiwara aumentando el número de golpes a medida que el puño o la mano se van formando, que las articulaciones van ganando solidez y el cuerpo entero resistencia.

Golpeando centenares de veces con el puño (kentos), se formarán callosidades a la altura de las articulaciones metacarpofalangianas del índice y del corazón; mediante choques repetidos el hueso incrementa su espesor a nivel del periostio, siguiendo un proceso que comprende tres etapas:

- Formación de nuevas células después de la vascularización del periostio que deja rezumar un líquido nutritivo para las células.

- Transformación progresiva de estas nuevas células en tejidos fibrocartilaginosos.

- Osificación de este tejido fibrocartilaginoso: aparece un abultamiento que es el callo óseo.

La formación de estas callosidades no es sin embargo la finalidad del entrenamiento, sino una de sus consecuencias, y el nivel de un karateka no se mide por la deformación de sus manos. Por otra parte, recientes estudios en el Japón quieren demostrar que el ejercicio prolongado en la makiwara reduce la velocidad de los golpes, por lo que en última instancia perjudica la progresión; por ello a veces se sustituye la makiwara tradicional por una plancha de goma-espuma, menos dura. Sin embargo, la makiwara nos parece una etapa indispensable en la progresión, sin la cual las bases de la técnica no serían muy estables: entre otros, constituye el mejor medio para adquirir la sensación del kime. Nada debe impedirnos, sin embargo, de recubrir la almohadilla con una tela no rugosa para no lastimarse inútilmente las manos, siendo la finalidad la de adquirir fuerza golpeadora y no fabricar unos signos externos de un pseudo-nivel técnico respetable.

B) El saco

El saco es otro instrumento indispensable para la progresión: sólo él puede proporcionar el vigor necesario a las técnicas con el pie. El saco va colgado del techo, llegando su parte inferior a la altura del bajo vientre del karateka puesto en pie; hay que llenarlo con un material cada vez más duro; la mezcla de grano (cereales) y arena representa el mejor relleno; en efecto, la arena pura se comprime y transforma al saco en una roca, lo cual es peligroso para el pie. Si el saco es demasiado ligero (saco redondo) puede sostenerlo un compañero. Golpeando el saco, mejora la estabilidad del cuerpo y se consigue la sensación del kime. Después de haber practicado mucho las técnicas de base, se puede imprimir al saco un ligero movimiento de balanceo e intentar detenerlo mediante golpes de parada o bien ejecutar golpes con el pie, saltando. Siempre hay que golpear con la idea de la penetración: un golpe potente debe hacer mover un saco que colgaba inmóvil.

Si el saco es interesante sobre todo para el entrenamiento de los pies y de las rodillas (es peligroso ejecutar golpes con el pie contra la makiwara debido al peligro de derrapar sobre su pequeña superficie), permite igualmente el entrenamiento de las manos y de los codos; por otra parte es excelente trabajar con el saco los encadenamientos de técnicas con el pie y con la mano. El «punching ball» desarrolla mayormente la velocidad y la precisión; hay que alternar pues los dos tipos de ejercicios, el primero para el desarrollo de las piernas y el segundo para el «timing».

IV. — LOS EJERCICIOS ESPECIALES

Cada vez más los métodos de entrenamiento modernos otorgan la preferencia a los ejercicios que desarrollan la velocidad;

se han vuelto a aplicar ciertos métodos chinos, muy antiguos no obstante, cuya eficacia ha sido comprobada.

Entrenamiento con una vela:

Consiste en encender una vela y colocarla a la altura del plexo sobre un pedestal cualquiera; el ejercicio tiene lugar en una habitación tranquila, sin corriente de aire y a ser posible a oscuras para facilitar la concentración sobre la llama; hay que colocarse con el torso desnudo para que el efecto buscado no sea debido al desplazamiento de aire provocado por la chaqueta del keikogi. Se trata de golpear en choku-zuki en dirección a la llama y detener el golpe a un centímetro del blanco, lo cual efectuado con la suficiente velocidad (no fuerza) y con una gran precisión, apaga la llama; también se puede practicar el hikite, a partir de la posición final del choku-zuki, con el puño a un centímetro de la llama; al retirar el puño, «barrenando» lo suficientemente rápido, se provoca un efecto de succión que apaga la llama. Cuando ya se consigue este resultado, se puede practicar con velas cada vez más gruesas que den llamas cada vez más largas. Igualmente puede conseguirse el mismo efecto con uraken o shuto, así como golpeando en mawashi-geri. El ejercicio desarrolla la velocidad, la precisión y la concentración; por otra parte, los resultados no son positivos hasta que se está bien descansado y psícamente relajado.

Para practicar las esquivas, un excelente entrenamiento en solitario consiste en colgar del techo un pequeño saco de arena que llegue a la altura del propio plexo cuando se está en pie; colocarse en yoi pegado a él e impulsarlo hacia atrás; en cuanto vuelva hacia nosotros, esquivemos para dejarlo pasar; esquivar en el último momento, cuando el saco está a punto de tocarnos. Esquivar más o menos ampliamente golpeando el saco (con el puño o con la palma) cuando pasa a nuestra altura.

Los tests de golpes (tame-shiwari), perfectamente conocidos por los neófitos, puesto que forman parte de las habituales demostraciones del karate, pueden constituir otros ejercicios formativos si se comprenden bien. La fuerza que puede ser liberada por las técnicas del karate, permite, en efecto, romper con la mano o con el pie libre diversos materiales, tales como tablones, tejas, ladrillos o guijarros. Cuando la velocidad es suficiente y cuando el blanco apuntado no registra retroceso en el impacto, el karateka puede conseguir un tsuki, con uraken o shuto, capaz de romper un espesor de madera impresionante (¡de 5 a 10 cm!). Es un test que prueba el que ya se ha adquirido una fuerza golpeadora real a través del entrenamiento; no hay aquí ningún secreto, puesto que se sabe que el efecto del impacto aumenta proporcionalmente con el cuadrado de la energía cinética adquirida por el puño o el pie golpeador. De vez en cuando todo karateka debe someterse a este test que constituye otra prueba de la verdad, junto con el asalto libre. Sin embargo, es más conveniente practicar con tableros de grosor medio (3 o 4 cm), suspendidos sin puntos de apoyo sólidos que no con tableros de grosores impresionantes, pero sólidamente mantenidos por uno o dos compañeros; en efecto, en el segundo ejercicio se tiene tendencia a golpear con fuerza y se reduce insensiblemente el impulso en el impacto, mientras que en el primer caso, se está obligado a golpear extremadamente rápido para romper el tablero antes de que el impacto lo haga retroceder; este test exige una máxima concentración y una correcta coordinación muscular y debería practicarse paralelamente con el entrenamiento de la vela, al cual se parece en cierto modo.

10

Las técnicas encadenadas (renzoku-waza)

El *ki-hon* (hon = fundamental) es el entrenamiento de base al que todo karateka debe someterse con regularidad; por otra parte suele ocupar el mayor tiempo en una clase colectiva en el dojo; las técnicas se ejecutan en el aire, sin contrincante, poniendo cada vez la máxima fuerza y velocidad. Durante la segunda parte del libro se han efectuado numerosas alusiones en el contexto de cada técnica. Este breve capítulo se limitará a proponer una progresión en el trabajo del ki-hon; los consejos para su correcta ejecución ya fueron dados oportunamente.

El ki-hon consiste:

— Ya sea en ejecutar siempre la misma técnica («in situ» o bien moviéndose).
— Ya sea en enlazar diversas técnicas («in situ» o desplazándose).

La base de un correcto ki-hon es el dominio de las posturas, por lo que vamos a tomar aquí dos ejemplos de entrenamiento previo (croquis adjuntos) que pueden añadirse a los ejemplos vistos en el estudio de las posturas (Primera Parte, capítulo II).

— *Figura 178, diagrama A.*
● Colocarse en kiba-dachi, con las manos en las caderas (el centro de gravedad cae en el punto n.º 1).
● Girar el pie izquierdo y pasar a la postura ko-kutsu (el centro de gravedad cae en el punto n.º 2).

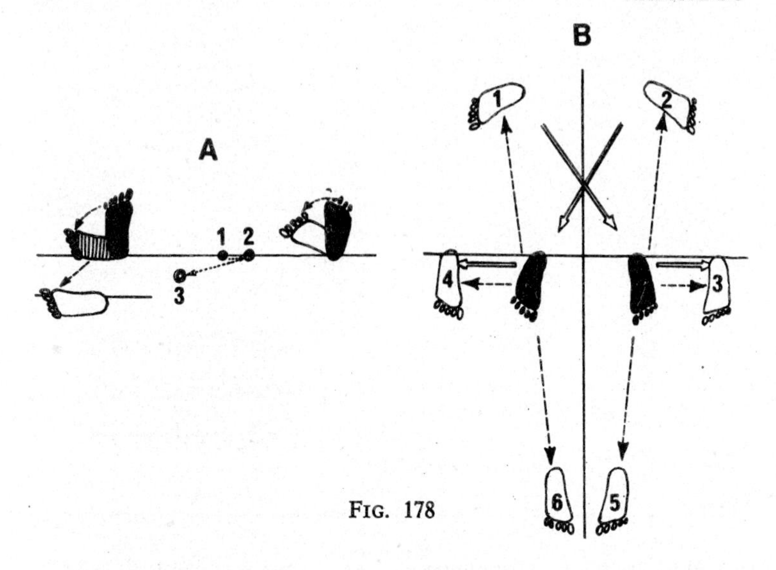

FIG. 178

• Desplazar el pie izquierdo hacia fuera, girar sobre el pie derecho y pasar a la postura zen-kutsu hacia la izquierda (el centro de gravedad cae en el punto n.º 3).
• «In situ» flexionar la pierna retrasada para pasar a la postura fudo-dachi (la vertical vuelve al punto n.º 1).
• Volver a colocar el pie izquierdo sobre la línea de partida y volver a la postura kiba-dachi.
• Ejecutar los mismos cambios de posición hacia la izquierda.

— *Figura 178, diagrama B.*
• Se está en yoi. Se adoptan las tres posiciones de base dejando «in situ» uno de los pies y volviendo cada vez a la postura yoi.
• (1) Retrasar el pie derecho y pasar a la postura ko-kutsu a 45° respecto de la anterior.
• (2) Retrasar el pie izquierdo y pasar a la postura ko-kutsu a 45° con respecto a la anterior.
• (3) Separar el pie izquierdo y pasar a la postura kiba-dachi.
• (4) Separar el pie derecho y pasar a la postura kiba-dachi.
• (5) Adelantar el pie izquierdo y pasar a la postura zen-kutsu hacia delante.
• (6) Adelantar el pie derecho y pasar a la postura zen-kutsu hacia delante.

Efectuar estos cambios con las manos en las caderas y con el abdomen bien fuerte; luego volver a repetir la serie acompañando el desplazamiento de los pies con movimientos de bloqueo en la misma dirección. Este ejercicio desarrolla la fuerza de las caderas y la estabilidad.

A) Las técnicas simples

Han sido estudiadas en la Segunda Parte.

Ejecutar el mismo movimiento avanzando o retrocediendo 5 o 6 veces sobre el mismo eje; una vez se ha llegado al extremo de la pista, se gira sobre sí mismo enérgicamente y se vuelve a empezar en el otro sentido; no hay que despreciar el estudio del retroceso rápido en ko-kutsu (importante para las técnicas de bloqueo, por ejemplo shoto-uke). El interés de los encadenamientos con la misma técnica es el de no exigir esfuerzo de reflexión durante la sucesión; como la mente está más libre, se gana velocidad y fuerza de ejecución. Este tipo de ki-hon es mucho más formativo (tanto para el cuerpo como para el espíritu) que el estudio de los encadenamientos complicados en los que toda concentración de fuerza llega a ser problemática para el principiante.

Ejemplos:

Practicar regularmente, con desplazamientos, las técnicas de base siguientes, efectuando a cada impacto simulado la concentración total, como si se golpeara contra la makiwara o el saco:

Ataques	*Defensas*
oi-zuki	gedan-barai
gyaku-zuki	age-uke
mai-te	shuto-uke
kizami-zuki	ude-uke
tobikonde-oi-zuki	
mae-geri (kekomi y luego keage)	
mawashi-geri	
sokuto	
ura-mawashi	
tobi-geri	

B) Las técnicas combinadas

Hay que enlazar una serie de tres o cuatro movimientos con la máxima velocidad, sin tiempos muertos intermedios; la velocidad, sin embargo, no debe hacer olvidar la postura de la que depende el equilibrio, o sea la fuerza de la técnica; aquí es donde los entrenamientos a los cambios de postura, con desplazamiento, así como los ejercicios de desarrollo de la fuerza de las caderas, consiguen sus frutos; hay que dominar perfectamente los tiempos de contracción y de relajación; el «timing» debe ser perfecto y cada movimiento debe ejecutarse con la misma fuerza. El kime debe ser extremadamente breve para que no exista fase de detención sensible en la sucesión, pero debe acompañar siempre a la técnica. Se trata pues de enlazar primero las técnicas que tomadas aisladamente pueden dominarse bastante bien y de no añadir ni fuerza ni velocidad más que a medida que avanza la progresión, por ejemplo:

— *Sanren-zuki* (tres golpes con el puño): Avanzar en chudan-oi-zuki y luego empalmar «in situ» con un segundo tsuki (jodan-gyaku-zuki) y con un tercero (mai-te-chudan); después de la serie se queda otra vez en oi-zuki por el mismo lado; avanzar para golpear oi-zuki con el puño opuesto, empalmar otros dos tsukis «in situ», etc.

— Intercalar entre dos tsuki un golpe con el pie directo (tal como kette-junzuki o kette-gyaku-zuki): así se puede verificar si el cuerpo permanece estable o si, por el contrario, se pierde demasiado tiempo volviendo a recuperar el equilibrio.

Los encadenamientos más complejos son numerosos: cada uno puede contribuir con su imaginación en este dominio. Estas combinaciones pueden iniciarse de dos maneras:

— Para la defensa: Se ejecutan dos técnicas simultáneamente (una defensa y una réplica), lo que tiene el mérito de ser breve y eficaz si se practica el go-no-sen; así:

• Nagashi-zuki con defensa del brazo opuesto (ver fotos 165 y 166).

• A partir de fudo-dachi, levantar la rodilla adelantada contra el pecho, con una corta rotación de las caderas hacia atrás y colocando el antebrazo en el mismo lado delante del rostro (defensa completa contra un ataque directo); apoyando el pie hacia delante, contraatacar mediante un gyaku-zuki con el puño opuesto.

— Para el ataque: Se combina una serie de ataques con la finalidad de desorganizar la defensa del adversario (como en competición); es aquí donde la concentración de fuerza es más difícil. Deberán consultarse los ejemplos de encadenamientos de base descritos en las fotos de la Terce Parte; entrenarse hasta alcanzar la fase en que ciertos encadenamientos directos y rápidos han llegado a ser actos reflejos.

APENDICES

Kuatsu (técnicas de reanimación)

El *kuatsu* (o *kwappo*) es la ciencia de la reanimación; consiste en un conjunto de métodos japoneses para reanimar casi instantáneamente a una persona que ha perdido el sentido. El kuatsu es una rama del *Seifuku* (arte de «reparar» cualquier accidente que pueda surgir durante la práctica de un arte marcial: luxaciones, fracturas, desmayos, traumatismos). Estos procedimientos, conocidos desde muy antiguo en el Japón e introducidos en Europa con el judo, se mantuvieron secretos durante largos años, siendo tan sólo del dominio de algunos expertos, cinturones negros evidentemente. No ocurre lo mimo hoy en día; una parte del examen para el título de profesor de karate, en Francia, se refiere a las técnicas de reanimación. En efecto, es indispensable que un profesor de karate que enseñe la ciencia de los atemis, verdaderos golpes destructores, conozca igualmente los medios para «reparar» las consecuencias eventuales de una técnica mal controlada en el dojo (golpe, caída); estos casos suelen ser raros pero pueden producirse; entonces hay que reaccionar inmediatamente aplicando al lesionado un procedimiento de reanimación, ya que esperar a que vuelva en sí entraña un riesgo excesivo. No se trata aquí de mencionar todas las técnicas descritas por eminentes especialistas (1); las «operaciones» son muy delicadas

(1) Maurice PHILIPPE: *Seifuku et Kuatsu* (Ed. Judo International, 1967).

Alain VALIN: *Maîtrise et puissance par le judo au sol. Etude des kuatsu* (Ed. Oliven, 1959).

Robert LASSERRE: *Technique secrètes de réanimation* (Ed. Chiron, 1959).

y la aplicación fuera de lugar de ciertos procedimientos puede tener consecuencias desastrosas para el lesionado; sólo vamos a describir algunas técnicas muy útiles cuando se trata de aliviar un fuerte dolor o de *reanimar a una persona en estado de síncope,* y que dan resultados tangibles cuando se trata de síncopes de diversos orígenes.

Los casos de síncope más corrientes en los dojos de karate pueden provenir:

— De un traumatismo torácico (golpe al plexo solar).
— De un traumatismo craneal (caída de cabeza).
— De un choque testicular (golpe al bajo vientre).

Los procedimientos descritos a continuación intentan provocar una acción refleja excitadora de los centros nerviosos, mediante la percusión de zonas que tengan puntos «reflexógenos»; para estas percusiones se utilizan las «armas naturales» ya conocidas por el karateka, especialmente la parte inferior de la palma, las falanges del puño, el canto de la mano, la rodilla y la bola del pie. En general se requieren varias repeticiones; hay que empezar con golpes de débil amplitud (golpear sin demasiado impulso) y poca intensidad (el golpe debe rebotar o «resbalar» sobre el punto elegido), a un ritmo lento; la intensidad debe aumentar progresivamente sin llegar nunca al atemi; puesto que los centros nerviosos son muy frágiles; si el síncope sigue todavía después de una docena de serias tentativas vale más no insistir; lo mejor, entonces, es avisar a un médico; si, por el contrario, el sujeto vuelve en sí, conviene hacerlo respirar profundamente y luego ayudarlo a levantarse suavemente, para que no tenga vértigo.

1.er método: percusión de la 7.a vértebra cervical

El *Sei-kuatsu* es un tratamiento enérgico que da los mejores resultados en todos los casos de pérdida del conocimiento. La zona reflexógena se sitúa entre los omoplatos, concretamente en la apófisis espinosa de la vétebra 7.a cervical (que sobresale a la altura de los hombros cuando se inclina la cabeza hacia delante). Se coloca al sujeto en posición sentada, con la cabeza inclinada hacia delante. Arrodillarse a su lado, a su izquierda, y colocar la mano izquierda sobre su pecho para sostenerlo. Puede golpearse de tres maneras distintas con la mano derecha:

— Percusión (foto 250) con deslizamiento del talón de la palma: colocar la mano a unos diez centímetros del punto clave, con el codo flexionado. Golpear secamente mediante un movimiento oscilante del brazo a partir del hombro, conservando el codo su mismo grado de flexión; en el impacto utilizar el movi-

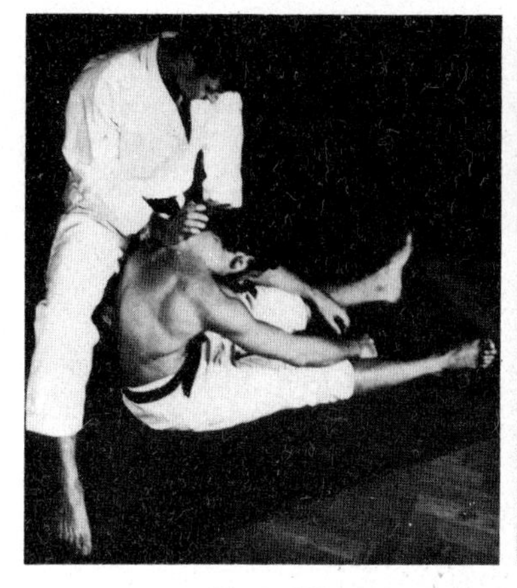

FOTO 250

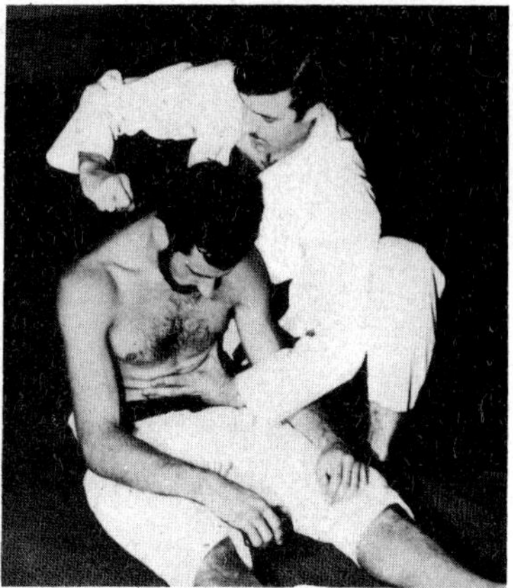

FOTO 251

miento circular del teisho-uke. Golpear oblicuamente hacia arriba, dejando resbalar la mano después del impacto. Volver el brazo a su posición inicial antes de golpear otra vez.

— Percusión con el puño de una sola falange (foto 251): mismo procedimiento, pero se golpea con nakadaka-ippon-ken.

— Percusión con la rodilla: Si los dos métodos anteriores no dan el resultado apetecido, colocarse de pie detrás de la persona desmayada y sostenerla por debajo de los brazos; apoyándose sobre un pie, golpear secamente con la rodilla opuesta (rótula) debajo de la 7.ª vértebra cervical con un movimiento ascendente.

Estas percusiones logran su objetivo, ya sea directamente (dos primeros casos) o bien indirectamente por perturbación general (último caso), de la 7.ª, 6.ª y 5.ª vértebras cervicales. Originan la dilatación de la aorta, la contracción del corazón y el aumento de la presión sanguínea.

2.º método: percusión lumbar

Especialmente recomendada para los traumatismos pelvianos y testiculares; se apunta concretamente a la 3.ª vértebra lumbar, pero como su localización es más difícil, también es eficaz golpear cualquier otra lumbar, puesto que se provoca en el conmocionado un idéntico reflejo.

Se coloca al sujeto en la misma posición que anteriormente. Colocarse de pie detrás suyo y sostenerlo por los hombros;

tomando apoyo sobre un pie golpear mediante un koshi después de haber tomado un impulso no superior a los quince centímetros; la rodilla está ligeramente doblada y el movimiento oscilante de la pierna tiene lugar a partir de la cadera. Cuidado: como el golpe es ya de por sí muy fuerte, no debe contraerse la pierna.

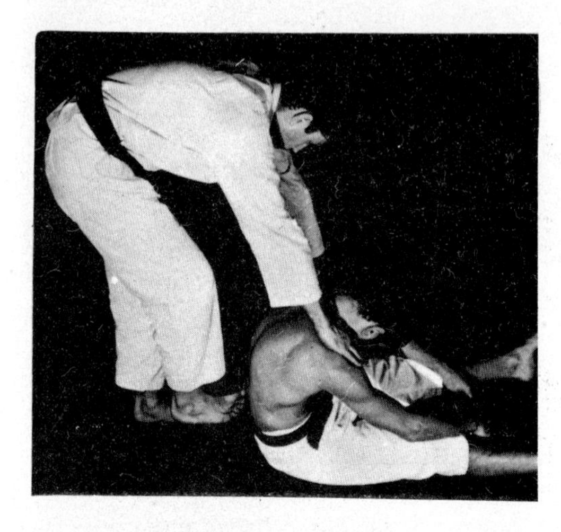

FOTO 252

NOTA. — En los casos de golpes en los testículos, cuando la víctima no se ha desmayado, pero está a punto de desfallecer, hay que sentarla con las piernas extendidas, colocarse detrás suyo y sostenerla por los brazos; levantarla unos veinte centímetros y luego dejarla caer; después de una media docena de golpes, los testículos recuperan su posición (suben cuando se golpean violentamente por debajo, en mae-geri por ejemplo) y se alivia el dolor.

3.er método: percusión inter calcáneo-tarsiana

Se trata de un *Sasoi-kuatsu* particularmente eficaz en los casos de traumatismo testicular. Debe tumbarse de espaldas al paciente. Hay que situarse a la altura de sus pies y agarrar uno de ellos por el talón. Golpear con el puño de una falange (foto 253), secamente, varias veces y con energía contra un punto situado más o menos a la mitad del canto interno del pie (entre el maléolo interno y la articulación metatarso-falangiana del dedo gordo: final de la ciática): también se puede golpear en shuto cuando el punto no puede localizarse con exactitud.

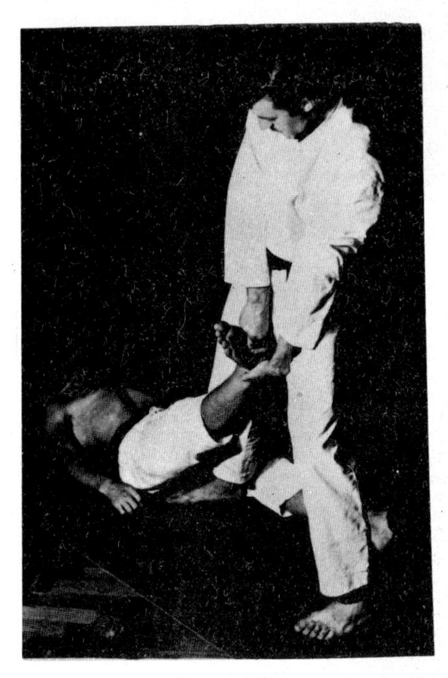

FOTO 253

Todos los kuatsus deben ejecutarse con una total concentración mental, en el momento de la espiración, con una firme voluntad de éxito; un buen kuatsu debe tener lugar con kiai.

Terminemos con algunas indicaciones relativas a la epistaxis (cuando sangra la nariz), accidente relativamente frecuente en todos los deportes de lucha; para detener la sangría pueden utilizarse varios métodos igualmente prácticos:

— Sentar a la víctima e inclinarle la cabeza hacia atrás, colocando la mano izquierda debajo de su barbilla. Darle un masaje con la punta de los dedos de la mano derecha sobre la base del cráneo.

— Colocarse como anteriormente. Relajar sus músculos del cuello haciéndole efectuar lentos movimiento de rotación hacia la derecha y hacia la izquierda, sosteniendo su barbilla con la mano derecha; luego propinar un golpe seco con la mano derecha (palma hacia arriba) a nivel de la primera vértebra cervical, mediante un movimiento ascendente. Cuidado: el retroceso de la mano no debe ser superior a dos centímetros.

— Darle un masaje con la punta de los dedos pulgares sobre los puntos situados encima de sus apófisis zigomáticas (entre el ángulo exterior del ojo y la raíz superior del pabellón de la oreja).

— Colocarle un objeto frío en la nuca o en la espalda.

— Colocarle un trozo de papel secante debajo de la lengua, etc.

Progresión y grados

PROGRAMAS INDICATIVOS PARA LOS KYUS

Estos programas no siguen ningún imperativo, puesto que los grados que van del 9.º kyu (principiante) al 1.º, ambos inclusive, son adjudicados por los profesores; cada uno de ellos es libre de enseñar según una progresión personal, siendo la finalidad la de formar a un alumno apto para presentarse a un examen de cinturón negro que se refiere ya a un programa concreto y que no es ya de su incumbencia. Las siguientes indicaciones proporcionan unas ideas de conjunto útiles para los profesores y que permitirán al alumno adaptarse mejor en su progresión. Los tiempos de práctica no son más que aproximados, puesto que siempre ciertos karatekas están más dotados o pueden dedicar más horas que otros. La frecuencia media es la de dos sesiones semanales de dos horas cada una.

6.º KYU. CINTURÓN BLANCO

Del 9.º al 6.º kyu: 3 meses.
Ataques: oi-zuki, gyaku-zuki, kizami-zuki, tobikomi-zuki, mae-geri, yoko-geri y mawashi-geri.
Defensas: gedan-barai, age-uke, chudan-ude-uke (soto y uchi) y shuto-uke.
Katas: 3 taikyokus, eian-shodan (o pin-an nidan).
Asaltos: gohon-kumite.

5.º KYU. CINTURÓN AMARILLO

Del 6.º al 5.º kyu: 2 meses.
Ataques: jun-zuki-no-tsukkomi, gyaku-zuki-no-tsukkomi, uraken, tettsui, haishu y empi.
Defensas: otoshi-uke y teisho-uke.
Katas: 3 taikyokus, eian-nidan (o pin-an-shodan).
Asaltos: gohon-kumite y sambon kumite.
Debe mejorarse la ejecución de las técnicas exigidas para el 6.º kyu.

4.º KYU. CINTURÓN NARANJA

Del 5.º al 4.º kyu: 2 meses.

Ataques: } Nagashi-zuki, ushiro-geri y ura-mawashi.
Defensas: } Técnicas correspondientes a los tres katas de base.
Katas: 6 taikyokus, eian sandan (o pin-an-sandan).
Asaltos: sambon-kumite e ippon-kumite.
Deben mejorarse las técnicas exigidas para el 5.º kyu.

3.er KYU. CINTURÓN VERDE

Del 4.º al 3.er kyu: de 3 a 6 meses.

Ataques: } Esquivas.
Técnicas correspondientes a los 4 katas de base.
Defensas: } Técnicas combinadas.
Katas: eian yodan (o pin-an yodan).
Asaltos: ippon-kumite, ju-ippon-kumite y competición.
Deben mejorarse las técnicas exigidas para el 4.º kyu.

2.º KYU. CINTURÓN AZUL

Del 3.er al 2.º kyu: 6 meses.

Ataques: } Técnicas correspondientes a los 5 katas de base.
Defensas: } Técnicas combinadas.
Katas: eian godan (o pin-an-godan).
Asaltos: ju-ippon-kumite, ju-kumite y competición.
Deben mejorarse las técnicas exigidas para el 3.er kyu.

1.er KYU. CINTURÓN MARRÓN

Del 2.º al 1.er kyu: 6 meses.

Ataques: } Conocimiento de todas las técnicas de base.
Defensas: } Técnicas combinadas.

Katas: ejecución de los cinco eian (o pin-an) a velocidad de combate.

Asaltos: ju-kumite, entrenamiento encaminado a la competición.

Bibliografía

Las obras dedicadas al karate son hoy en día muy numerosas. Con el fin de que el lector pueda hacerse una idea más precisa del contenido y la orientación de las principales, las hemos clasificado en los grandes estilos.

INICIACION

HABERSETZER, R.: *Aprenda karate por usted mismo* (Ed. Espasa, 1968), 136 fotos: posiciones, técnicas de base, ejemplos de ippon-kumite.

LASSERRE, R.: *Les secrets du karaté-do* (Ed. Chiron, 1957).

LASSERRE, R.: *Karaté-Do* (Ed. Hispano Europea, 1975). Presentación general, ideas de defensa. Ilustraciones a base de dibujos.

MARABOUT-FLASH: *Le karaté* (Ed. Gérard, 1966), 81 fotos de Kase, 7.º Dan. Kata: eian shodan.

MOYSET: *Initiation au karaté* (Ed. Bornemann, 1965), presentación general, técnicas, reglamentos. Ilustraciones a base de dibujos.

PLEE, H. D.: *Vaincre ou mourir* (Ed. Judo International, 1955).

PLEE, H. D.: *A B C du karaté-do* (Ed. Chiron, 1957). Dos fascículos, entre los primeros aparecidos sobre el tema, presentando especialmente el espíritu del karaté marcial; ejemplos de ippon y de sambon-kumite. Ilustraciones a base de dibujos.

ESTILO SHOTOKAN

BARIOLI, C.: *El Karate* (Ed. de Vecchi, 1970).

CHASSAGNY, G.: *Karaté, défense contre attaque.* Libro de defensa personal a base de karate. Fotografías.

DELCOURT, J.: *Técnica del karate* (Ed. Hispano Europea, 1973). Principios y técnicas de base, 5 eian. Ilustraciones a base de dibujos.

GARDINI, F.: *El karate en doce lecciones* (Ed. de Vecchi, 1972).

HABERSETZER, R.: *Le guide marabout du karaté* (Ed. Gérard, 1969), en francés. Más de 300 fotografías. Historia, principios básicos, técnicas, asaltos, defensa personal, zen y karate. Katas: 5 eian, tenno-kata, tekki, kanku, bassai, sanchin y saipa.

KANAZAWA, H.: *Basic karate katas* (P. Crompton, Londres, 1968, en inglés). 510 fotografías ilustrando los katas de eian, jitte, empi, bassai, tekki 1 y 2, hangetsu y sai-kata por uno de los grandes expertos actuales, 6.º Dan.

NAYAKAMA, M.: *Dynamic karate* (J. P. T., 1966, en inglés). Todas las técnicas. Numerosos ejemplos de ippon-kumite. Varios centenares de fotos. Excelente manual práctico.

NAKAYAMA, M. y DRAEGER, D.: *Le karaté pratique* (Tuttle, 1963-64). Tomo I: Las bases. — Tomo II: Contra un agresor no armado. — Tomo III: Contra varios agresores no armados. — Tomo IV: Contra agresores armados. — Tomo V: Karate femenino. Toda la defensa personal ilustrada en fotografías, por el Jefe Instructor de la «All Japan Karate-Do Association», 8.º Dan.

NISHIYAMA, H. y BROWN: *Karate, the art of empty hand fighting* (Ed. Tuttle, 1960, en inglés). Técnicas básicas, ippon-kumite, defensa personal, kata eian-yodan. El primer manual práctico con autoridad, siempre excelente. Junto con el «Dynamic karate» de Nakayama constituye un conjunto completo para las técnicas y los asaltos convencionales. Varios centenares de fotografías.

PLEE, H. D.: *Karaté par l'image* (Ed. Judo International, 1966). Completa presentación del karate por parte de su promotor en Francia. Todos los katas de base en fotografías.

PFLUGER, A.: *Karate, ein fernöstlicher kampfsport* (Falken Verlag, en alemán). Band 1: Grundlagen. Técnicas de base y métodos de entrenamiento, 180 fotos.

ESTILO WADO-RYU

HABERSETZER, R.: *Le karaté, technique wado-ryu* (Ed. Flammarion, 1968), 1.300 dibujos, 13 fotos, 5 katas de pin-an. Todas las técnicas analizadas por la imagen.

MOCHIZUKI, H. y ZIMERMANN, D.: *Le karaté-do* (Sedirep, 1969), 600 fotos del experto japonés más popular en Francia, 5.º Dan, promotor del Wado-ryu en Europa. Técnicas de base.

PAWELZ, P.: *Karate, mit blossen Händen* (en alemán). Pequeña iniciación al Wado-ryu, 140 fotos.

PFLUGER, A.: *Karate, ein fernöstlicher Kampfsport* (Falken Verlag, en alemán). Band 2: Grundtechniken, Katas. Técnicas de base en Wado-ryu, 5 katas de eian, Tekki. 447 fotos, muchas de ellas con Toyama, 5.º Dan.

SUZUKI, T.: *Karate-do* (Pelnam Books, 1967), en inglés; 600 fotos con uno de los mayores expertos, 7.º Dan, Kata kushanku, kihon-kumite, oyo-kumite, competición.

ESTILO KYOKUSHINKAI

BLUMING, J. y KUROSAKI: *Kyokushinkai karaté* (Ed. Sedirep, 1969), en francés; 280 fotos sobre las principales técnicas de base y de ippon-kumite.

LOWE, B.: *Mas Oyama Karate* (Souvenir Press, Londres, 1964, en inglés). Técnicas de base, ippon-kumite, defensa personal, 400 fotos.

OYAMA, M.: *What is karaté?* (Tokyo News C.º, 1958, en inglés). Presentación general —7 katas de base—. Fotos.

OYAMA, M.: *This is karate* (J. P. T., 1965, en inglés). Voluminosa obra con más de 1.500 fotografías sobre todos los aspectos del karate.

OYAMA, M.: *Vital karate* (J. P. T., 1967, en inglés). Resumen más manejable de la obra anterior, pero con las mismas fotos.

OYAMA, M.: *Advance karate* (J. P. T., 1973, en inglés).

ESTILO SHUKOKAI

NAMBU, Y.: *Introduction to modern Combat Karate* (Ed. privada, 1967, en inglés). Pequeño opúsculo presentando los principales ataques y defensas, 71 fotos.

WORLD KARATE UNION: *Karate* (en inglés). Aspecto de conjunto sobre el shukokai, principios, aplicaciones en la lucha.

OTROS ESTILOS

CHO SINAH HENRY: *Korean Karate* (en inglés). Más de 1.000 fotografías ilustrando las técnicas del combate libre.

CHOI-HONG-HI: *Taekwon-do, the art of self defense* (Ed. D. P. G., Corea, en inglés). Obra completa sobre el karate coreano. Más de 1.000 fotos.

Hara HARAKI y Russell KOZUKI: *Kempo self defense*. Movimientos muy parecidos a los del karate clásico aplicados en la defensa. Fotografías.

MATTSON, E.: *The way of karate* (Ed. Tuttle, 1963, en inglés). Presentación de las técnicas de la escuela de Okinawa, uechi-ryu. 500 fotos.

PARKER, E.: *Secrets du karaté chinois* (Ed. Presses de la Cité, 1964, en francés). Interesantes ideas sobre ataques y defensas en ippon-kumite. Ilustraciones a base de dibujos.

SMITH, R. W.: *Pakua, chinese boxing for fitness and self defense.*

SMITH, R. W. y CHENGMAN-CHING: *T'ai-Chi*. Estos dos libros presentan el antiguo estilo chino, practicado aún hoy en día, principalmente para conservar la salud. Fotos.

REVISTAS

Proponemos unas cuantas publicaciones periódicas a los amantes del karate y a los practicantes de las artes marciales japonesas en general.

• EN FRANCES

Budo Magazine Europe (34, rue de la Montagne-Sainte-Geneviève, Paris-5.º).

Revue des arts martiaux (S. E. D. I. R. E. P., 37, rue de la Belle-Feuille, 92-Boulogne-Billancourt).

Kiai (antiguamente «Shukokai»), 18, allée André-Louis, 92-Chatenay-Malabry.

Yokokai (Boletín de la peña «Mochizuki»), 50, rue du Faubourg Saint-Denis, Paris-10.º.

• EN INGLES

Karate Magazine and Oriental Arts. 7, New King's Road, Londres, S.W.6 (Inglaterra).

Karate News. 22, Oak Road, Withington, Manchester 20 (Inglaterra).

Black Belt. 5.650 W. Washington, Los Angeles, Calif. 90.016 (Estados Unidos).

• EN ALEMAN

Internationales Judo und Karate Journal. Verlag Otto Haase oHG 24-Lubeck (Alemania Federal).

FILMS

El estudio de las técnicas mediante films es el procedimiento más interesante; realmente hay múltiples ocasiones para perfeccionarse estudiando los movimientos en cámara lenta. Presentamos aquí una lista de películas en 8 mm (blanco y negro) con la participación de expertos japoneses.*

Le karate, rodada bajo el amparo de la Federación Francesa de Judo y Actividades Afines y del Instituto Nacional de los Deportes de Francia, con Hiroo Mochizuki, 5.º Dan y Consejero técnico de la U. E. K.
Técnicas de base y katas Wado-ryu: 1 bobina.

Les techniques du karaté, por la Federación Japonesa de Karate. Toda la técnica del shotokan con Nakayama, Enoeda, Shirai, Kase, etc., 5 bobinas.
Técnicas de base y 21 katas (5 eian, 3 tekki, 2 bassai, 2 kanku, empi, jitte, chinte, jion, gankaku, hangetsu, sochin, unsu y nijyushiho).

Tout le karaté, por la Federación Japonesa de Karate, con Nakayama, Nishiyama, Ito, Kase, etc. 2 bobinas.
Técnica shotokan, sobre todo defensiva (de pie, de rodillas, varios adversarios, bastón, etc.). Katas: eian-nidan, nijyu-shiho, kanku-sho.

Le karaté-do traditionnel japonais, por la All-Japan-Goju-Kai, con Yamaguchi, Gogen, Shihan. 4 bobinas.
Técnicas Goju-ryu, 10 katas (entre ellos, tensho, saifa, sanseru, seesan y surapunpe).

Karaté universitaire. 1 bobina. Película un poco antigua que nos enseña la vieja técnica Shotokan.

L'entraînement au karaté, por la Nippon-Karate-Kyokai con Ozawa, 5.º Dan. 3 bobinas.

Championnats du Japon de Karaté: Combates y competición de katas durante el VII Campeonato del Japón, en junio de 1963, en Tokio. 1 bobina.

* El primer film lo distribuye Judogi, 107, Bd. Beaumarchais, París-3.º, y los restantes Judo International, 34, rue de la Montagne-Sainte Geneviève, París-5.º.

Vocabulario de términos japoneses

A

AGE. — Ascendente, levantar.
AGE-EMPI. — Golpe ascendente con el codo.
AGE-UKE. — Bloqueo ascendente.
AGE-TSUKI. — Golpe ascendente con el puño.
AORE-GERI. — Golpe con el pie semicircular.
ASHI. — Pie.
ASHIBO-KAKE-UKE. — Bloqueo en gancho con el pie.
ASHIBO-UKE. — Golpe de parada bajo con el pie.
ASHIKATANA. — Sable del pie.
ASHIKUBI. — Tobillo.
ASHIKUBI-KAKE-UKE. — Bloqueo en gancho con el tobillo.
ASHI-NO-URA. — Sable interno del pie.
ASHI-NO-KO. — Golpe con el pie (parte superior del tobillo).
ASHI-NUKITE. — Puya del pie.
ASHI-WAZA. — Técnicas con el pie.
ATE (o ATEMI). — Golpe.
ATE-WAZA. — Técnica de los golpes.
AWASE-ZUKI. — Doble golpe con el puño.
AYUMI-ASHI. — Marcha normal.

B

BARAI (o HARAI). — Barrer.
BARAITE (o HARAITE). — Barrido con la mano.
BARATE-UCHI. — Barrido con la mano.
BARI-BARI-ZUKI.—Dos golpes consecutivos con los puños.
BUDO. — Vía marcial.

C

CHASHI. — Peso.
CHIKA-MA. — Distancia corta.
CHI-MEI (o SHIMEI). — Golpe decisivo, ataque mortal.
CHOKU-ZUKI. — Golpe directo con el puño.
CHUDAN. — Nivel medio.

CHUDAN BARAI. — Bloqueo barrido medio.
CHUI. — Advertencia (arbitraje).
CHUSOKU. — Bola del pie.

D

DACHI (o TACHI). — Postura.
DAN. — Nivel.
DAN-ZUKI. — Golpes sucesivos con el puño a diferentes niveles.
DO. — El «camino».
DOJO. — Lugar en donde se encuentra el «camino»; sala de entrenamiento.

E

EMPI. — Codo.
EMPI-UCHI. — Golpe con el codo.
EMPI-UKE.—Defensa con el codo.
EN-SHO. — Talón.

F

FUDO-DACHI. — Postura de combate.
FUDO-NO-SHISET. — Postura inmóvil con los talones juntos.
FUMIKIRI. — Golpe con el pie (efecto cortante).
FUMIKOMI. — Golpe con el pie (efecto aplastante).
FUMIKOMI-AGE-UKE. — Bloqueo ascendiente, avanzando.
FUMIKOMI-SHUTO-UKE. — Bloqueo con el sable de la mano, avanzando.
FUMIKOMI-SOTO-UKE. — Bloqueo lateral, avanzando.
FUMI-ZUKI. — Golpe aplastante con el puño.
FUMI-WAZA.—Técnicas de «aplastamiento».
FUSEN-CHO. — Victoria por forfait (arbitraje).

G

GAI-WAN. — Canto externo del antebrazo.
GASHI. — Vencedor.
GEDAN. — Nivel bajo.
GEDAN-BARAI. — Bloqueo barrido bajo.
GEDAN-GERI. — Golpe con el pie bajo.
GEDAN-JUJI-UKE. — Bloqueo bajo en cruz.
GEDAN-KAKE-UKE. — Bloqueo bajo en gancho.
GEDAN-UKE. — Parada baja.
GEIKO (o KEIKO). — Entrenamiento.
GERI (o KERI). — Golpe con el pie o con la rodilla.
GERI-WAZA. — Técnicas con las piernas.
GETA. — Sandalias de plomo para la musculación.
GO. — Fuerza o 5.
GOHON. — 5 veces.
GOHON-KUMITE. — Asalto convencional en 5 pasos.
GOJO-RYU. — Escuela de karate.
GO-NO-SEN. — Contraataque ante iniciativa.
GYAKU. — Acción contraria, al revés.
GYAKU-ASHI-AGE-UKE. — Bloqueo ascendente en postura del pie contrario.
GYAKU-ASHI-UDE-UKE.—Bloqueo lateral en postura del pie contrario.
GYAKU-ASHI-GEDAN-BARAI. — Bloqueo bajo en postura del pie contrario.
GYAKU-MAWASHI-GERI.—Golpe circular con el pie de dentro afuera.
GYAKU-ZUKI. — Golpe con el puño contrario.
GYAKU-ZUKI-NO-ASHI. — Postura para el golpe con el puño contrario.
GYAKU-ZUKI-NO-TSUKKOMI. — Golpe con el puño contrario inclinado.
GYAKU-ZUKI-TSUKKOMI-NO-ASHI. — postura para el golpe con el puño contrario.

H

HACHIJI-DACHI. — De pie con los pies separados.
HAISHU. — Dorso de la mano.
HAISHU-UCHI. — Ataque con el dorso de la mano.
HAISHU-UKE. — Bloqueo con el dorso de la mano.
HAISOKU. — Golpe con el pie (parte superior del tobillo).
HAITO. — Sable interno de la mano.
HAITO-UCHI. — Ataque con el sable interno de la mano.
HAIWAN. — Dorso del antebrazo.
HAIWAN-AGASHI-UKE. — Defensa, barriendo, del antebrazo.
HAJIME. — Comenzar (arbitraje).
HAKAITE (o KAITE). — Girar.
HANGETSU-DACHI. — Posición en reloj de arena amplia.
HANMI. — Posición del pecho a ¾.
HANMI-NO-NEKOASHI-DACHI. — Posición hacia atrás con el pecho a ¾.
HANSOKU-GASHI. — Vencedor por descalificación del adversario (arbitraje).
HANSOKU-MAKE. — Perdedor por violación de las reglas (arbitraje).
HANTEI. — Fallo (arbitraje).
HANTEI-GASHI. — Vencedor por decisión (arbitraje).
HARA. — Vientre.
HARAI (o BARAI). — Barrer.
HARAITE (o BARAITE). — Barrido con la mano.
HASAMI. — Tijeras.
HASAMI-ZUKI. — Doble golpe con los puños en tijeras.
HEI-KEN. — Masa de las falanges.
HEI-KEN-UCHI. — Ataque con la masa de las falanges.
HEIKO DACHI. — Postura de espera.
HEIKO-ZUKI. — Doble golpe con los puños paralelos.
HEISOKU-DACHI. — Postura inmóvil con los pies juntos.
HEN-O. — Reflejo.
HIDARI. — Izquierda.
HIDARI-HANMI-NO-KAMAE. — Postura de combate con el pie izquierdo adelantado.
HIDARI-KAMAE. — Golpe con el puño izquierdo a partir de yoi.
HIDARI-SHIZENTAI. — Postura natural con el pie izquierdo adelantado.
HIJI. — Codo.
HIJI-AGE-UCHI. — Golpe ascendente con el codo.
HIJI-ATE. — Golpe con el codo.
HIJI-SURI-UKE. — Bloqueo deslizado sobre el codo.
HIKITE. — Echar la mano hacia atrás.
HIKIWAKE. — Asalto nulo (arbitraje).
HIRA. — Plano.
HIRABASAMI. — Mano en «fauces de tigre».
HIRAKEN. — Puño de 4 falanges.
HIRAKEN-ZUKI. — Ataque directo con el puño de 4 falanges.
HIRA-KOTE. — Dorso del antebrazo cerca de la muñeca.
HIRATE. — Mano plana.
HIRATE-UCHI. — Ataque con la palma de la mano.
HITOSASHIYUBI-IPPON-KEN. — Golpe con el puño de una sola falange.
HITTSUI. — Rodilla.
HITTSUI-GERI. — Golpe con la rodilla.
HITTSUI-UKE. — Defensa con la rodilla.
HIZA. — Rodilla.
HIZAGASHIRA. — Rodilla.
HIZA-GERI. — Golpe con la rodilla.
HIZATSUI. — Martillo de la rodilla.
HON. — Fundamental.
HON-KEN. — Puño fundamental.

I

IBUKI. — Respiración.
ILIMU-UKE. — Defensa arrolladora.
IPPON. — Un punto (en competición).
IPPON-GACHI. — Vencedor por puntos (arbitraje).
IPPON-KEN. — Puño de una falange.
IPPON-KEN-ZUKI. — Ataque con el puño de una falange.
IPPON-KUMITE. — Asalto convencional en un solo paso.
IPPON-NUKITE. — «Puya» de un dedo.
IPPON-TOTE-GYAKU-ZUKI. — Golpe con el puño contrario «in situ».
ITAMI-WAKE. — Asalto nulo por daño involuntario (arbitraje).

J

JIKAN. — Límite del tiempo (arbitraje).
JITSU (o JUTSU). — Técnica.
JIYU-IPPON-KUMITE. — Asalto real en un paso.
JIYU-KUMITE. — Asalto libre y flexible.
JODAN. — Nivel alto.
JODAN-AGE-UKE. — Bloqueo ascendente.
JODAN-JUJI-UKE. — Bloqueo alto en cruz.
JOSOKUTEI. — Bola del pie.
JUJI. — Cruz.
JUJI-UKE. — Bloqueo en cruz.
JUMBI-UNDO (o JUNBI-TAISHO). — Ejercicio de calentamiento.
JUN-ZUKI. — Ataque con el puño en persecución.
JUN-ZUKI-NO-ASHI. — Postura para el ataque en persecución.
JUN-ZUKI-NO-TSUKKOMI. — Ataque en persecución inclinada.
JUN-ZUKI-TSUKKOMI-NO-ASHI. — Postura inclinada para el ataque en persecución.
JYOGAI. — Salirse de los límites (arbitraje).

K

KAGI-ZUKI. — Golpe en gancho con el puño.
KAITE (o HAKAITE). — Girar.
KAISHO. — Mano abierta.
KAKATO. — Talón.
KAKATO-GERI. — Golpe con el talón.
KAKE. — Efectuar un gancho.
KAKE-DACHI. — Postura agachada.
KAKE-SHUTO-UKE. — Bloqueo en gancho con el sable de la mano.
KAKETE. — Mano efectuando un gancho.
KAKE-UKE. — Bloqueo en gancho.
KAKE-WAZA. — Técnica de los ganchos.
KAKIWAKE-UKE. — Bloqueo doble con efecto separador.
KAKUTO. — Dorso de la muñeca doblada.
KAKUTO-UCHI. — Ataque con el dorso de la muñeca doblada.
KAKUTO-UKE. — Bloqueo con el dorso de la muñeca doblada.
KAMAE. — Guardia.
KANSETSU (o KWANSETSU). — Articulación.
KANSETSU-GERI. — Golpe con el pie contra la rodilla.
KANSETSU-WAZA. — Técnicas de luxación.
KARA. — Vacío.
KARATE. — Técnica japonesa de lucha con las manos y pies desnudos.
KARATE-GI. — Prenda de vestir para el entrenamiento del karate.
KARA-ZUKI. — Golpe con el puño directo.
KATA. — Ejercicio de estilo.
KATANA. — Sable.
KATATE-TSUKAMI-UKE. — Bloqueo con agarrón del codo o del hombro.

KAWASHI. — Esquiva.
KEAGE. — Batido, ascendente, percutiente.
KEBANASHI. — Golpe con el pie ascendente.
KEIKO. — Entrenamiento.
KEIKOGI. — Actitud en el entrenamiento.
KEITO. — Base del dedo pulgar.
KEITO-UCHI. — Ataque con la base del dedo pulgar.
KEITO-UKE. — Bloqueo con la base del dedo pulgar.
KEKOMI. — Penetrante, hundiente.
KEMPO. — Boxeo chino.
KENO-HIKU. — Ejercicio de control para golpes con el puño.
KENSE. — Concentración con grito.
KENTOS. — Articulaciones metacarpianas del índice y del corazón.
KENTSUI. — Martillo del puño.
KENTSUI-UCHI. — Ataque con el martillo del puño.
KENTSUI-UKE. — Bloqueo con el martillo del puño.
KERI (o GERI). — Golpe con el pie.
KERIKOMI. — Entrar (en la guardia enemiga) mediante un golpe con el pie.
KERI-UKE-WAZA. — Técnicas de defensa con el pie.
KERI-WAZA. — Técnicas de golpes con el pie.
KETTE. — Golpe con el pie.
KETTE-JUN-ZUKI. — Golpe con el pie y ataque en persecución.
KETTE-GYAKU-ZUKI. — Golpe con el pie y ataque contrario.
KIAI. — Concentración.
KIBA-DACHI. — Postura del jinete.
KIHON. — Entrenamiento fundamental en el vacío.
KIHON-KUMITE. — Asalto de estudio.
KIKEN-GACHI. — Vencedor por abandono (arbitraje).
KIME. — Penetración, decisión.
KIN. — Bajo vientre.
KIN-GERI. — Golpe con el pie contra los genitales.
KI-NO-NAGARE. — Gasto de energía.
KIRI. — Cortante.
KIZAMI-ZUKI. — Golpe con el puño hacia delante.
KO. — Pequeño.
KOBUSCHI. — Puño fundamental.
KOKEN. — Dorso del puño doblado.
KOKEN-UCHI. — Ataque con el dorso del puño doblado.
KOKEN-UKE. — Bloqueo con el dorso del puño doblado.
KOKO. — Boca de tigre.
KOKUTSU-DACHI. — Postura hacia atrás.
KO-MAWASHI-GERI. — Pequeño golpe circular con el pie.
KOSHI. — Diente de tigre.
KOTE. — Zona del antebrazo cerca de la muñeca.
KUATSU. — Técnicas de reanimación.
KUBI-MAWASHI-GERI. — Golpe circular con el tobillo.
KUMADE. — Pata de oso.
KUMADE-UCHI. — Ataque indirecto con la mano en pata de oso.
KUMADE-TSUKI. — Ataque directo con la mano en pata de oso.
KUMITE. — Asalto.
KUTSU. — Postura.
KWAPPO. — Ciencia de la reanimación.
KYO. — Abertura.
KYU. — Clase, rango inferior al Dan.
KYUSHO. — Puntos vitales.

L

LEN-ZUKI (o REN-ZUKI). — Golpes consecutivos con los puños.

M

MA (o MA-AI). — Distancia de combate.

MAE. — De frente.
MAE-ASHI-GERI. — Golpe con el pie adelantado.
MAE-EMPI-UCHI. — Golpe con el codo hacia delante.
MAE-GERI. — Golpe directo con el pie.
MAE-GERI-KEAGE. — Golpe directo ascendente con el pie.
MAE-GERI-KEKOMI. — Golpe directo penetrante con el pie.
MAE-HIJI-ATE. — Golpe con el codo hacia delante.
MAE-KAKATO-GERI. — Golpe directo con el talón.
MAE-SOKUTO-GERI. — Golpe directo con el sable del pie.
MAE-TOBI-GERI. — Golpe directo con el pie, saltando.
MAEUDE-DEAI-OSAE-UKE. — Bloqueo empujando hacia delante.
MAEUDE-HINERI-UKE. — Bloqueo con el antebrazo interno.
MAHANMI-NO-NEKEOASHI-DACHI. — Postura retrasada con el pecho del perfil.
MAI-TE. — Golpe con el puño hacia delante.
MAKIWARA. — Pajote o almohadillado, para entrenarse a golpear.
MANMAE-NO-NEKOASHI-DACHI. — Postura retrasada con el pecho de frente.
MARUKIBISU. — Talón.
MATTE. — Girar.
MAWASHI. — Circular.
MAWASHI-GERI. — Golpe circular con el pie.
MAWASHI-KUBI-GERI.—Patada circular (se golpea con el empeine).
MAWASHI-TOBI-GERI. — Golpe circular con el pie, saltando.
MAWASHI-UCHI. — Golpe circular con el pie.
MAWASHI-ZUKI. — Golpe circular con el puño.
MIJI. — Derecha.
MIKAZUKI-GERI. — Golpe semicircular con el pie.
MIKAZUKI-GERI-UKE. — Bloqueo con el pie en semicírculo.
MIZU-NO-KOKORO. — El espíritu como el agua.
MOROASHI-DACHI. — Postura natural con un pie hacia delante.
MOROTE. — Con dos manos.
MOROTE-SUKUI-UKE. — Doble bloqueo en cuchara.
MOROTE-TSUKAMI-UKE. — Defensa agarrando con las dos manos.
MOROTE-UKE.—Doble defensa con el brazo.
MOROTE-ZUKI. — Doble golpe con el puño.
MU-SHIN. — El espíritu original.
MUSUBI-DACHI. — Postura de espera.

N

NAGASHI. — Barrer.
NAGASHI-UKE. — Bloqueo barrido.
NAGASHI-ZUKI. — Golpe con el puño esquivando.
NAGEASHI. — Proyección con la pierna.
NAGE-WAZA. — Técnicas de proyección.
NAIHANCHI-DACHI. — Posición del jinete.
NAI-WAN. — Canto interno del antebrazo.
NAKADAKA-IPPON-KEN (o NAKAYUBI-IPPON-KEN). — Puño que deja sobresalir una sola falange.
NAMI-ASHI. — Bloqueo ascendente con el pie.
NAOLE. — ¡Alto! (detenerse).
NEKOASHI-DACHI. — Postura del gato (hacia atrás).
NEWAZA. — Técnica en el suelo.
NIDAN-GERI. — Golpe directo con el pie saltando a dos alturas diferentes.
NIHON. — Dos.
NIHON-KEN. — Puño de dos falanges.
NIHON-NUKITE. — Puya de dos dedos.
NI-MAI-GERI.—Golpe directo con

el pie saltando a dos alturas diferentes.
NUKITE. — Puya de la mano.

O

O. — Grande.
OI-ZUKI (o OIE-TSUKI). — Ataque con el puño en persecución.
OKINAWA-TE — Karaté de Okinawa.
O-MAWASHI-GERI. — Gran golpe circular con el pie.
OMOTE-KOTE. — Canto interno del antebrazo cerca de la muñeca.
OSAE. — Inmovilizar; empujar hacia abajo.
OSAE-UKE. — Bloqueo empujando.
OTOSHI. — Empujar hacia abajo.
OTOSHI-EMPI-UCHI. (u OTOSHI-HIJI-ATE). — Golpe con el codo hacia abajo.
OTOSHI-UKE. — Bloqueo empujando hacia abajo con el brazo.
OYAYUBI-IPPON-KEN.—Martillo del pulgar.

R

REI. — Saludo.
REINOJO-DACHI. — Postura en L.
RENZOKU-GERI. — Golpes encadenados con el pie.
RENZOKU-WAZA. — Técnicas encadenadas.
RENZUKI (o LEN-ZUKI). — Golpes consecutivos con el puño.
RIKEN. — Dorso del puño.
RIKEN-UCHI. — Ataque con el dorso del puño.
RITSUREI. — Saludo en pie.
ROPPO. — Desplazamiento cruzado.
RYU. — Escuela, sistema.
RYUTO-KEN. — Puño en «cabeza de dragón».

S

SABAKI. — Esquivar.
SAMBON-KUMITE. — Asalto convencional de tres pasos.
SANCHIN-DACHI. — Postura en reloj de arana.
SANKAKU. — Triángulo.
SANKAKU-TOBI. — Golpe con el pie saltando en los tres ángulos.
SANREN-ZUKI. — Tres golpes consecutivos con el puño.
SEIFUKU. — Técnicas de «rebovtaje».
SEIKEN. — Puño fundamental.
SEIKEN-MAWASHI-UCHI. —
SEIRYUTO. — Base del sable de la mano.
SEIRYUTO-UCHI. — Ataque con la base del sable de la mano.
SEIRYUTO-UKE. — Bloqueo con la base del sable de la mano.
SEISHAN-DACHI. — Postura del jinete en diagonal.
SEMETE. — Asaltante.
SEN. — Iniciativa.
SEN-NO-SEN. — Iniciativa ante iniciativa.
SENSEI. — Profesor, maestro en el dojo.
SHIAI. — Competición arbitrada.
SHIAI-JO. — Superficie de competición.
SHIKKAKU. — Descalificado (arbitraje).
SHIKKAKU-GACHI. — Vencedor por descalificación del adversario (arbitraje).
SHIKO-DACHI. — Postura de sumo.
SHIME-WAZA. — Técnicas de estrangulación.
SHIMEI (o CHI-MEI). — Golpe decisivo, ataque mortal.
SHIWARI (o TAME-SHIWARI).—Test de fuerza.
SHIZEI. — Postura.
SHITA-EMPI. — Golpe descendente con el codo.
SHITO-RYU. — Escuela de karate.
SHITTSUI. — Martillo de la rodilla.
SHIZENTAI.—Postura natural con los pies separados.
SHOBU. — Combate oficial.
SHODAN. — 1.er grado en el cintu-

rón negro.
SHOKEN. — Puño fundamental.
SHOTEI. — Base de la palma.
SHOTEI-UCHI. — Ataque con la palma.
SHOTEI-UKE. — Defensa con la palma.
SHOTOKAI. — Escuela de karatè.
SHOTOKAN. — Escuela de karatè.
SHUBO. — Antebrazo.
SHUKOKAI. — Escuela de karatè.
SHUTO. — Sable de la mano.
SHUTO-BARAI. — Barrido con el sable de la mano.
SHUTO-GEDAN-BARAI. — Barrido alto con el sable de la mano.
SHUTO-JODAN-UKE. — Bloqueo alto con el sable de la mano.
SHUTO-KAKE-UKE. — Bloqueo en gancho con el sable de la mano; golpe circular del sable de la mano contra la clavícula.
SHUTO-SAKOTSU-UCHIKOMI. — Golpe directo del sable de la mano contra la clavícula.
SHUTO-SOTOO-UKE.—Bloqueo exterior con el sable de la mano.
SHUTO-UCHI. — Ataque con el sable de la mano.
SHUTO-UCHI-UKE. — Bloqueo interior-exterior con el sable de la mano.
SHUTO-UKE. — Bloqueo con el sable de la mano.
SHUTSUI. — Martillo del puño.
SHUWAN. — Supèrficie interna del antebrazo.
SOCHIN-DACHI. — Postura de combate.
SOKUMEN-AWASE-UKE. — Bloqueo lateral con las dos manos.
SOKUTEI-MAWASHI-UKE. — Bloqueo circular con la planta del pie.
SOKUTEI-OSAE-UKE.—Bloqueo, empujando, con la planta del pie.
SOKUTO. — Sable del pie; ataque con el sable del pie.
SOKUTO-OSAE-UKE. — Bloqueo, empujando, con el sable del pie.
SOTO. — Exterior.
SOTO-UKE. — Bloqueo del antebrazo exterior-interior.
SUKI. — Abertura (en la defensa adversa).
SUKUI. — Movimiento en cuchara.
SUKUI-UKE. — Defensa en cuchara.
SUMO. — Lucha japonesa.
SUNE. — Tibia.
SURIKONDE. — Paso añadido.
SURIKONDE-MAE-GERI. — Golpe directo con el pie después de un paso añadido.
SURIKONDE-MAWASHI-GERI. — Golpe circular con el pie después de un paso añadido.
SUTEMI.—Abandono, movimiento sacrificio.

T

TACHI (O DACHI). — Postura.
TAI. — Cuerpo.
TAI-SABAKI. — Esquiva.
TANDEN (O SEIKA-TANDEN).—Abdomen.
TAE. — Vertical.
TATE-EMPI-UCHI. — Golpe ascendente con el codo.
TATE-HIJI-ATA. — Golpe ascendente con el codo.
TATE-SEISHAN-DACHI. — Postura de combate.
TATE-SHUTO-UKE. — Bloqueo vertical con el sable de la mano.
TATE-ZUKI. — Golpe vertical con el puño.
TE. — Mano.
TEIJI-DACHI. — Postura en T.
TEISHO. — Base de la palma.
TEISHO-AWASE-UKE. — Bloqueo doble con las palmas.
TEISHO-UCHI. — Ataque circular con la palma.
TEISHO-UKE. — Bloqueo con la palma.
TEISHO-ZUKI. — Ataque directo con la palma.
TEISOKU. — Planta del pie.
TEKATANA. — Sable de la mano.
TEKKI. — Postura del jinete de

hierro.
TEKUBI. — Muñeca.
TEKUBI-KAKE-UKE. — Bloqueo en gancho de la muñeca.
TE-NAGASHI-UKE. — Bloqueo barrido con la mano.
TEN-NO-KATA. — Kata del cielo.
TENSHO. — Técnicas de los ganchos.
TE-OSAE-UKE. — Bloqueo, empujando, con la mano.
TETTSUI. — Martillo de hierro.
TETTSUI-UCHI. — Ataque con el martillo de hierro.
TETTSUI-UKE. — Bloqueo con el martillo de hierro.
TE-WAZA.—Técnicas con la mano.
TOBI. — Saltar.
TOBI-GERI. — Golpe con el pie, saltando.
TOBI-KOMI-ZUKI. — Golpe con el puño saltando hacia el adversario.
TOBIKONDE. — Paso doble.
TOBIKONDE-JUN-ZUKI.—Ataque con el puño, saltando.
TOBIKONDE-MAE-GERI. — Golpe directo con el pie después de un paso doble.
TOBIKONDE-MAWASHI-GERI. — Golpe circular con el pie después de un paso doble.
TOBIZUKI. — Ataque con el puño, saltando.
TOHO. — Mano en fauces de tigre.
TOKUI-WAZA. — Técnica preferida, «especial».
TO-MA. — Distancia larga.
TORI. — El que efectúa la acción (agresor).
TSUGI. — Uno después de otro.
TSUGI-ASHI. — Marcha sucesiva.
TSUKAMI. — Agarrar.
TSUKAMI-UKE.—Defensa con agarrón.
TSUKI (O ZUKI). — Ataque directo con el puño.
TSUKI-NO-KOKORO. — Un espíritu como la luna.
TSUKI-UKE. — Ataque con el puño mediante un golpe de parada.
TSUKI-WAZA. — Técnicas de los ataques directos con el puño.
TSUKKOMI. — Empujar.
TSUMASAKI. — Delante de los dedos de los pies.
TSURUASHI-DACHI.—Postura de la grulla.

U

UCHI. — Indirecto, interior.
UCHI-BARAI. — Barrido de un ataque con la pierna de dentro afuera.
UCHI-HACHIJI-DACHI. — En pie, con los pies hacia el interior.
UCHIKOMI. — Bloqueo «entrando dentro».
UCHI-MA. — Distancia media.
UCHI-UKE. — Bloqueo con el antebrazo de dentro hacia fuera.
UCHI-UKE-GEDAN-BARAI. — Doble bloqueo a los niveles medio y bajo.
UCHI-WAZA. — Técnicas de los ataques indirectos con el puño.
UDE. — Antebrazo.
UDE-UKE. — Bloqueo con el antebrazo.
UKE. — Defensa, bloqueo.
UKE. — El que sufre la acción (defensor).
UKETE. — Defensor.
UKE-WAZA. — Técnicas de defensa.
URA. — Opuesto.
URAKEN. — Dorso del puño.
URAKEN-SHOMEN-UCHI. — Golpe directo con el dorso del puño.
URAKEN-UCHI. — Ataque con el dorso del puño.
URA-KOTE. — Interior del antebrazo cerca de la muñeca.
URA-MAWASHI. — Golpe circular con el pie hacia atrás.
URA-SHUTO. — Sable interno.
URA-TETTSUI. — Martillo del pulgar.
URA-TETTSUI-UCHI. — Ataque con

el martillo del pulgar.

URA-ZUKI. — Golpe con el puño a corta distancia de abajo a arriba.

USHIRO. — Atrás, retraso.

USHIRO-ASHI-GERI. — Golpe con el pie retrasado.

USHIRO-EMPI-UCHI. — Golpe hacia atrás, con el codo.

USHIRO-GERI.—Golpe hacia atrás con el pie.

USHIRO-GERI-KEAGE.—Golpe hacia atrás ascendente con el pie.

USHIRO-GERI-KEKOMI. — Golpe hacia atrás penetrante con el pie.

USHIRO-HIJI-ATE. — Golpe hacia atrás con el codo.

USHIRO-KAKE-GERI.—Golpe en gancho hacia atrás con el pie.

USHIRO-KASUMI-GERI. — Golpe circular con el talón.

USHIRO-MAWASHI-GERI. — Golpe circular hacia atrás con el pie.

W

WA. — Circular.

WADO-RYU. — Escuela de karate.

WAN. — Brazo.

WANTO. — Sable del brazo.

WASHIDE. — Mano en pico de águila.

WAZA. — Técnica.

WAZA-ARI. — Medio punto (arbitraje).

WAZA-ARI-AWASETE-IPPON. — Punto por dos waza-ari (arbitraje).

WAZA-ARI-YUSEI-GASHI. — Vencedor por medio punto (arbitraje).

WAZUKI. — Golpe circular con el puño.

Y

YAKUSOKU-KUMITE. — Asalto convencional.

YAMA. — Montaña.

YAMA-ZUKI. — Golpes con el puño doble (de la montaña).

YAME. — Detenerse, stop.

YASSME. — Relajarse.

YOI. — Prepararse.

YOI-DACHI. — Postura yoi.

YOI-NO-SHIZEI. — Postura yoi.

YOKO. — De lado.

YOKO-EMPI-UCHI. — Golpe lateral con el codo.

YOKO-GERI. — Golpe lateral con el pie.

YOKO-GERI-KEAGE.—Patada lateral ascendente.

YOKO-GERI-KEKOMI. — Patada lateral penetrante.

YOKO-HIJI-ATE. — Golpe lateral con el codo.

YOKO-MAWASHI-EMPI-UCHI. — Golpe circular con el codo.

YOKO-MAWASHI-HIJI-ATE. — Golpe circular con el codo.

YOKO-TOBI-GERI. — Patada lateral de salto.

YONHON-NUKITE. — Puya de 4 dedos.

YUSEI-GACHI. — Vencedor por superioridad (arbitraje).

Z

ZANSHIN. — Espíritu alerta.

ZAREI. — Saludo de rodillas.

ZAZEN. — Posición sentada, de reposo.

ZEN. — Hacia delante; rama del Budismo.

ZENKUTSU-DACHI.—Postura hacia delante.

ZUKI (O TSUKI). — Ataque directo con el puño.

Indice

SEGUNDA PARTE
Las técnicas fundamentales

TERCERA PARTE
Los asaltos

CUARTA PARTE
Los métodos de entrenamiento

APENDICES